CONTOS DE FADAS GRIMM

JACOB & WILHELM

CONTOS DE FADAS GRIMM

GARNIER
DESDE 1844

GARNIER
DESDE 1844

Fundador: **Baptiste-Louis Garnier**

Copyright da tradução e desta edição © 1992 por David Jardim Júnior

Título Original: Grimm Brothers - Jacob Ludwig Karl Grimm e Wilhelm Carl Grimm
Textos originais de domínio público. Reservados todos os direitos desta tradução e produção.

Direitos reservados e protegidos pela lei 9.610 de 19.2.1998.
Nenhuma parte deste livro pode ser reproduzida, arquivada em sistema de busca ou transmitida por qualquer meio, seja ele eletrônico, xérox, gravação ou outros, sem prévia autorização do detentor dos direitos, e não pode circular encadernada ou encapada de maneira distinta daquela em que foi publicada, ou sem que as mesmas condições sejam impostas aos compradores subsequentes.
4ª edição, 5ª impressão em 2022

Presidente: Paulo Roberto Houch
MTB 0083982/SP

Coordenação Editorial: Priscilla Sipans
Coordenação de Arte: Rubens Martim (capa)

Produção editorial: Eliana S. Nogueira
Tradução: David Jardim Júnior
Diagramação: Renato Darim Parisotto

Vendas: Tel.: (11) 3393-7727 (comercial2@editoraonline.com.br)

Impresso no Brasil.
Foi feito o depósito legal.

Dados Internacionais de Catalogação na Publicação (CIP) de acordo com ISBD

G864   Grimm, Jacob, 1785-1863

Contos de fada / Jacob Grimm e Wilhelm Grimm ; tradução David Jardim Júnior. - Belo Horizonte - MG : Garnier, 2021.

384 p. ; 15,5 cm x 23 cm.

Inclui índice.
ISBN: 978-85-7175-125-5

1. Literatura infantojuvenil alemã. 2. Contos de fada. I. Grimm, Wilhelm, 1786-1859. II. Jardim Júnior, David. III. Título. IV. Série.

CDD 808.89982

Direitos reservados à
IBC — Instituto Brasileiro de Cultura LTDA
CNPJ 04.207.648/0001-94
Avenida Juruá, 762 — Alphaville Industrial
CEP. 06455-010 — Barueri/SP
www.editoraonline.com.br

Jacob e Wilhelm Grimm

SUMÁRIO

- **BICHO PELUDO** 11
- **CINDERELA** 15
- **O IRMÃO E A IRMÃ** 21
- **O BANDO DE MALTRAPILHOS** 26
- **O ESTRANHO MÚSICO** 28
- **O ALFAIATEZINHO VALENTE** 31
- **AS VIAGENS DO PEQUENO POLEGAR** 38
- **O VELHO E SEU NETO** 42
- **O POBRE MOLEIRINHO E A GATA** 43
- **O POBRE E O RICO** 46
- **A TERRA DE COCANHA** 50
- **AS TRÊS FIANDEIRAS** 51
- **FREDERICO E CATARINA** 53
- **O REI SAPO OU HENRIQUE DE FERRO** 59
- **O GÊNIO DA GARRAFA** 62
- **A AVE DE OURO** 66
- **O ENIGMA** 72
- **O COELHO E O PORCO-ESPINHO** 75
- **O CÃO E O PARDAL** 78
- **O RATO, O PÁSSARO E O CHOURIÇO** 81
- **O JUDEU ENTRE OS ESPINHOS** 83
- **O PRÍNCIPE QUE NÃO TEMIA COISA ALGUMA** ... 87
- **O LADRÃO-MESTRE** 91
- **O MINGAU** 97
- **JOÃO, O FIEL** 98
- **AS TRÊS LINGUAGENS** 105
- **O LOBO E OS SETE CABRITINHOS** 107
- **AS TRÊS PENAS** 110
- **OS MÚSICOS DE BREMEN** 113
- **OS TRÊS IRMÃOS** 116
- **A MOÇA DOS GANSOS** 118
- **O LADRÃO E O SEU MESTRE** 123
- **O GANSO DE OURO** 125

BERTA, A ESPERTA	129
O NABO	132
OS SETE SUÁBIOS	135
AS MOEDAS-ESTRELAS	138
O URSO E A CARRIÇA	139
OS QUATRO IRMÃOS	142
OS SAPATOS ESTRAGADOS NA DANÇA	146
OS DOZE IRMÃOS	149
O DR. SABE-TUDO	153
OS TRÊS IRMÃOS AFORTUNADOS	155
A BELA ADORMECIDA	157
UM-OLHO, DOIS-OLHOS E TRÊS-OLHOS	160
COMADRE LOBA E O RAPOSO	167
A RAPOSA E O GATO	168
MÃE HILDA	169
O VOADOR	172
JOÃO E MARIA	174
JOÃO COM SORTE	181
A MORTE DA GALINHA NANICA	186
REI BICO-DE-TORDO	188
HISTÓRIA DO JOVEM QUE SAIU PELO MUNDO PARA APRENDER O QUE É O MEDO	192
RAPUNZEL	201
CHAPEUZINHO VERMELHO	204
A ESPERTA GRETEL	207
RUMPELSTILTSKIN	209
BRANCA DE NEVE E ROSA VERMELHA	212
COMO SEIS HOMENS SE ARRANJARAM NO MUNDO	218
BRANCA DE NEVE	223
A MESA MÁGICA, O ASNO DE OURO E O PORRETE ENSACADO	229
O PESCADOR E SUA MULHER	237
O JUNÍPERO	244
OS DOZE CRIADOS PREGUIÇOSOS	252
O NOIVO SALTEADOR	255

O POLEGAR	258
O MANGUAL DO CÉU	263
O DIABO E SUA AVÓ	264
A NOIVA DE VERDADE	267
FERNANDO FIEL E FERNANDO INFIEL	272
OS SETE CORVOS	276
A RAPOSA E OS GANSOS	278
A LUZ AZUL	279
O PRÍNCIPE E A PRINCESA	283
O GATO DE BOTAS	288
O BOM NEGÓCIO	291
A DURAÇÃO DA VIDA	295
O JOVEM GIGANTE	297
O PEQUENO CAMPONÊS	303
O DIABO E OS TRÊS FIOS DE CABELO	308
OS SEIS CRIADOS	313
OS TRÊS HOMENZINHOS DO BOSQUE	319
A ESPERTA FILHA DO CAMPONÊS	323
A MOCHILA, O CHAPÉU E A TROMPA DE CAÇA	326
O CAMARADA LUSTIG	331
DONA SOMBRA	339
MADRINHA MORTE	340
OS DOIS VIAJANTES	343
O FOGÃO DE FERRO	351
A MULHER DOS GANSOS	356
OS PRESENTES DOS ANÕEZINHOS	363
PELE DE URSO	365
PARCERIA DE GATO E RATO	369
OS GNOMOS	371
JORINDA E JORINGEL	374
A FADA DA REPRESA DO MOINHO	376
O ALFAIATE NO CÉU	380
O OSSO QUE CANTA	382

BICHO PELUDO

Era uma vez um rei, cuja esposa tinha os cabelos dourados e era tão bela que não se encontraria em toda a face da Terra uma que se lhe comparasse. E aconteceu que ela ficou gravemente enferma e, sentindo que iria morrer, chamou o rei e disse:

— Se quiseres casar depois da minha morte, escolha uma mulher que seja tão bela quanto sou e que tenha os cabelos dourados como eu tenho. Tens de prometer-me isso.

E, depois de ter o rei prometido, ela fechou os olhos e morreu.

O rei ficou inconsolável durante muito tempo, e não pensou em se casar de novo. Afinal, seus conselheiros disseram:

— Isso não pode ser. O rei terá de se casar de novo, para que tenhamos uma rainha.

E foram, então, despachados mensageiros para todos os rincões em procura de uma noiva tão bela quanto a falecida rainha. Não era possível, porém, encontrar-se uma beleza igual e, ainda se, por acaso se encontrasse, a bela mulher não teria os cabelos cor de ouro tão belos quanto o da defunta. E, assim sendo, os mensageiros voltaram para casa de mãos vazias.

Ora, o rei tinha uma filha, que era tão bela quanto fora sua mãe, e que tinha os cabelos tão dourados quanto os dela. Quando ficou moça, o rei a olhou um dia e viu que ela era o retrato da mãe, e se apaixonou violentamente por ela. E disse aos seus conselheiros:

— Vou casar-me com minha filha, que é o retrato vivo de minha falecida mulher. Do contrário, não posso casar-me, pois não encontrarei outra moça parecida com a defunta rainha.

Os conselheiros ficaram estarrecidos ao ouvirem tal coisa.

— Deus não permite que um pai se case com a própria filha — disseram. — Tal crime acarretaria muitos males, e o reino acabaria arruinado.

A filha ficou ainda mais horrorizada do que os ministros, ao saber da intenção de seu pai. E disse-lhe:

— Antes de satisfazer o teu desejo, tenho de ganhar três vestidos: um dourado como o Sol, outro prateado como a Lua e um brilhante como as estrelas. Além disso, quero um manto, feito de peles de mil animais diferentes, e cada espécie do teu reino tem de dar um pedaço de sua pele para tal fim.

E pensava: "Será de todo impossível conseguir-se o que estou pedindo, e, assim, impedirei que meu pai leve a cabo a sua criminosa intenção".

No entanto, o rei não desistiu de sua sinistra ideia e as mais hábeis tecelãs e costureiras de seu reino foram encarregadas de fazer os três vestidos, um dourado como o Sol, outro prateado como a Lua e o último brilhante como as estrelas, e os seus caçadores tiveram ordem de apanhar todas as espécies de animais do país e tirarem um pedaço de sua pele para fazer um manto com mil espécies diferentes de peles. Afinal, quando o manto ficou pronto, ele o estendeu diante da filha e anunciou:

— O casamento vai ser amanhã.

Vendo que não havia mais esperança de fazer seu pai mudar de ideia, a princesa resolveu fugir. E, de noite, quando todo o mundo já estava dormindo, ela levantou-se e escolheu três coisas de seus valiosos bens: um anel de ouro, uma roca de ouro e um carretel de ouro. Meteu os três vestidos do Sol, da Lua e das estrelas em uma casca de coco, vestiu o manto com peles de todas as espécies de animais e pintou de preto o rosto e as mãos, com fuligem. Depois, encomendou-se a Deus e saiu, caminhando durante toda a noite, até chegar a uma grande floresta. Estava tão cansada, que entrou no oco de uma árvore e adormeceu.

Mesmo depois do amanhecer, continuou dormindo e dormindo continuou quando o Sol já estava bem alto no céu. E aconteceu que um rei estava caçando naquela floresta, que fazia parte dos seus domínios. Ao chegarem perto da tal árvore, os cães farejaram e correram para trás, latindo.

— Vede que espécie de animal os cães farejaram ali — ordenou o rei aos seus caçadores.

Os caçadores obedeceram e voltaram anunciando:

— Um animal esquisitíssimo está deitado no oco da árvore. Nunca vimos antes um animal semelhante. O seu pelo tem mil espécies diferentes. E ele está dormindo.

— Tratai de apanhá-lo vivo — mandou o rei. — Depois o prendam na carruagem, e o levaremos conosco.

Quando os caçadores prenderam a donzela, ela acordou, apavorada, e se pôs a gritar:

— Sou uma pobre coitada, abandonada pelos pais! Tende piedade de mim e levai-me convosco!

E eles replicaram:

— Bicho Peludo, serás útil na cozinha. Vem conosco e poderás limpar as cinzas.

E a puseram na carruagem e levaram-na para o palácio real. Ali lhe mostraram um quartinho escuro, debaixo da escada, e lhe disseram:

— Bicho Peludo, podes ficar e dormir aqui.

Depois, levaram-na para a cozinha, onde ela carregava lenha e água, depenava aves, descascava e picava as verduras, limpava o fogão e fazia todos os trabalhos mais pesados e sujos.

Bicho Peludo ficou muito tempo vivendo daquele modo lamentável. Pobre princesinha tão linda! A que ficaste reduzida! Mas aconteceu que, certo dia, realizou-se uma festa no palácio e ela disse ao cozinheiro:

— Não posso ir um pouquinho lá em cima para ver a festa?

— Está bem, podes ir, mas volte dentro de meia hora, para limpar o fogão — respondeu o cozinheiro.

A princesa pegou então a lamparina, foi para o cubículo onde dormia, tirou o casaco de pele, lavou o rosto e as mãos, limpando a fuligem, abriu a casca de coco e tirou o vestido dourado como o Sol, vestiu-o e foi para a festa. Ao entrar, todos os presentes se afastaram, deslumbrados, para deixá-la passar, convencidos de que uma mulher tão linda e tão elegante só poderia ser filha de um rei.

O rei foi ao seu encontro, deu-lhe a mão e dançou com ela, pensando: "Meus olhos jamais viram uma mulher tão bela!"

Terminada a dança, todos a rodearam e, quando o rei a procurou, ela havia desaparecido. Os guardas postados nas entradas do palácio foram chamados e interrogados, mas nenhum deles vira a misteriosa desconhecida.

A princesa correu para o seu cubículo, tirou rapidamente o vestido, tornou a pintar o rosto e as mãos, cobriu-se com a sua capa e virou de novo o Bicho Peludo. Voltou à cozinha, e ia reiniciar o seu trabalho, quando o cozinheiro lhe disse:

— Deixa para fazer isso amanhã e prepara a sopa do rei para mim. Eu também vou lá em cima um pouquinho, para olhar a festa. Tem cuidado, porém, de não deixar cair algum fio de cabelo na sopa, senão ficarás sem comer.

O cozinheiro retirou-se e a jovem preparou a sopa para o rei, assim como pão da melhor qualidade para acompanhar a sopa, depois correu ao seu cubículo, trouxe o anel de ouro que levara consigo quando fugiu de casa e colocou-o dentro da sopeira.

Terminado o baile, o rei mandou servir a sopa, comeu-a e a achou muito saborosa, mais saborosa do que qualquer outra sopa que provara antes. No fundo da sopeira, porém, encontrou o anel de ouro e não podia imaginar como ele fora parar ali. Ordenou, então que o cozinheiro comparecesse diante dele.

Ao receber tal ordem, o cozinheiro ficou horrorizado e disse a Bicho Peludo:

— Certamente, deixaste cair um fio de cabelo na sopa, e se isso aconteceu mesmo, terás de ser castigada severamente.

Quando ele se apresentou ao rei, este perguntou-lhe quem fizera a sopa.

— Fui eu mesmo, Majestade — respondeu o cozinheiro.

— Não é verdade — retrucou o rei. — A sopa estava muito mais gostosa e feita de uma maneira diferente.

— Confesso que não fui eu que fiz — admitiu o cozinheiro, constrangido. — Foi o Bicho Peludo.

— Pode retirar-se e manda que ele venha aqui — disse o monarca.

Bicho Peludo se apresentou logo, e o rei perguntou-lhe:

— Quem és tu, afinal de contas?

— Sou uma pobre moça, que já não tem pai nem mãe — respondeu a princesa.

— O que fazes no meu palácio? — insistiu o rei.

— Os serviços mais pesados — disse a jovem.

— Onde foi que encontraste o anel que estava na sopa?

— Nada sei a respeito desse anel — afirmou Bicho Peludo.

Assim, o rei nada ficou sabendo e teve de deixar a jovem voltar para a cozinha.

Algum tempo depois, realizou-se outra festa no palácio, e, como na vez anterior, Bicho Peludo pediu ao cozinheiro que a deixasse vê-la.

— Está bem — autorizou o cozinheiro. — Mas trata de voltar dentro de meia hora, para fazer a sopa do rei.

E, como antes, a mocinha correu ao seu cubículo, lavou o rosto e as mãos, vestiu dessa vez, o vestido prateado como a Lua e foi para a festa. E, quando apareceu, mais linda e mais ricamente vestida do que todas as outras, o rei correu ao seu encontro, satisfeitíssimo de tornar a vê-la, e, como o baile estava apenas começando, os dois dançaram juntos por algum tempo. Como da primeira vez, porém, ela desapareceu sem que ninguém percebesse. Correu ao seu cubículo, transformou-se de novo no Bicho Peludo e foi para a cozinha, preparar a sopa do rei. Quando o cozinheiro saiu para também ver a festa, ela pegou a pequena roca de ouro e jogou-a na sopeira.

O rei tomou a sopa e a achou deliciosa. Mais uma vez mandou chamar o cozinheiro que, mais uma vez, teve de confessar que não fora ele que fizera a sopa. O Bicho Peludo tornou a receber ordem de se apresentar ao rei, e tornou a afirmar que nada sabia a respeito da pequena roca de ouro encontrada na sopeira.

E, quando, pela terceira vez realizou-se uma festa, tudo aconteceu como acontecera das duas vezes anteriores.

— És uma feiticeira, Bicho Peludo — disse o cozinheiro. — Sempre pões na sopa algo que faz com que o rei a ache mais saborosa do que a sopa que eu faço.

A jovem, porém, tanto rogou, que o cozinheiro deixou-a sair, desde que regressasse sem falta em meia hora. Dessa vez, ela foi com o vestido que brilhava como as estrelas. E o rei correu ao seu encontro, achando que ela estava ainda mais bela do que antes. E, enquanto estavam dançando, ele, sem que ela percebesse, enfiou-lhe no dedo um anel de ouro e determinou que a dança durasse mais que de costume. Quando a dança acabou, o rei quis impedir que a jovem partisse, segurando-a pela mão, mas ela se desvencilhou e fugiu. Como já estava atrasada, não pôde tirar o vestido, limitando-se a cobri-lo com a capa de peles, e, ao se pintar com a fuligem, deixou de pintar um dedo, devido à pressa excessiva. Chegando à cozinha, teve de preparar a sopa e o pão, como de costume. Quando o rei encontrou o carretel de ouro na sopeira, mandou que Bicho Peludo fosse levada à sua presença, e notou então, que, no dedo que escapara da fuligem, se encontrava o anel que, na véspera, enfiara no dedo da desconhecida durante o baile.

O rei, então, segurou a jovem pelo braço, e ela tentou desvencilhar-se e fugir, mas, com o movimento brusco que fez, a capa de peles entreabriu, deixando ver o vestido brilhante como as estrelas. O Rei arrancou-lhe a capa. Os cabelos cor de ouro se mostraram, então, com todo o seu esplendor e a princesa já não pôde mais se esconder. E, quando limpou o rosto e as mãos da fuligem, ficou mais bela que qualquer outra mulher na face da Terra.

— És minha noiva muito querida e jamais havemos de nos separar! — exclamou o rei.

Dias depois realizou-se o casamento, e os dois viveram felizes por muitos anos.

CINDERELA

Era uma vez um homem muito rico, cuja mulher, tendo adoecido gravemente e sentindo aproximar-se da morte, chamou sua filha única e disse-lhe:

— Minha querida filha, sê sempre boa e piedosa e o bom Deus há de proteger-te sempre, e lá do céu eu acompanharei teus passos e estarei ao teu lado.

E, ditas estas palavras, cerrou os olhos e partiu.

A filha, a partir de então, ia todos os dias chorar no túmulo de sua mãe, e sempre se mostrou boa e piedosa, como sua mãe recomendara. Quando chegou o inverno, a neve espalhou sobre o túmulo um alvo manto e, quando o sol da primavera o desfez, o viúvo já se casara outra vez.

A mulher com quem se casara levou consigo para o seu novo lar duas filhas, muito bonitas, muito louras e de cútis muito clara, mas de corações negros e desapiedados. E a pobre órfã teve de enfrentar uma vida repleta de sofrimentos.

— Essa idiotinha vai ficar na sala conosco? — disseram as duas. — Quem quiser comer, tem que merecer. O lugar dessa idiota é na cozinha.

E as duas malvadas trocaram o belo vestido da órfã por uma roupa velha e rasgada e obrigaram-na a calçar um par de tamancos.

— Vejam como a orgulhosa princesa está vestida! — exclamaram, rindo às gargalhadas.

E levaram-na para a cozinha. Ali, a pobrezinha teve de trabalhar arduamente de manhã à noite, levantando-se antes do amanhecer, carregando água, acendendo o fogo, cozinhando e arrumando tudo. Além disso, as duas irmãs a perseguiam de todas as maneiras: zombavam dela, jogavam na cinza o feijão e as lentilhas que ela estava preparando para cozinhar, obrigando-a assim a catar os grãos, trabalhosamente. À noite, quando a infeliz já não se aguentava de cansaço, não permitiam que ela deitasse na cama: tinha de dormir na cozinha mesmo, no meio das cinzas. E, como vivia sempre no meio das cinzas, puseram-lhe o apelido de Cinderela, isto é, borralheira.

E aconteceu que, tendo o pai de Cinderela de fazer uma viagem, perguntou às enteadas o que queriam que lhes trouxesse.

— Lindos vestidos — disse uma.

— Pérolas e pedras preciosas — disse a outra.

— E tu, Cinderela? — perguntou o homem. — O que queres que eu te traga?

— Meu pai, traze-me o primeiro galho de árvore que bater no teu chapéu, quando estiveres voltando para casa — disse a jovem.

O pai de Cinderela comprou, então, belos vestidos e pérolas e pedras preciosas para as enteadas e, quando estava atravessando a cavalo um denso bosque, um galho de aveleira arrancou-lhe o chapéu, e ele o cortou e levou-o consigo. Chegando à sua casa, deu às enteadas o que elas haviam pedido e a Cinderela o galho de aveleira. A jovem agradeceu, plantou a muda no túmulo de sua mãe e chorou tanto, que regou com as lágrimas a muda que plantara. E a muda cresceu e transformou-se em uma linda árvore.

Três vezes por dia, Cinderela costumava ir sentar-se à sombra daquela árvore, para chorar e rezar, e sempre um passarinho ia pousar em um dos ramos e, se Cinderela manifestasse um desejo, ele prontamente a satisfazia.

E aconteceu que o rei do país mandou que se realizasse uma festa com a duração de três dias, para a qual seriam convidadas todas as jovens formosas do país, a fim de que entre elas seu filho escolhesse a sua noiva. Quando as duas enteadas do pai de Cinderela souberam que fariam parte das moças convidadas, ficaram satisfeitíssimas e ordenaram à órfã:

— Penteia os nossos cabelos, limpa os nossos sapatos e abotoa os nossos vestidos, pois vamos ao baile no palácio do rei.

Cinderela obedeceu, mas chorou, pois também queria ir ao baile, e pediu à madrasta para deixá-la ir.

— Tu, ires à festa do palácio do rei, Cinderela? — replicou a madrasta. — Estás doida? Queres ir ao palácio do rei coberta de cinza e poeira como estás? Não tens vestido nem sapato que prestem e queres ir dançar no palácio!

Como, porém, Cinderela insistisse, a madrasta acabou dizendo:

— Esvaziei um prato de lentilhas nas cinzas. Se catares todas as lentilhas dentro de duas horas, poderás ir conosco.

A jovem correu ao jardim, pela porta dos fundos, e gritou:

— Vós, pombos mansos, vós rolinhas, e vós, todas as aves do ar, vinde ajudar-me a pôr

No prato a lentilha boa,
Na cinza a lentilha à-toa.

Poucos momentos depois entraram as duas pombas pela janela da cozinha e logo atrás vieram as rolas e depois as aves do céu e diligentemente se puseram a catar no meio das cinzas e colocar no prato as lentilhas. Mal passara uma hora, e as aves já haviam acabado a sua tarefa e saíram voando. Muito contente por ter satisfeito a exigência da madrasta, Cinderela correu a procurá-la, levando o prato com lentilhas, certa de que agora poderia ir à festa do palácio. Foi grande a sua decepção, quando a madrasta disse:

— Não podes ir, Cinderela. Não tens roupa decente e não sabes dançar. Todo o mundo iria rir de ti.

Como, porém, a jovem começasse a chorar muito, a madrasta disse:

— Se conseguires tirar das cinzas dois pratos de lentilhas em uma hora, irás conosco.

Assim prometeu porque estava certa de que seria de todo impossível para a órfã conseguir tal coisa.

Logo, porém, que a malvada despejou nas cinzas dois pratos de lentilhas, Cinderela saiu pela porta dos fundos e exclamou:

— Vós, pombos mansos, vós rolinhas e vós, todas as aves do céu, vinde ajudar-me a pôr

No prato a lentilha boa,
Na cinza a lentilha à-toa.

E poucos momentos depois entraram duas pombas pela janela da cozinha e logo atrás vieram as rolas e depois as aves do céu e diligentemente se puseram a catar no meio das cinzas e colocar no prato as lentilhas. Mal passara meia hora, e as aves já haviam acabado a sua tarefa e saíram voando. Muito satisfeita, Cinderela correu a levar para a madrasta o prato de lentilhas, mas a malvada mulher disse-lhe brutalmente:

— Tudo isso não adianta. Não podes ir conosco porque não tens vestido nem sapatos e não sabes dançar. Irias nos envergonhar.

E, tendo dito, virou as costas e saiu com as duas filhas.

Como não havia pessoa alguma em casa, Cinderela foi ao túmulo de sua mãe e, debaixo da aveleira gritou:

Sacode os ramos e faze assim
Que ouro e prata caiam em mim.

E, sem demora, uma ave lançou-lhe do alto um vestido enfeitado de ouro e prata e sapatinhos bordados de seda e prata. Cinderela vestiu-se e calçou os sapatinhos rapidamente e foi para a festa no palácio. A madrasta e suas malvadas filhas não a reconheceram e pensaram que fosse uma princesa estrangeira, tão bela e tão ricamente vestida estava. Jamais poderiam supor que aquela linda moça fosse Cinderela, que julgavam estar suja e esfarrapada, na cozinha, catando lentilhas na cinza.

O príncipe aproximou-se dela, tomou-a pela mão e convidou-a para dançar. E não dançou com nenhuma outra moça, e, quando algum cavalheiro tentava tirá-la para dançar, o príncipe não permitia, dizendo:

— Ela é o meu par.

Cinderela dançou até a noite e então, quis voltar para casa.

— Irei contigo para fazer-te companhia — disse o príncipe, que queria saber de onde a moça viera.

Ao se aproximar da casa, porém, Cinderela escapou-lhe e pulou para o pombal. O filho do rei esperou até o pai da jovem chegar e contou-lhe que uma mulher desconhecida pulara no pombal.

"Será Cinderela?", pensou o velho.

Mandou, então, buscar um machado e uma picareta para derrubar o pombal, que, porém, estava vazio. E, quando a família voltou para casa, encontrou Cinderela no meio da cinza, com seu vestido sujo e velho, iluminada por uma pequena lamparina. Com efeito, a órfã saíra rapidamente de trás do pombal e correra até a aveleira, onde deixou sobre o túmulo de sua mãe sua bela vestimenta, de onde a ave levou-a para longe. E, dali, Cinderela voltara à cozinha.

No dia seguinte, continuou a festa, e a madrasta e suas filhas foram mais uma vez ao palácio do rei. De novo Cinderela procurou a aveleira e disse:

Sacode os ramos e faze assim
Que ouro e prata caiam em mim.

Então, a ave deixou cair um vestido muito mais bonito do que o da véspera. E quando Cinderela apareceu com ele no palácio do rei, todos ficaram admirados com a sua beleza. O príncipe tinha esperado até que ela aparecesse e tomou-a pela mão, dançando apenas com ela o tempo todo. E quando outros queriam tirá-la para dançar, ele não permitia, dizendo:

— Ela é o meu par.

Quando anoiteceu e ela quis se retirar, o filho do rei a seguiu, para ver em que casa ela iria entrar. Mas ela correu dele para o quintal atrás da casa. Ali havia uma linda pereira, muito alta e carregada de frutas. Cinderela trepou na árvore com uma agilidade de esquilo, e escondeu-se entre os seus galhos.

O príncipe esperou até o pai da jovem aparecer e disse-lhe:

— A linda desconhecida fugiu de mim e creio que subiu na pereira.

"Será Cinderela?" pensou o velho.

Mandou, então, buscar um machado e derrubou a árvore, mas não havia ninguém entre os seus ramos.

E, quando a família entrou em casa, encontrou Cinderela na cozinha, junto da cinza, suja e mal vestida, como sempre. A órfã havia pulado para o outro lado da pereira e deixado o vestido embaixo da aveleira e vestido os seus velhos trapos, como na véspera.

No terceiro dia, quando a madrasta e as enteadas saíram para a festa, mais uma vez Cinderela foi ao túmulo da mãe e pediu à aveleira:

Sacode os ramos e faze assim
Que ouro e prata caiam em mim.

A ave deixou então cair um vestido muito mais luxuoso e mais lindo que o da véspera, e um par de sapatinhos de ouro. E, quando ela apareceu na festa tão linda e ricamente vestida, todos ficaram boquiabertos de admiração. O filho do rei dançou somente com ela e se algum cavalheiro a convidava para dançar, ele impedia, dizendo:

— Ela é o meu par.

Quando anoiteceu, Cinderela, apesar dos esforços do príncipe para retê-la conseguiu fugir sem que ele a pudesse seguir. Ele, porém, lançara mão de um ardil, mandando passar pez na escadaria. O sapato do pé esquerdo de Cinderela ficou, então, preso no degrau quando ela fugiu.

O príncipe apanhou o sapato, que era muito pequeno e muito bonito, bem digno do pezinho que o calçara.

Na manhã do dia seguinte, o príncipe procurou seu pai e disse-lhe:

— Só me casarei com uma moça cujo pé couber neste sapatinho dourado.

As duas enteadas do pai de Cinderela ficaram satisfeitas quando souberam disso, pois tinham pés bonitos. A mais velha levou o sapatinho para o quarto e tentou calçá-lo, mas o seu dedo grande não se acomodava dentro dele: o sapato era pequeno demais para seu pé.

A madrasta de Cinderela foi, então, buscar uma faca e disse à filha:

— Corte o dedo. Quando fores a rainha, não precisarás mais andar à pé.

A moça cortou o dedo grande, conseguiu calçar e, mesmo sentindo muita dor, se apresentou ao filho do rei, que, recebendo-a como noiva, colocou-a em seu cavalo e partiu levando-a. Tiveram, contudo, de passar pelo túmulo da mãe de Cinderela, e lá dois pombos pousaram na aveleira e cantaram:

> *Há sangue dentro do sapato,*
> *Repara bem, repara bem.*
> *Um pé bem grande, um desacato!*
> *Outra é a noiva que te convém.*

O príncipe olhou e viu o sangue saindo para fora do sapato. Fez o cavalo dar meia-volta e levou para casa a falsa noiva. Mandou então que a outra irmã calçasse o sapato. A segunda irmã foi para o quarto e enfiou com facilidade os dedos do pé no sapato, mas o calcanhar não coube. A mãe foi, então buscar uma faca e aconselhou à filha:

— Corta um pedaço do calcanhar. Quando fores rainha não precisarás mais andar à pé.

A moça conseguiu calçar e, mesmo sentindo uma dor fortíssima, apresentou-se ao príncipe, que a levou no cavalo, como sua noiva. Quando passaram pela aveleira do túmulo, os dois pombos pousaram na árvore e cantaram:

Há sangue dentro do sapato,
Repara bem, repara bem.
Um pé bem grande, um desacato!
Outra é a noiva que te convém.

O príncipe olhou e viu o sangue saindo para fora do sapato. Fez então o cavalo dar meia-volta, e devolveu a moça à família.

— Não é esta a que eu quero — disse. — Não tens outra filha?

— Não — disse o velho. — Só há uma pobre coitada, suja e maltrapilha, que minha primeira mulher deixou, mas não é possível que ela seja a noiva.

O príncipe insistiu para que a mandassem chamar, mas a madrasta observou:

— Ela é muito suja, não pode aparecer!

Diante, porém, da exigência do príncipe, Cinderela teve de aparecer. Primeiro, ela lavou as mãos e o rosto, depois se apresentou ao filho do Rei, que lhe entregou o sapato dourado. Ela se sentou em um tamborete, tirou do pé o tamanco e calçou o sapatinho dourado, com a maior facilidade. E, quando se levantou, e o príncipe encarou-a, reconheceu a linda moça que dançara com ele e exclamou:

— Esta é a noiva verdadeira!

A madrasta e suas filhas empalideceram de espanto e de ódio. O príncipe pôs a órfã em seu cavalo e partiu, levando-a.

Quando passaram em frente da aveleira, os dois pombos cantaram:

Não há mais sangue dentro do sapato,
Repara bem, repara bem.
Um pé pequeno! Agora é um fato.
É esta a noiva que te convém.

E, depois, desceram voando e pousaram no ombro de Cinderela, um à direita e o outro à esquerda, e ali ficaram.

Quando foi celebrado o casamento da jovem com o príncipe, as duas malvadas irmãs compareceram, dispostas a adularem Cinderela, a fim de gozarem de sua amizade e tirarem vantagem disso. Quando o casal de noivos entrou na igreja, a irmã mais velha se colocou à sua direita e a mais moça à sua esquerda, e os pombos arrancaram um olho de cada uma delas. Quando os noivos voltaram do altar, a irmã mais velha ficou à esquerda e a mais moça à direita, e os pombos arrancaram outro olho de cada uma. E, assim, as duas irmãs foram castigadas por sua perversidade, ficando cegas o resto da vida.

O IRMÃO E A IRMÃ

O irmãozinho segurou a irmã pela mão e disse:
— Desde que nossa mãe morreu, nunca mais fomos felizes. Nossa madrasta nos espanca todos os dias e, quando chegamos perto dela, nos expulsa a pontapés. A nossa comida é casca de pão que sobra e é jogada fora. O cachorro come melhor do que nós, pois frequentemente lhe dão um pedaço de carne. O melhor é sairmos desta casa, irmos para bem longe.

E as duas crianças caminharam durante todo o dia, atravessando prados, campos e lugares pedregosos. E quando começou a chover, a irmãzinha disse:
— Meu Deus! O céu e os nossos corações estão chorando juntos.

Ao anoitecer, os dois chegaram a uma grande floresta e estavam tão cansados, tristes e famintos, que deitaram no oco de uma árvore e adormeceram.

No dia seguinte, quando acordaram, o Sol já estava alto no céu e esquentando o oco da árvore.

— Estou com muita sede, minha irmã — disse o menino, então. — Se eu soubesse onde há um córrego por aqui, iria lá beber água. Acho que estou ouvindo o barulho de água correndo.

Levantou-se, então, segurou a irmãzinha pela mão e os dois saíram à procura do regato. A perversa madrasta era, porém, uma feiticeira. Vira quando as duas crianças fugiram de casa e saíra atrás delas, sem ser vista, como é fácil para as feiticeiras, e encantara todos os regatos da floresta.

E, quando os dois encontraram um córrego de águas cristalinas correndo sobre um leito de pedras, e o menino se preparou para matar a sede, sua irmã ouviu uma voz que dizia:
— Quem beber minha água vai virar um tigre! Quem beber minha água vai virar um tigre!

E ela gritou, aflita:
— Por favor, meu irmão, não bebas desta água, senão virarás uma fera e me matarás!

O irmão não bebeu, embora estivesse morto de sede, e disse:
— Vou esperar até a fonte mais próxima.

Quando chegaram ao riacho seguinte, a menina ouviu uma voz que dizia:
— Quem beber minha água vai virar um lobo! Quem beber minha água vai virar um lobo!

— Por favor, meu irmão, não bebas desta água, senão virarás um lobo e me devorarás! — implorou a menina.

O irmão não bebeu, e disse:

— Vou esperar até a próxima fonte, mas, então tenho de beber de qualquer maneira, pois não estou aguentando mais de tanta sede.

E, quando chegaram ao terceiro riacho, a menina ouviu uma voz dizendo:

— Quem beber minha água vai virar um corço! Quem beber minha água vai virar um corço!

E a menina implorou:

— Por favor, meu irmão, não bebas desta água, senão virarás um corço e fugirás para longe de mim!

O irmão, porém, já se ajoelhara junto do córrego tratando de matar a sede devoradora. E, logo que a água tocou os seus lábios, ele se transformou em um corço. A menina chorou muito, lamentando a sorte do desventurado irmão, e o pobre corço chorou também.

— Não chores, pobrezinho — disse a menina. — Jamais hei de te abandonar.

Tirou, então, sua liga dourada e colocou-a em torno do pescoço do corço, depois colheu alguns juncos e com eles teceu uma corda bem macia, que amarrou no pescoço do animalzinho. E levando-o consigo, a menina partiu, penetrando cada vez mais no seio da floresta.

E, depois de terem percorrido uma longa distância, os dois irmãos chegaram a uma casinha; a menina verificou que ela estava vazia e pensou: "Podemos ficar morando aqui."

Colheu, então, folhas e musgo e preparou uma cama para o corço; e todas as manhãs ela colhia frutas e raízes para ela própria e um capim bem macio para o corço, que comia nas suas mãos e brincava em torno dela. À noite, quando se sentia cansada e depois de rezar as suas preces, a menina deitava, apoiando a cabeça nas costas do corço; era um travesseiro bem macio. Em suma: a sua vida poderia ser plenamente satisfatória se o irmão não tivesse perdido a sua forma humana.

Durante algum tempo, os dois viveram sozinhos naquele ermo. Um dia, porém, o rei do país resolveu fazer uma grande caçada na floresta. O som das trompas, os latidos dos cães e os alegres gritos dos caçadores encheram, então, o bosque, excitando muito o corço.

— Deixa-me ver a caçada — disse ele à irmã. — Não posso resistir por mais tempo.

E tanto implorou, que ela afinal acabou concordando, mas recomendou:

— Volta quando anoitecer. Tenho de fechar a porta, porque tenho medo dos caçadores. Deves, portanto, bater na porta e dizer: "Deixa-me entrar, irmãzinha" para que eu fique sabendo que és tu. Do contrário, não abrirei a porta.

O corço saiu então, muito satisfeito de se ver ao ar livre, entre as árvores da floresta. O rei e os caçadores o viram e o perseguiram, mas não conseguiram apanhá-lo: ele desapareceu no meio do mato. E, quando anoiteceu, voltou à cabana, bateu na porta, anunciando:

— Deixa-me entrar, irmãzinha.

A porta se abriu e ele entrou, e passou a noite na cama macia, acolhedora.

No dia seguinte, ao ouvir o soar das trompas, os latidos dos cães e os gritos dos caçadores, o corço não teve, de novo, mais sossego e disse:

— Deixa-me sair, minha irmã.

A irmã abriu a porta, recomendando:

— Volta logo que anoitecer e dize a senha.

Quando o rei e os caçadores tornaram a ver o corço com o colar dourado o perseguiram, mas não conseguiram alcançá-lo. A perseguição durou todo o dia, e ao anoitecer, os caçadores o cercaram e um deles o feriu em um dos pés, mas levemente, fazendo-o coxear e andar devagar. Um dos caçadores correu atrás dele até a cabana e o ouviu dizer:

— Deixa-me entrar, irmãzinha.

E viu a porta sendo aberta, e fechada logo que o corço entrou na casa. O caçador foi contar ao rei o que tinha visto e ouvido.

— Amanhã vamos caçá-lo de novo — disse o rei.

A irmã, porém, ficou apavorada quando viu o corço ferido. Lavou o ferimento, fez uma aplicação de ervas curativas e disse ao animalzinho:

— Agora, vai deitar, para ficares bom de todo.

Na verdade, o ferimento fora tão superficial que, no dia seguinte, o corço não sentia dor ou incômodo algum. E, mais uma vez, quando ouviu os ruídos da caçada, disse:

— Tenho de ir. Não posso resistir a isso. Eles não conseguirão apanhar-me.

A irmã chorou, dizendo:

— Desta vez vão matar-te, e eu ficarei sozinha na floresta, abandonada por todo o mundo. Não te deixarei sair!

— Então, vais me fazer morrer de pesar — disse o corço. — Quando ouço o som das trompas, sinto um desejo irresistível de sair pulando e correndo.

A irmã não pôde negar por mais tempo. Abriu a porta, sentindo um aperto no coração, e o corço, alegre, saltitante, saiu de novo correndo pela floresta.

Quando o viu, o rei disse aos seus caçadores:

— Caçai-o durante todo o dia, até o anoitecer, mas tende cuidado para não feri-lo.

Logo que o sol se pôs, o rei disse ao caçador que seguira o corço até a casa:

— Agora, mostra-me a cabana no bosque.

E, quando lá chegou, o rei bateu na porta e gritou:

— Querida irmã, deixa-me entrar.

A porta se abriu e apareceu a moça mais linda do que qualquer mulher que ele já vira. A jovem se assustou, quando viu que não se tratava do corço, e sim de um homem que trazia uma coroa de ouro na cabeça. O rei, porém, a encarou com uma expressão de bondade no rosto, estendeu-lhe a mão e disse-lhe:

— Queres ir para o palácio comigo e te tornarei a minha esposa muito querida?

— Quero, sim — respondeu a jovem, prontamente. — Mas o corço tem de ir comigo. Não poderei abandoná-lo.

— Ele ficará contigo enquanto viveres e nada lhe faltará — prometeu o rei.

Justamente neste momento, o corço apareceu correndo, e a jovem o amarrou com a corda que havia tecido e puxando-o, deixou a cabana em companhia do rei.

O rei acomodou a moça em seu cavalo e levou-a para o palácio, onde o casamento se realizou com grande pompa. A jovem se tornou rainha, e o casal viveu muito feliz; o corço era muito bem tratado e corria à vontade pelo magnífico parque do palácio.

A perversa madrasta, enquanto isso, estava convencida de que os seus enteados já haviam morrido, a jovem devorada pelas feras da floresta e o irmão abatido por algum caçador. Quando ficou sabendo que os dois estavam vivos e felizes, a sua malvadez e o seu ódio não lhe permitiram ter mais descanso. E só pensava em voltar a persegui-los. A sua própria filha, que era feia como a noite e que só tinha um olho, a censurava constantemente:

— Rainha aquela idiota! Era só o que faltava! Eu é que deveria ter tido esta sorte.

— Tem calma — aconselhava a velha bruxa. — Quando chegar a ocasião, eu estarei alerta.

Tempos depois, a Rainha deu à luz um lindo menino, e aconteceu que, na ocasião, o Rei se achava ausente, participando de uma caçada. Então a velha bruxa assumiu o aspecto de uma criada de quarto, entrou nos aposentos da rainha e disse-lhe:

— Vinde, o banho está pronto. Será muito agradável e vos fortificará. Apressai-vos antes que ele esfrie.

A filha da bruxa acompanhara a mãe ao palácio, e as duas levaram a rainha, fraca como estava, para o banheiro, puseram-na no banho, fecharam a porta e se afastaram de lá. O calor era tão forte, que a jovem rainha ficou sufocada.

A velha levou então a filha para os aposentos da rainha, pôs-lhe na cabeça um gorro noturno e fê-la deitar-se no leito real. Deu-lhe a aparência da rainha, mas apenas não conseguiu esconder a falta de um olho. A fim de que o rei não notasse isso, fez com que a filha se deitasse de lado, escondendo o defeito.

À noite, quando o rei voltou para casa e soube que nascera seu filho, ficou satisfeitíssimo e correu a ver como sua querida esposa estava passando. A velha bruxa, porém, interveio sem demora:

— Majestade, a cortina tem de ficar fechada, pois a rainha ainda não pode ver a luz e precisa descansar.

O rei se retirou, sem saber que era uma falsa rainha que se encontrava no leito. À meia-noite, porém, quando todos dormiam, a ama que se encontrava sentada no berçário, junto do berço do recém-nascido, e era a única pessoa acordada, viu a porta abrir-se e a Rainha entrar, tirar a criancinha do berço, embalá-la e beijá-la. Depois sacudiu o travesseiro, acomodou de novo o menino no berço e cobriu-o. E não se esqueceu do corço: foi até o canto onde ele se achava e acariciou-o. No dia seguinte, a ama perguntou aos guardas se não tinham visto alguém entrar no palácio durante a noite, e eles responderam que não.

A rainha apareceu durante muitas noites, sempre sem dizer uma palavra: a ama sempre a via, mas não se atrevia a falar com pessoa alguma sobre o caso.

Depois de algum tempo, a rainha passou a falar de madrugada, dizendo:

> *Como vais, filhinho amado?*
> *Irmãozinho como vais?*
> *Mais duas vezes voltado*
> *Terei, depois nunca mais.*

A ama nada disse, mas, quando a rainha partiu, procurou o rei e contou-lhe tudo que acontecera.

— O que quer dizer isso, meu Deus? — exclamou o rei. — Amanhã, irei vigiar o menino.

Assim fez. E, à meia-noite, a rainha apareceu e disse:

> *Como vais, filhinho amado?*
> *Irmãozinho como vais?*
> *Mais uma só vez voltado*
> *Terei, depois nunca mais.*

O rei não se atreveu a lhe dirigir a palavra antes que ela desaparecesse, mas na noite seguinte ele velou de novo. E ela disse, então:

> *Como vais, filhinho amado?*
> *Irmãozinho como vais?*
> *Mais esta só vez voltado*
> *Terei, depois nunca mais.*

Então o rei não pôde se conter por mais tempo. Correu atrás da aparição e disse-lhe:

— Só podes ser a minha querida mulher!

— Sim, sou sua querida mulher.

E, no mesmo momento, ela se tornou viva de novo e, pela graça de Deus, corada, bem disposta, cheia de saúde.

E contou ao rei o que a perversa bruxa e sua filha lhe haviam feito. O rei ordenou que as duas fossem julgadas e ambas foram condenadas. A filha foi levada para a floresta, onde as feras a despedaçaram. A velha foi queimada viva. Logo que ela desapareceu na fogueira, o corço retomou a forma humana, e ele e a irmã viveram felizes por muitos e muitos anos.

O Bando de Maltrapilhos

Certo dia, o galo disse à galinha:

— Estamos no tempo em que as nozes amadurecem. Assim, vamos logo subir no morro e comê-las bastante, antes que o esquilo dê cabo delas.

— Isso mesmo — concordou a galinha. — Vem, vamos aproveitar.

E os dois se dirigiram ao morro e, como era um dia ensolarado, ali ficaram até a noite. E, não sei se foi porque eles comeram muito e ficaram gordos demais, ou se foi porque tinham se tornado muito orgulhosos, o fato é que resolveram não voltar a pé para casa, e o galo teve de construir uma pequena carruagem com cascas de nozes.

Quando a carruagem ficou pronta, a galinha sentou-se nela e disse ao galo:

— Pode puxá-la agora.

— Vá esperando! — replicou o galo. — Prefiro ir para casa a pé. Não me importo de servir de cocheiro e dirigir a carruagem, mas puxá-la, de modo algum!

Os dois continuavam a discutir, quando uma pata interveio:

— Oh, seus ladrões! Quem mandou invadir minha plantação de nogueiras? Vou castigá-los!

E avançou contra o galo. Mas o galo era de briga e enfrentou a pata com toda a decisão, acertando-lhe tantas esporadas, que a adversária teve de se dar por vencida e pedir misericórdia, dispondo-se até a puxar a carruagem como castigo.

O galo assumiu o lugar de cocheiro, e não deixou por menos. Fez a pobre pata andar a galope, gritando:

— Depressa, pata! Não afrouxe o passo!

No meio do caminho, encontraram dois pedestres, um alfinete e uma agulha, que gritaram:

— Parem! Parem!

E explicaram, depois, que já estava anoitecendo e o caminho ia ficar tão escuro que seria difícil continuar a segui-lo e que, além disso, a estrada era muito poeirenta e iria sujá-los muito. Assim pediram carona na carruagem. Não iriam muito longe. Tinham se demorado demais no Botequim do Alfaiate. Como ambos eram muito magrinhos e não ocupariam muito lugar no carro, o galo concordou em levá-los, com a condição de que tivessem cuidado para não espetar ele próprio e a galinha.

Já tarde da noite, chegaram a uma hospedaria. Como os viajantes não estivessem dispostos a prosseguir a jornada noturna e a pata não se aguentava de tanto cansaço, resolveram pernoitar ali.

O estalajadeiro a princípio não queria recebê-los, alegando que a casa já estava muito cheia, que tinha hóspedes demais. Além disso, embora não dissesse, achava que aqueles recém-chegados não pareciam ser pessoas muito distintas. Afinal, porém, acabou deixando que eles pernoitassem lá, quando os viajantes insistiram, com empenho e belas palavras e prometeram lhe dar o ovo que a galinha botara no caminho e lhe disseram que poderiam deixar ali a pata, que tinha o costume de botar ovo diariamente.

E assim a turma ficou na hospedaria, todos muito satisfeitos, e aproveitando bastante.

No dia seguinte, logo que começou a amanhecer, e todo o mundo ainda estava dormindo, o galo acordou a galinha, pegou o ovo, abriu-o e os dois o comeram, e jogaram sua casca no fogão. Depois, fugiram.

A pata, que gostava de dormir ao ar livre e que passara a noite no quintal, ao ver o galo e a galinha fugindo, tratou de fugir também, e tendo encontrado um regato nas proximidades aproveitou-o, pois, para ela, viajar por via fluvial era muito mais rápido e mais cômodo do que por terra, principalmente puxando uma carruagem.

O estalajadeiro só se levantou duas horas mais tarde; lavou o rosto, mas quando foi se enxugar, o alfinete que os galináceos lá haviam deixado provocou-lhe um corte de um ouvido ao outro. Mais tarde, ele foi à cozinha e quis acender o cachimbo, mas, quando se aproximou do fogão, a casca de ovo saltou em seus olhos.

— Estou azarado esta manhã! — exclamou.

E, furioso, sentou-se na espreguiçadeira para descansar um pouco, mas logo se levantou de um pulo e dando um grito de dor, pois a agulha deixada pelo galo espetara o seu traseiro.

Bufando de raiva, ele desconfiou então dos hóspedes que tinham chegado muito tarde, na noite anterior. Saiu à sua procura, e viu que todos já tinham ido embora. E só restou ao homem fazer um voto solene, prometendo a si mesmo jamais receber de novo maltrapilhos em sua hospedaria: é gente que come muito, que não paga nada e que, ainda por cima, faz brincadeiras de mau gosto em troca da hospitalidade que teve.

O ESTRANHO MÚSICO

Era uma vez um músico maravilhoso, que caminhava inteiramente só através de uma floresta, com mil pensamentos na cabeça, e que, depois de não ter mais coisa alguma em que pensar, disse consigo mesmo:

"O tempo está passando muito devagar para mim nesta floresta, e vou procurar um bom companheiro para me acompanhar".

Pegou, então, a rabeca que carregava nas costas e começou a tocá-la, e a música se espalhou entre as árvores.

Não demorou muito e um lobo apareceu entre as árvores, caminhando em sua direção.

— Eis um lobo. — exclamou o músico. — Não era isso que eu queria.

O lobo, porém, aproximou-se dele e disse-lhe:

— Caro músico, como tocas bem! Que beleza de música! Eu gostaria de aprender a tocar também.

— Não será difícil aprenderes — disse o músico. — Basta fazeres tudo que eu mandar.

— Podes ficar tranquilo — disse o lobo. — Vou obedecer-te como um aluno obedece seu professor.

O músico mandou que ele o acompanhasse, e, depois de algum tempo, os dois chegaram junto de um velho carvalho, que era oco por dentro e tinha uma fenda no meio.

— Escuta — disse o músico. — Se queres aprender a tocar rabeca, enfia as duas patas dianteiras nesta fenda.

O lobo obedeceu, e o músico, mais do que depressa, colocou uma pedra na fenda, prendendo as patas, de modo que o lobo lá ficou como um prisioneiro.

— Espera aí até que eu volte — disse o músico, e seguiu caminho.

Depois de algum tempo, pensou: "O tempo está passando muito devagar para mim nesta floresta, e vou procurar um bom companheiro para me acompanhar".

E tornou a pegar na rabeca e começou a tocá-la, e a música se espalhou entre as árvores.

Não demorou muito e uma raposa apareceu entre as árvores, caminhando em sua direção.

— Eis uma raposa — exclamou o músico. — Não era isso que eu queria.

A raposa, porém, aproximou-se dele e disse-lhe:

— Caro músico, como tocas bem! Que beleza de música! Eu gostaria de aprender a tocar também.

— Não será difícil aprender — disse o músico. — Basta fazeres tudo que eu mandar.

— Podes ficar tranquilo, músico — disse a raposa. — Vou obedecer-te como um aluno obedece seu professor.

— Siga-me — disse o músico.

Os dois caminharam por algum tempo, até chegarem a uma devesa margeada de arbustos. Ali o músico parou e curvando um galho de aveleira até o chão, segurou-o com o pé. Depois curvou o arbusto do outro lado também e disse:

— Agora, raposinha, se quiseres aprender alguma coisa, dá-me sua pata esquerda.

A raposa obedeceu, e o músico amarrou a pata no galho esquerdo.

— Agora, raposinha, dá-me a tua pata direita — ordenou o músico.

E amarrou a pata no galho direito da aveleira.

Depois de verificar que as patas da raposa estavam bem amarradas, o músico soltou o arbusto, deixando a raposa pendurada em seus ramos.

— Espera aí até que eu volte — disse o músico, e seguiu caminho.

E, mais uma vez, ele pensou: "A travessia da floresta está demorando muito e preciso arranjar outro companheiro". Pegou a rabeca e encheu o bosque com a sua música.

Apareceu, então, um coelho pulando em sua direção.

— Ah! — exclamou, o músico. — Um coelho. Este não serve.

— Prezado músico — disse o coelho. — A música de sua rabeca é linda. Eu gostaria muito de aprender a tocar.

— Não será difícil aprender — disse o músico. — Basta fazeres tudo que eu mandar.

— Podes ficar tranquilo, músico — disse o coelho. — Vou obedecer-te como um aluno obedece ao seu professor.

Os dois partiram, então, até chegarem a uma clareira na floresta, onde se erguia um choupo. O músico amarrou em torno do pescoço do coelho uma comprida corda, cuja outra extremidade foi amarrada ao choupo.

— Agora, coelhinho — ordenou — corra, dando vinte vezes a volta da árvore.

O coelhinho obedeceu e, naturalmente, ficou preso junto ao tronco da árvore.

— Espera aqui até que eu volte — disse o músico.

E foi-se embora.

Enquanto isto, o lobo, cansado de esperar, esperneou e pulou, mordeu a pedra e fez tantos esforços, que acabou libertando os pés, e conseguiu depois sair do oco da árvore. Possesso de raiva, correu procurando o músico, disposto a espedaçá-lo.

Quando a raposa o viu correndo, começou a gemer e a lamentar-se, gritando a toda altura:

— Irmão lobo, vem me ajudar! O músico me traiu!

O lobo abaixou a árvore, cortou a corda e libertou a raposa, que saiu correndo, para se vingar do músico. Encontraram o coelho, que também libertaram, e todos juntos foram procurar o inimigo.

O músico foi de novo tocando sua rabeca enquanto caminhava e, dessa vez, teve mais sorte. O som chegou aos ouvidos de um pobre lenhador, que, instantaneamente, parou de trabalhar e, levando o machado debaixo do braço, foi ouvir a música de perto.

— Até que enfim encontrei um companheiro de verdade! — exclamou o músico.

E começou a tocar tão bem, uma música tão bela, que o pobre lenhador sentiu o coração se encher de alegria. E, quando viu se aproximarem o lobo, a raposa e o coelho, percebeu que eles tinham más intenções e, então, ergueu o seu brilhante machado e se colocou diante do músico, como que dizendo:

— Quem quiser atacá-lo, cuidado, pois terá de se haver comigo!

Os bichos ficaram atemorizados e fugiram para a floresta.

O músico tocou mais uma vez, em sinal de gratidão para com o lenhador, depois prosseguiu sua viagem.

O ALFAIATEZINHO VALENTE

Em uma certa manhã de verão, um alfaiatezinho se achava sentado em sua mesa, junto da janela, muito satisfeito da vida e costurando diligentemente, quando passou na rua uma camponesa, gritando:

— Doce de frutas! Muito bom e muito barato!

O alfaiate se interessou pelo anúncio, debruçou-se na janela e chamou:

— Venha cá, boa mulher! Aqui, vai vender sua mercadoria.

A mulher subiu, com muito esforço, por causa do peso que carregava, a escadinha que dava para a oficina do alfaiate; este fez com que ela abrisse todos os potes de doce, para examiná-los. Depois de ter examinado atenciosamente cada um deles, disse:

— O doce parece muito bom. Pese, pois, quatro onças para mim, e, se sair meia libra, eu não faço questão.

A mulher, que esperava fazer uma boa venda, ficou furiosa e saiu resmungando. O alfaiatezinho, ao contrário, continuava muito satisfeito da vida.

— Este doce vai ser abençoado por Deus e me dar muita força e saúde! — exclamou.

Tirou um pão do armário, cortou uma fatia e untou-a com o doce.

"Deve ser muito gostoso", pensou. "Mas antes de comer, vou acabar de fazer este casaco".

Deixou o pão junto de si, e recomeçou a costurar e, muito alegre, foi dando pontos cada vez maiores. Nesse meio tempo, o cheiro do doce chegou até o lugar onde as moscas se encontravam e, atraídas por ele, elas desceram em bandos cerrados.

Já perdendo o bom humor, o alfaiate enxotou as intrusas, que não tardaram, porém, a voltar, cada vez mais numerosas. O alfaiatezinho perdeu a paciência, pegou um pedaço de pano e deu lambadas com ele para todos os lados.

— Estão vendo, suas intrometidas? — exclamou.

Quando contou os estragos nas hostes inimigas, verificou que nada menos de sete moscas estavam mortas no assoalho.

— Eu sou mesmo incrível! — exclamou, entusiasmado, com a sua própria bravura. — A cidade toda tem de saber disso!

E tratou de fazer uma faixa, na qual escreveu: "Sete de um só golpe."

— A cidade toda? — disse consigo mesmo. — Nada disso! O mundo inteiro precisa saber!

Satisfeitíssimo consigo mesmo, cheio de orgulho, o alfaiate, achando a sua oficina pequena demais para a sua valorosa personalidade, resolveu sair pelo mundo afora, usando como cinto a faixa em que proclamava o seu grande feito.

Antes de sair, contudo, procurou por toda a casa se havia algo que pudesse levar consigo, mas nada encontrou senão um queijo já velho. Meteu-o no bolso, e partiu.

Chegando ao lado de fora, viu um pássaro, que se prendera em um arbusto. Tirou-o e meteu-o também no bolso, junto com o queijo.

Depois, saiu caminhando pela estrada, com passo firme, e como era magro e ágil, não se sentia cansado, mesmo depois de ter caminhado bastante. A estrada ia dar em uma montanha, e quando chegou ao seu cume, o alfaiate viu um fortíssimo gigante, sentado e aparentemente pacífico.

Sem receio ou timidez, nosso herói lhe dirigiu a palavra:

— Bom dia, camarada! Então, está aí sentado, contemplando o vasto mundo, hein? Eu estou viajando, para ver se tenho sorte. Não está disposto a vir em minha companhia?

O gigante encarou-o, tendo no rosto a expressão de mais profundo desprezo.

— Eu, viajar em sua companhia, nanico? — exclamou. — Não se enxerga não, projeto de gente?

— É isso que pensa de mim? — replicou o alfaiate. — Pois veja que espécie de homem sou!

E assim dizendo, abriu o casaco e mostrou a inscrição que trazia no cinto. O gigante leu: "Sete de um só golpe". Pensou, então, que o alfaiate tinha matado sete homens de uma só vez, e deixou de fazer tão pouco caso dele. De qualquer maneira, quis experimentá-lo primeiro. Pegou uma pedra e apertou-a com tanta força que dela escorreu um pouco de água.

— Se você tem força, faça isso que fiz! — exclamou.

— Só isso? — replicou o alfaiate. — Isso é uma brincadeira para mim!

Enfiou a mão no bolso, tirou o queijo e apertou-o até que o líquido escorreu.

— Confesse que está melhor do que a sua experiência! — desafiou.

O gigante ficou sem saber o que dizer, embora não querendo acreditar no que vira. Pegou, então, outra pedra e atirou para cima, tão alto que dificilmente olhos humanos conseguiriam acompanhar o seu trajeto.

— Agora, homenzinho, faça o mesmo! — disse ao alfaiate.

— Foi muito bom, realmente — replicou aquele. — Mas, afinal de contas, a pedra tornou a cair na terra. Eu vou jogar uma que nunca mais cairá.

E, assim dizendo, tirou do bolso o pássaro e jogou-o para cima. Alegríssimo ao se ver livre, o pássaro saiu voando e não voltou.

— O que achou disso, camarada? — perguntou o alfaiate.

— Realmente, você sabe jogar pedra — teve de admitir o gigante. — Mas agora quero ver se você tem força para carregar qualquer coisa.

Levou o alfaiatezinho até junto de um enorme carvalho que havia caído e disse-lhe:

— Se você é mesmo forte, ajude-me a levar esta árvore para fora da floresta.

— Perfeitamente! — prontificou-se o homenzinho. — Você segura a árvore pelo tronco e eu levanto a copa, que, afinal de contas, é a parte mais pesada.

O gigante colocou o tronco do carvalho no ombro, enquanto o alfaiate se sentava em um galho, sem correr o risco de ser visto pelo gigante, que estava de costas para ele. E, ainda por cima, o homenzinho foi cantando, como se carregar a árvore fosse uma brincadeira de criança.

Depois de ter carregado o pesado carvalho por grande parte do caminho, o gigante não aguentou mais o cansaço e gritou:

— Cuidado, que eu vou deixar a árvore cair!

O alfaiate desceu agilmente e segurou a árvore com ambos os braços, como se a estivesse sustentando, e disse ao gigante:

— Com esse tamanhão todo, você não aguenta nem carregar uma árvore?!

Os dois continuaram a caminhar juntos e, quando passaram por uma cerejeira, o gigante agarrou na copa da árvore, que estava carregada de frutas maduras, curvou-a e deu ao alfaiate para segurá-la, enquanto ele comia as cerejas. O alfaiatezinho, porém, não tinha força suficiente para segurar a árvore, que se aprumou, atirando-o no ar.

Quando caiu, felizmente sem se machucar, o gigante lhe disse:

— O que é isso? Você não tem força para segurar este arbusto?

— Você está mesmo achando que isso é difícil para um homem que derrubou sete com um só golpe? — redarguiu o alfaiate. — Eu pulei da árvore porque os caçadores estão dando tiros neste bosque. Se é capaz, dê um pulo igual ao que eu dei.

O gigante tentou, mas não conseguiu saltar por cima da árvore, e ficou pendurado nos ramos, de modo que o alfaiate continuou levando vantagem.

— Se você é mesmo um sujeito tão valente, venha comigo para a nossa caverna e passe a noite conosco — disse o gigante então.

O alfaiatezinho não relutou em acompanhá-lo. Quando chegaram à caverna, lá se encontravam outros gigantes, sentados junto do fogo, cada um comendo um carneiro assado, inteirinho.

"Isto aqui é bem mais espaçoso do que a minha oficina", pensou o alfaiate, olhando em torno.

A cama, porém, era grande demais para ele, que não se deitou nela, mas se acomodou em um canto. À meia-noite, o gigante, pensando que o alfaiatezinho estivesse dormindo a sono solto, pegou uma enorme barra de ferro, e espatifou com ela a cama, ficando convencido de que tinha matado o seu hóspede.

Quando amanheceu, os gigantes foram para a floresta, e já tinham se esquecido do alfaiatezinho, quando ele apareceu, muito alegre e animado. Os gigantes ficaram apavorados, temendo que ele os matasse, todos eles, e fugiram em desabalada corrida.

O alfaiatezinho continuou a caminhada, sempre em frente, até chegar ao pátio de um palácio real. Como estava muito cansado, deitou-se na grama e adormeceu. E, enquanto estava dormindo, juntou muita gente em torno dele e despertou curiosidade a inscrição do cinto: "Sete de um só golpe."

— Como? — exclamou um dos presentes. — O que veio fazer aqui este guerreiro, em plena paz? Deve ser um nobre muito poderoso.

E o pessoal foi procurar o rei e disse que, na sua opinião, se irrompesse uma guerra, o homem que se encontrava do lado de fora seria utilíssimo, e não se deveria, portanto, permitir que ele partisse. O conselho agradou ao rei, que mandou um de seus cortesãos procurar o dorminhoco e, logo que ele acordasse, convidá-lo para participar do serviço militar do reino.

O embaixador ficou de pé junto do alfaiatezinho, esperando pacientemente que ele acordasse. E, quando ele espichou as pernas e abriu os olhos, fez-lhe a proposta, com toda a deferência.

— Foi justamente para isso que vim aqui — replicou o alfaiate. — Estou pronto para servir ao rei.

Foi, então, condignamente recebido no palácio, sendo-lhe proporcionado uma residência própria.

Os soldados, porém, implicaram com o alfaiatezinho e queriam vê-lo o mais longe possível.

— Como é que vai terminar isso tudo? — disseram eles. — Se brigarmos com esse intruso, ele pode derrubar sete de nós com um só golpe.

Tomaram, assim, uma decisão. Mandaram uma delegação ao rei, pedindo para que todos eles fossem desengajados.

— Não temos condição de ficar em companhia de um homem que mata sete de um só golpe— disseram.

O rei ficou muito preocupado ante a perspectiva de perder tão fiéis servidores, e ficaria satisfeitíssimo se conseguisse se livrar do forasteiro. Não se aventurou, contudo, a demiti-lo, com medo de que ele o matasse e matasse todo o seu povo e assumisse o trono real. Meditou muito sobre o problema e, afinal, achou uma boa solução.

Mandou chamar o alfaiatezinho e lhe disse que, sabendo que ele era um tão valoroso guerreiro, tinha uma proposta a fazer-lhe. Em uma certa floresta do país, viviam dois gigantes, que causavam terríveis devastações, matando, roubando e provocando incêndios. Ninguém conseguia aproximar-se deles sem correr sério risco de vida. Se o alfaiate conseguisse vencer e matar os dois gigantes, o rei lhe daria em casamento sua filha única e metade de seu reino como dote. E, além disso, dar-lhe-ia uma escolta de cem cavaleiros.

"Sem dúvida", pensou o alfaiatezinho, "seria uma grande coisa para mim! Não é todo dia que oferecem à gente a mão de uma linda princesa e metade de um reino!"

E disse ao rei:

— Perfeitamente! Dentro de pouco tempo vencerei esses gigantes, e não vou precisar da ajuda de cem cavaleiros. Quem derruba sete de um só golpe, não precisa ter medo de dois.

E o nosso herói partiu para a tal floresta, e os cem cavaleiros o acompanharam. Chegando ao limite da floresta, ele ordenou à escolta:

— Fiquem por aqui mesmo, que eu vou sozinho acabar com os dois gigantes.

Entrou, então, na floresta e olhou para a direita e para a esquerda. Depois de algum tempo, viu os dois gigantes. Estavam ambos dormindo debaixo de uma árvore e roncando tanto que os ramos das árvores ora subiam, ora desciam.

Não perdeu tempo. Encheu os bolsos de pedras e trepou na árvore. Acomodou-se em um ramo que ficava bem por cima dos dois dorminhocos, e começou a jogar uma pedra atrás da outra no peito de um dos gigantes. O gigante não se mexeu, durante muito tempo, mas afinal acordou e puxou seu companheiro, dizendo-lhe:

— Que negócio é esse de estar me cutucando?

— Você deve estar sonhando — replicou o outro. — Não estou te cutucando coisa nenhuma!

Os dois discutiram por algum tempo, mas, como estavam cansados, acabaram dormindo de novo. O alfaiatezinho recomeçou o seu jogo, e, pegando a maior pedra que levara, atirou-a, com toda a força, no peito do primeiro gigante, que acordou furioso, gritando:

— Agora também já é demais!

E, agarrando o companheiro, possesso de raiva, atirou-o de encontro à árvore, sacudindo-o fortemente. O outro pagou na mesma moeda, e os dois gigantes se engalfinharam em uma luta feroz, derrubando árvores e desfechando pancadas tão violentas um no outro, que acabaram caindo desmaiados no chão.

O alfaiate pulou imediatamente da copa da árvore, dando graças a Deus por não ter sido ela derrubada pelos gigantes em luta. E mais do que depressa, desembainhou a espada e tratou de se livrar definitivamente dos dois grandalhões, trespassando por duas vezes (por segurança) o peito de cada um.

E correu para anunciar a boa notícia aos homens de sua escolta:

— Pronto! O serviço está feito! Mas, para falar a verdade, deu bastante trabalho. Desesperados, eles arrancaram várias árvores e se defenderam como leões. Não adianta, porém, querer lutar com um homem como eu, que derruba sete com um só golpe.

— Mas o senhor não está ferido? — perguntaram os cavaleiros.

— Não se preocupem — respondeu o alfaiate. — Não tocaram um fio de cabelo meu.

Sem acreditar, os soldados entraram na floresta, e viram os gigantes mortos, cobertos de sangue, e as árvores arrancadas.

O alfaiatezinho foi, então, pedir ao rei a recompensa prometida. O rei, porém, já se arrependera de haver prometido tanta coisa, e de novo tentou livrar-se do herói.

— Antes de receber a mão de minha filha e metade do meu reino, você terá de executar mais um de seus feitos heroicos — disse. — Terá de caçar primeiro um unicórnio que vive na floresta e que anda causando muito dano.

— Um unicórnio vale bem menos do que dois gigantes — replicou o valentão.
— Vai ser uma brincadeira para quem derruba sete com um só golpe.

Levando um machado e uma corda, ele entrou na floresta, tendo, como da outra vez, deixado a escolta fora do bosque. Não precisou esperar muito tempo. O unicórnio apareceu e logo avançou contra ele.

O alfaiate permaneceu imóvel, encostado em uma árvore, e, quando o unicórnio estava prestes a atingi-lo com seu chifre, ele fez um movimento rápido e passou para o outro lado. O unicórnio enterrou o chifre no tronco e, com tanta força investira, que o chifre penetrou profundamente, e o monstro ficou preso à árvore.

— Ótimo! — exclamou o alfaiate, saindo de trás da árvore e amarrando o bicho pelo pescoço com a corda que levara. Depois, cortou o chifre com o machado e, puxando o unicórnio pela corda, levou-o até o palácio real, porém o rei, mais uma vez, não deu a recompensa prometida.

Antes de casar-se, o herói teria de apanhar um javali que andava causando grandes estragos na floresta. Os caçadores dariam ajuda.

— Perfeitamente! — concordou o alfaiate. — Vai ser uma brincadeira de criança.

Não deixou que os caçadores entrassem com ele na floresta, e os caçadores de modo algum se queixaram. Na verdade, não tinham a menor vontade de se verem às voltas com o terrível javali, que, por diversas vezes, os havia recebido de maneira muito pouco amistosa.

Ao ver o alfaiate, o javali avançou contra ele, de boca escancarada, exibindo as presas enormes e espumando de raiva. Quase o apanhou, mas, com agilidade, o nosso herói teve tempo de correr para dentro de uma capela que havia perto e pular a janela para sair de lá, enquanto o animal, furioso, entrava perseguindo o homem. Do lado de fora, o alfaiate mais uma vez não perdeu tempo e fechou a porta da capela, deixando o javali preso no interior, pois era pesado demais para conseguir pular a janela.

O valente alfaiatezinho chamou, então, os caçadores, a fim de que vissem o bicho preso, com os seus próprios olhos. E logo foi reclamar a recompensa prometida. Dessa vez, o rei, por mais insatisfeito que estivesse, não pôde protelar mais. Deu ao forasteiro a filha em casamento e metade de seu reino, mesmo muitíssimo contrariado. E muito mais contrariado ficaria se soubesse que o seu futuro genro e colega não era um heroico guerreiro coisa nenhuma, e sim um mero alfaiate. O casamento se realizou, com grande magnificência e muito pouca alegria, e de um pobre diabo se fez um poderoso rei.

Acontece, porém, que o nosso herói costumava falar alto quando sonhava. E uma noite a jovem Rainha o ouviu dizer:

— Escute aqui, rapaz. Trate de costurar o cós bem direitinho e alinhave a calça. Do contrário, vou lhe dar uma lambada com este metro, que você vai ver!

Ela ficou sabendo então a origem humilde do marido, e, na manhã seguinte, pediu ao pai para livrá-la dele.

— Pode ficar tranquila, minha filha — disse o rei. — Esta noite, deixe a porta de seu quarto aberta, e meus criados entrarão lá, quando seu marido estiver dormindo, e o amarrarão e o colocarão a bordo de um navio, que o levará para bem longe daqui.

A moça ficou muito satisfeita, mas o escudeiro do rei, que estava presente e se tornara muito amigo do alfaiate, correu a contar-lhe o que se tramava contra ele.

À noite, ele foi se deitar em companhia da esposa e, quando ela pensou que ele estivesse dormindo, abriu a porta do quarto, depois tornou a deitar-se. O alfaiatezinho estava bem acordado, fingindo que dormia, e, no momento propício, começou a gritar, com voz bem alta e bem clara:

— Escute aqui, rapaz. Trate de costurar o cós bem direitinho e alinhave a calça. Do contrário, vou lhe dar uma lambada com este metro, que você vai ver! Eu derrubei sete com um só golpe! Matei dois gigantes, liquidei um unicórnio e peguei um javali ferocíssimo! Você acha mesmo que vou ter medo desses homens que estão do lado de fora do quarto?

Ao ouvirem essas palavras, os homens que iam prendê-lo ficaram apavorados e não se atreveram a lhe encostar as mãos.

E, assim, o alfaiatezinho continuou a ser rei até morrer.

AS VIAGENS DO
PEQUENO POLEGAR

Era uma vez um alfaiate que tinha um filho tão pequeno, que a sua altura não era maior que a de um dedo polegar, e, por isso, ficou com o apelido de Pequeno Polegar. Tinha, porém, muita coragem, e um dia disse ao pai:

— Meu pai, preciso viajar, conhecer o mundo.

— Tens razão, meu filho — concordou o alfaiate.

Pegou, então, uma agulha de serzir, ajuntou-lhe um punho feito de cera, e entregou-a ao jovem, recomendando:

— Leva esta espada, que te será útil em tuas viagens.

Antes de partir, Pequeno Polegar quis fazer ainda uma refeição em companhia dos pais, e foi à cozinha, a fim de ver a comida que sua mãe estava preparando. A comida, porém, já fora servida, e o prato estava em cima do fogão.

— O que há para comer hoje, minha mãe? — o jovem perguntou então.

— Vê tu mesmo — respondeu a mãe.

Pequeno Polegar pulou para cima do fogão e olhou a comida. Baixou tanto a cabeça, porém, que a fumaça que saía da comida, ainda muito quente, o levantou no ar e o levou para dentro da chaminé, de onde, ao sair, ele foi cair fora de casa.

E assim que se viu sozinho no mundo, partiu em viagem, e chegou à casa de um alfaiate onde a comida era muito escassa.

— Minha senhora — disse ele à dona de casa — se não me der uma comida melhor, vou-me embora e amanhã cedo escreverei com giz na sua porta: "Muita batata, muito pouca carne! Adeus, Sr. Rei Batata!"

— O que queria comer, seu intrometido? — retrucou a mulher.

E, furiosa, pegou um pano de prato e desfechou-lhe uma pancada que, se o tivesse apanhado, o teria machucado seriamente. O Pequeno Polegar conseguiu escapar, escondendo-se debaixo de um dedal, e, pondo a carinha de fora, fez uma careta para a mulher, que agarrou o dedal e tentou pegar o desaforado, mas este pulou para o pano de prato e de lá se enfiou em uma greta que havia na mesa.

— Ei, ei, minha velha! — gritou de lá.

A mulher tentou acertar-lhe um tapa, mas ele pulou para a gaveta. Ela não desistiu de persegui-lo e, afinal, conseguiu segurá-lo e atirá-lo para fora de casa.

Pequeno Polegar tratou de seguir o caminho e chegou a uma grande floresta, onde se viu no meio de um bando de salteadores, que pretendiam roubar o tesouro do rei. Quando os malfeitores viram o recém-chegado, pensaram: "Este pigmeu pode entrar com facilidade em um buraco de fechadura e nos ser muito útil".

E um deles exclamou:

— Ei, seu Gigante Golias, queres ir até a casa do tesouro conosco? Poderás entrar lá e tirar o dinheiro.

Pequeno Polegar refletiu um instante, depois concordou, e foi com os ladrões à casa do tesouro.

Examinou as portas, a fim de ver se havia alguma fenda pela qual pudesse entrar. Não tardou muito para descobrir uma suficientemente larga para lhe dar passagem. Já ia entrar nela, quando um dos soldados que estava de sentinela, guardando a porta, o notou e disse ao outro:

— Olha que aranha feia está se enfiando ali. Vou matá-la.

— Deixa a pobre criatura em paz! — replicou o outro guarda. — Ela não te fez mal algum.

Pequeno Polegar, então, pôde entrar tranquilamente na casa do tesouro. Lá chegando, abriu a janela abaixo da qual os ladrões estavam esperando e começou a atirar-lhes uma moeda atrás da outra.

Estava entregue a essa tarefa, quando ouviu certos ruídos e certas conversas, e percebeu que o rei estava indo fiscalizar a casa do tesouro. Tratou, então, de arranjar um esconderijo o mais depressa possível. O rei notou que estavam faltando moedas de alto valor, mas não podia imaginar quem as havia roubado, pois todas as fechaduras e trincos estavam em boas condições, e tudo parecia muito bem protegido. Saiu, depois, e recomendou às sentinelas:

— Ficai atentos, pois há alguém furtando o dinheiro.

Quando Pequeno Polegar recomeçou a sua atividade, as sentinelas, que estavam prestando toda a atenção a qualquer barulho, notaram o ruído das moedas sendo atiradas pela janela e correram logo para pegar o ladrão, mas Pequeno Polegar, que ouvira o barulho de seus passos, foi ainda mais rápido: pulou para um canto e se cobriu com uma moeda, de modo que não podia ser visto. E o seu atrevimento chegou ao ponto de zombar das sentinelas, gritando:

— Estou aqui!

Os soldados correram na direção de onde viera a voz, mas Pequeno Polegar, sem esperar por eles, já correra para outro canto e se encondera embaixo de outra moeda, de onde gritou:

— Ei, pessoal, estou aqui!

As sentinelas correram para lá, mas o minúsculo aventureiro já se achava em outro canto, sempre gritando:

— Estou aqui! Estou aqui!

E assim ele atormentou os pobres guardas, que se cansaram de correr de um lado para o outro na casa do tesouro. E, ao mesmo tempo, Pequeno Polegar ia atirando as moedas pela janela, até a última. Então, ele próprio pulou a janela.

Os salteadores o receberam com os maiores elogios.

— És valente de verdade! — disseram. — Um verdadeiro herói! Queres ser o nosso chefe?

Pequeno Polegar recusou a proposta. Queria era viajar, conhecer o mundo.

Os salteadores fizeram a partilha do dinheiro furtado, mas Pequeno Polegar só aceitou uma moeda, porque não podia levar mais: só tinha o bolso para guardá-la.

Embainhou a espada, despediu-se dos salteadores e meteu o pé na estrada. Pensou em trabalhar com algum alfaiate, mas a verdade é que a profissão paterna não o seduzia, e preferiu servir como criado em uma estalagem.

As criadas da hospedaria onde se empregou não o suportavam, porém, porque ele via tudo que elas faziam escondido, sem que elas, por sua vez, conseguissem vê-lo. E ele contava ao patrão como elas costumavam levar para suas casas o que sobrava das panelas e mesmo o que tiravam da despensa.

— Espera, que vais nos pagar! — diziam elas.

E cada uma procurava um meio de dar-lhe uma lição. E certo dia, uma das empregadas, que estava podando a grama do jardim, viu Pequeno Polegar pulando e se esgueirando entre as plantas e tratou, então, de cortar o capim bem depressa, amontoando-o e empurrando-o sobre o atrevido pigmeu, que, daquele modo, foi levado, mau grado seu, até o estábulo. Ali, uma grande vaca preta o engoliu, sem sequer feri-lo. Mesmo incólume, o nosso minúsculo herói não se sentia, de modo algum, à vontade dentro da barriga da vaca. O lugar era escuro como breu e não havia, é claro, a menor possibilidade de se acender uma vela. O recurso foi fazer barulho.

Quando a vaca começou a ser ordenhada, ele tentou chamar a atenção do ordenhador, e cantou o mais alto que conseguiu:

"Que feio! Que feio! Que feio!
Quando esse balde vai ficar cheio?"

O barulho do leite caindo no balde, contudo, impediu que a sua voz fosse bem ouvida e as suas palavras compreendidas. E, logo após, o dono do estabelecimento apareceu e determinou:

— Esta vaca vai ser abatida amanhã.

Pequeno Polegar ficou tão assustado, que gritou, com voz bem clara:

— Deixai-me sair primeiro, que estou dentro dela!

O dono da casa ouviu muito bem, mas não ficou sabendo de onde vinha a voz.

— Onde estás? — perguntou.

— Na preta — respondeu o Pequeno Polegar.

O homem não entendeu o que ele estava querendo dizer e foi-se embora.

Na manhã seguinte, a vaca foi abatida. Felizmente, o nosso herói conseguiu evitar os golpes da machadinha que matou e da faca que recortou a vaca. Ficou no meio da carne destinada a fazer linguiça, e, quando o açougueiro começou o seu trabalho, gritou, morrendo de medo:

— Não cortes muito fundo! Não cortes muito fundo, que estou aqui no meio!

Ninguém o ouviu, por causa do ruído que a faca fazia. O pobre Pequeno Polegar se viu em apuros, mas o perigo torna a pessoa mais esperta e mais diligente, e ele conseguiu escapar, sem ferimento. Fugir, no entanto, não pôde, e acabou se vendo no meio de uma massa de carne moída, misturada com toucinho defumado. Além de ser muito reduzido o ambiente, ele teve de ficar pendurado perto do fogão, para ser defumado, uma situação de modo algum agradável.

No inverno, foi levado para baixo e, incorporado a linguiça, teve de comparecer perante um comensal. Enquanto a linguiça estava sendo partida, ele ficou bem atento para não ser partido também, e houve uma ocasião em que escapou por pouco. Afinal, surgiu uma oportunidade, que ele soube aproveitar com presteza: abriu caminho e pulou fora.

Não lhe convinha, porém, de modo algum, continuar em uma casa onde passara tão maus quartos de hora. E partiu em viagem de novo. A liberdade, porém, não durou muito. No campo, encontrou uma raposa que o abocanhou sem mais aquela.

— Ei, Dona Raposa! — gritou o Pequeno Polegar. — Estou engastalhado em sua garganta. É ruim para mim e ruim para a senhora também. É melhor me soltar.

— Tens razão — admitiu a raposa. — Não és petisco que se coma. Mas só vou te soltar se prometeres me entregar todas as galinhas de tua casa.

— Prometo-lhe — ele respondeu — que lhe darei o galo, todas as galinhas e todos os frangos e pintos lá de casa. Mas me solte, pelo amor de Deus!

A raposa soltou-o, e os dois se dirigiram para a casa do Pequeno Polegar. Seu pai, vendo o filho voltar são e salvo à casa, ficou tão satisfeito que concordou plenamente em entregar à voracidade da raposa todos os habitantes de seu galinheiro.

— O senhor é muito bom, meu pai, e, por isso mesmo, eu lhe trouxe de presente uma bela moeda — disse o recém-chegado.

E entregou ao alfaiate o dinheiro que havia recebido dos salteadores.

— Mas não acha que é um desaforo a raposa querer comer o galinheiro todo? — perguntou.

— Tolinho! — replicou o pai. — O que vale o galinheiro todo comparado com a alegria de ver meu filho voltar para casa são e salvo!

O VELHO E SEU NETO

Era uma vez um velho, que já estava ficando meio cego e meio surdo, com as pernas bambas, e, quando se sentava à mesa, mal conseguia segurar a colher. A sopa lhe escorria da boca, sujava a toalha. Seu filho e sua nora se aborreciam com isso, e o velho acabou tendo de comer na cozinha, atrás do fogão. Davam-lhe a comida em um prato de barro, muito vagabundo, e nem ao menos uma quantidade suficiente. O velho costumava ficar olhando para a mesa bem posta, com os olhos cheios de lágrimas.

Certo dia, nem conseguiu segurar o prato de barro, que caiu no chão e se quebrou. A nora ralhou com ele, mas o velho nada disse, limitando-se a suspirar. Deram-lhe, então, um prato de pau, ordinaríssimo, com o qual teria de comer.

A família estava reunida um dia, quando o netinho do velho, de quatro anos, começou a ajuntar algumas aparas de madeira espalhadas no chão.

— O que estás fazendo? — perguntou o pai.

— Estou juntando isso para fazer um prato para meus pais, quando eu crescer — respondeu o menino.

O homem e a mulher se entreolharam e puseram-se a chorar. Depois levaram o avô para a mesa, e, a partir de então, nunca mais o censuraram quando ele deixou cair um pouco de comida na toalha.

O POBRE MOLEIRINHO E A GATA

Era uma vez um moleiro, que não tinha mulher e filhos, e morava no moinho, com três aprendizes que trabalhavam com ele. Durante vários anos, os jovens trabalharam com o moleiro, que afinal um dia lhes disse:

— Já estou velho, já trabalhei muito, e agora acho que mereço um descanso. Ide procurar um bom cavalo, e eu darei este moinho àquele que me trouxer o melhor animal, com a condição, porém, de que cuide de mim até a morte.

Acontece, porém, que um dos rapazes era um simplório, considerado um perfeito idiota pelos outros dois. Os três partiram juntos e, quando chegaram a uma aldeia, os outros dois disseram ao simplório Hans:

— Podes ficar aqui, pois ainda que procure a vida inteira, jamais serás capaz de encontrar um cavalo.

Hans, porém, fez questão de acompanhá-los e, quando anoiteceu, chegaram a uma gruta, onde resolveram passar a noite. Os dois espertos esperaram que Hans adormecesse e foram-se embora, deixando-o na gruta. Acharam que iriam lucrar muito com isso, mas, no final das contas, o tiro saiu pela culatra.

Quando amanheceu, e Hans acordou, vendo-se no meio de uma gruta, o pobre coitado exclamou:

— Meu Deus do céu, onde é que vim parar?

Levantou-se, saiu da caverna e entrou na floresta, pensando: "Agora que estou sozinho neste ermo, como é que hei de arranjar um cavalo?"

Começou a caminhar, muito preocupado, e encontrou uma gata, que lhe disse, amavelmente:

— Aonde estás indo, Hans?

— Infelizmente, não poderias ajudar-me — replicou Hans.

— Sei que estás à procura de um belo cavalo — disse a gata. — Vem comigo, e sê meu fiel criado durante sete anos e então eu te darei um cavalo que será o mais bonito que já viste em toda a tua vida.

"É uma gata bem esquisita esta!", pensou Hans. "Mas vou ver se está dizendo a verdade."

Então, a gata o levou para o seu castelo encantado, onde não havia mais ninguém a não ser os gatinhos seus criados. Eram uns gatinhos muito alegres, que pulavam para baixo e para cima nas escadas, e à noite, três deles tocaram música. Um tocava o contrabaixo, outro a rabeca e o terceiro o trompete, inchando as bochechas até quase arrebentarem.

Foi servido o jantar, e, depois dele, disse a gata:

— Agora, Hans, vem dançar comigo.
— Não — replicou Hans. — Não danço com gata. Nunca fiz isso na minha vida.
— Então, levai-o para a cama — ordenou a gata aos criados.

Hans foi levado para um quarto de dormir, e os gatos tiraram seus sapatos, suas meias, depois apagaram a luz. Na manhã seguinte, ajudaram-no a levantar-se, um lavou-lhe o rosto, outro enxugou-o com a sua cauda.

— Está muito macio! — comentou Hans.

Tinha, porém, de trabalhar para a gata, como fora combinado: cortar um pouco de madeira todos os dias, para o qual recebeu um machado de prata e uma cunha cujo corte era de prata e o cabo de cobre.

E Hans ficou no castelo, comendo e bebendo do melhor e sem ver mais ninguém a não ser a dona da casa e os felinos seus criados.

Certo dia, a gata lhe disse:

— Vai ao meu capinzal, corte o capim e seca-o.

E entregou-lhe uma foice de prata e um secador de ouro, mas recomendou que os trouxesse de volta com todo o cuidado. Hans executou a tarefa e, quando acabou de trabalhar, levou para casa a foice, o secador e o capim seco, e perguntou se não chegara a ocasião de receber a recompensa.

— Não — disse a gata. — Tens de executar mais um serviço para mim. Há um material de construção de prata, serrote, formão, martelos e tudo mais que é necessário, tudo de prata, e, com esse material e essas ferramentas, tens de construir uma casinha para mim.

Hans construiu a casinha, e disse que já fizera tudo que tinha que fazer e ainda não ganhara o cavalo. De qualquer maneira, os sete anos tinham passado, para ele, como se fossem sete meses. A gata perguntou-lhe, então, se ele gostaria de ver os seus cavalos.

— Muito — respondeu Hans.

A gata abriu a porta da casinha, e lá dentro estavam doze cavalos, tão bonitos que só contemplá-los trazia uma grande alegria ao coração.

E, depois de Hans ter sido regalado com boa comida e boa bebida, disse-lhe a gata:

— Volta para casa. Não vou te dar o cavalo agora, mas daqui a três dias irei levá-lo para ti.

Mostrou-lhe o caminho para o moinho, e Hans partiu. Durante os sete anos que servira à gata não ganhara roupa nova, e foi obrigado a voltar para casa com a mesma roupa, agora velha e suja, com que partira.

Os dois companheiros seus já lá se encontravam, e cada um deles trouxera um cavalo, mas um animal era cego e o outro manco. Os dois perguntaram a Hans onde estava o seu cavalo.

— Vai chegar daqui a três dias — ele respondeu.

— É mesmo, seu idiota? — zombaram os dois. — Arranjaste mesmo um cavalo? Deve ser ótimo!

Hans entrou na sala, mas o moleiro disse que ele não poderia sentar-se à mesa, pois estava muito mal vestido, e ficariam com vergonha, se aparecesse alguma visita. E assim, deram-lhe um pouquinho de comida, para comer do lado de fora, e, quando chegou a hora de dormir, os dois colegas não o deixaram deitar-se na cama e ele teve de dormir no paiol, em cima de um montão de palha.

Na manhã seguinte, quando acordou, tinham se passado os três dias e apareceu um coche puxado por seis cavalos, tão belos que era um prazer contemplá-los. E da carruagem desceu uma princesa, que entrou no moinho. A princesa não era outra senão a gatinha que o pobre Hans servira durante sete anos, e ela perguntou ao moleiro onde se encontrava seu empregado simplório.

— Não podemos ficar com ele aqui dentro, pois está esmolambado — disse o moleiro. — Está no paiol.

A filha do Rei ordenou que o trouxessem imediatamente. Assim foi feito, e os criados desencaixotaram vestes riquíssimas, que Hans vestiu, depois de tomar um banho. Após esses preparativos, ficou tão bonito que poucos reis se comparariam com ele.

A princesa, então, quis ver os cavalos que os outros aprendizes tinham trazido, e um dos cavalos era cego e o outro coxo. E a princesa mandou seu criado buscar o sétimo cavalo, e, ao vê-lo, o moleiro escancarou a boca de espanto. E disse que, realmente, tinha de dar o moinho a Hans.

A princesa, porém, disse-lhe que podia ficar com o cavalo e com o moinho. E entrou com Hans na carruagem, que partiu.

A primeira parada que fizeram foi na casinha que Hans construíra com instrumentos de prata e cujo interior era o de um lindo castelo todo feito de ouro e prata. E a princesa se casou com Hans e ele viveu plenamente feliz de então para diante, pois se tornara riquíssimo. E, depois disso, que ninguém diga que os homens simples jamais se tornam uma pessoa importante.

O POBRE E O RICO

Há muito tempo, quando o próprio Senhor costumava caminhar na Terra entre os homens, aconteceu que ele se sentiu cansado, e foi surpreendido pelo anoitecer antes que pudesse alcançar uma estalagem. Viu, então, na estrada que seguia, duas casas que se defrontavam: uma era grande e bonita, a outra pequena e pobre. A casa grande pertencia a um homem rico e a outra a um homem pobre.

E o Senhor pensou:

"Não precisará o rico sacrificar-se para me acolher. Assim, vou pernoitar em sua casa".

Quando ouviu baterem à sua porta, o homem rico olhou pela janela e perguntou ao desconhecido o que desejava.

— Peço-lhe apenas pousada por uma noite — respondeu o Senhor.

O homem rico examinou o viajante de alto a baixo e viu, pelas suas vestes modestas, que deveria se tratar de alguém que não trazia muito dinheiro consigo.

— Não posso hospedar-te — disse logo. — O quarto que tenho está cheio de ervas e sementes. Além disso, se eu fosse hospedar todo mundo que aparece, ia acabar tendo de pedir esmola. Vai procurar pousada em outro lugar.

E, assim falando, fechou a janela.

O Senhor, então, virou as costas para a casa do rico e foi bater na casa do pobre. Mal bateu na porta e esta se abriu, e o dono da casa convidou o viajante para entrar.

— É melhor pernoitar aqui, pois já escureceu de todo.

Satisfeito com essa generosa acolhida, o Senhor entrou.

A mulher do dono da casa também o recebeu amavelmente e ofereceu o que tinham para comer; não era grande coisa, mas oferecida de todo o coração. Tratou de cozinhar umas batatas e, enquanto estavam no fogo, ordenhou uma cabra, para que pudessem tomar um pouco de leite.

Quando a mesa foi posta, o Senhor sentou-se em companhia do casal, e achou saborosa a modesta comida, pois a alegria se estampava na fisionomia dos comensais.

Depois do jantar, a mulher chamou o marido de parte e disse-lhe:

— Caro esposo, não achas que posso fazer uma cama de palha para dormirmos esta noite, deixando a nossa cama para o nosso hóspede, coitado, que caminhou o dia todo e deve estar cansadíssimo?

— Perfeitamente — concordou o homem. — Vou falar com ele.

E convidou o viajante, se não fizesse objeção, a deitar-se em sua cama, pois já devia estar com sono e, de qualquer modo, precisando deitar-se para descansar as pernas.

O Senhor não queria ficar com a cama do casal, mas teve de acabar concordando, tanta foi a insistência do dono da casa. E os dois hospedeiros deitaram-se no chão, em cima de um montão de palha.

No dia seguinte, levantaram-se ao amanhecer e prepararam para o hóspede a melhor refeição matinal que estava ao seu alcance. Quando os raios de sol iluminaram o modesto quarto, o Senhor levantou-se e, mais uma vez, comeu em companhia do casal, depois se preparou para seguir a viagem.

Já na porta, porém, virou-se e disse:

— Como sois tão hospitaleiros, tão bons, podeis pedir três coisas e eu as concederei.

O dono da casa disse então:

— Além da bem-aventurança eterna, o que eu desejaria é que eu e minha mulher, enquanto vivermos, gozemos boa saúde e tenhamos o nosso pão de cada dia. Quanto à terceira coisa, não sei realmente o que pedir.

— Não desejarias ter uma casa nova em vez desta velha? — perguntou o Senhor.

— Sim! — respondeu o homem. — Se fosse possível isso também, desejaria muito.

O Senhor satisfez-lhe a vontade na mesma hora, transformando a casa velha em nova. Depois, abençoou o hospitaleiro casal e partiu.

O Sol estava alto no céu quando o homem rico se levantou e, olhando pela janela, viu, do outro lado da estrada, onde ficava a casa do vizinho pobre, uma outra de todo diferente, nova e bonita. Espantadíssimo, chamou a esposa e disse-lhe:

— Vê, o que poderá ter acontecido? Ontem à noite, só havia ali uma pobre cabana, e hoje aparece uma casa nova e bonita. Vai lá correndo e vê o que aconteceu.

Também morrendo de curiosidade, a mulher não esperou que o marido pedisse uma segunda vez. Correu à casa do vizinho, e este lhe contou:

— Ontem à noite apareceu aqui um viajante, que pediu pousada por uma noite. Hoje de manhã, antes de partir, disse que poderíamos fazer três pedidos e ele nos satisfaria. E nos concedeu a bem-aventurança eterna, o pão nosso de cada dia e mais uma bela casa nova em lugar de nossa pobre cabana.

Ao ouvir isso, a mulher do homem rico voltou correndo para casa e contou-lhe o que acontecera.

— Eu devia ser espedaçado! — exclamou o homem. — O tal viajante veio à nossa casa também, e queria pernoitar aqui, mas eu não deixei!

— Depressa! — gritou a mulher. — Monta a cavalo e corre atrás do homem, que ainda podes alcançá-lo. Podes pedir, então, que também te seja permitido alcançar três desejos.

O rico seguiu o bom conselho, montou a cavalo, partiu a galope e não teve dificuldade de alcançar o Senhor. Dirigiu-lhe a palavra, muito amavelmente, e pediu-lhe desculpas, por não tê-lo feito entrar diretamente; enquanto fora procurar a chave da porta da entrada, o viajante desaparecera. Se, porém, andasse por ali outra vez, teria o máximo prazer em recebê-lo.

— Está bem — disse o Senhor. — Se eu passar por lá de novo, pernoitarei em tua casa.

O homem rico perguntou-lhe, então, se ele também não poderia fazer três pedidos, como o seu vizinho.

O Senhor respondeu que sim, mas que tal coisa poderia lhe ser desvantajosa e seria melhor não pedir coisa alguma. O rico, muito ambicioso, insistiu, porém, certo de que seria fácil fazer três pedidos que lhe seriam de todo favoráveis.

— Está bem — disse o Senhor. — Já que assim queres, volta para a tua casa e os três pedidos que fizeres serão satisfeitos.

Muito satisfeito da vida, o homem rico voltou para casa e, no caminho, começou a imaginar o que deveria pedir. Distraído, com as ideias ambiciosas borbulhando no pensamento, largou a rédea, e o animal começou a corcovear, atrapalhando de todo as suas meditações. E a tal ponto pulou, que o homem, não podendo detê-lo, acabou se irritando muito e, impaciente, gritou:

— Quero que quebres o pescoço, maldito animal!

E, mal dissera essas palavras, o cavalo caiu e no chão ficou, imóvel, morto. E assim foi satisfeito o primeiro desejo.

Miserável como era, o homem não quis abandonar os arreios do animal: pegou a sela e carregou-a nas costas. E prosseguiu a viagem a pé, procurando consolar-se com o pensamento: "Ainda posso pedir duas coisas".

A verdade, porém, é que a viagem estava se tornando um suplício, caminhando com dificuldade na areia da estrada, sob um sol abrasador e tendo de carregar a sela, que parecia cada vez mais pesada. Com tantos contratempos, nem conseguia se distrair e se animar, imaginando o que poderia pedir.

"Mesmo que pedisse todas as riquezas do mundo, depois de satisfeito ainda poderia querer mais outra coisa", pensava. "Mas vou tratar de pensar bem antes de fazer os pedidos, para lucrar o mais possível com esse dom que me foi concedido".

Tudo que pensava em pedir lhe parecia pouco. Era preciso aproveitar ao máximo. E com tantos pensamentos ambiciosos lhe martelando a cabeça, o homem estava cada vez mais desesperado com o cansaço, com o peso da maldita sela em suas costas.

Sua mulher é que era feliz, pensou. Que vida folgada ela levava, e lá estava em casa, muito bem abrigada, podendo comer à vontade, descansar à vontade!

— Eu queria que ela estivesse sentada nesta sela, sem poder sair, em vez de eu ter de carregar esta porcaria e me cansar desse modo! — exclamou impetuoso.

E, mal dissera a última palavra, a sela desapareceu de suas costas, levando-o a concluir que também o seu segundo desejo acabara de ser satisfeito. Afobado, começou a correr, apesar do cansaço, aflito para chegar em casa e trancar-se em seu quarto, para, com calma, formular o derradeiro pedido.

Quando entrou em casa, porém, a primeira coisa que viu foi sua mulher, sentada na sela, no meio da sala, gritando, desesperada, que não aguentava mais, que não conseguia sair.

— Faze-me sair daqui! — gritava.

— Não posso — disse o marido. — Resta só um pedido para ser feito. Mas, em compensação, posso pedir para nós todas as riquezas do mundo.

— Do que me vale toda a riqueza do mundo sem poder sair daqui? — protestou a mulher, desesperada.

E, no fim das contas, embora furioso da vida, o homem teve de livrá-la daquela situação realmente insuportável. E, assim, só conseguiu, com toda a sua ambição, vexames, cansaço, decepções e a perda de um cavalo, enquanto os vizinhos pobres tiveram sossego e tranquilidade em vida e foram felizes até a morte.

A TERRA DE COCANHA

No tempo de Cocanha, fui a Roma e vi a Basílica de Latrão pendurada por um pequeno fio de seda, um homem sem pernas que corria mais do que um cavalo veloz e uma espada afiada que cortou uma ponte pelo meio. Vi um filhote de burro com um focinho de prata perseguindo uma velocíssima lebre e uma limeira carregada de bolos quentes. Vi um bode, magérrimo e muito velho, carregando cerca de cem sacos cheios de sua própria gordura e sessenta sacos de sal. Não chega ainda? Pois fiquem sabendo que vi também um arado que arava sem ser puxado e um menino com tanta força que jogou quatro pedras de moinho de Tatisboh até Treves, e de Treves a Estrasburgo, e um gavião atravessar o Reno a nado, o que aliás tinha todo o direito de fazer. Vi uns peixes brigando tanto uns com os outros que o barulho que faziam chegava até o céu, e um rio de mel escorria como água de um vale profundo no cume de uma montanha muito alta. Vi duas gralhas arando um campo e dois mosquitos construindo uma ponte, e duas pombas despedaçando um lobo; vi duas crianças dando à luz dois cabritos e dois sapos debulhando milho. Vi dois camundongos sagrando um bispo e dois gatos arranhando a língua de um urso. Então, apareceu um caracol correndo e matou dois ferozes leões. Perto, estava um barbeiro, raspando a barba de uma mulher, e vi também duas criancinhas de peito obrigarem sua mãe a calar a boca. E vi dois galgos tirando um moinho de dentro da água, e um cavalo muito velho, muito feio, estava lá perto e dizia que eles faziam muito bem. Em um pátio próximo, se achavam outros quatro cavalos debulhando milho, diligentemente. Duas cabras acendiam um fogão, enquanto uma vaca assava pães no forno. Então, uma galinha gritou:

— Cacariacó! Cacariacó! Tox, torox, a história acabou! Cacariacó!

AS TRÊS FIANDEIRAS

Era uma vez uma moça muito preguiçosa, que não queria fiar, por mais que sua mãe a mandasse. Afinal, a mãe perdeu a paciência e bateu na filha, que começou a chorar, muito alto. Justamente então, a rainha estava passando diante da casa e ouviu o choro da moça. Mandou, então, parar a carruagem, entrou na casa e perguntou à mãe porque estava espancando a filha, que gritava tanto, que os seus gritos eram ouvidos da estrada. Com vergonha de dizer que sua filha era preguiçosa, a velha disse:

— Não há jeito de eu impedir que ela fique fiando, fiando sem parar. Ela faz questão de fiar o dia inteiro e eu sou muito pobre, não posso comprar as meadas de linho.

E a rainha replicou:

— Não há nada que eu goste mais do que ouvir o barulho da roca. Deixe-me levar sua filha para o palácio. Tenho meadas de linho e de lã em profusão. Ela vai poder fiar o dia inteiro se quiser.

A mãe ficou satisfeitíssima com a proposta, e a rainha levou a jovem para o palácio. Lá, mostrou-lhe três aposentos cheios de meadas de lã e de linho de alto a baixo e disse-lhe:

— Podes fiar este material. Quando tiver terminado, vou te casar com meu filho mais velho, embora sejas pobre. Não me importo com isso, pois acho que ser diligente, trabalhadora, já constitui um dote.

A jovem ficou horrorizada, pois não conseguiria fiar aquelas meadas todas, nem se vivesse trezentos anos e trabalhasse diariamente de manhã à noite. Quando se viu sozinha começou a chorar, e, durante três dias, não moveu uma palha.

No terceiro dia, a rainha apareceu, e ficou desagradavelmente surpreendida ao ver que a roca sequer fora tocada. A moça desculpou-se, dizendo que não conseguira trabalhar porque estava muito triste, morrendo de saudade de sua mãe. A Rainha mostrou-se compreensiva, mas, ao se retirar, advertiu:

— Amanhã, tens de começar a trabalhar.

Quando ficou sozinha de novo, a jovem ficou sem saber o que fazer e, nervosa, chegou à janela. Viu, então, três mulheres caminhando em sua direção. A primeira tinha um pé chato, a segunda um lábio inferior tão grande que caía até o peito e a terceira um dedo polegar muito grande. As três pararam em frente à janela e perguntaram à moça porque estava preocupada. Ela contou-lhes o que se passava, e as mulheres disseram:

— Se nos convidares para o casamento, não se envergonhar de nós e nos chamar de tias, e deixares que sentemos à tua mesa, teceremos as meadas para ti, e dentro de muito pouco tempo.

— Perfeitamente! — concordou a moça. — Mas entrai e começai o trabalho imediatamente.

E fez com que as estranhas entrassem no primeiro aposento onde se achavam as meadas, e elas ali se sentaram e começaram a fiar. A primeira puxava o fio e movia a roda, a segunda umedecia a meada e a terceira batia com o dedo na mesa, e cada vez que batia, caía no chão uma meada já fiada, e fiada com a maior perfeição.

A jovem escondeu as fiandeiras da rainha e, quando esta aparecia, mostrava-lhe a grande quantidade de meadas já fiadas, e a rainha não lhe poupava elogios. Quando o primeiro aposento ficou vazio, passaram para o segundo e desse para o terceiro, até que todo o trabalho foi feito. Então, as três mulheres se despediram e disseram à jovem:

— Não te esqueças do que nos prometeste. Não te arrependerás.

Quando a donzela mostrou à rainha os aposentos vazios e a enorme quantidade de fios, imediatamente foi marcada a data do casamento, e o príncipe ficou satisfeitíssimo diante da perspectiva de ter uma esposa tão capaz e diligente, e a elogiou calorosamente.

E a moça disse então:

— Tenho três tias que têm sido muito boas para mim. Não queria ser ingrata para com elas, agora que estou em tão boa situação. Permiti que eu as convide para o casamento e que elas se sentem conosco à mesa.

— É claro que deves convidá-la — concordaram a rainha e o príncipe.

Assim, quando começou a festa nupcial, apareceram as três estranhas mulheres, que a noiva recebeu amavelmente:

— Sede benvindas, queridas tias!

O noivo, porém, ficou chocadíssimo e perguntou à primeira das fiandeiras:

— Como ficaste com um pé tão largo?

— Movendo a roca — respondeu a mulher.

— E tu, como arranjaste esse beiço tão grande? — perguntou à segunda.

— Lambendo as meadas — ela respondeu.

— E esse polegar enorme, como o arranjaste? — perguntou o príncipe à terceira mulher.

— Enrolando a meada — ela respondeu.

O filho do rei se assustou.

— De hoje em diante — decidiu — a minha linda esposa nem se aproximará de uma roca.

E assim, a moça preguiçosa se viu livre do trabalho que tanto detestava.

FREDERICO E CATARINA

Era uma vez um homem chamado Frederico e uma mulher chamada Catarina, que se casaram e levavam uma vida semelhante à da maioria dos casais jovens.

Um dia, disse Frederico:

— Tenho de ir lavrar o campo, Catarina. Quando eu voltar, quero encontrar uma carne assada para matar a minha fome e uma cerveja para matar a minha sede.

— Podes ir tranquilo, Frederico, que terás tudo isso quando voltares — replicou Catarina.

E, quando se aproximou a hora do jantar, ela pôs uma salsicha em uma frigideira untada de manteiga e levou-a ao fogo. E, enquanto fritava a salsicha, Catarina começou a pensar e disse a si mesma:

"Enquanto a salsicha está no fogo, posso ir à adega, buscar a cerveja".

Deixou, então, a frigideira no fogo, pegou uma lata e foi à adega apanhar a cerveja. E, enquanto a cerveja ia enchendo a lata, Catarina pensou:

— Meu Deus do céu! O cachorro está solto lá em cima e é capaz de comer a salsicha. Felizmente eu me lembrei a tempo.

Galgou com toda a pressa a escada da adega, mas o cachorro já estava com a salsicha na boca e fugindo para fora de casa. Catarina o perseguiu, mas não houve meio de alcançá-lo e, afinal, desistiu:

— O que não tem remédio, remediado está — disse.

Voltou, e, como correra muito, sentou-se para descansar. Enquanto isso, a cerveja continuava a escorrer, pois a moça se esquecera de fechar a torneira. E, quando a lata se encheu, a bebida começou a correr para fora, e só parou de correr quando o barril se esvaziou de todo.

Logo que chegou à escada, Catarina viu o desastre que acontecera.

— Meu Deus do céu! — exclamou, horrorizada. — O que vou fazer agora para que Frederico não descubra?

Pensou um pouco, e afinal se lembrou de que na despensa ainda havia um saco de farinha de trigo, aliás da melhor qualidade, que tinha comprado na última feira. Poderia levar o saco para a adega, e espalhar uma parte da farinha no chão, para secá-lo.

— Quem sabe guardar, sabe aproveitar! — sentenciou para si mesma.

Arrastou o saco até o porão, mas tropeçou na lata de cerveja e entornou a bebida de Frederico.

Só lhe restava agora secar o chão. E foi o que fez, gastando a farinha toda. No fim, sentiu-se satisfeita com o serviço:

— Ficou até bem limpinho.

À tarde, chegou Frederico, e foi logo perguntando:

— O que preparaste para mim, Catarina?

— Ah, Frederico! — ela replicou. — Não imaginas o que aconteceu! Eu estava fritando a salsicha para ti, mas quando fui buscar a cerveja para beberes, o cachorro pegou a salsicha e, quando fui correr atrás dele, a cerveja transbordou, e, quando fui secar o chão da adega com farinha de trigo, esbarrei na lata onde estava a cerveja para beberes, e ela entornou. Mas já está tudo arrumado, o chão da adega já está seco.

— Como foste fazer uma coisa dessas, Catarina? — censurou o marido. — Deixar o cachorro comer a salsicha, entornar a cerveja e ainda por cima gastar a farinha de trigo toda!

— Eu não sabia, Frederico — desculpou-se a esposa. — Deverias ter me dito.

"Com uma esposa assim, é preciso ter muito cuidado", pensou Frederico.

Acontece que ele havia economizado bastante moedas, que trocou por ouro e disse à mulher:

— Escuta, Catarina. Veja estas fichas amarelas, que são usadas para jogar. Vou guardá-las em um pote e enterrá-las no estábulo, debaixo da manjedoura, mas não te aproximes delas, senão te arrependerás.

— Podes ficar sossegado, Frederico. Não vou mexer nelas.

E, quando Frederico saiu, apareceram na aldeia alguns vendedores ambulantes, que vendiam vasos e potes de barro, e perguntaram a Catarina se não queria comprar alguma coisa em sua mão.

— Não tenho dinheiro para comprar coisa alguma — disse a moça. — A não ser fichas amarelas. Se servirem, poderei comprar.

— Fichas amarelas? — perguntaram os homens, interessados. — Deixa-nos ver, primeiro.

— Então, entrai no estábulo e escavai debaixo da manjedoura da vaca — disse Catarina ao vendedor. — Lá encontrarás as fichas. Eu estou proibida de ir até lá.

Os malandros escavaram o chão do estábulo e encontraram o ouro. Apoderaram-se dele e se retiraram apressadamente, deixando seus vasos e potes atrás da casa. Catarina achou que devia aproveitar aqueles objetos e, como não havia falta deles na cozinha, quebrou o fundo de todos e colocou-os como enfeites na cerca que rodeava a casa.

Quando Frederico voltou e viu a nova decoração, perguntou, intrigado:

— Onde arranjaste isso, Catarina?

— Eu comprei, com as fichas que estavam enterradas no estábulo — ela respondeu. — Não entrei lá, pois tinhas me proibido. Os próprios mercadores foram lá e escavaram o chão.

— Ah, Catarina! — exclamou o marido, desolado. — Não eram fichas, mas moedas de ouro, toda a nossa fortuna! Como foste fazer uma coisa dessas?

— Eu não sabia, Frederico! — desculpou-se Catarina. — Devias ter me avisado.

Ficou pensativa por alguns momentos, depois disse:
— Escuta, Frederico, podemos recuperar o ouro. Vamos correr atrás dos ladrões.
— Vem, então — disse Frederico. — Vamos tentar. Mas traze contigo manteiga e queijo, para que possamos comer no caminho.

Os dois partiram, e, como Frederico era mais rápido, Catarina ia atrás dele.

"Estou com vantagem", ela pensou, "pois quando voltarmos, estarei na frente."

Dentro em pouco, os dois chegaram a um morro, onde havia sulcos muito fundos em ambos os lados da estrada.

"O que fizeram com a pobre terra as rodas dos carros!", pensou Catarina. "Ela vai ficar seca assim o resto da vida!"

E, compassiva, espalhou a manteiga toda nos sulcos, para amaciar a terra. Ao abaixar-se, porém, deixou cair um dos queijos, que saiu rolando pelo morro abaixo.

"Já subi esta ladeira toda, não vou descer para subir de novo", decidiu. "Não vou buscar o queijo. É melhor mandar um outro buscá-lo."

E lançou um segundo queijo morro abaixo. Esse segundo queijo, porém, não cumpriu a sua missão, como esperava Catarina, e ela mandou um terceiro mensageiro, também sem resultado.

— Não sei o que foi que aconteceu — disse a si mesmo. — Talvez esse terceiro queijo não tenha encontrado o caminho e se extraviou. Vou mandar mais outro para procurá-lo."

O quarto queijo, contudo, não agiu melhor do que o terceiro. Catarina ficou furiosa e despachou o quinto e o sexto e último queijo, sempre em vão.

— Quer saber de uma coisa? — ela exclamou afinal. — Não vou esperar mais! Esses malditos queijos não querem voltar? Pois que fiquem onde estão, que é pior para eles mesmos! Eu é que não espero mais!

E a moça continuou a subida e se encontrou com o marido, que se achava sentado à sua espera, pois já estava com fome.

— Onde puseste a manteiga e os queijos? — ele foi logo perguntando.
— Ah, Frederico! — replicou Catarina. — Com a manteiga, eu amaciei os sulcos deixados pelas rodas dos carros na estrada, que estavam sequíssimos. Os queijos vão voltar daqui a pouco; um deles rolou pelo morro abaixo e eu mandei os outros buscá-lo.

— Não devias ter feito isso, Catarina! — exclamou o marido, desolado.
— Devias ter me avisado, Frederico! — protestou a esposa.

Os dois tiveram que comer o pão seco, e, enquanto comiam, Frederico perguntou:

— Catarina, fechaste bem a casa quando saímos?
— Não Frederico — ela respondeu. — Devias ter me dito antes.
— Pois então — disse o marido — volta para lá e fecha a casa bem, antes de irmos mais longe, e traze mais alguma coisa para comermos. Ficarei aqui te esperando.

Catarina voltou para casa pensando: "Frederico quer alguma coisa para comer, mas não vai querer queijo e manteiga. Vou trazer, então, um lenço cheio de peras secas e um vidro de vinagre para ele beber."

Chegando à sua casa, trancou a parte superior da porta, mas retirou a parte inferior e levou-a consigo, acreditando que, se tivesse tomando conta da porta, a casa estaria segura.

Chegando junto do marido, disse-lhe:

— Aqui está a porta para ti, Frederico. Agora podes tomar conta da casa.

— Ó meu Deus! — exclamou Frederico. — Que mulher inteligente é a minha! Tira a parte debaixo da porta e deixa a de cima bem trancada! Já é tarde demais para voltarmos para casa, mas como trouxeste a porta para cá, terás de carregá-la daqui para diante.

— Eu carrego a porta, Frederico — concordou Catarina. — Mas fica muito pesado carregar também o vinagre e as peras secas. Então vou amarrá-los na porta e a porta os carregará para mim.

E de lá o casal foi para a floresta, à procura dos malfeitores, mas não os encontrou. Anoiteceu, e os dois treparam em uma árvore e resolveram passar a noite lá. Mal tinham se acomodado em um ramo, contudo, quando apareceram os espertalhões que levam consigo o que não quer ir e encontram as coisas antes de serem perdidas.

Sentaram-se exatamente embaixo da árvore, onde acenderam uma fogueira e trataram de dividir o produto de seus furtos. Frederico, com muito cuidado, desceu do outro lado da árvore, sem ser percebido, e ajuntou algumas pedras. Depois trepou de novo na árvore, levando as pedras, para atirá-las nos bandidos, matando-os. Nenhuma pedra os atingiu, porém, e eles gritaram:

— Já está quase amanhecendo, e a árvore está amadurecendo e largando seus frutos.

Catarina ainda estava carregando a porta, que achava muito pesada, atribuindo isso ao peso das peras secas, e disse:

— Frederico, vou jogar essas peras lá embaixo.

— Não faças isso, Catarina! — exclamou Frederico. — Seríamos descobertos.

— Mas eu não estou aguentando mais, Frederico! — insistiu Catarina. — As peras estão pesando demais.

— Pois então, joga-as e dana-te! — exclamou Frederico, perdendo a paciência.

As peras caíram entre os ramos, e os ladrões disseram:

— São excrementos dos pássaros.

Pouco depois, como a carga ainda continuasse muito pesada para Catarina, ela disse:

— Frederico, tenho de jogar o vinagre fora.

— Não faças isso, Catarina! Seremos descobertos — exclamou Frederico.

— Não aguento, Frederico! — insistiu a moça. — Está pesado demais!

— Pois então, joga e dana-te! — disse Frederico, furioso.

O vinagre foi derramado, espargindo-se sobre os ladrões, que comentaram:
— O orvalho já está caindo!
Afinal, Catarina pensou:
— Será mesmo a porta que está tão pesada?
E decidiu:
— Vou jogar esta porta lá embaixo.
— Estás louca, Catarina? Seríamos descobertos!
— Mas não estou aguentando mais, Frederico!
— Pois então larga a porta, e dana-te!
A porta caiu, fazendo um barulho terrível, e os ladrões gritaram:
— O diabo está descendo da árvore!
E fugiram apavorados, deixando para trás tudo que traziam.
De manhã bem cedinho, quando o casal desceu da árvore encontrou todo o seu ouro e o levou para casa.
Uma vez em casa, Frederico disse à esposa:
— Agora, Catarina, também deves te mostrar ativa e trabalhar.
— Está certo, Frederico — concordou ela. — Vou ao campo, ceifar o trigo.
Chegando ao campo, Catarina pensou: "Antes de ceifar, vou comer ou dormir? Vou comer primeiro" — decidiu.
Comeu, e o estômago cheio lhe deu sono. Começou a ceifar quase dormindo e acabou até sonhando, meio acordada. E, com a foice na mão despedaçou a sua roupa, o vestido, o avental, tudo. E acabou dormindo a sono solto.
Quando acordou, horas depois, estava seminua e disse a si mesma:
— Sou eu mesma? Ou não sou? Meu Deus do céu! Não sou eu não!
Enquanto isso, anoiteceu, e Catarina correu à aldeia, bateu na janela de sua casa e gritou:
— Frederico!
— O que é? — respondeu Frederico do lado de dentro.
— Eu queria saber se Catarina está em casa.
— Está sim — disse Frederico. — Deve estar, sim, e já dormindo.
— Então, eu não sou eu! — constatou a moça, desolada.
E saiu correndo. Mais adiante, encontrou uns vagabundos, que iam praticar alguns furtos.
— Posso ajudá-los a furtar — ofereceu-se Catarina.
Os malfeitores pensaram que ela conhecia algum lugar favorável e aceitaram de bom grado sua sugestão. Mas Catarina chegava em frente das casas e dizia aos moradores:
— Vocês têm alguma coisa que valha a pena a gente levar? Viemos aqui para furtar.
Os ladrões trataram, então, de se livrar de Catarina. E disseram-lhe:
— O padre tem uma chácara fora da aldeia onde planta nabos. Vai lá, arranca alguns nabos e traze para nós.

Catarina foi ao lugar indicado e tratou de arrancar os nabos, mas era tão preguiçosa, que nunca se levantava. Apareceu um homem e, vendo-a naquela posição, pensou que era o diabo que estava arrancando os nabos. Correu para a aldeia, foi procurar o padre e anunciou:

— Sr. Padre, é o diabo que está arrancando os seus nabos!

— Meu Deus do céu! — exclamou o padre. — Não posso ir correndo expulsar o diabo, porque sou manco.

— Eu carrego o senhor nas minhas costas — ofereceu-se o homem.

E, quando chegaram à plantação, Catarina se levantou de repente.

— É o diabo mesmo! — gritou o padre.

E ele e o homem que o levara fugiram, apavorados. E o padre, apesar de manco, corria mais depressa do que o homem que o carregara.

O REI SAPO OU HENRIQUE DE FERRO

Há muitos e muitos anos, no tempo em que se amarrava cachorro com linguiça, vivia um rei que tinha duas filhas, ambas belíssimas, mas a caçula era tão bela que o próprio Sol, apesar de vê-la muito, ficava atônito quando lhe iluminava o rosto.

Perto do castelo do rei ficava uma grande e sombria floresta e, embaixo de uma velha limeira da floresta, havia um poço de água muito fresca, junto do qual a filha do rei costumava sentar-se, quando ia à floresta. Quando se sentia aborrecida e queria se distrair, levava uma bola de ouro, lançava-a bem alto e apanhava quando caía. Essa era a sua diversão predileta.

Certo dia, a bola dourada, em vez de cair nas mãos da princesa, como costumava, caiu no chão, atrás dela, e rolou para dentro da água. A filha do rei acompanhou a bola com os olhos, mas ela desapareceu, e o poço era tão fundo, que era de todo impossível ver o seu fundo. A princesa começou, então, a chorar, inconsolável, soluçando a toda a altura. E, enquanto chorava, ouviu uma voz dizer-lhe:

— Por que tanto te lamentas, filha do rei? Estás chorando tanto, que até uma pedra fica com dó de ti.

A princesa olhou na direção de onde vinha a voz, e viu um sapo, que estendia para fora da água a cabeça, muito grande e muito feia.

— És tu, sapo, que estás falando? — ela perguntou. — Estou chorando porque perdi minha bola dourada, que caiu dentro da água.

— Não chores — disse o sapo. — Posso ajudar-te, mas o que me darás se eu te devolver a bola?

— O que quiseres, meu caro sapo — prometeu a jovem princesa. — Meus vestidos, minhas joias, pedras preciosas e pérolas e até mesmo a coroa de ouro que estou usando.

— Não me interesso por teus vestidos, tuas jóias, pedras preciosas, nem por tua coroa. Se, porém, gostares de mim e permitires que eu seja teu companheiro e jogue contigo, e sente em tua mesa, comendo em teu prato e bebendo em teu copo e dormindo em tua cama, nesse caso prometo que entrarei dentro da água e trarei de novo tua bola dourada.

— Está bem! — disse a princesa. — Prometo-te tudo que desejas, se trouxeres minha bola de novo.

Enquanto falava, porém, ia pensando: "Que sapo bobo falando dessa maneira! A única coisa que ele faz é ficar no meio da água com os outros sapos a coaxar! Não pode ser companheiro de um ser humano!"

Logo que ouviu a promessa, contudo, o sapo mergulhou de cabeça para baixo e pouco depois reapareceu, nadando com a bola dourada na boca e atirou-a na grama à margem do poço. A filha do Rei ficou satisfeitíssima e, mais do que depressa, agarrou a bola e saiu correndo.

— Espera! Espera! — gritou o sapo. — Leva-me contigo. Não posso correr tão depressa quanto corres.

O que valeria para o sapo, porém, coaxar, coaxar, atrás dela, o mais alto que pudesse? Não lhe deu atenção, mas correu para casa, esquecendo-se do pobre sapo, que foi obrigado a voltar para dentro do poço.

No dia seguinte, quando ela estava sentada à mesa, em companhia do rei e de todos os cortesãos, comendo em seu prato de ouro, ouviu um ruído esquisito — esplach, esplach — como se algum bicho estivesse subindo a escadaria de mármore. E, quando o ruído cessou, bateram na porta e gritaram:

— Princesinha, princesinha, abre a porta para mim!

Ela correu para ver quem era, e, ao abrir a porta, viu o sapo à sua frente. Bateu a porta com toda a força e sentou-se de novo à mesa de jantar, apavorada. O rei notou que o seu coração estava batendo desordenadamente e perguntou-lhe:

— Por que estás com tanto medo, minha filha? Por acaso há algum gigante do lado de fora querendo levar-te?

— Não é gigante, meu pai, mas um sapo repulsivo — ela respondeu.

— O que o sapo quer contigo? — espantou-se o Rei.

— Ah, querido pai! Ontem, eu estava na floresta, sentada junto do poço e, quando fui jogar, deixei a bola cair dentro da água. Como comecei a chorar muito, o sapo foi buscar a bola para mim, e, como ele insistisse, eu lhe prometi que ele seria meu companheiro, mas nem por um minuto imaginei que ele fosse capaz de sair da água. E agora ele apareceu aqui e quer ficar comigo!

Nesse momento, o sapo tornou a bater na porta e cantou:

Princesinha, princesinha,
abre a porta para mim!
Juraste ser boazinha,
e foi por isso que vim!

— Se prometeste, tens de cumprir — decidiu o rei. — Deixa-o entrar.

A princesa abriu a porta e o sapo entrou, a acompanhando passo a passo até a sua cadeira. Lá parou e disse:

— Levanta-me, para ficar ao teu lado.

Ela hesitou, mas o rei mandou que ela assim fizesse. Uma vez em cima da cadeira, o sapo quis ir para cima da mesa, e, quando lá se viu, ordenou:

—Agora, empurra o teu prato para junto de mim, para que eu também possa comer.

Assim fez a princesa, mas era visível a sua repugnância. O sapo comeu com muito apetite, e disse depois:

— Estou bem alimentado, mas com sono. Leva-me para o teu quarto, arruma a tua cama para nós dois nela deitarmos e dormirmos.

A princesa começou a chorar, pois estava horrorizada ante a perspectiva de ter junto de seu corpo aquela pele viscosa e repelente, que tinha nojo de tocar mesmo de leve. O rei, porém, se irritou, e disse-lhe:

— Quem te ajudou quando estavas precisada de ajuda não pode agora ser desprezado por ti.

Assim, a princesa segurou o sapo com dois dedos, levou-o para o seu quarto e colocou-o em um canto. Quando, porém, se deitou, o sapo pulou até junto da cama e disse-lhe:

— Estou com sono, e quero dormir aí contigo. Levanta-me, portanto, e coloca-me ao teu lado. Do contrário, vou contar a teu pai.

Perdendo a paciência, a princesa foi tomada por um acesso de fúria. Agarrou-o e atirou-o com toda a força de encontro à parede.

— Cala a boca agora, sapo nojento! — gritou.

Quando o sapo caiu no chão, entretanto, já não era sapo, e sim um garboso príncipe, de porte elegante e belos olhos. E, pela vontade do pai da princesa, tornou-se seu companheiro e seu marido. E ele contou então à princesa como fora transformado em sapo, enfeitiçado por uma bruxa e que ninguém, a não ser a princesinha, o poderia livrá-lo do encantamento. No dia seguinte partiriam juntos para o seu reino.

Os dois foram dormir então, e, na manhã seguinte, quando a claridade do dia os acordou, já se encontrava em frente à porta do palácio, uma carruagem puxada por oito cavalos brancos como a neve, com as cabeças enfeitadas de penas de avestruz e arreios de ouro. Sentado atrás da carruagem, encontrava-se o criado do jovem rei, o fiel Henrique. O fiel Henrique sofrera tanto quando o seu senhor fora transformado em sapo, que três correntes de ferro tiveram de ser colocadas em torno de seu peito, para que o coração não arrebentasse de tristeza.

A carruagem destinava-se a levar de volta o jovem rei para o seu reino. O fiel Henrique, depois de ajudar os noivos a embarcarem, se acomodou de novo atrás, satisfeitíssimo com o desencantamento do jovem rei.

Depois de terem viajado durante algum tempo, o rei ouviu um estouro atrás de si, como se alguma coisa tivesse se quebrado.

— A carruagem está se quebrando, Henrique! — gritou, virando-se para trás.

— Não é a carruagem, senhor — replicou Henrique. — Foi uma das correntes postas para segurar o meu coração, quando eu soube de vossa transformação em sapo e preso no poço.

E, durante o resto da viagem, continuaram a ouvir o tal barulho, que o jovem rei pensava que era a carruagem se quebrando, mas na verdade eram as correntes de ferro que se rompiam no coração do fiel Henrique, porque o seu amo estava agora são e salvo.

O GÊNIO DA GARRAFA

Era uma vez um pobre lenhador que trabalhava de manhã à noite. Quando, finalmente, conseguiu juntar algum dinheiro, disse ao filho:

— És meu filho único e vou gastar o dinheiro que ganhei com o suor do meu rosto para a tua educação. Se aprenderes um ofício honesto, poderás sustentar-me em minha velhice, quando as minhas pernas se tornarem trôpegas e eu for obrigado a ficar em casa.

O jovem se matriculou então em uma escola secundária e se mostrou muito estudioso, sendo elogiado pelos mestres, e lá ficou durante muito tempo. Depois de ter feito dois períodos, mas ainda não estar formado, o pouco dinheiro que o pai conseguira juntar se acabou e o rapazinho foi obrigado a voltar para casa.

— Infelizmente — disse o pai, muito pesaroso — não posso te dar mais dinheiro e, nestes tempos difíceis, é impossível economizar um níquel sequer. Tudo que ganho mal é suficiente para a nossa alimentação.

— Querido pai — disse o filho — não te preocupes com isso. Se Deus quiser, isso será bom para mim. Dentro em breve darei um jeito.

Assim, quando o pai foi para o bosque, trabalhar no corte e carregamento de madeira, o filho fez questão de ir ajudá-lo.

— Não, meu filho — protestou o pai. — Seria muito pesado para ti. Não estás acostumado com tal trabalho e nem serias capaz de executá-lo. Além disso, só tenho um machado, e não há dinheiro para comprar um outro.

— Pede ao vizinho um machado emprestado, até que a gente possa comprar um outro — sugeriu o filho.

O pai arranjou mesmo um machado com o vizinho e, no dia seguinte, ele e o filho foram trabalhar no bosque. O filho ajudou o pai, com muito boa vontade e bastante eficiência. E quando o sol estava em cima de suas cabeças, disse o pai:

— Agora vamos parar e comer alguma coisa, e depois trabalharemos duas vezes melhor.

O filho pegou o pão e disse:

— O senhor descansa, meu pai. Eu não estou cansado. Vou andar um pouco pela floresta, procurando ninhos de aves.

— Deixa de tolice, meu filho — replicou o pai. — Para que andar aí à-toa? Vai acabar se cansando e no fim ficará incapaz de mover um braço. Fica sentado aqui comigo.

O filho, porém, entrou na floresta, comendo o pão, e se sentiu muito satisfeito de se ver no meio das árvores, procurando ninhos. E andou até chegar a um carvalho enorme, de aspecto realmente ameaçador, que devia ter centenas de anos e cujo tronco cinco homens de mãos dadas não conseguiriam rodear. O jovem o contemplou, pensando:

"Muitas aves devem ter construído seus ninhos nesta árvore".

Nisso, teve a impressão de estar ouvindo uma voz. Prestou atenção e reparou que, de fato, alguém estava chorando e se lamentando, com voz abafada:

— Tirai-me daqui, tirai-me daqui!

O jovem olhou em torno, mas não pôde descobrir coisa alguma. Teve então uma ideia de que a voz estava vindo do chão.

— Onde estás? — perguntou.

— Estou entre as raízes do carvalho — respondeu a voz. — Tirai-me daqui! Tirai-me daqui!

O moço começou a escavar a terra em torno das raízes do carvalho, até encontrar uma garrafa dentro de um buraquinho. Levantou-a de encontro a luz e viu em seu interior uma criatura parecida com um sapo, dando uns pulinhos lá dentro.

— Tirai-me daqui! Tirai-me daqui! — gritava a criaturinha, sem parar.

Achando que não fazia mal, o rapazinho tirou a rolha da garrafa.

Imediatamente, um gênio saiu da garrafa e começou a crescer, a crescer tão depressa que, dentro de poucos momentos, o rapaz viu diante de si uma criatura tão alta quanto metade do carvalho centenário.

— Vamos deixar de conversa fiada — disse o gênio. — Terás a recompensa que mereces. Achas que estive preso aqui durante tanto tempo como um favor? Não, foi por castigo. Sou o poderoso Mercúrio. Quem me libertar deve ser estrangulado por mim.

— Vamos com calma! — retrucou o moço. — Primeiro, preciso saber se foste realmente trancado nesta garrafa e que és o verdadeiro gênio. Se é assim, serás capaz de fazer isso de novo. Então acreditarei em ti, e poderás fazer comigo o que quiseres.

— Ora! — exclamou o gênio, com ar de absoluta superioridade. — Isso para mim é uma brincadeira de criança!

E, realmente, tornou-se pequeno e magro como fora antes e entrou pelo gargalo da garrafa. Mais do que depressa, o jovem pegou a rolha e tapou a garrafa, e jogou-a entre as raízes do velho carvalho.

Virou, então, as costas e começou a andar a fim de voltar para junto de seu pai, mas o gênio voltou a gritar como um desesperado:

— Tirai-me daqui! Tirai-me daqui!

— Vai esperando! — disse o moço. — Achas mesmo que, depois de teres querido me matar, eu vá salvar-te pela segunda vez?

— Se me tirares daqui, — disse o gênio — eu te darei tanto dinheiro que poderás viver à farta durante o resto de tua vida.

— De modo algum — retrucou o jovem. — Irás enganar-me, como enganaste da primeira vez.

— Estás desperdiçando uma oportunidade que jamais terás de novo! — disse o gênio. — Não vou te fazer mal algum, mas, ao contrário, te tornar muito rico.

"Afinal de contas", pensou o jovem, "talvez ele vá mesmo honrar a sua palavra. E, de qualquer maneira, não vai me fazer de bobo".

Tirou a rolha da garrafa, e o gênio saiu e se tornou um enorme gigante.

— Agora vais receber a tua recompensa — disse ele ao moço, entregando-lhe um pedaço de pano semelhante aos usados para lustrar madeira, dizendo-lhe:

— Se colocares este pano sobre um ferimento, ele imediatamente se cicatrizará e se o esfregares no aço ou no ferro, com a outra extremidade, aqueles metais imediatamente se transformarão em prata.

— Vou experimentar agora mesmo — disse o jovem.

Caminhou até uma árvore, arrancou um pedaço do tronco com uma machadada e esfregou no corte uma extremidade do pano. O corte se restaurou imediatamente.

— Está bem — disse ao gênio. — Agora podes partir.

O gênio agradeceu pela liberdade e o moço agradeceu o pano milagroso, e voltou para junto do pai.

— Por que demoraste tanto? — perguntou-lhe o pai, quando ele chegou. — Esqueceste do teu trabalho? Eu sempre disse que nunca irias chegar a ser alguma coisa.

— Calma, meu pai! — disse o jovem. — Já resolvi o meu problema.

— É mesmo? — replicou o pai, irônico.

— Vou cortar aquela árvore ali — anunciou o jovem.

Esfregou uma extremidade do pano que o gênio lhe dera no machado e deu uma machadada na árvore que mostrara. O aço do machado, porém, virara prata, e se entortou.

— Está vendo, meu pai, que machado ruim o senhor me deu? — disse o moço.

O pai ficou espantado.

— O que aprontaste desta vez? — exclamou. — Agora vou ter de pagar o machado ao vizinho! Foi o único lucro que deste com o teu trabalho! Também foi uma tolice minha deixar-te vir. Estudante não pode entender de corte de madeira.

— Não fique com raiva, meu pai. Vou pagar o machado — procurou o jovem tranquilizá-lo.

E, vendo que o pai não se convencia, acrescentou:

— Realmente, não posso trabalhar mais, e acho melhor a gente fazer um feriado hoje o resto do dia.

— Estás doido! — protestou o velho. — Podes ir para casa, mas eu vou continuar trabalhando.

— Meu pai — insistiu o outro — esta foi a primeira vez que estive aqui na floresta. Não sei voltar sozinho para casa. Ainda não aprendi o caminho. Vem comigo.

Já mais calmo, o pai acabou concordando em acompanhar o filho à casa. Lá chegando, disse àquele:

— Agora, vá vender esse machado estragado. Vê o que consegue obter por ele, e eu completarei o resto, mesmo com sacrifício, pois tenho de indenizar o vizinho.

O jovem pegou o machado e levou-o ao ourives da cidade, que o examinou, pesou-o e declarou:

— Vale quatrocentos táleres e não tenho tanto dinheiro comigo.

— Dá-me o que tiver e eu te emprestarei o resto — disse o moço.

O ourives pagou trezentos táleres e ficou devendo cem.

Chegando em casa, disse o filho:

— Já estou com o dinheiro, meu pai, pergunta ao vizinho quanto é.

— Ele já me falou — informou o pai. — Um táler.

— Então lhe dê dois táleres. Estou com muito dinheiro.

E o jovem deu cem táleres ao pai.

— Nunca mais o senhor vai passar necessidade. De agora em diante, vai viver tão confortavelmente quanto quiser.

— Meu Deus do céu! — exclamou o velho, estarrecido. — Como foi que conseguiste esta riqueza?

O rapaz contou o que lhe sucedera, como, confiando na sorte, conseguira tanto dinheiro. Com o dinheiro que sobrara, voltou aos estudos, formou-se em medicina. E, graças ao pedaço de pano que cicatrizava todos os ferimentos, tornou-se o médico mais famoso do mundo.

A AVE DE OURO

Era uma vez um rei que tinha atrás de seu palácio um lindo parque de recreio, no qual crescia uma árvore que dava frutos de ouro. Quando aquelas maçãs de ouro amadureciam, eram contadas, mas sempre, na manhã seguinte, uma delas havia desaparecido.

Chegando tal fato ao conhecimento do rei, ele ordenou que fosse mantido um vigia embaixo da árvore todas as noites.

O rei tinha três filhos, o mais velho dos quais foi mandado para o parque mal anoiteceu. À meia-noite, porém, ele não pôde resistir ao sono, e adormeceu; na manhã seguinte uma das maçãs desaparecera, como de costume.

Na noite seguinte, o segundo filho do rei foi tomar conta da árvore, mas não teve mais sorte que o irmão mais velho. Logo que os relógios marcaram meia-noite, ele caiu num sono profundo e, quando acordou, a fruta havia desaparecido.

Chegou, assim, a vez do terceiro filho montar guarda. Ele se mostrou plenamente disposto a cumprir a missão, mas o rei não tinha muita confiança nele, e achava que o seu desempenho seria ainda pior do que o dos irmãos. Afinal, porém, deixou-o ir. O príncipe ficou bem atento embaixo da árvore, e conseguiu vencer o sono. Quando deu meia-noite, ouviu um farfalhar de asas e, ao luar, viu uma ave cujas penas reluziam, cobertas de ouro. Ela havia pousado na árvore e acabara de bicar uma fruta, quando o jovem príncipe atirou uma seta contra ela. A ave conseguiu voar, mas a seta atingira-lhe a plumagem e uma das penas douradas caiu no chão. O príncipe apanhou-a e, na manhã seguinte, levou-a ao rei e contou-lhe o que vira durante a noite.

O rei reuniu o seu conselho, e a opinião unânime dos conselheiros foi a de que uma só pena igual àquela valia mais do que o reino inteiro.

— Se a pena é assim tão preciosa, a ave inteira tem de ser muito mais! — exclamou o rei. — Assim sendo, não posso me contentar com a pena. Quero toda a ave!

O filho mais velho, muito confiante em sua capacidade, saiu para procurar a ave de ouro. Depois de ter viajado durante algum tempo, viu uma raposa, parada na beira de um bosque, e apontou a sua arma para matá-la.

— Não me mates! — exclamou a raposa. — Em compensação dar-te-ei alguns bons conselhos. Estás no caminho que leva até a ave de ouro, e hoje à noite chegarás a uma aldeia onde ficam duas estalagens, uma em frente da outra. Uma delas é muito bem iluminada e dentro dela reina grande animação. Não a procures, porém. Prefira a outra, embora pareça muito pior.

"Como é que um bicho destes pode ser capaz de dar um bom conselho?" pensou o filho do rei.

E disparou a arma. Errou o tiro, porém, e a raposa, estendendo a cauda, correu para o interior do bosque.

O príncipe seguiu viagem e, à noite, chegou a uma aldeia onde havia duas estalagens, uma repleta de cantos e danças e a outra muito pobre, feia e triste.

"Só mesmo se eu fosse um completo idiota é que iria ficar naquela hospedaria horrorosa em vez de ficar na boa", pensou o príncipe.

Dito e feito. Entrou na hospedaria alegre, divertiu-se a valer, e se esqueceu da ave e de seu pai, e de todos os bons conselhos.

Tendo se passado muitos meses, sem que o filho mais velho voltasse, o segundo filho partiu em procura da ave de ouro. Encontrou a raposa, como o irmão mais velho encontrara, e ela lhe deu o bom conselho, que ele também não levou a sério. Chegou diante das duas hospedarias da aldeia, e seu irmão se encontrava à janela da alegre e barulhenta, e o chamou. Ele não se fez de rogado para entrar e viver se divertindo de manhã à noite.

O tempo passou sem que o segundo irmão também voltasse, e o irmão caçula quis partir para ver se tinha sorte.

Seu pai, porém, não queria permitir tal coisa.

— Não adiantará — disse. — Se os irmãos não encontraram a ave de ouro, ele é que não irá encontrá-la de modo algum. E se surgir alguma dificuldade, não será capaz de enfrentá-la. Tenho de admitir que a sua inteligência não é das mais brilhantes.

Afinal, contudo, diante da insistência, acabou cedendo. E o jovem príncipe partiu.

Como das outras vezes, a raposa se encontrava à beira do bosque, pediu misericórdia e deu um bom conselho. O caçula tinha boa índole, e disse:

— Sossega, raposinha, não vou te matar.

— Não vais te arrepender — disse a raposa. — E, se queres chegar mais depressa, trepa na minha cauda.

Mal havia o jovem sentado na cauda da raposa, esta disparou numa louca corrida e não tardaram a chegar à aldeia. O príncipe apeou e, seguindo o conselho que recebera, sequer olhou para a bela estalagem e foi se hospedar na outra, onde passou uma noite tranquila.

Na manhã seguinte prosseguiu viagem e logo que chegou ao campo aberto, tornou a encontrar a raposa, que, mais uma vez, lhe dirigiu a palavra:

— Vou continuar a dizer-te o que deves fazer. Siga sempre em frente, e afinal encontrarás um castelo, diante do qual estará estendido um regimento inteiro de soldados. Não te preocupes, porém, pois todos eles estarão dormindo e roncando. Passa entre eles e entra no castelo. Atravessa todos os aposentos até chegares ao último, uma sala onde a ave de ouro se encontra em uma gaiola de madeira. Junto dela, verás uma gaiola de ouro, mas de modo algum tires a ave da gaiola feia e ponhas na bonita, pois enfrentará grandes dificuldades.

Ditas estas palavras, a raposa estendeu a cauda, o filho do rei sentou-se nela e os dois saíram em disparada, até chegarem ao castelo.

Tudo ali estava de acordo com o que a raposa dissera. O filho do Rei chegou até o aposento onde a ave de ouro se encontrava presa em uma gaiola de madeira, bem perto de uma linda gaiola de ouro, vazia; também se encontravam no aposento as três maçãs de ouro.

"Afinal de contas", pensou "seria um absurdo se eu fosse deixar esta ave tão bela em uma gaiola tão ordinária e tão feia".

Assim, tirou a ave da gaiola de madeira e colocou-a na gaiola de ouro. No mesmo momento, porém, a ave deu um grito estridente. Os soldados acordaram e levaram o jovem para a prisão. No dia seguinte, compareceu perante um tribunal e, como confessou tudo, foi condenado à morte.

O rei, contudo, prometeu comutar a pena e salvar-lhe a vida, se ele lhe trouxesse o cavalo de ouro, que galopava mais depressa do que o vento. Se conseguisse tal coisa, além de ter salva a sua vida, também receberia como recompensa a ave de ouro.

O príncipe, é claro, aceitou a proposta e saiu em busca do tal cavalo de ouro, mas, na verdade, de todo desanimado. Não tinha a menor ideia de onde poderia encontrá-lo. Não tardou, porém, a se encontrar com sua amiga raposa, que estava de pé, à margem da estrada.

— Vê só — disse a raposa. — Isso aconteceu porque não seguiste a minha recomendação. Não desanimes, contudo. Vou ajudar-te e dizer-te como poderás encontrar o cavalo de ouro. Segue sempre em frente e chegarás a um castelo em cuja cocheira se encontra o cavalo. Os palafreneiros estarão diante da estrebaria, mas estarão dormindo e roncando e poderás tranquilamente chegar até o cavalo de ouro. Não te esqueças, porém, de uma coisa: perto do cavalo verás uma sela de couro ordinário, muito feia, e uma outra de ouro; arreia o cavalo com a sela ordinária, ou, do contrário, irás te arrepender.

Ditas estas palavras, a raposa estendeu a cauda, na qual o príncipe se sentou, e partiu em desabalada corrida. O resto se passou como a raposa previra, mas, quando o príncipe ia arrear o cavalo com a sela ordinária, pensou:

"Pôr uma sela tão feia em um cavalo tão bonito é, certamente, um absurdo. A outra sela é que lhe convém."

E, se assim pensou, melhor fez. No mesmo instante, porém, o cavalo começou a relinchar a toda altura. Os palafreneiros acordaram e o príncipe foi levado para a prisão e, na manhã seguinte, condenado à morte. O rei, por seu lado, prometeu perdoá-lo e dar-lhe o cavalo de ouro, se ele conseguisse trazer a linda princesa do castelo de ouro.

Feliz por ter escapado da morte, mas triste porque não sabia como chegar ao tal Castelo de Ouro, o príncipe partiu e, como das outras vezes, encontrou a raposa pouco tempo depois.

— Na verdade — disse ela — eu deveria te deixar entregue à tua própria sorte, depois das tolices que fizeste. Mas tenho dó de ti e vou te dar outra oportunidade. Esta estrada vai diretamente ao castelo de ouro. À noite, quando tudo estiver tranquilo, a linda princesa irá ao balneário, para tomar banho. Quando ela entrar ali, corre atrás dela e dá-lhe um beijo; ela se disporá, então, a acompanhar-te. Não permitas, contudo, que ela se despeça de seus pais, pois, do contrário, irás te arrepender.

E, ditas estas palavras, a raposa estendeu a cauda, na qual o príncipe se sentou, e partiu em desabalada corrida até o castelo. O jovem esperou até meia-noite, quando reinava total silêncio e tranquilidade, e então a linda princesa se dirigiu ao balneário. Ele alcançou-a e deu-lhe um beijo. Ela disse, então, que estava disposta a acompanhá-lo, a partir em sua companhia, mas pediu-lhe, encarecidamente, com lágrimas nos olhos, que permitisse que, antes, ela se despedisse de seus pais. A princípio, ele se negou a atendê-la, mas quando a viu chorando cada vez mais e até se ajoelhando aos seus pés, não pôde resistir mais. Mal, porém, a princesa chegou ao quarto de seu pai, este e todas as demais pessoas que se encontravam no castelo acordaram, e o jovem foi apanhado e levado para a prisão.

Na manhã seguinte, o rei lhe disse:

— Estás condenado à morte e somente terás mercê se, dentro de oito dias, derrubares o morro que se ergue diante de minhas janelas, impedindo que eu veja o horizonte além dele. Se conseguires isso, dar-te-ei minha filha em casamento.

O príncipe, munido de uma picareta e de uma pá, trabalhou desesperadamente para demolir o morro, mas, no fim de sete dias, quando constatou que pouco tinha feito, foi tomado pelo mais completo desânimo: era de todo impossível ser bem sucedido. Ao anoitecer daquele sétimo dia, contudo, apareceu a raposa e lhe disse:

— Realmente, não mereces que eu me interesse por ti, mas vai dormir. Farei o serviço para ti.

No dia seguinte, quando o príncipe acordou e olhou pela janela, o morro havia desaparecido. Alegríssimo, ele correu a anunciar o fato ao rei, que, satisfeito ou não, teve de cumprir sua palavra e deu-lhe a mão da princesa.

Os dois partiram juntos e dentro de pouco tempo a fiel raposa foi ter com eles.

— Dessa vez, sem dúvida, acabaste te saindo bem — disse ela ao príncipe. — Mas o cavalo de ouro também pertence à donzela do castelo de ouro.

— Como conseguirei? — perguntou o jovem príncipe.

— Vou explicar-te — disse a raposa. — Em primeiro lugar, leve a linda donzela ao rei que te mandou ao castelo de ouro. Isso provocará um indizível regozijo. De boa vontade dar-te-ão o cavalo de ouro. Monta nele o mais depressa que puderes e estende a mão para te despedires de todos, em último lugar para a linda donzela. Quando lhe apertares a mão, levanta-a até o cavalo e parte a galope, que ninguém te alcançará, pois o cavalo é mais veloz do que o vento.

Tudo correu satisfatoriamente, e o filho do rei levou a linda princesa no cavalo de ouro.

A raposa continuou em ação e disse-lhe:

— Agora, vou ajudar-te a ficar com a ave de ouro. Quando te aproximares do castelo onde se encontra a ave de ouro, faze com que a donzela apeie, e eu tomarei conta dela. Leva, então, o cavalo de ouro para o pátio do castelo, onde haverá grande regozijo com o seu aparecimento. Irão buscar, então, a ave de ouro para recompensar-te. Quando pegares a gaiola, galopa até aqui e levarás a donzela contigo de novo.

O plano foi de todo bem sucedido e, quando o príncipe viajava de regresso à pátria, levando os seus tesouros, a raposa disse-lhe:

— Agora, terás de recompensar-me pela ajuda que te prestei.

— O que queres que eu faça? — perguntou o jovem.

— Quando chegares àquele bosque ali adiante, mata-me com um tiro e corte a minha cabeça e as minhas patas — respondeu a raposa.

— Que belo modo de mostrar gratidão! — exclamou o príncipe. — Não posso fazer tal coisa!

— Se não fizeres isso, tenho de deixar-te, mas, antes de partir, vou te dar um conselho — disse a raposa. — Tem muito cuidado com duas coisas. Não compres carne da forca e não sentes à beira de um poço.

E, ditas estas palavras, a raposa correu para o interior do bosque.

"Que esquisitice!", pensou o jovem príncipe. "Quem é que haveria de comprar carne de forca? E jamais na minha vida tive ideia de sentar-me à beira de um poço".

Continuou a viajar em companhia da linda donzela, e o caminho que seguia levou-o à aldeia onde seus dois irmãos tinham ficado. Havia ali grande agitação e, quando ele indagou do que se tratava, foi informado de que dois homens iam ser enforcados. Quando se aproximou do lugar da execução, viu que se tratava de seus dois irmãos, que tinham se metido em toda espécie de falcatruas e perdido tudo que possuíam.

O príncipe indagou se eles não poderiam ser libertados.

— Se pagasses os prejuízos que eles deram, eles seriam libertados — informaram. — Mas por que haverias de perder o teu dinheiro para salvares uns sujeitos tão ordinários?

O príncipe, porém, não pensou duas vezes. Pagou tudo, os irmãos foram libertados e todos juntos prosseguiram viagem.

Chegaram ao bosque onde pela primeira vez a raposa os havia encontrado. O dia estava quente, mas dentro do bosque a temperatura era muito mais fresca e o ambiente muito agradável.

— Vamos descansar um pouco junto do poço e comermos e bebermos alguma coisa — propuseram os irmãos.

O nosso príncipe concordou, e sentou-se na beira do poço, sem se lembrar do conselho da raposa. Mas os dois irmãos o atiraram no poço, traiçoeiramente, pelas costas, e levaram consigo a donzela, o cavalo e a ave, e voltaram ao palácio de seu pai.

— Trouxemos não somente a ave de ouro, como também o cavalo de ouro e a jovem do castelo de ouro — anunciaram.

Houve um grande regozijo, mas o cavalo não quis comer, a ave não quis cantar e a donzela não parou de chorar.

O irmão caçula, porém, não morrera. Por sorte, o poço estava seco e ele caiu em um leito macio de musgos que se formara no fundo, sem qualquer ferimento. Não conseguiu, todavia, sair de lá. Mesmo em tais circunstâncias a fiel raposa não o abandonou. Pulou para junto dele, censurando-o por não ter seguido os seus conselhos.

— Não vou desistir, porém — acrescentou. — Vou ajudar-te de novo.

Mandou que ele agarrasse a sua cauda e arrastou-o para fora do poço.

— Ainda não estás livre do perigo — advertiu. — Teus irmãos não têm certeza de tua morte e mandaram cercar o bosque por apaniguados seus, que têm ordem de matar-te, se apareceres.

O jovem, contudo, trocou a sua roupa com as de um mendigo que estava sentado à beira da estrada, e conseguiu chegar ao palácio do rei seu pai.

Ninguém o reconheceu, mas o pássaro começou a cantar, o cavalo começou a comer e a donzela parou de chorar.

— O que quer dizer isso? — perguntou o rei.

— Não sei — disse a donzela. — Mas eu me sentia tão triste e agora me sinto tão feliz! Tenho a impressão de que meu verdadeiro noivo chegou.

E contou, então, tudo que acontecera, embora os outros irmãos a tivessem ameaçado de morte se ela revelasse o seu segredo.

O rei ordenou que todas as pessoas que se encontravam no castelo fossem levadas à sua presença, e entre elas apareceu o jovem príncipe vestido de farrapos. A donzela, no entanto, o reconheceu, e se atirou em seus braços. Os irmãos perversos foram presos e executados. O caçula se casou com a linda donzela e foi proclamado herdeiro da Coroa.

O que aconteceu, porém, com a pobre raposa? Muito tempo depois, quando o príncipe se encontrava de novo caminhando pelo bosque, encontrou com a raposa, que lhe disse:

— Agora, estás de posse de tudo que poderias desejar, enquanto eu continuo entregue ao meu sofrimento, e, no entanto, tens o poder de me libertar.

E de novo, chorando, implorou-lhe que a matasse e cortasse a sua cabeça e as suas patas. O príncipe satisfez-lhe a vontade, e mal acabara de executar a incumbência, a raposa se transformou em um homem, que não era outro senão o irmão da bela princesa, finalmente livre de um encantamento que lhe fora imposto. E, de então para diante, todos viveram tranquilos e felizes.

O ENIGMA

Era uma vez um príncipe que, tomado do desejo de viajar através do mundo, levou consigo um criado muito fiel, e partiu. Certo dia, chegou a uma grande floresta e, quando anoiteceu, não viu por perto um abrigo onde pudesse pernoitar. Afinal, avistou uma mulher que se dirigia a uma casa pequena e modesta e, quando se aproximou, viu que se tratava de uma jovem muito bonita.

— Senhorita — disse ele — eu e meu criado poderemos pernoitar nessa casa?
— Podeis — respondeu a jovem. — Mas eu não vos aconselharia.
— Por quê? — perguntou o príncipe.

Dando um suspiro, a jovem respondeu:

— Minha madrasta pratica a magia negra. E não gosta de estranhos.

O príncipe percebeu que chegara à casa de uma feiticeira, mas já estava muito escuro para ir adiante. E, como também era corajoso, ele entrou.

A velha estava sentada em uma poltrona junto do fogo, e olhou os recém-chegados com visível hostilidade.

— Boa-noite — resmungou, fingindo amabilidade. — Sentai-vos e descansai.

Em seguida, ela atiçou o fogo, onde estava cozinhando algo em uma panelinha. A moça advertiu os hóspedes que não seria prudente comer ou beber coisa alguma, pois a velha costumava misturar seus filtros com as comidas e bebidas. Os dois dormiram tranquilamente até a manhã seguinte.

Quando já estavam prontos para partir, o príncipe já montado a cavalo, a velha disse:

— Esperai um pouco. Quero primeiro vos oferecer uma bebida.

Enquanto ela preparava a bebida, contudo, o príncipe partiu a galope, e somente o criado, que se atrasara ajeitando o loro, ainda se encontrava lá, quando a malvada feiticeira apareceu trazendo a bebida.

— Leva para teu patrão — disse ela.

Ao fazer a entrega, porém, o vidro escorregou-lhe da mão e o veneno caiu em cima do cavalo, matando-o instantaneamente, a tal ponto que era forte. O criado correu atrás do príncipe e contou-lhe o que acontecera, mas, como não queria deixar a sela para trás, voltou para buscá-la. E constatou, então, que um corvo já estava devorando o cavalo morto.

— Quem sabe se vamos encontrar hoje alguma coisa melhor? — disse ele.

E, assim pensando, matou o corvo e levou-o consigo.

Os dois viajaram o dia inteiro no meio da floresta, e dela não conseguiram sair até o anoitecer, quando encontraram uma estalagem, na qual entraram. O criado deu o corvo ao dono da estalagem, a fim de prepará-lo para o jantar.

O lugar, no entanto era infestado de malfeitores, e, durante a noite, doze deles apareceram, dispostos a assassinar os viajantes para roubar. Antes, porém, resolveram cear, em companhia do dono da estalagem e da feiticeira. Tomaram um prato de sopa, na qual fora cozido um pedaço de carne do corvo. E, mal a provaram, todos caíram mortos, pois o corvo lhes transmitira o veneno da carne do cavalo.

Além dos hóspedes, só ficou viva na casa a filha do dono da hospedaria, que era uma jovem honesta e não participava dos crimes dos outros. Ela, então, abriu para o príncipe todas as portas, mostrando os tesouros que haviam sido furtados e que lá se encontravam guardados. O príncipe disse-lhe que não se interessava por aquelas riquezas, que podiam ficar para ela. E partiu com o criado, prosseguindo a viagem.

Depois de terem viajado durante muito tempo, chegaram a uma cidade, onde vivia uma princesa, muito bela mas também muito orgulhosa, que anunciara que se casaria com o primeiro homem capaz de propor-lhe um enigma que ela não fosse capaz de decifrar. Se ela adivinhasse, porém, o homem devia ser decapitado. O prazo para a decifração era de três dias, mas a princesa era, de fato, tão inteligente, que sempre decifrava antes. E, quando o príncipe chegou àquela cidade, nove pretendentes já haviam perdido a cabeça. Seduzido pela beleza da princesa, também ele se dispôs a arriscar a vida tentando conquistá-la.

E apresentou o enigma:

"O que é, o que não é: Não matou ninguém, e, no entanto, matou doze?"

A princesa não sabia o que era. Pensou muito, mas não conseguia descobrir. Consultou os livros sobre enigmas, mas em vão. Mandou, então que uma sua criada se escondesse no quarto de dormir do príncipe, para ver se, por acaso, ele não costumava falar enquanto sonhava e revelasse o segredo.

O esperto criado do príncipe se metera na cama em lugar de seu patrão e, quando a criada apareceu, arrancou-lhe o manto que vestira e expulsou-a.

Na noite seguinte, a princesa mandou sua açafata, na esperança de que ela fosse melhor sucedida na tentativa de descobrir o segredo do príncipe. Aconteceu, porém, o mesmo que na noite anterior. A açafata voltou sem resposta e sem o manto, ainda por cima.

A princesa resolveu, então, tentar ela mesma. O príncipe, por sua vez, acreditou-se salvo na terceira noite e deitou-se ele próprio, em vez do criado. A princesa, embrulhada em um manto que a disfarçava, entrou no quarto do príncipe e sentou-se à sua cabeceira, esperando que, dormindo e sonhando, ele respondesse às perguntas que ela fizesse. O príncipe, porém, ficou acordado e ouvindo muito bem.

— Não matou ninguém, o que quer dizer isto? — perguntou a princesa.

— Um corvo, que comeu um cavalo envenenado e morreu depois — disse o príncipe.

— E, no entanto, matou doze. O que quer dizer isto? — insistiu a princesa.

— Isso significa que doze malfeitores que comeram o corvo morreram por causa disso.

Quando ficou sabendo a resposta do enigma, a princesa quis sair, mas o príncipe arrancou-lhe o manto antes que ela pudesse sair.

Na manhã seguinte, a princesa anunciou que adivinhara o enigma e convocou doze juízes, para apresentar perante eles a solução. O príncipe, contudo, pediu para ser ouvido também e afirmou:

— Ela entrou no meu quarto durante a noite e me interrogou. Se não fosse isso, não teria descoberto o sentido do enigma.

— Apresenta uma prova do que dizes — determinaram os juízes.

Os três mantos foram então trazidos pelo criado, e os juízes reconheceram o manto que a princesa usava habitualmente e decidiram:

— Este manto deve ser bordado com ouro e prata e depois usado em vosso casamento.

O COELHO E O PORCO-ESPINHO

Esta história, meus caros e jovens leitores, parece falsa, mas é a pura verdade, pois meu avô, que foi quem me contou, costumava dizer sempre que a contava:

— Ela deve ser verdadeira, pois, do contrário, ningúem a iria contá-la para ti. Ei-la:

Em uma manhã de domingo, quase no tempo da ceifa, quando os trigais estavam em flor, o sol brilhava no céu, as cotovias cantavam no ar, as abelhas zumbindo entre as espigas, as pessoas indo para a igreja com seus trajes domingueiros e todas as criaturas felizes, o porco-espinho também estava muito satisfeito da vida.

Encontrava-se ele de pé, junto da porta de sua casa, de braços cruzados, cantarolando baixinho, uma musiquinha nem pior nem melhor que aquelas que os porcos-espinhos têm o hábito de cantarolar em uma bela manhã de domingo. E enquanto cantarolava assim, meio distraído, ocorreu-lhe a ideia de que, enquanto sua esposa estivesse lavando e enxugando os filhos, ele poderia muito bem dar um passeio pelo campo, para ver como iam os nabos. Os nabos cresciam perto de sua casa e ele e sua família costumavam comê-los, motivo pelo qual os considerava como de sua propriedade.

E, se pensou em fazer, melhor fez. Fechou a porta de sua casa, do lado de fora, e tomou o rumo do campo onde cresciam os pés de nabo. Não fora ainda muito longe e estava contornando a moita de abrunheiros que margeava a plantação de nabos, quando viu o coelho, que vinha em missão semelhante à sua, isto é, visitar as suas couves. Ao vê-lo, o porco-espinho cumprimentou-o amavelmente, desejando-lhe um bom dia. Mas o coelho, que se considerava um cavalheiro muito importante, em vez de retribuir o cumprimento do outro, fechou a cara, olhou-o com indisfarçável desprezo e disse-lhe, grosseiramente:

— Por que estás andando aqui nesta plantação de manhã tão cedo?

— Estou dando um passeio — respondeu o porco-espinho.

— Dando um passeio! — replicou o coelho, com um sorriso de desdém. — Parece-me que poderias encontrar um uso melhor para as tuas pernas.

Essa observação enfureceu o porco-espinho, que é capaz de tolerar tudo, menos uma referência às suas pernas, que são tortas por natureza.

Retrucou, portanto:

— Parece que pensas que és capaz de andar melhor com tuas pernas do que eu com as minhas.

— É exatamente o que penso! — disse o coelho.

— Pois ponhamos à prova esse teu pensamento — desafiou o porco-espinho. — Aposto que te suplanto em uma corrida.

— É mesmo? — replicou o coelho, com um risinho de mofa. — Com estas perninhas tortas mesmo ou vais arranjar outras? Mas já que esta ideia extravagante foi tua, não me custa aceitar. Qual vai ser o valor da aposta?

— Um luís de ouro e uma garrafa de conhaque — propôs o porco-espinho.

— Está feito! — exclamou o coelho. — Podemos começar imediatamente.

— Não — opôs-se o outro. — Não precisa tanta pressa. Ainda estou em jejum. Vou antes à minha casa, para comer alguma coisa. Dentro de meia-hora estarei de volta.

E o porco-espinho, realmente, se afastou, enquanto o coelho aguardava com impaciência o momento de ganhar a aposta, pois a vitória era mais do que certa.

A caminho de casa, o porco-espinho foi pensando:

— Aquele coelho é muito convencido, confiado em suas pernas compridas, mas vou dar um jeito de me mostrar melhor do que ele.

E, quando chegou em casa, disse à esposa:

— Veste bem depressa, pois tens de ir ao campo comigo.

— O que vamos fazer lá? — ela perguntou.

— Fiz uma aposta de um luís de ouro e uma garrafa de conhaque com o coelho — explicou o marido. — Vou apostar uma corrida com ele, e precisas estar presente.

— Perdeste o juízo, meu marido! — exclamou a porca-espinho. — Como meteste na cabeça essa ideia inteiramente maluca de apostar corrida logo com o coelho?

— Cala a boca! — gritou o marido. — Deixa isso comigo. Não te metas a discutir assuntos que competem ao sexo masculino. Trata de vestir-te e vem comigo.

A esposa do porco-espinho não tinha alternativa. Devia obedecer, gostasse ou não.

E, quando se puseram a caminho, o marido disse-lhe:

— Agora, presta atenção no que vou dizer. A nossa pista de corrida vai ser no campo cultivado. O coelho vai correr em um sulco e eu em outro, e vamos começar a corrida lá do alto. O que tens de fazer é ficar bem quietinha aqui no sulco e, quando ele aparecer no fim do sulco, do outro lado, gritarás: "Já estou aqui!"

O porco-espinho mostrou então à esposa o lugar e subiu para o alto do campo. Ao chegar, lá já se encontrava o coelho.

— Vamos começar? — disse o último.

— Perfeitamente — concordou o porco-espinho. — Os dois ao mesmo tempo.

Assim dizendo, cada um se colocou no seu sulco. E o coelho contou:

— Um, dois, três... já.

E partiu como um furacão. O porco-espinho, por seu lado, deu apenas uns três ou quatro passos, e ficou bem quietinho onde estava.

Quando o coelho chegou, a toda velocidade, na parte mais baixa do sulco, a esposa do porco-espinho o recebeu com o grito:

— Já estou aqui!

O coelho ficou espantadíssimo, mas pensou que fosse mesmo o porco-espinho, pois esposo e esposa daquela raça são bem iguais. Achou, porém que deveria ter havido alguma tramóia e gritou:

— Temos de correr de novo!

E partiu correndo mais veloz do que o vento em sentido contrário ao que viera. A esposa do porco-espinho não saiu do seu lugar. Assim, quando o coelho chegou ao alto do campo, foi o próprio porco-espinho que o recebeu, com a mesma saudação com que fora recebido pela porca-espinho:

— Já estou aqui!

O coelho ficou possesso de raiva.

Temos de correr de novo! — exigiu.

— Perfeitamente — concordou o porco-espinho. — Por mim, podemos correr quantas vezes quiseres.

Assim, o coelho correu mais setenta e três vezes, e sempre o porco-espinho o estava esperando na mata. Na septuagésima oitava vez, ele não aguentou mais e caiu vomitando sangue, e lá ficou morto no meio do campo. O porco-espinho, tendo ganho o luís de ouro e a garrafa de conhaque, foi procurar a esposa e os dois voltaram para casa alegríssimos e, se ainda não morreram, devem estar vivos a uma hora destas.

Foi assim que o porco-espinho forçou o coelho a correr até morrer e, a partir de então, nenhum outro coelho se atreveu a desafiar um porco-espinho para apostar uma corrida.

A moral desta história é que, por mais importante que alguém seja, ou se acredite ser, jamais deve zombar de alguém que é, ou que ele julgue, inferior a si mesmo. E ela ensina também que, quando um homem se casa, deve elevar a esposa à sua própria posição. Assim todo porco-espinho, por exemplo, deve compreender que sua esposa é também porco-espinho.

O CÃO E O PARDAL

Era uma vez um cão de pastor que não tinha um bom dono e, muito ao contrário, um dono que o fazia passar fome. E, como não aguentava mais ficar com ele, o cão teve de fugir, embora muito triste.

No caminho, encontrou um pardal, que lhe disse:

— Por que estás tão triste, amigo cão?

— Estou com fome e não tenho coisa alguma para comer — respondeu o cão.

— Vem à cidade comigo, meu amigo, e matarei a tua fome — disse o pardal.

O cão prontamente aceitou o convite e, quando chegaram à cidade, dirigiram-se a um açougue, onde o pardal disse ao cão:

— Espera aqui, que eu vou ver se consigo arranjar um pedaço de carne para comeres.

E, assim tendo dito, voou até o balcão, olhou para todos os lados para ver se estava sendo observado, e pegou com o bico um pedaço de carne e levou-o para o cão, que o devorou vorazmente.

— Agora — disse o pardal — vamos a outro açougue, e eu te arranjarei mais um pedaço de carne.

Foram. E, quando o cão havia comido o segundo pedaço de carne, o pardal perguntou-lhe:

— Já comeu suficientemente, meu caro amigo?

— Sim, já comi bastante carne, mas ainda não comi pão — foi a resposta.

— Irás comer pão — prometeu o pardal. — Vem comigo.

Levou-o, então, a uma padaria e bicou dois pãezinhos até jogá-los no chão, onde cachorro os abocanhou. De lá, o levou a outra padaria pois o cão não estava achando ainda que comera bastante.

— E agora? perguntou o pardal, depois de servir o pão da segunda padaria. — Já se alimentou suficientemente?

— Já, sim — respondeu o cão. — Acho que poderíamos agora é dar um passeio fora da cidade.

Os dois saíram para o campo, seguiram pela estrada real. Estava, porém, fazendo bastante calor e não tinham andado muito tempo quando o cão anunciou:

— Já estou bem cansado e gostaria de dormir.

— Pois então dorme — disse o pardal. — Enquanto isso, vou ficar por aí, pousado em um galho.

O cão deitou na estrada e caiu logo no sono. E, enquanto dormia lá a sono solto, veio pela estrada uma carroça, puxada por três cavalos e carregando dois barris de vinho. O pardal viu a carroça avançar na direção de seu amigo e gritou para o carroceiro:

— Não faças isso, carroceiro, senão eu te reduzo à miséria!
— Deixa de tolice! — resmungou o carroceiro.

E, chicoteando os cavalos, passou com a carroça por cima do cachorro, matando-o instantaneamente.

E o pardal gritou então:

— Mataste meu grande amigo e isso te custará tua carroça e teus cavalos!
— Para de falar asneiras! — retrucou o carroceiro. — Tem mesmo graça me ameaçares dessa maneira!

E seguiu adiante.

O pardal, porém, estava realmente disposto a cumprir sua ameaça. Pousou na carroça, sem que o carroceiro visse, e tanto bicou o tampo de um dos barris, que o tampo acabou saindo e o vinho escorrendo.

A princípio, o carroceiro nada notou, mas, afinal, olhando para trás, notou que estava escorrendo vinho da carroça, e, parou para ver o que estava acontecendo. Viu, então, que um dos barris de vinho já se achava completamente vazio.

— Desgraçado que sou! — exclamou, pondo as mãos na cabeça.
— Ainda não és bastante desgraçado! — gritou o pardal.

E, quando o carroceiro prosseguiu a viagem, voou até a cabeça de um dos cavalos e arrancou-lhe os olhos com bicadas, o carroceiro deu-lhe uma chicotada, com toda a força, mas não o alcançou e o pardal acabou matando o cavalo, com bicadas na cabeça.

— Desgraçado que sou! — exclamou o carroceiro.
— Ainda não és bastante desgraçado! — gritou o pardal.

E, quando o carroceiro tocou a carroça, só com dois cavalos, o pardal pousou na carroça e arrancou o tampo do segundo barril, e todo o vinho se perdeu.

Ao ver o que acontecera, o carroceiro pela terceira vez exclamou:

— Desgraçado que sou!

E o pardal gritou de seu lado:

— Ainda não és bastante desgraçado!

E, pousando na cabeça do segundo cavalo, arrancou-lhe os olhos.

Furioso, o carroceiro agarrou um machado e levantou-o para matar o pardal, mas o pássaro voou, e a machadada atingiu o cavalo, que caiu morto.

— Desgraçado que sou! — exclamou o carroceiro.
— Ainda não és bastante desgraçado! — reiterou o pardal.

E pousou na cabeça do terceiro cavalo e furou os seus olhos. Furioso, o carroceiro tentou matar o pássaro, mas, como da outra vez, acabou foi matando o seu terceiro e último cavalo.

— Desgraçado que sou! — exclamou.
— Ainda não és bastante desgraçado! — exclamou o pardal. — Agora vou tornar-te desgraçado em teu lar!

E voou para longe.

Deixando a carroça abandonada, furioso e desalentado, o carroceiro voltou para casa.

— Quanta desgraça aconteceu comigo! — queixou-se à mulher. — Perdi todo o vinho, todos os três cavalos estão mortos!

— E aqui, meu marido? — replicou a esposa. — Não imaginas o que um maldito pássaro fez nesta casa! Reuniu todos os pássaros do mundo e estão devorando todo o trigo que guardamos!

Realmente, como o carroceiro viu depois, milhares e milhares de pássaros se encontravam no celeiro devorando todo o trigo que tinham armazenado, e o pardal pousado no meio deles.

— Desgraçado que sou! — exclamou o carroceiro.

— Ainda não és bastante desgraçado! — gritou o pardal. — Vai custar também tua vida, carroceiro!

E voou para fora da casa.

Profundamente abatido, com a perda de todos os seus bens, o carroceiro foi sentar-se, cabisbaixo, junto do fogão. Mas o pardal não lhe deu descanso: apareceu voando diante da janela e gritou-lhe:

— Carroceiro, o que fizeste custará tua vida!

Furioso, o carroceiro agarrou um machado e atirou no pardal, mas o pássaro não foi atingido: a janela é que ficou destruída.

O pardal, então, entrou voando dentro da casa e foi pousar no fogão, gritando:

— Carroceiro, o que fizeste custará tua vida!

Louco de raiva, o carroceiro desfechou machadadas contra o pássaro, que o desafiava, voando de um para outro ponto, jamais alcançado e sempre desafiando. As machadadas atingiam as mesas, os bancos, o espelho e as paredes, espalhando a destruição por toda a parte, mas deixando o pardal absolutamente incólume.

O homem, todavia, não desistiu, e afinal conseguiu agarrar o pássaro.

— Vou matá-lo — disse a sua mulher.

— Deixa por minha conta — replicou o carroceiro. — Ele vai ter uma morte bem dolorosa, bem cruel. Deixa por minha conta. Sua morte vai ser lenta e terrível: a morte por asfixia.

Assim dizendo, engoliu o pardal. O pássaro, contudo, começou a voar de um lado para o outro dentro do corpo do homem, até chegar à boca. Ali, pôs a cabeça para fora e gritou bem alto:

— Carroceiro, o que fizeste custará tua vida!

O carroceiro entregou o machado à sua mulher e ordenou:

— Mata este maldito pássaro que está em minha boca.

A mulher obedeceu, mas errou o golpe. Em vez de matar o pardal, atingiu, bem no cocuruto, o próprio marido, que caiu, morto, enquanto o pardal, muito à vontade, batia as asas e fugia para bem longe.

O RATO, O PÁSSARO E O CHOURIÇO

Era uma vez um rato, um pássaro e um chouriço, que moravam juntos, todos vivendo em paz e muito felizes, e se tornando cada vez mais prósperos. O trabalho do pássaro era voar todos os dias até a floresta e trazer lenha. Ao rato competia carregar a água e acender o fogo, assim como pôr a mesa, mas quem cozinhava era o chouriço.

Acontece, porém, que todo aquele que vive bem está sempre ansioso para arranjar uma novidade, para conquistar algo que não tenha. Certo dia, o pássaro se encontrou com outro pássaro, ao qual contou a excelente condição em que vivia, e se mostrou orgulhoso de sua posição.

O outro pássaro, porém, o chamou de bobo, pois estava sendo explorado pelos outros. E explicou: os dois ficavam em casa, enquanto ele era obrigado a sair, a se cansar longe de casa. O rato, depois de carregar água e acender o fogo, ficava descansando até a hora de pôr a mesa. O chouriço sem fazer coisa alguma, até a hora de cozinhar, o que fazia em um instantinho. Quando o pássaro chegava em casa, carregando a sua pesada carga, os outros, bem descansados, saboreavam o jantar e iam dormir.

No dia seguinte, o pássaro que fora insuflado pelo colega, não saiu de casa, dizendo que já servira de criado durante muito tempo, que os outros já o tinham feito de bobo excessivamente, e que era preciso dividir melhor o trabalho de cada um, para que ninguém saísse prejudicado. Em vão o rato e o chouriço imploraram ao pássaro que não fizesse aquilo. Ele irredutível. Teria de haver um rodízio nas atribuições de cada um dos moradores.

O jeito foi tirar a sorte. E coube então ao chouriço ir ao mato, ao rato cozinhar e ao pássaro ir buscar água e acender o fogo.

O que aconteceu? O chouriço saiu rumo ao bosque, o pássaro acendeu o fogo e o rato ficou junto do fogão, esperando que o chouriço voltasse trazendo lenha para o dia seguinte. O chouriço demorou tanto para chegar que os outros dois já receavam que lhe tivesse ocorrido alguma desgraça. Afinal, o pássaro saiu voando para ver se o encontrava. E logo adiante encontrou um cão que, pura e simplesmente, tinha abocanhado e devorado o chouriço.

O pássaro, indignado, acusou o cão de ter praticado um latrocínio, mas o cão se defendeu, dizendo que, segundo a praxe legalmente estabelecida, era um direito seu alimentar-se de chouriço.

O pássaro, muito triste, voltou para casa e contou ao rato o que acontecera. Apesar de tudo, os dois ainda resolveram continuar morando juntos e dividindo os seus encargos, agora, naturalmente, aumentados para cada um. O pássaro se encarregou de pôr a mesa e o rato de preparar a comida, como o chouriço fazia, entrando na panela e misturando os legumes e as verduras. Fracassou na tentativa, porém, e acabou perdendo o pelo, a pele e a própria vida.

Quando se preparou para comer, o pássaro verificou que não havia comida alguma. Nem comida, nem cozinheiro. Desesperado, procurou por toda a parte, mas é claro que em vão. Sem prestar atenção, deixou a lenha se espalhar por toda a parte, a lenha pegou fogo e provocou um incêndio. O pássaro pegou um balde para buscar água, mas tão desorientado estava, que deixou o balde cair no poço, e, tentando segurá-lo, caiu também com o balde e morreu afogado.

O JUDEU ENTRE OS ESPINHOS

Era uma vez um homem muito rico, que tinha um criado que o servia com o máximo de diligência, dedicação e honestidade. Era sempre o primeiro que se levantava e o último que se deitava na casa. E sempre que havia uma tarefa difícil de ser executada, era ele quem a executava. Além disso, jamais se queixava, mostrando-se sempre bem disposto e alegre.

Quando chegou o fim do ano, porém, o seu patrão não lhe pagou o salário devido, dizendo a si mesmo: "É o melhor que posso fazer, pois assim eu economizo, e ele não vai embora, mas fica esperando o pagamento".

O criado não reclamou, e continuou a trabalhar como fizera durante o primeiro ano. E, quando chegou o fim do segundo ano, de novo o patrão não lhe pagou o que devia, e ele, sem reclamar, trabalhou como sempre durante mais um ano.

No fim do terceiro ano, quando o criado pediu o pagamento devido, o patrão chegou a meter a mão no bolso, mas refletiu melhor, e tirou-a vazia como estava.

Dessa vez, porém, o criado insistiu: — Patrão, durante três anos trabalhei diligente e honestamente. Agora, peço-vos para pagar-me o que me é devido, pois pretendo ver se melhoro de vida e, para isso, viajar pelo mundo.

— Tens razão — replicou o velho avarento. — Tens me servido com diligência e honestidade e serás generosamente recompensado.

E entregou-lhe uma sacola, que continha, apenas, três moedas de cobre de pouco valor, acrescentando:

— Aqui está uma moeda para cada ano. Estás muito bem pago. Muito poucos patrões pagariam tanto.

O honesto criado, que entendia muito pouco de assuntos financeiros, embolsou a fortuna, pensando: "Agora que tenho bastante dinheiro, não preciso mais me atormentar e trabalhar como um burro de carga!"

E saiu pelo mundo, subindo e descendo morro, cantando às vezes para alegrar a caminhada, satisfeito da vida, cheio de esperanças. E quando ia atravessando um pequeno bosque, foi detido por um homenzinho muito pequeno, muito baixinho, que lhe perguntou:

— Aonde estás indo tão alegre, meu amigo? Qual é o motivo de tua alegria?

— Por que haveria de estar triste? Não tenho motivos para me queixar. Trago no bolso todo o dinheiro que recebi por três anos de trabalho!

— E a quanto monta essa fortuna? — indagou o anão.

O nosso feliz viajante informou e o anãozinho propôs:

— Escuta aqui. Eu sou um pobre coitado, e não posso mais trabalhar. Dá-me essas três moedas que trazes contigo. És jovem, e poderás facilmente ganhar a vida.

E o jovem, que tinha muito bom coração, sentiu piedade do anão, e lhe deu todo o dinheiro que tinha, dizendo-lhe:

— Fica com ele, em nome do céu. Não vou ficar pior sem ele.

— Tens um bom coração — disse o anãozinho. — E vou conceder-te o direito de satisfazer três desejos. Um para cada moeda que me deste.

— Ah! — exclamou o jovem. — Quer dizer que és daqueles que realizam maravilhas! Então vou querer; primeiro, uma espingarda cujos tiros acertem em tudo que eu mirar; em segundo lugar, uma rabeca que, sempre que eu a tocar, faça com que todo o mundo que a ouvir saia dançando; em terceiro lugar que, sempre que eu pedir um favor, a pessoa não possa recusá-lo.

— Terás tudo isso! — prometeu o anão.

E, enfiando a mão em uma moita de mato, tirou de lá uma espingarda e uma rabeca, que entregou ao jovem, ao mesmo tempo que dizia:

— De agora em diante, ninguém poderá recusar-se a satisfazer um favor que pedires.

— Ótimo! — exclamou o jovem. — O que mais eu poderia desejar?

E, exultante, seguiu o caminho, levando os presentes e a promessa.

Pouco depois, encontrou um judeu, com uma comprida barba, que se achava de pé, à margem do caminho, ouvindo o canto de um pássaro que estava pousado no alto de uma árvore.

— Céus! — ele exclamou. — Como é que uma criatura tão pequena pode ter uma voz tão alta? Ah! se ele fosse meu! Se houvesse um meio de eu ficar com esse pássaro!

— Se é só isso — disse o ex-criado — não haja dúvida. Agora mesmo o pássaro estará aqui.

Apontou a espingarda para o pássaro, e este caiu imediatamente no meio do espinhal que margeava o caminho.

— Agora, seu tratante, vai tu mesmo buscar o pássaro! — acrescentou o jovem.

— Retira o "tratante" e irei buscar o pássaro, eu mesmo. Vou tomar o pássaro para mim, agora que foi derrubado.

E, deitando-se no chão, o judeu saiu rastejando entre os espinheiros. Quando se encontrava bem no meio do espinhal, o gênio brincalhão do jovem foi tão tentado, que ele pegou a rabeca e se pôs a tocá-la. Imediatamente, as pernas do judeu começaram a mover-se, e ele deu pulos, e, quanto mais tocava a rabeca, mais frenética ia se tornando a dança. E os espinhos acabaram lhe arrancando seu já muito estragado casaco, emaranharam-lhe a barba e o arranharam por todo o corpo.

— Por favor! — gritou o judeu. — Para com essa rabeca! Não quero dançar!

O ex-criado, porém, não ouviu as suas súplicas, pensando: "Já arrancaste a pele de muita gente, agora deixemos os espinhos fazer o mesmo contigo!".

E continuou a tocar, fazendo com que o judeu tivesse de pular cada vez mais alto, deixando cada vez mais os trapos de seu casaco agarrados aos espinheiros.

— Tem pena de mim! — gritou o judeu. — Dar-te-ei tudo que pedires, se largares essa rabeca! Dar-te-ei uma bolsa cheia de ouro!

— Se fores tão liberal, vou parar com a minha música — concordou o jovem. — Mas sou obrigado a reconhecer que danças muito bem e que realmente admirei muito a tua exibição.

E, depois de receber a bolsa, seguiu caminho. O judeu permaneceu bem quieto, bem calado, até o jovem desaparecer em uma curva da estrada. Depois gritou, furioso:

— Seu músico miserável, desafinado tocador de rabeca! Espera, até que eu te apanhe sozinho! Vais ver quanto te custará essa tua ousadia.

E, tão logo se acalmou um pouco, o judeu correu para a cidade, a fim de recorrer à justiça.

— Senhor Juiz — disse ele. — Venho apresentar uma queixa. Vede como um malfeitor me roubou e me maltratou em uma estrada pública! Tenho a roupa toda rasgada, o corpo todo ferido. Furtou todo o meu dinheiro, ficou com a minha bolsa, com bons ducados de ouro, cada um melhor do que o outro. Pelo amor de Deus, Meritíssimo, manda esse homem para a prisão.

— Foi um soldado que te feriu com o seu sabre? — perguntou o juiz.

— De modo algum! — respondeu o judeu — O homem não trazia sabre, mas uma espingarda pendurada nas costas e rabeca pendurada no pescoço. O desgraçado pode ser reconhecido facilmente.

O juiz, então, mandou seus homens procurar o denunciado, e eles facilmente encontraram o ex-criado, que vinha caminhando devagar, muito calmo. E, com ele foi encontrada a bolsa com o dinheiro.

Conduzido à presença do juiz, ele declarou:

— Não encostei a mão no judeu, nem tomei o seu dinheiro. Foi ele que me deu a bolsa, por sua livre e espontânea vontade, para que eu parasse de tocar minha rabeca, pois ele não tolerava a música.

— Mentira pura! — protestou o judeu. — Como é que se pode mentir até esse ponto?

O juiz também não acreditou na versão do jovem.

— Tua defesa é muito fraca — disse. — Nenhum judeu iria fazer tal coisa.

E, pela prática de assalto em uma estrada pública, condenou o jovem à forca. Enquanto ele estava sendo levado ao patíbulo, o judeu continuou a insultá-lo, caminhando atrás dele:

— Vagabundo! Agora estás recebendo a recompensa que mereces!

O ex-criado subiu calmamente a escada junto com o carrasco, mas, chegando ao alto, virou-se e disse ao juiz:

— Atendei a um pedido meu antes que eu morra.

— Concedo, se não pedires a vida — respondeu o juiz.

— Não vou pedir a vida — disse o jovem. — Mas, como um último favor, deixai-me tocar minha rabeca.

— Não pode! Não pode! Assassino! — gritou o judeu. — Excelência, não permita que ele faça isso!

O pedido, porém, não podia ser recusado, em virtude do dom outorgado ao ex-criado.

O judeu, então, pediu frenético:

— Desgraça! Amarrai-me! Amarrai-me pelo amor de Deus!

Sem esperar mais, o jovem pegou a rabeca e começou a tocar. Imediatamente, todos os presentes começaram a mexer com as pernas e balançar o corpo e a corda caiu das mãos de um homem que se dispusera a atender ao pedido do judeu. A música continuou e todos estavam dançando, cada vez mais animados: juiz, carrasco, ajudantes, soldados e o judeu, assim como os curiosos que tinham ido assistir ao divertido espetáculo de um enforcamento. Até os cães que se encontravam por ali se ergueram nas patas traseiras e aderiram à dança.

E quanto mais aceleradamente o jovem tocava a rabeca, tanto mais freneticamente os dançarinos pulavam e rodopiavam, de modo que todos esbarravam uns nos outros, inclusive com as cabeças, correndo o risco de se machucarem seriamente.

— Eu te concedo a vida, se parares de tocar! — gritou afinal o juiz.

O jovem teve pena. Parou de tocar e desceu a escada do patíbulo. Chegando em baixo, dirigiu-se ao judeu, que estava estendido no chão, arquejante.

— Confessa, seu patife, que me deste o dinheiro espontaneamente, ou, do contrário, vou tocar a rabeca de novo!

— Sim, sim! — gritou o judeu, horrorizado. — Ganhaste o dinheiro honestamente. Eu é que o havia furtado!

Com essa confissão, o juiz mandou prender o judeu e enforcá-lo, como gatuno.

O PRÍNCIPE QUE NÃO TEMIA COISA ALGUMA

Era uma vez um príncipe que, não tendo medo de coisa alguma e não se sentindo satisfeito de permanecer, pacatamente, na casa paterna, pensou: "Irei viajar pelo vasto mundo, onde não acharei que o tempo custa tanto a passar e onde verei muitas coisas maravilhosas".

Assim, tendo se despedido da família, partiu, viajando sem descanso, sem se preocupar para onde se dirigia. E aconteceu que chegou diante da casa de um gigante e, como estava muito cansado, sentou-se junto da porta para descansar. Olhando em torno, viu, no pátio da casa duas enormes bolas e nove paus, que o gigante usava para jogar boliche. Os paus de boliche eram da altura de um homem, mas, apesar disso, o príncipe resolveu se divertir um pouco com eles, empurrando as bolas, e gritando entusiasmado quando conseguia.

O gigante ouviu o barulho, olhou pela janela e viu um homem de tamanho normal brincando com os paus de boliche.

— Desprezível verme! — gritou. — Por que estás jogando com o meu boliche? Quem foi que te deu força suficiente para isso?

— Achas, seu grandalhão, que somente tu tens força nos braços? — redarguiu o príncipe. — Posso fazer tudo que tenho vontade de fazer.

O gigante desceu ao pátio examinou o boliche com grande admiração e disse:

— Se és assim, homenzinho, traze-me uma fruta da árvore da vida.

— O que queres fazer com ela? — perguntou o príncipe.

— Não quero a fruta para mim mesmo — disse o gigante. — É a minha noiva que a deseja. Tenho viajado muito pelo mundo, mas não consegui encontrar a árvore.

— Em breve a encontrarei — afirmou o jovem príncipe.

— Estás mesmo pensando que é uma coisa fácil? — replicou o gigante. O jardim onde se encontra a árvore é cercado por uma grade de ferro, diante da qual há muitas feras, que o guardam, e não deixam pessoa alguma entrar.

— Pois terão que me deixar entrar! — exclamou o príncipe.

— Mas fica sabendo que, ainda mesmo se conseguires entrar, as dificuldades não terão cessado. Poderás entrar no jardim e ver a fruta pendendo da árvore da vida, mas ela não será tua. Em frente dela há um anel através do qual todo aquele que quiser colher a fruta terá que enfiar a mão, coisa que até hoje ninguém teve a sorte de conseguir.

— Pois eu terei essa sorte! — afirmou o príncipe.

Despediu-se então do gigante e caminhou através de montes e de vales, de campos e de florestas, até chegar ao horto maravilhoso.

As feras estavam realmente em torno dele, mas todas de cabeça baixa, dormindo. O príncipe não as acordou quando caminhou no meio delas e pôde, assim, pular a grade de ferro e entrar no jardim em cujo centro crescia a árvore da vida, de cujos galhos frondosos pendiam maçãs maduras, bem vermelhas. Quando estendeu o braço para colher uma das frutas, viu que em frente dela havia um anel. Sem qualquer dificuldade, porém, estendeu a mão e colheu a maçã. O anel se fechou sobre o seu braço e, ao mesmo tempo, sentiu uma energia prodigiosa espalhar-se por seu corpo, correr por suas veias. Quando desceu da árvore com a fruta, não precisou pular a grade, mas agarrou o grande portão que havia na cerca e não precisou sacudi-lo mais de uma vez, para que ele se abrisse, com um barulho muito forte.

Quando saiu do jardim, o leão que estava deitado em frente do portão acordou e ergueu-se de um salto, mas, em vez de atacar o príncipe, começou a segui-lo, humildemente, como se ele fosse o seu dono.

O príncipe entregou ao gigante a fruta que havia prometido e disse-lhe:

— Como estás vendo, trouxe-a sem dificuldade alguma.

O gigante ficou satisfeito ao ver o seu desejo satisfeito em tão pouco tempo e se apressou em ir entregar à noiva a maçã que ela tanto queria. A noiva, uma linda donzela, muito inteligente também, não tendo visto o anel em torno do braço do noivo, disse:

— Não acreditarei que conseguiste fazer isso antes que veja o anel em torno do teu braço.

— Nada mais fácil — disse o gigante. — É só ir à minha casa para buscá-lo.

Estava convencido, com efeito, que seria facílimo tomar de um homem tão mais fraco do que ele próprio o anel, se, por acaso, ele se recusasse a entregá-lo por sua livre e espontânea vontade. Assim sendo, pediu ao príncipe que lhe entregasse o anel, mas ele se recusou a atendê-lo.

— Onde está a fruta, deve estar também o anel — disse o gigante. — Se não o quiseres dar-me por bem, vamos ter de lutar para ver quem vence.

Os dois lutaram durante muito tempo, mas o gigante não conseguiu vencer o príncipe, que estava fortalecido pelo poder mágico do anel. O gigante, então, pensou em vencer o adversário por meio de um ardil, e disse-lhe:

— Vamos nos banhar no rio, para refrescarmos o corpo, depois prosseguiremos a luta.

O príncipe, que tinha muita boa fé, por ser ele próprio tão honesto, aceitou a sugestão e, chegando à margem do rio, ao tirar a roupa, também tirou o anel, antes de entrar na água. Imediatamente, o gigante se apoderou do anel e saiu correndo, mas o leão, que observara o furto, perseguiu-o arrebatou-lhe o anel e o devolveu ao seu dono.

O gigante, então, escondeu-se atrás de um carvalho e, enquanto o príncipe estava ocupado se vestindo, atacou-o de surpresa, pelas costas, e arrancou-lhe os dois olhos.

O infortunado príncipe ficou desesperado, cego, sem poder sequer andar. O gigante, então, voltou para junto dele, tomou-o pelo braço, como se fosse alguém que quisesse guiá-lo e levou-o até o cume de um alto rochedo. Ali o deixou, pensando: "Se ele der mais dois passos, cairá no abismo, morrerá, e poderei tirar-lhe o anel".

O fiel leão, porém, não abandonara seu dono; segurou-o, com força, pela roupa e o arrastou, com cuidado, para longe do perigo.

Quando o gigante voltou, para tirar o anel do cadáver, viu que o seu ardil fora inútil.

"Será possível que não haja um meio de destruir um homenzinho igual àquele?" pensou.

E, agarrando o príncipe, tornou a levá-lo para a beira do precipício, seguindo um outro caminho. O leão, no entanto, percebeu o que ele queria. Chegando bem perto do abismo, o gigante largou o cego, certo de que ele iria morrer sem demora. Mas o leão avançou contra o gigante, que perdeu o equilíbrio e caiu, indo se despedaçar no fundo do precipício.

De novo o fiel animal afastou seu dono da beirada do abismo e levou-o para junto de uma árvore, da qual escorria uma água cristalina. O príncipe sentou-se ao lado da árvore, e o leão se deitou e, com suas patas, espargiu a água que escorria da árvore nos olhos do seu protegido. Bastaram poucas gotas para que o príncipe recuperasse a visão, parcialmente. Lavou, então, os olhos largamente e ficou enxergando tão bem como antes.

Depois de agradecer a Deus por sua misericórdia, o príncipe saiu viajando com seu fiel leão, através do mundo. E, após algum tempo, chegou diante de um castelo encantado. No portão, achava-se uma donzela, linda de rosto e de corpo, mas negra.

— Ah! — disse ela ao príncipe. — Se pudesses livrar-me do encantamento de que fui vítima!

— O que terei de fazer? — perguntou o príncipe.

— Terás de passar três noites no salão deste castelo — informou a donzela. — Não poderás, todavia, permitir que o mais leve temor penetre em teu coração. Se resistires, sem te queixares, sem deixares escapar o menor gemido, aos tormentos que te impuserem, serei desencantada. Eles não se atreverão a matar-te.

— Não tenho medo — disse o príncipe. — Vou tentar, com a ajuda de Deus.

Entrou, muito animado, no castelo, e quando anoiteceu, sentou-se no grande salão, e esperou.

Reinou a maior tranquilidade, até à meia-noite. Ouviu-se, então uma barulheira terrível e de todos os cantos e todas as fendas saíram diabinhos, que, parecendo ignorarem de todo a presença do príncipe, se entregaram a grande atividade, acendendo o fogo e começando a jogar. Tendo perdido no jogo, um deles exclamou:

— Não está direito! Deve estar aqui alguém que não faz parte da nossa grei. É por culpa dele que estou perdendo.

— Espera aí, seu sujeito que está sentado atrás da lareira! — gritou um outro.

— Vou te pegar agora mesmo!

A gritaria se tornou cada vez mais alta, capaz de amedrontar qualquer um. O príncipe, contudo, continuou sentado calmamente, sem sentir medo. Afinal, porém, os diabinhos o atacaram, e eram tantos que lhe era de todo impossível defender-se.

Ele foi arrastado pelo chão, pisado, espancado, machucado, mas não deu um gemido, nem disse uma palavra. Quando amanheceu, os diabos foram-se embora, deixando o príncipe extenuado, mal podendo mover os membros. Pouco depois, a donzela negra apareceu, trazendo uma garrafa com a água da vida, com a qual o banhou, fazendo com que desaparecesse toda a dor que estava sentindo e que o vigor se apossasse de novo de seu corpo.

— Conseguiste ser plenamente bem sucedido na primeira noite — disse a donzela. — Mas ainda tens duas outras diante de ti.

Retirou-se, então, e, enquanto ela se afastava, o príncipe observou que os seus pés tinham se tornado brancos.

Na noite seguinte, os diabos voltaram e maltrataram o príncipe ainda mais brutalmente do que na noite anterior. Ele resistiu, porém impavidamente, sem um gemido, sem uma queixa e a donzela voltou depois do amanhecer, com a água da vida para revigorar-lhe o corpo. E, quando ela se retirou, o príncipe notou que as pontas de seus dedos também já haviam se tornado brancas.

Só restava agora ao jovem herói enfrentar uma noite de sofrimentos. Aquela, porém, foi a pior de todas. Os diabos pareciam decididos a matá-lo, a despedaçá-lo. Nem assim, o príncipe gemeu ou disse uma palavra ou sequer respirou mais fundo. No fim, os demônios desapareceram, mas deixando o jovem tão maltratado, que não conseguia mexer-se ou mesmo abrir os olhos e nem viu entrar a donzela, com a água da vida.

De repente, porém, ele se sentiu livre de todo sofrimento, cheio de ânimo e de saúde, como se tivesse despertado de um longo sono. E, ao abrir os olhos, diante de si, uma linda jovem, branca como a neve e loura como a luz do sol.

— Levanta — disse ela — e gira a tua espada três vezes sobre a escadaria e então todos estarão livres.

E, quando o príncipe girou a espada, todo o castelo foi desencantado. A donzela era uma princesa, filha de um rei muito rico e poderoso.

Apareceram criados, anunciando que o jantar estava servido, no grande salão. O príncipe e a princesa sentaram-se à mesa.

E, pouco tempo depois, realizou-se o casamento dos dois, com toda a pompa e grande regozijo.

O LADRÃO-MESTRE

Certo dia, um casal de velhos estava sentado diante da casa miserável em que moravam, descansando um pouco de seus pesados trabalhos, quando uma magnífica carruagem, puxada por quatro cavalos negros, parou diante da cabana e dela desceu um homem luxuosamente trajado.

O camponês levantou-se e aproximou-se do recém-chegado, respeitosamente, perguntando-lhe o que desejava e como poderia servi-lo.

O estranho estendeu a mão ao velho e disse-lhe:

— A única coisa que desejo é, por uma vez, saborear uma comidinha da roça. Cozinhai algumas batatas, como tendes o costume de fazer, e então eu me sentarei à vossa mesa, com a maior satisfação.

— Sem dúvida, sois um conde ou talvez mesmo um duque — disse o camponês. — Os nobres costumam ter essas fantasias. O vosso desejo será satisfeito.

A mulher imediatamente foi para a cozinha e começou a descascar e amassar as batatas cozidas para fazer bolinhos, como se usa entre os camponeses. Enquanto estava entregue a essa tarefa, seu marido disse ao visitante:

— Vinde até o quintal comigo, pois tenho de executar um trabalho lá.

Tinha aberto algumas covas e, agora, ia nelas plantar mudas de árvores.

— Não tens filhos, que poderiam ajudar-te neste trabalho? — perguntou o visitante.

— Não — respondeu o camponês. — Tive um filho, é verdade, mas há muito tempo foi-se embora e nunca mais voltou. Era preguiçoso. Muito inteligente e sabido, mas não aprendeu ofício algum. Não se comportava bem. E acabou abandonando o lar, e nunca mais tivemos notícia dele.

Enquanto conversava, o camponês enfiou uma muda na cova aberta, socou bem a terra em torno dela, depois de ter enfiado também uma estaca, à qual amarrou a muda firmemente, em três lugares: embaixo, no meio e no alto.

— Dize-me uma coisa — falou o viajante. — Por que não prendes também a uma estaca, para que ela fique reta como esta aqui, aquela árvore toda torta que está naquele canto?

O camponês sorriu, ao responder:

— Falais de acordo com o vosso conhecimento. Vê-se logo que não estais acostumado com o cultivo de árvores. Aquela árvore ali é velha, e o pau que nasce torto, tarde ou nunca se endireita. É quando se planta a muda que se tem de cuidar para que a árvore não fique torta.

— Foi o que aconteceu com o vosso filho — observou o estranho. — Se o tivésseis ensinado um ofício enquanto era bem jovem, ele não teria fugido. Agora, já deve ter crescido torto, não há mais meio de consertá-lo.

— Na verdade, há muito que ele se foi embora — disse o velho camponês. — Deve ter mudado muito.

— Serias capaz de reconhecê-lo, se ele aparecesse agora? — quis saber o viajante.

— Acho que o seu rosto deve ter mudado muito — disse o velho. — Mas ele tem no ombro uma pinta, parecida com um bago de feijão.

O estranho, então, tirou o casaco, desceu a camisa e mostrou no ombro uma pinta semelhante a um grão de feijão.

— Meu Deus! exclamou o velho. — És mesmo meu filho! Mas como podes ser meu filho, sendo um homem importante e vivendo com tanta riqueza, tanto luxo? Como conseguiste isso?

— Ah, meu pai! A árvore não foi amarrada a uma estaca quando era nova e cresceu torta. E agora, já está muito velha para se desentortar. Como é que fiquei rico? Virei ladrão, mas não precisas te alarmares. Sou um ladrão-mestre. Para mim, não há trincos ou fechaduras: tudo que desejo é meu. Não penses que furto como um ladrão comum. Tiro apenas uma parte da riqueza supérflua dos afortunados. Os pobres estão a salvo: eu preferiria dar-lhes algo do que tenho do que tirar-lhes algo do pouco que têm. E deixo de lado qualquer coisa de que possa me apoderar sem ter de me valer de esforço, inteligência ou habilidade para obtê-la.

— Ainda assim, meu filho, um ladrão é sempre um ladrão — disse o velho. — Isso vai acabar mal.

Quando a velha camponesa soube que o visitante era o seu filho único, chorou de alegria, mas chorou mais ainda quando ficou sabendo que ele era um ladrão--mestre. Afinal, porém, se consolou:

— Mesmo que tenha se tornado um ladrão, ele é meu filho, e me sinto feliz de ter podido vê-lo de novo — disse.

Sentaram-se à mesa e o filho comeu, em companhia dos pais, a frugal refeição que não provava há tanto tempo. E disse o velho:

— Se o dono destas terras, o conde a quem devemos vassalagem ficar sabendo quem és, quais são as tuas atividades, ele não vai te carregar como carregou ao levar-te à pia batismal, mas vai tratar de pendurar-te a uma corda pelo pescoço.

— Fica tranquilo, meu pai, ele não me fará mal, pois sei como agir — replicou o filho. — Hoje mesmo irei procurá-lo.

De fato, no fim da tarde, o ladrão-mestre entrou em sua carruagem e dirigiu--se ao castelo do senhor feudal. O conde o recebeu cortesmente, pensando que se tratava de um homem importante. Quando, porém, o estranho se deu a reconhecer, o nobre empalideceu e ficou em silêncio algum tempo. Afinal, falou:

— És meu afilhado, e, assim sendo, a misericórdia prevalecerá sobre a justiça.

Vou tratar-te com clemência. Como te vanglorias de ser um ladrão-mestre, vou pôr à prova a tua arte, mas, se falhares, terás de casar com a filha do cordoeiro, e o crocitar dos corvos será a música tocada no casamento.

— Senhor Conde — replicou o ladrão-mestre — pense em três coisas que ache as mais difíceis, e se eu não executá-las, faça de mim o que Vossa Excelência entender.

O conde refletiu por algum tempo, depois disse:

— Está bem. Em primeiro lugar, terás de furtar o cavalo que é conservado para mim fora da estrebaria. Em segundo lugar, terás de furtar o lençol de baixo da minha cama, enquanto eu e minha esposa estivermos dormindo, sem que percebamos, e também a aliança de minha mulher. E, em terceiro lugar, terás de levar da igreja o pároco e o sacristão. Lembra-te bem do que estou dizendo, pois a tua vida depende disso.

O ladrão-mestre dirigiu-se à cidade mais próxima, comprou uma roupa igual às usadas pelas camponesas velhas e a vestiu. Depois, escureceu as faces e pintou rugas, de modo que seria impossível reconhecê-lo. Em seguida, encheu um garrafão com um vinho húngaro no qual havia misturado um poderoso soporífero. Colocou o garrafão em um cesto, que levou nas costas e dirigiu-se, devagar, com passos incertos, ao castelo do conde.

Já anoitecera quando lá chegou. Ele se sentou em uma pedra perto da entrada do pátio e começou a tossir, como uma velha asmática, e a esfregar as mãos, como se estivesse sentindo muito frio. Diante da porta da estrebaria, estavam alguns soldados, sentados em torno de uma fogueira. Um deles notou a velha e a chamou:

— Vem, vovó, esquentar-te um pouco, aqui perto de nós. Afinal de contas, não tens uma cama para passar a noite e precisas arranjar uma.

A suposta velha, sempre caminhando com passos incertos, inseguros, aproximou-se dos soldados, pediu-lhes que tirassem o cesto que carregava nas costas, e sentou-se ao lado deles.

— O que trazes aí neste garrafão, minha velha? — perguntou um dos soldados.

— Um vinho muito gostoso — respondeu "ela". — Vivo de vender essas coisas. Por dinheiro e belas palavras, estou pronta a deixar-te beber um copo.

— Pois vamos a isso! — replicou o soldado.

E, quando bebeu, exclamou logo:

— O vinho é realmente muito bom. Vamos ver outro copo.

Os seus camaradas seguiram-lhe o exemplo.

— Ei, camaradas! — gritou um deles para os soldados que se encontravam dentro da estrebaria. — Está aqui uma moça com um vinho mais velho do que ela própria. Bebei um copo e vereis que não há nada melhor para esquentar o estômago.

A suposta velha levou o garrafão para dentro da estrebaria. Lá, um dos soldados estava montado no cavalo selado, outro segurava a rédea e um terceiro achava-se agarrado à cauda do animal. A "velha" fez com que todos os três bebessem à vontade.

Não passou muito tempo, e a rédea escapou das mãos de um deles, que caiu, ferrado no sono, roncando a toda altura. O soldado que segurava a cauda do cavalo a soltara e, estendido no chão, roncava ainda mais alto do que o outro. O que estava montado no animal, continuava na sela, mas sua cabeça já se achava quase encostada no pescoço do animal, e ele dormia também a sono solto. Os soldados que estavam do lado de fora, já haviam caído no sono antes dos outros, e se encontravam estendidos no chão, parecendo mortos.

Quando o ladrão-mestre constatou que o seu plano dera certo, pôs uma corda na mão do soldado que estivera segurando a rédea, e um molho de palha na mão do soldado que segurara a cauda. O que, porém, deveria fazer com o soldado que estava montado no cavalo? Empurrá-lo de lá, seria perigoso, pois ele poderia acordar e gritar. Teve uma ideia: afrouxou as cilhas, desprendendo a sela, amarrou-a em duas cordas que pendiam de uma argola na parede, e levantou o dorminhoco no ar e amarrou a corda nos postes da manjedoura, bem depressa.

O cavalo foi liberado, mas, se o fizesse pisar no chão calçado de pedra da estrebaria, o ruído de suas patas sem dúvida chamaria a atenção. Assim, envolveu as patas do animal em alguns trapos, e levou-o para fora sem fazer o menor barulho.

Quando amanheceu, o ladrão-mestre galopou para o castelo no cavalo roubado. O conde acabara de levantar-se e estava olhando à janela.

— Bom dia, sr. conde! — gritou o aventureiro. — Aqui está o cavalo, que retirei da estrebaria, dentro da mais completa segurança! Vede quão graciosamente os seus soldados estão dormindo lá. O conde não pôde deixar de rir, mas advertiu:

— Por enquanto, foste bem sucedido, mas não creias que as coisas serão tão fáceis da segunda vez. E, se comparecers perante mim como um ladrão, já sabes a sorte que te espera.

Quando, naquela noite, a condessa foi se deitar, fechou a mão, apertando com toda a força o seu anel.

— Todas as portas estão fechadas e trancadas — disse o conde. — Ficarei acordado, esperando o ladrão, mas, se ele quiser entrar pela janela, eu o matarei.

O ladrão-mestre, porém, protegido pela escuridão noturna caminhou até a forca e retirou de lá um pobre condenado que fora executado e ainda lá estava, pendurado pelo pescoço. Carregou o cadáver nas costas até o castelo, colocou uma escada até a janela do quarto de dormir do conde, pôs o cadáver nos ombros e subiu a escada. Quando subira tanto, que a cabeça do morto apareceu na janela, o conde, que estava acordado, vigiando, disparou um tiro de pistola, e imediatamente o ladrão-mestre deixou cair o corpo do condenado. E, sem perder tempo, desceu a escada e se escondeu em um canto.

A noite estava suficientemente iluminada pelo luar para que, do lugar onde estava escondido, o mestre visse o conde pular a janela, descer pela escada, levar o cadáver para o jardim e começar a cavar uma cova para enterrá-lo.

"Agora", pensou o ladrão-mestre "chegou o momento favorável".

Com muito cuidado, saiu do seu canto, galgou rapidamente a escada e entrou no quarto de dormir.

— Minha querida — disse ele, imitando a voz do conde. — o ladrão está morto, mas, afinal de contas, ele era meu afilhado e mais um infeliz do que um vilão. Não quero condená-lo à vergonha eterna depois de morto. Além disso, tenho muita pena de seus pais. Vou enterrá-lo ao amanhecer, a fim de que o caso não venha a público, mas não quero enterrá-lo como um cão. Dá-me, portanto o lençol, para envolver o cadáver.

A condessa entregou-lhe o lençol, sem hesitar.

— Sabes de uma coisa? — continuou o ladrão. — Tive um acesso de generosidade. Dá-me o teu anel também. Afinal de contas, o pobre coitado arriscou e perdeu a vida por causa dele.

A condessa não podia se opor ao duque e por isso, embora contrariada, satisfez a sua vontade. Mais do que depressa, o ladrão-mestre saiu levando as duas coisas e chegou à sua casa sem novidade, enquanto o conde continuava ocupado em enterrar o enforcado.

É fácil imaginar a cara desapontada do conde, quando, na manhã seguinte, o ladrão-mestre foi entregar-lhe o lençol e o anel.

— És um feiticeiro? — exclamou. — Quem te tirou do túmulo onde eu próprio de enterrei e te fez viver de novo?

— Vossa Excelência não me enterrou, e sim um pobre condenado, que foi deixado na forca depois da execução — respondeu o ladrão.

Contou, então, tudo que acontecera, e o conde teve de admitir que ele era realmente um mestre-ladrão.

— Mas ainda não alcançaste o teu objetivo — advertiu. Ainda tens de executar a terceira tarefa, e, se falhares, tudo o que fizeste até agora terá sido inútil.

O ladrão-mestre limitou-se a sorrir, sem nada replicar.

Quando anoiteceu, ele saiu, carregando nas costas um saco muito grande, um embrulho debaixo do braço e uma lanterna na mão, e dirigiu-se à igreja da aldeia. No saco levava alguns caranguejos e no embrulho velas de cera das pequenas.

Chegando à igreja, sentou-se no adro, junto do cemitério, pegou um caranguejo e pregou uma vela de cera em suas costas, depois acendeu a vela e soltou no chão o caranguejo, que se pôs a rastejar. E o mesmo fez com todos os caranguejos e todas as velas que levara. Em seguida, vestiu uma comprida túnica preta, semelhante ao hábito de um monge, e pôs uma barba postiça. Quando afinal tornara-se de todo irreconhecível, pegou o saco em que guardara os caranguejos, entrou na igreja e subiu ao púlpito.

— Escutai, pecadores! — pôs-se então a gritar, com voz tonitruante. — Aproxima-se o fim do mundo! Aproxima-se o Dia do Juízo Final! Escutai-me! Escutai-me, pecadores! Todo aquele que quiser se salvar, ir para o céu, deverá entrar neste saco. Sou Pedro, que abre e fecha as portas do céu. Vede como os mortos no cemitério estão procurando os seus ossos. Vinde, entrai no saco!

A gritaria foi ouvida em toda a aldeia. O padre e o sacristão, que moravam ao lado da igreja, foram os primeiros que ouviram e correram para lá. Perceberam que algo de anormal estava acontecendo, e entraram no templo. Ouviram o sermão durante algum tempo, depois o sacristão disse baixinho ao pároco:

— Não seria mau se aproveitássemos a oportunidade, antes de amanhecer o último dia, de encontrar um caminho fácil para o céu.

— Para falar a verdade — disse o pároco — estive pensando o mesmo. Se estás disposto, podemos fazer isso.

— Certamente — concordou o sacristão. — Mas o senhor tem a preferência.

Então, o padre foi na frente e subiu os degraus do púlpito seguido pelo sacristão. O falso São Pedro abriu o saco, onde os dois entraram, respeitando a hierarquia eclesiástica, o pároco na frente e o sacristão depois. Mais do que depressa, "São Pedro" amarrou fortemente a abertura do saco, que arrastou pelos degraus do púlpito, naturalmente de maneira supinamente incômoda para os dois pascácios, depois através da aldeia e no caminho para o castelo.

— Estamos atravessando as montanhas! — gritou para os dois, quando desciam a escada.

E, quando tinha de passar pelas poças de água ou pelos lamaçais, explicava:

— Agora estamos no meio de nuvens muito úmidas.

E, quando galgava a escadaria do castelo, gritou entusiasmado:

— Finalmente estamos quase chegando ao céu!

Terminado o trajeto, empurrou o saco para dentro do pombal. Espantados, os pombos esvoaçaram, e o mestre-ladrão esclareceu:

— Vede como os anjos estão alegres, como batem as asas!

Isso dito, fechou a porta e retirou-se.

Na manhã seguinte, foi procurar o conde e anunciou-lhe que executara também a terceira tarefa de que fora incumbido, e trouxera o pároco e o sacristão, que aprisionara na igreja.

— Onde estão eles? — perguntou o conde.

— Estão lá em cima, no pombal, presos dentro de um saco.

O conde foi ver com os próprios olhos, e verificou que o ladrão dissera a verdade. E disse-lhe, depois de ter livrado o padre e o sacristão do cativeiro:

— És, realmente um super-ladrão e venceste a aposta. Por enquanto, escapaste com todo o corpo intacto, mas trata de sair de minhas terras o mais depressa possível, pois, se nelas pisares outra vez, vais travar conhecimento com a forca.

O super-ladrão despediu-se de seus pais e saiu de novo pelo vasto mundo, e ninguém mais ouviu falar a seu respeito desde então.

O MINGAU

Era uma vez uma menina que vivia sozinha com sua mãe, e as duas já não tinham coisa alguma para comer. Indo à floresta, a menina encontrou uma velha muito simpática, que, sabendo de sua dolorosa situação, ofereceu-lhe uma panelinha mágica. Quando a menina dissesse: "Cozinha, panelinha, cozinha", a panela cozinhava um gostoso mingau, e quando dissesse: "Para, panelinha, para", ela imediatamente deixava de cozinhar. A menina levou a panela para casa, e ela e sua mãe nunca mais passaram fome.

Certo dia, quando a menina tinha saído de casa, sua mãe mandou que a panela cozinhasse, mas, quando quis mandar que parasse, não soube como transmitir a ordem, e a panela continuou fazendo mingau sem cessar, e o mingau transbordou, encheu a cozinha, encheu a casa e as casas vizinhas e a rua. Ninguém sabia como detê-lo. E o mingau ameaçava se espalhar por toda a parte, como que querendo acabar com a fome o mundo inteiro, até que a menina voltou para casa, deu ordem à panelinha que parasse de cozinhar mingau, e ela obedeceu imediatamente. Naquele dia, porém, todos os habitantes da cidadezinha que saíram ou voltaram para casa tiveram de abrir caminho comendo o mingau.

JOÃO, O FIEL

Era uma vez um velho rei, que, atacado por grave enfermidade, pensou: "Esta cama em que me acho deitado deve ser o meu leito de morte".

E ordenou:

— Chamai João, o Fiel.

João, o Fiel era o servidor favorito do rei, que assim o chamava porque ele o servia havia muitos anos, sempre com a maior fidelidade. Quando se apresentou ao seu soberano, este lhe disse:

— Fidelíssimo João, sinto que o meu fim se aproxima, e não me preocuparia, se não fosse meu filho, que é ainda muito novo, e nem sempre poderá saber como deve agir. Se não me prometeres que lhe ensinarás tudo que ele deve saber e agires como seu pai adotivo, ser-me-á impossível cerrar meus olhos em paz.

E o fiel João replicou.

— Não o abandonarei e hei de servi-lo com toda a fidelidade, ainda mesmo se isso possa custar a minha vida.

— Agora, posso morrer tranquilo — disse o rei, acrescentando: — Após a minha morte, deves mostrar-lhe todo o castelo: todos os aposentos, as salas, os salões, os quartos, os corredores, as galerias e os subterrâneos e todos os tesouros ali guardados. Não lhe mostres, porém, o último aposento que dá para a longa galeria, onde está o retrato da princesa do palácio de ouro. Se ele vir o retrato, vai se apaixonar violentamente por ela, e ficará desesperado, correndo grande perigo por isso. Deves, portanto, protegê-lo, para que não aconteça tal coisa.

E, quando João, o Fiel mais uma vez prometeu fazer tudo como queria o rei, este, sem dizer mais uma palavra, descansou a cabeça no travesseiro, e morreu.

Depois que o velho rei foi levado ao túmulo, João, o Fiel, contou ao novo rei tudo o que prometera a seu pai à hora da sua morte, e acrescentou:

— É claro que cumprirei rigorosamente o que prometi, e serei tão fiel a Vossa Majestade como fui fiel a seu pai, ainda mesmo se isso custar a minha vida.

Terminado o período de luto, João, o Fiel procurou o jovem rei e disse-lhe:

— Chegou a ocasião em que Vossa Majestade deve conhecer o que herdou. Vou mostrar-lhe todo o palácio de seu pai.

Levou-o, então por toda a parte, mostrou-lhe todas as riquezas, os magníficos aposentos, com exceção de um, cuja porta não abriu: era aquele onde se encontrava o perigoso retrato. Esse retrato era colocado de tal maneira, que quando alguém abria a porta, tinha de olhá-lo imediatamente e era tão bem pintado, tão perfeito, que a retratada parecia viva e não havia mulher mais bela, mais encantadora em todo o mundo.

Notando que João, o Fiel, sempre passava por aquela porta sem abri-la, o jovem rei perguntou:

— Por que nunca abriste essa porta, a fim de que eu veja o aposento para o qual ela dá?

— Há nesse aposento algo que aterrorizaria Vossa Majestade — respondeu o leal servidor.

— Já vi todo o palácio e quero ver também esse aposento! — exclamou o rei.

E, vendo que João não estava disposto a obedecer-lhe, tentou arrombar a porta. O fiel servidor o impediu, dizendo-lhe:

— Prometi a seu pai, em seu leito de morte, que Vossa Majestade jamais veria o que há nesse aposento. Do contrário, um terrível infortúnio nos alcançaria: eu e Vossa Majestade.

— De modo algum! — gritou o rei, irritado. — Tenho de ver, pois do contrário, sei que não terei sossego. E não vou sair daqui enquanto não abrires a porta.

Vendo que não havia meio de desobedecer à ordem do jovem soberano, João, o Fiel, embora com o coração pesado e dando muitos suspiros, tirou a chave da pesada penca que carregava. Ao abrir a porta, ainda tentou se colocar à frente do jovem rei, para evitar que ele visse o retrato bem de frente. A tentativa foi inútil, porém. O rei ergueu-se na ponta dos pés.

E, quando ele viu o retrato da princesa, linda como uma deusa e brilhando com o ouro e as pedras preciosas, caiu desmaiado no chão. João, o Fiel levou-o para o seu leito, pensando: "A desgraça caiu sobre nós. Meu Deus, como isso terminará?"

Tratou, então, de reanimar o jovem rei, dando-lhe um pouco de vinho, e, quando ele recuperou os sentidos, estas foram as suas primeiras palavras:

— Que moça linda a do retrato! Quem é ela?

— É a princesa do palácio de ouro — respondeu João.

E o Rei disse, então.

— Apaixonei-me por ela a tal ponto, que, mesmo se as folhas de todas as árvores do mundo fossem línguas, não seriam bastantes para proclamar o meu amor! És um servidor fidelíssimo, João! Tens de ajudar-me! Darei a minha vida para conquistá-la.

O fiel servidor refletiu muito tempo sobre o caso, pois era dificílimo sequer olhar para a princesa. Afinal, teve uma ideia, e disse ao rei:

— Tudo que a princesa tem é de ouro: mesas, cadeiras, travessas, pratos, copos, tudo enfim. Entre os tesouros de Vossa Majestade, há cinco toneladas de ouro. Mande os ourives do reino transformar tudo isso em vasilhas e untensílios, em todas as espécies de aves, feras e animais estranhos, capazes de agradarem à princesa e vamos levar tudo isso conosco e procurá-la, para tentarmos ser bem sucedidos.

O rei aceitou prontamente a sugestão e ordenou que todos os ourives do país trabalhassem noite e dia, até que todo o ouro do tesouro do reino se transformasse em magníficos objetos.

Quando tudo foi levado para bordo de um navio, João, o Fiel vestiu-se como um mercador, e o rei teve de fazer o mesmo, a fim de se tornar irreconhecível. E o navio partiu, levando-os, e navegou pelos mares até chegar à cidade onde vivia a princesa do palácio de ouro.

João, o Fiel desembarcou, mas fez com que o rei ficasse a bordo, aguardando o seu regresso.

— Talvez eu traga a princesa comigo — disse ele. — Tudo, portanto, deve estar em ordem, os objetos de ouro bem à vista e o navio bem enfeitado.

Depois, desembarcou, levando consigo o maior número de objetos de ouro que foi possível, e dirigiu-se logo ao palácio real. Ao entrar no pátio central do palácio, viu uma linda moça junto do poço, carregando dois baldes de ouro para tirar água. Tendo visto o forasteiro, ela perguntou-lhe quem era ele.

— Sou um mercador — respondeu João.

E expôs os objetos de ouro que levara.

A jovem ficou maravilhada.

— Que beleza! — exclamou. — A princesa deve ver esta mercadoria. Ela adora tudo que seja de ouro e, sem dúvida, vai comprar isto tudo!

Levou pela mão o fiel João até o andar superior do palácio, pois era criada de quarto da princesa. Essa, ao ver a mercadoria, ficou absolutamente fascinada.

— São tão perfeitas essas peças que vou comprá-las todas! — exclamou.

João, o Fiel replicou, porém:

— Saiba Vossa Alteza que sou apenas ajudante de um rico mercador. O que aqui apresento de nada vale em comparação com o que o meu patrão tem em seu navio. São as peças mais belas e mais valiosas feitas de ouro que foram vistas no mundo.

A princesa quis, então, que todas aquelas peças lhe fossem mostradas, mas João lhe explicou:

— Há tanta coisa no navio que seriam necessários muitos dias para examiná-las e tanto espaço para guardá-las que não caberiam neste palácio.

A curiosidade e o desejo de possuir tais maravilhas ficaram ainda mais vivos quando a princesa ouviu essas palavras.

— Leva-me ao navio de teu patrão! — exclamou. — Quero ver esses tesouros com os meus próprios olhos, quero comprá-los!

João, o Fiel, é claro, ficou alegríssimo diante de tal resolução, e levou a princesa ao navio. Ao vê-la, o jovem rei verificou que a sua beleza era ainda maior que no retrato, e pareceu-lhe que o coração ia saltar para fora do peito, tão forte foi a emoção que sentiu.

Enquanto isso, João, o Fiel ficava junto do timoneiro e ordenou que o navio se fizesse ao mar.

— Alçai todas as velas, até que naveguemos tão velozes como o voo das aves no ar!

CONTOS DE FADAS

Ao mesmo tempo, o rei mostrava à linda princesa todas as maravilhosas peças e objetos de ouro, os vasos, as aves, as feras, os animais fantásticos, tudo de ouro maciço. Passaram-se assim muitas horas e a princesa, empolgada com o que via, nem notou que o navio estava navegando. Depois, porém, de ter observado tudo, agradeceu ao suposto mercador e disse que queria regressar ao palácio. Ao chegar ao tombadilho, viu que se achava em alto mar, muito longe da terra e pôs-se a gritar, frenética:

— Fui traída! Fui raptada e caí em poder de um mercador! Prefiro morrer!

O rei, porém, segurou-a pela mão dizendo:

— Não sou um mercador, mas um rei tão poderoso quanto teu pai, e, se lancei mão de um ardil para aproximar-me de ti, foi porque estou loucamente apaixonado por ti. Quando vi o teu retrato pela primeira vez, caí no chão sem sentidos.

Ao ouvir essas palavras, a princesa do palácio de ouro se consolou, apaixonou-se pelo rei e se dispôs a casar-se com ele.

Enquanto isso, o navio continuava velejando sobre as profundezas do mar. João, o Fiel para se distrair, sentou-se na popa do navio, tangendo uma lira, e, pouco depois, notou no céu três corvos, que voavam em direção ao navio e afinal nele pousaram. O fiel servidor parou, então, de tocar e apurou os ouvidos, pois notou que as três aves estavam conversando entre si.

Uma elas dizia:

— O rei está levando a princesa do palácio de ouro.

— É certo — falou outro corvo. — Mas ainda não a conquistou.

— Como não a conquistou? — interveio o terceiro. — Ela está sentada ao seu lado, muito satisfeita.

— O que lhe adiantará isso? — retrucou o primeiro corvo. — Quando ele desembarcar, um cavalo castanho correrá ao seu encontro, e o rei vai tentar cavalgá-lo, e, se conseguir, o cavalo o levará para longe e subirá no ar, e ele jamais verá de novo a donzela de ouro.

— Mas ele não poderá escapar dessa sorte? — indagou o segundo corvo.

— Poderá — disse o primeiro. — Se alguma outra pessoa se apressar em cavalgar o animal, tirar uma pistola que se encontra no coldre e matar o cavalo, o jovem rei estará salvo. Mas quem iria fazer isso? Mormente se sabendo que qualquer pessoa que contasse esse segredo ao rei no mesmo momento teria as pernas transformadas em pedra, desde a ponta dos dedos até os joelhos.

— Sei mais do que isso — disse o segundo corvo. — Mesmo se o cavalo for morto, o rei não terá assegurado o seu casamento com a princesa. Quando chegarem ao castelo, encontrarão, em uma bandeja, um vestido de noiva que parece ser feito de ouro e prata, mas na verdade é feito de enxofre e de pez, se o rei encostar a mão no vestido, será queimado, transformando-se em um punhado de cinza.

— Mas não há salvação possível? — quis saber o terceiro corvo.

— Há, sim — informou o segundo. — Se alguém, usando luvas, pegar o vestido e atirá-lo ao fogo para queimá-lo, o rei será salvo. Mas o que adianta? Quem souber esse segredo e contá-lo ao rei terá petrificado o seu corpo, desde o joelho até o coração.

— Sei mais do que isso — disse o terceiro corvo. — Mesmo se o vestido for destruído pelo fogo, ainda nesse caso, o rei não vai ficar com a princesa do palácio de ouro. Depois do casamento, quando começar o baile, e a recém-casada estiver dançando, ela de repente ficará lívida e cairá, como se estivesse morta, e morrerá, se alguém não a levantar, chupar três gotas de sangue de seu seio direito e cuspi-las depois. Mas se alguém que sabe esse segredo o revelar, o seu corpo será petrificado, desde o alto da cabeça até a sola dos pés.

Os corvos terminaram então a sua conversa e alçaram voo, desaparecendo no ar e deixando João, o Fiel profundamente triste, pois, se escondesse do rei o que sabia, ele se tornaria um desgraçado, e, se lhe contasse o segredo, seria ele próprio João, que sacrificaria sua vida.

Meditou longamente e afinal decidiu: "Salvarei o meu rei, mesmo que isso signifique a minha destruição".

Assim, quando desembarcaram, tudo aconteceu como fora previsto pelos corvos e um magnífico cavalo castanho correu ao encontro dos recém-chegados.

— Ótimo! — exclamou o jovem rei. — Este cavalo me levará ao palácio.

Já ia cavalgá-lo, quando João, o Fiel avançou em sua frente, montou a cavalo, tirou a pistola do coldre e matou o animal.

Os outros serviçais do rei, que não gostavam muito de João, puseram-se a gritar:

— Que absurdo! Matar o lindo cavalo que ia levar o rei ao palácio.

— Calai-vos! — ordenou o rei. — Ele sabe o que faz, é o meu mais fiel servidor.

Quando entraram no palácio, viram logo o vestido de noiva que parecia feito de ouro e de prata. O jovem rei aproximou-se dele e já ia pegá-lo, quado o fiel João agarrou o vestido e lançou no fogo.

De novo, os outros servidores do rei o censuraram:

— É o cúmulo! Um desaforo! Queimar o vestido de noiva de nossa futura rainha!

— Ele sem dúvida sabe o que faz! — exclamou o rei. — Ele é o meu mais fiel servidor.

O casamento foi celebrado. Seguiu-se o baile, e a jovem rainha participou da dança. João, o Fiel não tirava os olhos dela, e, quando a viu empalidecer e, de repente cair, como se estivesse morta, ele a tomou nos braços, levou-a para o quarto e, ajoelhando-se perto dela, sugou as três gotas de sangue de seu seio direito e cuspiu-as. Imediatamente ela começou a respirar e em poucos instantes se achava em estado absolutamente normal.

O rei, porém, não gostou do que viu. Sem saber o que levara João a agir daquela forma, considerou a sua atitude como um ultraje à realeza. E ordenou:

— Levai-o para o calabouço!

Na manhã seguinte, João foi condenado à morte e levado à forca. Quando se viu no alto do patíbulo, disse:

— Todo aquele que vai morrer tem permissão de dizer antes algumas palavras. Posso reivindicar esse direito?

— Podes, sim. Diz o que quiseres — disse o rei.

E João, o Fiel falou:

— Fui condenado injustamente. Sempre fui fiel ao rei.

E, em seguida, contou o que ficara sabendo pela conversa dos corvos, e que o levara a agir como agira, para salvar a vida do rei.

— Perdoa-me meu fidelíssimo João! — exclamou o rei — Perdão! Perdão! Trazei-o aqui!

João, porém, logo que acabou de falar, caiu morto, transformado em pedra.

Foi grande o sofrimento do rei e da rainha.

— Como fui ingrato, como paguei mal tanta fidelidade! — dizia o rei.

E mandou que o corpo petrificado de João fosse colocado em seu próprio quarto, junto de seu leito. E, quando o olhava, não continha as lágrimas, dizendo:

— Ah! Se eu pudesse fazer viver de novo meu fidelíssimo João!

Algum tempo depois, a rainha deu à luz dois gêmeos que cresceram fortes e encantadores, e constituíam a grande alegria de sua vida.

Certo dia, quando a rainha se encontrava na igreja e o pai em seu quarto, brincando com os filhos, o rei, olhando para o corpo petrificado, suspirou e disse:

— Ah! Se eu pudesse fazê-lo viver de novo! Meu fiel João!

Então, a figura de pedra falou, dizendo:

— Podes me fazer viver de novo, se te dispuseres a sacrificar o que tens de mais caro.

— Darei tudo o que tenho no mundo para que ressuscites! — exclamou o rei.

— Se cortares a cabeça de teus filhos com as tuas próprias mãos e espargir sobre mim o seu sangue, tornarei a viver — disse a pedra.

O rei ficou horrorizado ao ouvir tais palavras, mas, lembrando-se da fidelidade de João, sacou da espada, degolou os filhos e espargiu o seu sangue sobre a pedra. E logo viu o fiel João vivo e saudável junto de si.

— Na verdade — disse o ressuscitado — não ficará sem recompensa o gesto de Vossa Majestade.

E, tomando as cabeças dos dois meninos, uniu-as ao corpo e derramou nos pescoços o seu sangue. E na mesma hora, os meninos saíram correndo e foram brincar, como se nada houvesse acontecido.

Cheio de alegria, o rei viu que a rainha estava chegando. Escondeu, então os filhos e o fiel João em um grande armário, e disse à esposa, quando ela entrou no quarto:

— Estavas rezando?

— Sim — disse a rainha. — Mas não conseguia acalmar meu coração. Constantemente pensava em João, o Fiel e como foi infeliz por nossa causa.

— Querida esposa — disse o rei então. — Podemos fazer vivê-lo de novo, mas isso custará a vida de nossos filhos, que devemos sacrificar.

A rainha ficou lívida, com o coração cheio de horror, mas disse:

— Devemos muito a ele, por sua grande fidelidade.

O rei se sentiu profundamente satisfeito, vendo que sua esposa pensava da mesma maneira que ele próprio. Abriu o armário e mostrou à rainha os dois filhos e o fidelíssimo servidor.

— Graças a Deus, João, o Fiel está vivo e saudável, assim como nossos queridos filhos — disse.

Contou, então, à esposa tudo que havia acontecido.

E, de então para diante todos viveram juntos, por muitos e muitos anos.

AS TRÊS LINGUAGENS

Era uma vez um conde muito velho que vivia na Suíça, e que só tinha um filho, por sinal bem burrinho, que não conseguia aprender coisa alguma. Certo dia, o pai lhe disse:

— Escuta, meu filho. Por mais que eu tenha esforçado, não consegui meter coisa alguma em tua cabeça. Terás que sair daqui. Vou te entregar aos cuidados de um professor emérito, que verá o que pode fazer contigo.

O jovem foi mandado para uma outra cidade, e ali permaneceu durante um ano, e, findo esse tempo, voltou para casa.

— E agora, meu filho, o que aprendeste? — perguntou o conde.

— Meu pai, aprendi o que dizem os cães quando latem.

— Deus que se apiede de nós! — exclamou o velho fidalgo, desolado. — Foi só isso que aprendeste em um ano? Vou mandar-te para outra cidade, para estudares com outro professor.

E assim foi feito. E, nessa outra cidade, o jovem ficou, de novo, durante um ano, e, quando regressou ao lar, seu pai perguntou-lhe:

— O que aprendeste, meu filho?

— Aprendi, meu pai, o que as aves dizem quando cantam — respondeu o filho.

— Passaste esse tempo todo e não aprendeste coisa alguma? — exclamou o pai, irritadíssimo. — Não sentes vergonha? Vou mandar-te para outro professor, mas se ainda dessa vez nada aprenderes, não serei mais teu pai!

O jovem ficou um ano inteiro com o terceiro professor e, quando voltou para casa e seu pai perguntou o que aprendera, respondeu:

— Desta vez, meu pai, aprendi o que dizem os sapos quando estão coaxando.

O velho conde, ao ouvir essa resposta, foi preso de uma raiva furiosa e chamando os seus serviçais anunciou:

— Este homem já não é mais meu filho! Está expulso de casa e eu vos ordeno que o leveis à floresta e o mateis.

Os criados levaram o jovem para a floresta, mas se compadeceram dele; não o mataram, e deixaram-no ir embora. O que mataram foi um veado cujos olhos e cuja língua levaram para o velho conde, como prova de que haviam executado a missão de que os encarregara.

O jovem seguiu por uma estrada e acabou chegando a um castelo, onde pediu pousada.

— Está bem — disse o castelão. — Se queres pernoitar na torre velha, lá embaixo, podes ir. Mas devo te prevenir que vais correr muito perigo. Lá está cheio de cães bravos, que latem e uivam sem parar, e, de vez em quando, tem de lhes ser atirado um homem, para que eles o devorem.

Realmente, todos os habitantes da região viviam apavorados, mas ninguém sabia como acabar com aquela calamidade. O jovem forasteiro, no entanto, não mostrou medo e disse:

— Dai-me algum alimento que possa lhes atirar, e eles não me farão mal.

Deram-lhe, então, algum alimento para os cães bravos e o levaram até a torre.

Quando ele entrou, os cães não o atacaram, e, ao contrário, aproximaram-se dele, amigavelmente, balançando as caudas, comeram o que ele trouxera, e não tocaram em um fio de cabelo seu.

Na manhã seguinte, para espanto geral, o moço saiu da torre são e salvo, sem um só ferimento no corpo, e dirigiu-se ao castelão para dizer-lhe:

— Os cães me contaram, em sua linguagem, porque eles vivem ali e espalham o terror nesta terra. Foram enfeitiçados e obrigados a tomar conta de um grande tesouro que está enterrado embaixo da torre, e não podem descansar enquanto o tesouro não for retirado. E fiquei sabendo, pelo que disseram, como se pode fazer tal coisa.

Todos que ouviram as suas palavras se regozijaram, e o castelão declarou que o adotaria como filho, se ele fizesse o que precisava ser feito para livrar as suas terras daquela praga. Ele voltou à torre e, quando ficou sabendo o que era preciso fazer, ele o fez, e voltou ao castelo, levando consigo uma arca repleta de ouro. A partir de então, não se ouviu mais o ladrar dos cães, que desapareceram, deixando aquela terra em paz.

Algum tempo depois, o jovem meteu na cabeça a ideia de ir a Roma. No caminho passou junto de um brejo, no qual havia muitos sapos, todos coaxando, fazendo uma barulheira infernal. O jovem prestou atenção no que diziam, e o que ouviu o deixou muito preocupado e triste.

Afinal, chegou a Roma, onde o Papa acabara de falecer, reinando muita dúvida entre os cardeais, a respeito de quem deveria ser o seu sucessor. Afinal, concordaram que seria escolhido aquele que fosse indicado por algum sinal divino, milagroso.

E, justamente quando estavam decidindo, o jovem conde entrou na igreja, e, de repente, duas pombas, brancas como a neve, pousaram em seus ombros e lá permaneceram. Os eclesiásticos reconheceram então o sinal vindo do Céu e perguntaram-lhe se ele queria ser papa. O jovem ficou indeciso, sem saber se seria digno de tão elevado posto. Mas as pombas aconselharam-no a aceitar e ele acabou concordando.

Foi, então, ungido e consagrado, cumprindo-se desse modo a profecia que ouvira no coaxar dos sapos do brejo por onde passara: de que seria Sua Santidade o Papa. Teve, então, de dizer uma missa solene, e não sabia uma só palavra do ritual, mas as duas pombas, sem saírem dos seus ombros, se encarregaram, com os seus arrulhos bem perto dos ouvidos do Sumo Pontífice, de ensinar ao Vigário de Roma não só o Padre-Nosso como o missal inteiro.

O LOBO E OS SETE CABRITINHOS

Era uma vez uma velha cabra que tinha sete cabritinhos, e os amava como as mães amam os filhos. Certo dia, ela teve de ir à floresta em busca de alimento e recomendou aos sete cabritinhos:

— Tenho de ir à floresta, meus queridinhos, e vocês devem tomar muito cuidado com o lobo, que é muito mau e muito perigoso. Se ele entrar aqui em casa, devorará vocês todos, inteirinhos, da cabeça aos pés. Ele muitas vezes se disfarça, mas é fácil reconhecê-lo logo, por sua voz áspera e seus pés muito pretos.

— Nós tomaremos o maior cuidado, mamãezinha — prometeram os cabritos. — Pode ir tranquila.

A cabra se pôs a caminho, menos preocupada.

Não tardou muito e alguém bateu na porta de entrada da casa e gritou:

— Abram, meus filhos. Sua mãe voltou, trazendo coisas muito gostosas para vocês.

Os cabritinhos, porém, perceberam que quem chegara fora o lobo: a voz era áspera, muito desagradável.

— Não abrimos, não! — gritaram os cabritinhos. — Você não é nossa mãe! Ela tem uma voz doce, suave, e não essa sua voz feia e áspera.

O lobo foi então a um armazém e comprou uma boa quantidade de giz, que comeu, para afinar a voz. E, feito isso, tornou a ir bater na casa de Dona Cabra, gritando:

— Abram, meus filhos. Sua mãe voltou, trazendo umas coisas muito gostosas para vocês.

Os seus pés, porém, apareciam embaixo da porta, e os cabritinhos viram os seus pés pretos e gritaram:

— Não vamos abrir a porta! Nossa mãe não tem os pés pretos como os seus. Você é o lobo!

O lobo então foi a uma padaria e pediu ao padeiro:

— Esfregue um pouco de massa de pão nos meus pés, que estão machucados.

O padeiro atendeu ao seu pedido, e o lobo foi procurar o moleiro, e disse-lhe:

— Faça o favor de espalhar farinha de trigo nos meus pés.

"Ele deve estar querendo iludir alguém para apanhá-lo" — pensou o moleiro.

E se negou a satisfazer o pedido do lobo. Mas este o ameaçou:

— Se não fizer o que estou pedindo, eu o devoro! Amendrontado, o moleiro fez o que o lobo queria. Na verdade, é o que faria um outro qualquer.

E o maldito animal voltou à casa de Dona Cabra, e bateu na porta, gritando:

— Abram a porta, meus filhos. Sua mãe voltou para casa, trazendo para vocês tudo que havia de bom na floresta.

— Então, mostre primeiro seus pés, para vermos se é mesmo a nossa mãezinha! — replicaram os cabritinhos.

O lobo então mostrou os pés, e os cabritinhos, vendo que eles eram brancos, acreditaram que ele estava dizendo a verdade, e abriram a porta. E quem apareceu foi o lobo!

Os pobres cabritinhos ficaram aterrorizados e trataram de se esconder. O primeiro debaixo da mesa, o segundo debaixo da cama, o terceiro no forno, o quarto na cozinha, o quinto no armário, o sexto debaixo da tina de lavar roupa, o sétimo na caixa do relógio. Não adiantou. O lobo descobriu todos eles e engoliu de um a um, com incrível voracidade. Só o cabritinho caçula, que estava na caixa do relógio, conseguiu escapar.

Tendo se saciado, o lobo saiu e, com o estômago muito pesado, sentiu sono e foi dormir debaixo de uma árvore.

Pouco depois, a cabra voltou para casa. Coitada! Em que estado a encontrou! A porta da rua escancarada, a mesa, as cadeiras e os bancos de pernas para o ar, a tina de lavar roupa espedaçada, as colchas e os lençóis atirados ao chão.

Dona Cabra procurou os filhos, mas não os encontrou em lugar algum. Chamou-os, um a um, pelo nome, em voz bem alta, mas em vão. Afinal ouviu a voz do caçula, uma voz muito fraquinha, dizendo:

— Estou na caixa do relógio, mamãezinha!

Ela o tirou de lá, e o cabritinho contou-lhe o que acontecera, que o lobo devorara todos os outros. É fácil imaginar o desespero da pobre cabra. Sem saber o que fazer, desorientada, ela saiu de casa, acompanhada pelo único filho que lhe restava, e, um pouco adiante, viu o lobo dormindo embaixo de uma árvore, e roncando tão alto, tão forte, que até os galhos da árvore se balançavam. E, ao olhá-lo, ela notou que alguma coisa estava se movendo, vivamente, em sua barriga imensa.

— Meu Deus! — disse ela — será possível que os meus pobres filhos ainda estejam vivos?

Mandou, então, o caçula correr até sua casa, buscar uma tesoura, uma agulha e linha. O cabritinho foi e voltou rapidamente com a tesoura, a agulha e a linha.

Sem perder um minuto, a cabra cortou a barriga do lobo, e, mal começara a cortar, apareceu a cabeça de um cabritinho. Ela cortou mais depressa e, em pouco tempo os seis cabritinhos estavam fora da barriga do lobo, bem vivos e bem dispostos. Em sua voracidade, a fera, querendo comê-los todos, nem tivera tempo de mastigar, e eles foram engolidos sem se ferirem.

Vendo salvos todos os seus filhos, disse Dona Cabra:

— Agora, tragam depressa pedras bem grandes, para enchermos o estômago deste amaldiçoado, enquanto ele ainda estiver dormindo.

Diligentemente, os sete cabritos trouxeram as pedras e as enfiaram dentro da barriga da fera quantas ali couberam. A mãe, sem perda de tempo, coseu a barriga do lobo, e, levando os filhos, tratou de fugir o mais depressa que pôde.

Quando o lobo acordou e levantou-se, com dificuldade, sentiu uma sede devoradora, e tratou de ir a um poço beber água. Ao caminhar, as pedras começaram a se chocar umas com as outras dentro do seu estômago, produzindo um ruído característico. Ele exclamou, então:

Ruídos, atritos
Tão feios, tão maus!
Comi seis cabritos
Viraram calhaus!

E, quando chegou ao poço e debruçou-se para beber, caiu dentro da água e morreu afogado. E quando os cabritos viram aquilo, saíram dançando e cantando: "O lobo morreu! O lobo morreu!"

AS TRÊS PENAS

Era uma vez um rei que tinha três filhos, dois dos quais eram inteligentes e capazes, mas o terceiro era tão diferente dos irmãos que tinha o apelido de Simplório. Quando o rei, já muito velho e muito doente, sentiu que se aproximava o seu fim, ficou sem saber qual de seus filhos deveria suceder-lhe no trono, depois de sua morte. Disse-lhes, então:

— Viajai, e aquele que me trouxer o mais belo tapete será o rei após a minha morte.

Depois, levou-os para fora do palácio, e, a fim de que não houvesse competição e disputa entre eles, lançou três penas no ar, dizendo-lhes:

— Cada um de vós seguirá a direção para onde a pena voar.

A primeira pena foi levada pelo vento para leste, a segunda para oeste, mas a terceira seguiu para a frente, mas logo parou no ar e caiu no chão.

Então, um dos irmãos, caminhou para a direita, o outro para a esquerda, e zombaram do simplório, que teria de ficar ali mesmo, onde a terceira pena havia caído. Ele se sentou, muito triste mas de repente notou que havia um alçapão onde a pena caíra. Levantou a sua tampa, viu uma escada e desceu-a. Chegou, então, a uma outra porta bateu nela e ouviu alguém cantar do lado de dentro:

Verde e coxa criadinha,
Com sua manca perninha,
Cachorro coxo também,
Saltai, cachorro e mocinha,
Logo vereis quem não tem.

A porta se abriu, e Simplório viu um sapo muito grande, muito gordo, em torno do qual havia uma multidão de sapinhos. O sapo grande perguntou-lhe o que queria.

— Eu gostaria de obter o melhor e mais belo tapete do mundo.

O sapo grande falou então para um dos sapinhos:

Verde e coxa criadinha,
Com sua manca perninha
Cachorro coxo também
Saltai, cachorro e mocinha,
Trazer-me a caixa convém.

O sapinho trouxe uma grande caixa, que o sapo grande abriu e tirou de dentro um tapete, que deu a Simplório. Um tapete tão rico e tão belo, que não poderia haver outro igual em toda a Terra.

Simplório agradeceu muito ao sapo, subiu a escada e voltou para o lugar de onde viera.

No entanto, os dois outros irmãos achavam o terceiro tão burro, que não acreditavam que ele fosse capaz de encontrar coisa alguma.

— Para que vamos nos matar de cansaço procurando? — decidiram.

E, arranjando alguns tecidos grosseiros com as mulheres de pastores que encontraram, voltaram ao palácio, para entregá-los ao Rei.

Ao mesmo tempo, Simplório também regressou ao palácio paterno, trazendo um tapete tão belo, que, quando viu, o rei ficou atônito e teve de dizer:

— Para que se faça justiça, o reino deve pertencer ao caçula.

Os dois outros filhos, porém, não deram descanso a seu pai, afirmando que Simplório, que tudo ignorava, não poderia, de modo algum, ocupar um trono, governar um país. E obrigaram o soberano a fazer um novo acordo com eles.

Disse, então, o rei:

— Aquele que trouxer o mais belo anel herdará o reino.

E, como da primeira vez, foram lançadas ao alto três penas, para indicar o caminho aos concorrentes. E, como da primeira vez, os dois irmãos mais velhos seguiram para leste e para oeste, enquanto Simplório, ficando por ali mesmo, entrou na porta que levava ao interior da terra. E quando o sapo grande lhe perguntou o que queria, respondeu que estava à procura do anel mais belo do mundo. Imediatamente, o sapo ordenou aos sapinhos que trouxessem uma caixa, dentro da qual estava um anel de ouro, cravejado de pedras preciosas, tão maravilhoso que nenhum ourives da Terra conseguiria fazer um outro igual.

Por seu lado, os outros dois irmãos riam muito da simplicidade de Simplório, pensando que poderia encontrar o anel mais lindo do mundo. E não se deram ao trabalho de procurá-lo: tiraram os pregos de um velho aro de carruagem e levaram-no ao rei. Este, porém, quando Simplório apresentou o magnífico anel de ouro, cravejado de pedras preciosas, exclamou, entusiasmado:

— O reino será dele!

Os irmãos mais velhos, porém, tanto atormentaram o pai, que este foi forçado a anunciar uma terceira competição, determinando:

— Aquele que trouxer a mais bela mulher herdará o reino.

Mais uma vez, foram soltas ao ar as três penas e os dois irmãos mais velhos seguiram um para leste e o outro para oeste, enquanto Simplório voltou ao interior da terra, e quando o sapo grande lhe perguntou o que desejava, respondeu, muito confiante:

— Quero voltar para casa levando a mulher mais bela!

— Ah! — exclamou o sapo. — A mulher mais bela! Ela não está à mão, por enquanto, mas há de tê-la.

E deu a Simplório um nabo amarelo, no qual fora aberto um buraco, onde se abrigavam seis camundongos.

Meio decepcionado, Simplório indagou:

— E o que é que vou fazer com isto?

— Apenas colocar um de meus sapinhos dentro dele.

Simplório estendeu o braço e pegou um dos sapinhos, ao acaso, e colocou-o dentro do nabo amarelo. Imediatamente, o sapinho se transformou em uma jovem maravilhosamente linda e o nabo se transformou em uma esplêndida carruagem, puxada por seis cavalos em que os camundongos se haviam transformado.

Simplório beijou a linda moça e, assumindo a direção da carruagem, foi apresentar ao rei a mulher mais bela, que realmente era a moça ex-sapinho.

Os outros irmãos, que chegaram depois, como das outras vezes não quiseram se dar ao trabalho de procurar a mulher mais bela do mundo, mas levaram ao rei as primeiras camponesas que encontraram. Quando o rei as viu, anunciou:

— O trono será herdado por meu filho mais novo.

Os mais velhos de novo ensurdeceram o pai com os seus protestos.

— Não podemos admitir que Simplório seja rei! — gritavam.

E propuseram que seria rei aquele cuja esposa atravessasse de um pulo um arco pendurado no centro do vestíbulo do palácio, pois, pensavam, as camponesas pulam com facilidade, ao passo que se a delicada donzela tentasse pular iria cair e provavelmente morrer.

O idoso rei concordou com a sugestão. As camponesas pularam primeiro, e tão mal que ambas caíram e quebraram braços e pernas.

Chegou então a vez da linda donzela que Simplório trouxera consigo. Ágil graciosamente, ela atravessou o arco de um salto perfeito como o salto de uma corça.

Assim, os dois irmãos mais velhos não tiveram mais coragem de discutir. Simplório acabou sendo coroado e reinou com muita sabedoria e durante muito tempo.

OS MÚSICOS DE BREMEN

Era uma vez um homem, dono de um burro que transportava sacos de trigo para o moinho, infatigavelmente, durante anos e anos. As suas forças, porém, foram se esgotando, o burro foi envelhecendo e já não aguentava trabalhar tanto. O seu dono começou, então, a imaginar como poderia se livrar do pobre animal, da maneira mais rápida e mais proveitosa. O burro, que não era tão burro assim, afinal de contas, percebendo que ventos maus sopravam para o seu lado, tratou de se afastar o mais possível de seu dono, que o explorara impiedosamente durante a vida e agora ainda queria aproveitá-lo até depois de morto.

E assim disposto, o burro tomou o caminho da cidade de Bremen, correndo tão depressa quanto as suas velhas pernas permitiam. Depois de ter andado uma boa distância, encontrou um cão deitado na escada, arquejante, como se tivesse corrido muito e se cansado ainda mais.

— Por que estás arquejante assim, amigo cão? — perguntou o burro.

— Ah! replicou o cão. — Estou velho e ficando cada vez mais fraco, e o meu dono, como já não posso ajudá-lo nas caçadas, está querendo me matar. Tratei de fugir, para escapar da morte, mas agora estou sem saber como vou poder me alimentar.

— Vou te dizer como podes resolver esse problema — disse o burro. — Estou indo para Bremen e vou me tornar um músico ambulante naquela cidade. Vem comigo e torna-te músico também. Vou tocar alaúde, e poderás ficar com o timbale.

O cão concordou com a sugestão, e os dois seguiram caminho.

Não se passou muito tempo e encontraram um gato parado na estrada e com uma cara mais triste do que três dias de chuva.

— O que te aconteceu de tão mau, para estares com essa cara, amigo gato? — perguntou o burro.

— Como poderia estar alegre quando sinto a morte tão perto de mim? — redarguiu o gato. — Como estou envelhecendo e meus dentes já começam a cair, prefiro ficar deitado, perto do fogo, cochilando, do que correndo atrás dos ratos. E a minha dona, achando que já não valho o que como, está querendo me afogar. Tratei então de fugir, mas não resolvi o problema. Nem sei mesmo para onde vou.

— Vem conosco para Bremen — propôs o burro. — Conheces muito bem a música noturna, e assim poderás te tornar um músico ambulante.

O gato refletiu um pouco e resolveu aceitar o convite. E os três seguiram caminho.

Não muito longe, chegaram a uma fazenda, em cujo portão estava pousado um galo, cantando a plenos pulmões.

— O teu canto parece até que atravessa o coração de qualquer um — disse o burro. — Qual é o teu problema?

— Andei prevendo bom tempo, porque hoje é o dia em que Nossa Senhora lava a roupinha do Menino Jesus e precisa de secá-las — respondeu o galo. — Mas vieram muitos convidados para o ajantarado do domingo e então a dona da casa deu ordem à cozinheira para me servir amanhã junto com a sopa. Assim, resolvi cantar com toda a força dos meus pulmões, enquanto ainda posso.

— Não sejas tolo! — aconselhou o burro. — É melhor saires daqui, aproveitando a nossa companhia. Estamos indo para Bremen. Lá poderás fazer coisa muito melhor do que ficar por aqui, esperando a morte. Tens boa voz, e, se tocarmos música juntos, ela há de ser de boa qualidade.

O galo aceitou a sugestão, e os quatro partiram juntos. Não puderam, contudo, chegar à cidade de Bremen no mesmo dia e, quando anoiteceu, estavam em uma floresta, e lá teriam de pernoitar. O burro e o cachorro se abrigaram sob uma ávore, enquanto o gato e o galo se acomodaram em seus ramos. O galo ficou no galho mais alto da árvore, que era mais seguro. Antes de adormecer, olhou em torno, para todos os lados, e teve a impressão de ter visto uma luz a uma certa distância. Advertiu, então, aos companheiros que devia haver uma casa por ali.

— Se há — disse o burro — é melhor irmos para lá, pois o abrigo aqui não é grande coisa.

O cão também achava que não seria mau arranjar alguns ossos para comer.

Assim, os quatro companheiros se dirigiram para o ponto onde o galo vira a luz e, dentro de pouco tempo, viram a luz ir se tornando cada vez mais viva e maior até que chegaram a uma casa muito bem iluminada, que era o antro de um bando de salteadores. O burro, sendo o mais alto, olhou através da janela da casa.

— O que estás vendo aí, cavalinho? — perguntou o galo.

— O que estou vendo? — redarguiu o burro. — Nada mais nada menos do que uma mesa coberta das mais gostosas iguarias e bebidas, e alguns salteadores sentados em torno dela, e se deleitando com os comes e bebes.

— Deve ter muita coisa boa para nós — observou o galo.

— Sem dúvida, se estivéssemos lá! — disse o burro.

E os quatro companheiros discutiram o assunto e acabaram organizando um plano para expulsarem os ladrões e tomarem o seu lugar na mesa. E o plano foi posto em ação.

O burro apoiou as patas dianteiras no peitoril, o cachorro montou nas costas do burro, o gato trepou nas costas do cachorro, e o galo ficou de pé na cabeça do gato.

Isso feito, foi dado um sinal combinado e cada um dos quatro começou a executar a música de sua especialidade: o burro zurrando, o cachorro latindo, o gato miando e o galo cantando a plenos pulmões. Depois, quebraram a vidraça e pularam a janela, fazendo um barulho ensurdecedor. Os ladrões pensaram que se tratava de algum fantasma e fugiram em disparada para a floresta. Enquanto isso, os quatro companheiros ocuparam o lugar dos ladrões na mesa que eles haviam abandonado e comeram como se estivessem jejuando há um mês.

Terminada a refeição, apagaram a luz e cada um tratou de procurar um lugar para dormir que estivesse de acordo com o seu temperamento e suas experiências. O burro deitou-se em um montão de palha que encontrou no pátio, o cachorro deitou-se atrás da porta, o gato no fogão, perto das cinzas quentes, e o galo se acocorou em um barrote do telhado. E, como estavam muito cansados, devido à longa caminhada que haviam feito, não tardaram a dormir a sono solto.

Já passava de meia-noite quando, vendo que as luzes da casa estavam apagadas, e tudo parecia tranquilo, o chefe dos salteadores disse:

— Não podemos permitir que o temor nos faça perder o juízo.

E ordenou a um de seus homens que fosse examinar a casa.

Vendo tudo sossegado, o bandido entrou na cozinha para acender uma vela e, pensando que os brilhantes olhos do gato fossem brasas, tentou acender um fósforo neles. O gato é que não gostou da brincadeira, e pulou no rosto do malfeitor, arranhando e cuspindo. Apavorado, o homem correu para a porta dos fundos, mas o cão, que estava dormindo lá, avançou e lhe deu uma dentada na perna.

Atravessou o pátio correndo, mas esbarrou no burro, que lhe aplicou um violento par de coices. O galo, acordando com a barulhada, gritou lá do alto do barrote, com toda a força dos seus pulmões:

— Cacariacó!

Então, o salteador correu o mais depressa que pôde até junto de seu chefe a quem contou:

— Lá na casa está uma feiticeira horrível, que escarrou e arranhou no meu rosto com unhas enormes. Na porta, esbarrei em um homem armado com uma faca, que me deu uma facada na perna, e no pátio havia um monstro negro que me deu uma paulada terrível. E, no telhado estava um juiz que gritou: "Tragam o ladrão aqui!". Assim, tratei de fugir enquanto havia tempo.

Depois disso, os salteadores não tiveram mais coragem nem de se aproximar da casa, que, ao contrário, era uma residência ideal para os quatro músicos de Bremen, que resolveram lá ficar, privando os habitantes de Bremen de suas exibições musicais.

E acabou-se a história.

OS TRÊS IRMÃOS

Era uma vez um homem que tinha três filhos, e nada mais neste mundo, além da casa em que vivia. Ora, cada um dos filhos queria ficar com a casa, quando seu pai morresse. O pai gostava de todos igualmente, e não sabia o que fazer. Não queria vender a casa, que pertencera aos seus antepassados, para dividir o dinheiro da venda entre os filhos. Afinal, concebeu um plano e disse aos filhos:

— Viajai pelo mundo, escolhei cada um uma profissão, e, quando regressardes, o que executar o melhor trabalho dentro de sua profissão, terá a casa.

Os filhos ficaram muito satisfeitos com a ideia, e o primeiro resolveu ser ferreiro, o segundo barbeiro e o terceiro professor de esgrima. Combinaram a data em que deveriam voltar para casa e cada um seguiu o seu caminho.

Todos conseguiram bons mestres, que lhes ensinaram muito bem os ofícios que haviam escolhido. O ferreiro teve de ferrar os cavalos do rei e pensou: "A casa vai ser minha na certa". O barbeiro, por seu lado, fez a barba de muita gente importante e também estava convencido de que a casa seria sua. O esgrimista, por sua vez, sofreu muitos golpes, mas não fraquejou, pensando: "Se eu tiver medo, jamais ficarei com a casa."

Quando chegou a data marcada, os três irmãos regressaram ao lar, mas não sabiam como encontrar a melhor oportunidade de mostrar ao pai as suas habilidades e, assim, se reuniram para discutir o assunto. Quando estavam conversando, de repente surgiu uma lebre, correndo em disparada pelo campo.

— Que sorte! — exclamou o barbeiro. — Surgiu a minha oportunidade!

Pegou a bacia, com sabão, a navalha e o pincel e esperou até que a lebre se aproximasse. Saiu então correndo a seu lado e barbeou-lhe o bigode, sem que o animal sofresse um arranhão sequer.

— Muito bem! — exclamou o pai, entusiasmado. — Teus irmãos terão de fazer um grande esforço para que a casa não seja tua.

Pouco depois, apareceu um fidalgo em sua carruagem, que corria a grande velocidade.

— Agora vou mostrar, meu pai, o que sou capaz de fazer! — anunciou o segundo filho, o ferreiro.

Dito e feito: saiu correndo até alcançar a carruagem, tirou todas as quatro ferraduras de um cavalo, enquanto ele galopava, e pôs ferraduras novas, sem que o animal parasse um só instante.

— Formidável! — exclamou o pai. — És tão hábil quanto o teu irmão. Continuo sem saber a quem devo dar a casa.

— Vou agora mostrar a minha capacidade, meu pai, se me é permitido — disse o terceiro filho.

E, como estava começando a chover, ele pegou o florete e começou a girá-lo acima de sua cabeça, com tal rapidez, que nem uma só gota de água o alcançou, embora a chuva fosse se tornando cada vez mais forte, ele ia aumentando a velocidade dos movimentos, conseguindo ficar tão abrigado como se estivesse dentro de casa.

Ao presenciar tal prodígio, o pai exclamou:

— Não pode haver coisa mais perfeita! A casa é tua.

Os irmãos de modo algum se opuseram a essa decisão, pois fora assim que se combinara. E como todos os três eram muito amigos, todos continuaram morando juntos na casa, ganhando muito dinheiro, graças à sua habilidade nas respectivas profissões. E assim viveram, durante muitos anos, muito felizes, até a velhice. Afinal, quando um deles adoeceu e morreu, os dois outros sentiram tanto a sua morte que acabaram também adoecendo e morrendo. E, como eram tão unidos, tão amigos, foram todos enterrados no mesmo túmulo.

A MOÇA DOS GANSOS

Era uma vez uma velha rainha, cujo marido morrera há muito tempo, e que tinha uma linda filha. Quando se tornou adulta, a princesa ficou noiva de um príncipe que morava muito longe. Ao chegar a data do casamento, tendo a jovem de fazer uma longa e demorada viagem, sua mãe ajuntou para ela muitos valiosos vasos de ouro e de prata, e outras peças também de ouro e prata, e taças e pedras preciosas, em suma: tudo que devia fazer parte de um dote real, pois a rainha amava sua filha do fundo do coração.

Também mandou com a jovem princesa sua criada de quarto, que tinha de acompanhá-la e entregá-la ao noivo. E cada uma recebeu um cavalo para a viagem. O cavalo da princesa se chamava Falada, e sabia falar.

Quando chegou a hora da partida, a velha mãe entrou em seu quarto de dormir, pegou uma faquinha e deu um corte em um dedo, depois pegou um lenço branco no qual deixou cair três gotas de sangue e o entregou depois à filha, dizendo:

— Querida filha, guarde com todo o cuidado este lenço, que ele te poderá ser útil durante a viagem.

As despedidas foram muito sentidas, como era de se esperar. A princesa guardou o lenço no regaço, montou a cavalo e partiu ao encontro do noivo. Algum tempo depois, sentiu muita sede e disse à criada de quarto:

— Apeia, toma o copo que trouxeste e enche-o com a água daquele riacho, pois estou com muita sede.

— Se estás com muita sede, apeia tu mesma e vai beber a água daquele riacho — respondeu a criada. — Não fui eu que quis ser tua criada de quarto.

Sedenta como estava, a princesa não teve outro recurso, senão apear, caminhar até o riacho, debruçar-se sobre ele e beber água, não podendo utilizar o copo de ouro.

— Meu Deus! — exclamou ela então.

E as três gotas de sangue no lenço disseram:

— Se tua mãe souber disso, vai morrer de pesar.

A princesa era tímida, calou-se, montou a cavalo. Como, porém, o dia estava muito quente, algumas milhas adiante sentiu de novo uma sede insuportável e disse à criada:

— Apeia e dá-me um pouco de água em meu copo de ouro.

Mas a arrogante serviçal replicou:

— Se queres beber, vai tu mesma. Não fui eu que quis ser tua criada de quarto.

Sem suportar a sede, a princesa teve de apear, debruçar-se sobre o regato e beber.

— Meu Deus! — exclamou.

E, mais uma vez, as três gotas de sangue disseram:

— Se tua mãe souber disso, vai morrer de pesar.

Quando, porém, a princesa se debruçou sobre o regato, o lenço com as três gotas de sangue caiu dentro da água, sem que ela notasse nem mesmo que ele ficou flutuando, tão grande era a sua perturbação. A criada, porém, viu imediatamente o que acontecera e ficou satisfeitíssima, pois sabia que agora, privada do lenço com as três gotas de sangue, a princesa se tornara fraca e desamparada. Assim, quando ela quis de novo cavalgar Falada, a criada disse:

— Eu prefiro ficar com Falada e tu cavalgarás meu pangaré.

E a princesa teve de se submeter à imposição. Depois, a criada, ameaçando e insultando, a obrigou a despir-se de suas vestes reais e trocá-las por sua própria roupa, pobre e feia e ainda a obrigou, sob juramento, a não contar o que acontecera a ninguém da corte. Se violasse o solene juramento proferido, seria morta. Falada, porém, observou muito bem tudo o que se passou.

A criada cavalgou Falada e a princesa montou no pangaré e assim as duas viajaram, até chegarem ao palácio real que era o seu destino. Ali, foram recebidas com grande regozijo, e o príncipe correu ao encontro da suposta noiva, na verdade a criada de quarto, enquanto a princesa real ficava embaixo.

Tendo chegado à janela, o velho rei a viu em pé no pátio, e notou sua beleza e a expressão de bondade em seu rosto, e perguntou à suposta noiva quem era ela.

— É uma moça que apanhei no caminho para me acompanhar — disse a criada de quarto. — Convém dar-lhe algum trabalho para fazer, a fim de que não fique ociosa.

O rei não se lembrando de nenhum determinado serviço de que a encarregasse, teve, porém, uma ideia:

— Há um menino que toma conta dos gansos. Ela poderá ajudá-lo.

Assim, a jovem princesa teve de ajudar o menino, que se chamava Conrado, a cuidar dos gansos.

Pouco depois, a falsa noiva disse ao príncipe real:

— Queria pedir-te um favor, meu querido. Poderás fazer-me?

— É claro, querida — respondeu o príncipe. — Dize qual é, e o teu desejo será satisfeito.

— Então, manda o magarefe cortar a cabeça do cavalo em que viajei e que atormentou-me a viagem toda.

Na realidade, a malvada estava com medo que o animal, que sabia falar, revelasse o que realmente acontecera.

Assim, o fiel Falada tinha que morrer. Isso chegou aos ouvidos da verdadeira princesa, que, então, prometeu pagar ao magarefe uma moeda de ouro, se ele lhe prestasse um pequeno serviço. Havia na saída da cidade um grande portão negro, pelo qual ela passava toda manhã e toda tarde, quando levava e trazia os gansos para o campo. Queria que ele pregasse naquela porta a cabeça de Falada, para que ela o pudesse ver frequentemente. O magarefe prometeu fazer o seu desejo, e, depois de cortar a cabeça do cavalo, pregou-a no portão da cidade.

De manhã bem cedo, quando ali passava em companhia de Conrado, ela disse:

Pobre Falada, ali pregado!

E a cabeça replicou:

Pobre princesa, um triste fado!
Se tua mãe soubesse um dia,
Seu coração se partiria!

Depois os dois saíram da cidade e levaram os gansos para o campo. E, quando lá chegaram, a princesa sentou-se e desprendeu os cabelos, que eram louros como o ouro puro, e Conrado, achando lindos os cabelos, tentou arrancar-lhe alguns fios. E ela disse então:

Sopra vento, vento do céu,
Leva para longe o seu chapéu.
Que ele o procure, aflito, ali
E eu meu cabelo ajeite aqui.

E então, soprou um vento tão forte que arrancou o chapéu de Conrado e o levou para longe, obrigando-o a correr para procurá-lo. Quando ele voltou, a jovem já havia acabado de pentear os cabelos, e Conrado ficou furioso, porque não podia arrancar-lhes nem um fio. E os dois não trocaram mais uma palavra, até que, ao anoitecer, voltaram para a cidade.

No dia seguinte, quando atravessaram a porta da cidade, a jovem disse:

Pobre Falada, ali pregado!

E a cabeça replicou:

Pobre princesa, um triste fado!
Se tua mãe soubesse um dia,
Seu coração se partiria!

E, como na véspera, ela se sentou no campo e começou a pentear o cabelo e Conrado tentou arrancar-lhe uns fios, e ela gritou:

*Sopra vento, vento do céu,
Leva para longe o seu chapéu.
Que ele o procure, aflito, ali
E eu meu cabelo ajeite aqui.*

E, então, soprou um vento muito forte, que arrancou e levou para longe o chapéu de Conrado, obrigando-o a correr atrás dele. Quando voltou, a moça já estava com o cabelo bem penteado, e os dois ficaram tomando conta dos gansos até o anoitecer.

Conrado, porém, procurou o velho rei, e disse-lhe:

— Não posso mais continuar tomando conta dos gansos com aquela moça!

— Por que não? — perguntou o velho Rei.

— Porque ela me atormenta muito.

O rei mandou então que ele contasse tudo que acontecera. E Conrado narrou, minuciosamente, o motivo de seu descontentamento, a corrida atrás do chapéu, não se esquecendo também do que se passava na porta da cidade.

O rei ordenou ao menino que, no dia seguinte, levasse os gansos para fora da cidade, como vinha fazendo, a fim de que o caso pudesse ser esclarecido. E, de manhã bem cedo, foi ele próprio se esconder atrás da porta da cidade, e pôde observar o que, mais uma vez, se passou entre a moça dos gansos e a cabeça do cavalo.

Depois, o rei se escondeu em um pequeno bosque, junto do prado onde Conrado e a moça tomavam conta dos gansos. E viu, com seus próprios olhos, a moça pentear os cabelos e provocar uma ventania, que arrancou o chapéu do menino e o levou para longe.

O rei se afastou, sem ser percebido, mas à noite chamou a moça e pediu que ela explicasse o motivo de sua atitude. E ela falou:

— Não posso dizer o motivo, e não me atrevo a lamentar a minha sorte e contar o que tenho sofrido a nenhum ser humano, pois jurei, solenemente, que tal não faria. Se eu perjurasse, perderia a vida.

— Se não queres me contar o que te atormenta, conta àquele fogão — disse o rei.

E retirou-se do aposento, enquanto a moça agachou-se junto do fogão e desabafou:

— Aqui estou, abandonada por todo mundo, e, no entanto, sou uma princesa e uma criada de quarto traidora apanhou-me de tal modo que fui forçada a entregar-lhe as minhas vestes reais e ela ocupou o meu lugar junto do príncipe meu noivo e eu tive de executar serviços rudes, como guardadora de gansos. Se minha mãe soubesse disso, seu coração se despedaçaria.

O velho rei estava ouvindo tudo, pela chaminé do fogão. E, quando a princesa se calou, ele a foi buscar, mandou vesti-la com os trajes reais e ficou admirado ao ver o quanto ela era bela. Chamou então o filho e lhe revelou que a sua pretensa noiva não passava de uma criada de quarto.

O príncipe rejubilou-se quando viu a beleza de sua verdadeira noiva, e foi preparada uma grande festa, para a qual foram convidadas todas as pessoas importantes do reino. Na cabeceira da mesa do banquete sentou-se o príncipe, tendo de um lado a princesa e do outro a criada. A criada, porém, foi atingida por uma perturbação visual, e não reconheceu a princesa vestindo os trajes reais.

Depois de todos terem comido e bebido à farta, e quando reinava muita animação e alegria, o velho rei perguntou à falsa princesa que castigo mereceria uma pessoa que agisse para com quem devia obediência e respeito de maneira desobediente e desrespeitosa. E, para exemplificar, descreveu um procedimento igual ao que a criada de quarto tivera com relação à princesa.

E a falsa criada respondeu:

— Merecia, como castigo, ser metida, inteiramente nua, em um barril repleto de pontas de prego na parte interna, e ser arrastada por um cavalo por um longo percurso, até morrer estraçalhada.

— Acabas de pronunciar a tua própria sentença de morte! — exclamou o rei.

E, quando foi executada a sentença, o príncipe se casou com a princesa, e os dois viveram alegres e felizes, por muitos e muitos anos.

O LADRÃO E O SEU MESTRE

Era uma vez um homem chamado Hans, que estava preocupado, querendo que seu filho aprendesse um ofício. Assim, entrou em uma igreja e rezou, pedindo a Nosso Senhor que lhe dissesse qual a profissão mais lucrativa. Ao ouvir o pedido, o sacristão entrou atrás do altar e disse:

— Furtar, furtar.

Hans voltou para casa e disse ao filho que ele devia aprender a furtar, pois Nosso Senhor lhe dissera que furtar era a melhor profissão. E tratou de sair com o filho, em procura de alguém que estivesse bem familiarizado com o furto.

Os dois caminharam durante muito tempo, até chegarem a uma floresta, onde havia uma casinha cuja dona era uma velha.

— Conheces algum homem bem familiarizado com a arte de furtar? — perguntou Hans.

— Podes aprender tal arte muito bem — respondeu a velha. — Meu filho é um mestre em matéria de furtos e roubos.

Hans não perdeu tempo e tratou logo de conversar com o filho da velha, e perguntou-lhe se era mesmo verdade ser ele um mestre na arte de furtar.

— Vais ver — disse o outro. — Ensinarei teu filho muito bem. Volta daqui a um ano e, se o reconheceres, não cobrarei um níquel pelas lições. Se não o reconheceres, porém, terás de me pagar duzentos táleres.

Ficando assim combinado, Hans voltou sozinho para sua casa, enquanto o filho aprendia a arte da trapaça e do furto. Passado um ano, Hans se tornou muito ansioso, querendo saber como poderia reconhecer o filho. E quando seguia viagem, muito preocupado, encontrou um anão, que lhe perguntou:

— Por que andas assim tão preocupado, tão ansioso?

— É que há um ano deixei o meu filho estudando com um mestre na arte de furtar e ele me disse que, se um ano depois, eu não reconhecesse o meu filho, teria de lhe pagar duzentos táleres — respondeu Hans. — E agora estou com medo de não reconhecê-lo e não sei onde poderei arranjar duzentos táleres.

O anão lhe disse, então, para levar uma casca de pão consigo e, quando chegasse à casa do professor de furtos e falcatruas, se colocasse atrás da lareira.

— Lá, em um cesto, verás um passarinho piando, e esse passarinho é teu filho.

Hans seguiu o conselho do anão e jogou uma migalha de pão junto do cesto, do qual saiu logo o passarinho, que olhou para cima.

— Então, meu filho, estás satisfeito? — perguntou Hans.

O filho, naturalmente, ficou muito alegre vendo o pai, mas o professor de ladroagem foi que não gostou nem um pouco de perder os duzentos táleres.

— O diabo deve ter te ensinado! — exclamou ele — Do contrário, como irias reconhecer o teu filho?

— Vamos embora, meu pai! — atalhou o passarinho, virando gente.

Os dois seguiram viagem para casa, e, no caminho, viram aproximar-se uma carruagem.

— Meu pai — disse o jovem — vou me transformar em um grande galgo, e assim posso fazer-te ganhar bastante dinheiro.

E unindo o ato à palavra, virou um galgo.

O fidalgo que vinha na carruagem deu ordem ao cocheiro que parasse e perguntou a Hans:

— Queres vender esse cão?

— Perfeitamente — respondeu Hans.

— Quanto queres por ele?

— Trinta táleres.

— Está bem caro, mas vou ficar com ele. É, realmente, um belo cão.

O fidalgo levou o galgo em sua carruagem, mas pouco adiante o galgo pulou para fora da carruagem pela janela e voltou para junto de Hans, não mais na forma de um galgo. E pai e filho voltaram para casa.

No dia seguinte, o filho disse a Hans:

— Vou agora transformar-me em um belo cavalo e poderás vender-me. Não te esqueças, porém, de, antes, tirar a minha rédea, pois, do contrário, não poderei recuperar a forma humana.

Virou o cavalo, e o pai, mais do que depressa, levou o animal à feira, para vendê-lo. E quem comprou foi exatamente o professor de ladroagem, por cem táleres. O diabo é que Hans se esqueceu de tirar a rédea do cavalo, que continuou cavalo e foi levado pelo professor para a sua casa, prendendo-o na estrebaria.

Desesperado, o filho de Hans, vendo passar uma criada, começou a pedir:

— Tira a minha rédea! Tira a minha rédea!

— O quê? — espantou-se a mulher.

Tirou a rédea, e imediatamente o cavalo virou um pardal, que saiu voando. O professor de furto virou pardal e também saiu em perseguição do ex-cavalo. Alcançou-o e houve uma briga furiosa entre os dois passarinhos. O professor perdeu, e, pousando à margem de um rio, virou peixe. Seu ex-aluno, sem perda de tempo, virou peixe também, e os dois peixes continuaram a luta encarniçada, e ainda dessa vez o mestre perdeu. Transformou-se, então, em um galo e na mesma hora o outro peixe virou raposa e comeu o galo. Comeu, porém, com tanta voracidade, que se engasgou. Ficou com o galo atravessado na garganta e morreu.

Segundo se sabe, continua morto até hoje.

O GANSO DE OURO

Era uma vez um homem que tinha três filhos, o mais novo dos quais tinha o apelido de Simplório e que era desprezado e ridicularizado constantemente.

E aconteceu que o irmão mais velho teve de ir à floresta cortar lenha e, antes de sair, sua mãe lhe deu um ótimo bolo e uma garrafa de vinho, a fim de que não passasse fome e sede durante o trabalho.

Logo que chegou à floresta, ele se encontrou com um velhinho, muito baixinho, com uma barba muito branca, que, depois de desejar-lhe um bom dia, acrescentou:

— Dá-me um pedaço de teu bolo e deixa-me beber um copo de teu vinho.

Mas o jovem, esperto como era, replicou:

— É mesmo? Queres que eu te dê meu bolo e meu vinho e fique sem ter o que comer e o que beber?

E continuou a caminhar. Logo adiante, porém, tropeçou, e caiu em cima do machado, que lhe deu um corte profundo no braço. Teve então de voltar para casa, a fim de tratar do ferimento. E aquilo foi obra do velhinho cujo pedido recusara.

O segundo filho do homem se preparou, então, para executar o trabalho que seu irmão mais velho não conseguira e sua mãe, como fizera com o outro, lhe entregou um bolo muito gostoso e uma garrafa de bom vinho.

E, quando o moço chegou à floresta, se encontrou com o mesmo velhinho, e que, como fizera antes, depois de cumprimentá-lo, pediu um pedaço de bolo e um copo de vinho.

— Estás pensando que sou bobo? — ele disse ao velho. — Queres que eu te dê o que trouxe e depois passe fome e sede?

E seguiu caminho, mas logo adiante, escorregou, caiu e quebrou a perna, de modo que teve que ser levado para casa.

Simplório disse então:

— Meu pai, deixai-me ir à floresta cortar lenha.

— Teus irmãos se machucaram muito quando foram — respondeu o pai. — E tu não tens a menor experiência.

Simplório, porém, tanto insistiu, que o pai acabou concordando.

— Então, vai — disse. — Mas tem muito cuidado.

Sua mãe lhe deu um bolo só de farinha e assado nas cinzas e uma garrafa de cerveja ordinária, muito amarga, e Simplório dirigiu-se à floresta. Como acontecera com os irmãos, logo se encontrou com o velhinho, que, depois de cumprimentá-lo, pediu:

— Dá-me um pedaço de teu bolo e um copo de tua bebida.

— Só tenho um bolo de farinha pura e uma cerveja muito amarga — disse Simplório. — Mas estão às suas ordens.

Mas, quando foi partir o bolo e servir a cerveja, Simplório constatou que o bolo ordinário se transformara em um bolo gostosíssimo e a cerveja amarga em um vinho finíssimo.

E o velho disse:

— Como tens bom coração e te mostras disposto a dividir o que tens, vou te assegurar uma boa sorte. Estás vendo aquela velha árvore ali? Derruba-a e encontrarás algo em suas raízes.

E o velhinho despediu-se e foi-se embora.

Simplório derrubou a árvore e encontrou em suas raízes um ganso cujas penas eram de ouro puro. Pegou a ave e, carregando-a, dirigiu-se a uma hospedaria, onde pretendia pernoitar. O dono da hospedaria tinha três filhas, que viram o ganso e tiveram curiosidade de saber o que era na realidade aquela maravilhosa ave.

— Não tardarei a encontrar uma oportunidade de arrancar uma pena do ganso — pensou a mais velha.

E, logo que Simplório se afastou um pouco, agarrou o ganso pela asa, mas a mão ficou agarrada nas penas, e ela não conseguiu soltá-la de modo algum.

A segunda filha aproximou-se, querendo, ela também arrancar uma pena do ganso, porém mal tocou em sua irmã, ficou com a mão presa e não conseguiu soltá-la.

A mesma coisa aconteceu com a terceira irmã, que ficou agarrada à segunda, quando se aproximou na esperança de arrancar uma pena da ave.

Na manhã seguinte, Simplório pegou o ganso e saiu andando com ele debaixo do braço, sem se preocupar com as três irmãs que estavam presas, a primeira à ave, e todas uma com as outras. As moças, assim, foram obrigadas a andar atrás de Simplório, sempre e a qualquer lugar aonde suas pernas o levassem.

Quando saíram da aldeia, o padre as viu e exclamou:

— Que vergonha é essa, meninas sem juízo, de saírem correndo no campo atrás desse moço.

E segurou a caçula, querendo impedi-la de continuar a caminhada, mas, em vez de libertá-la, ele é que ficou preso também, e teve de acompanhar o desfile, andando ou correndo, conforme fosse a vontade de Simplório.

Um pouco adiante, estava o sacristão que, ao ver aquele estranho cortejo, ficou estarrecido, vendo o padre correndo agarrado a uma moça e gritou-lhe:

— Aonde vai Vossa Reverendíssima com tanta pressa? Não se esqueça de que hoje temos uma crisma!

E, como o sacerdote não parasse, agarrou-o pelo braço, e teve de acompanhar o cortejo, seguindo os passos de Simplório.

E não foi só ele. Dois trabalhadores estavam voltando do serviço com suas picaretas, e o padre pediu-lhes que o ajudassem, assim como o sacristão, a livrar-se daquele agarramento. Os trabalhadores atenderam ao pedido, mas, em vez de desagarrarem os dois, foram eles que ficaram agarrados.

Agora eram sete pessoas andando atrás de Simplório e do ganso. E, dentro de algum tempo, chegaram a uma cidade cujo rei tinha uma filha tão séria que ninguém era capaz de fazê-la rir. O rei, então, lançou uma proclamação anunciando que o homem que conseguisse fazer com que sua filha dobrasse uma boa gargalhada se casaria com ela. Sabendo disso, Simplório tratou de passar com seu cortejo diante da princesa, e ela, ao ver o estranho cortejo, começou a dobrar uma gargalhada atrás da outra, quase sufocando de tanto rir.

Simplório exigiu, então, a recompensa prometida. O rei, porém, de modo algum se sentia satisfeito de ter um genro igual àquele e, arranjando muitas desculpas, disse que, antes de casar com a princesa, Simplório devia apresentar um homem capaz de beber uma quantidade de vinho suficiente para encher uma adega inteira.

Simplório pensou então no velhinho que já o ajudara antes. Voltou, portanto, à floresta, e no mesmo lugar onde encontrara a árvore derrubada, encontrou o simpático velhinho, cujo rosto refletia uma grande tristeza:

— Por que estás triste assim? — perguntou-lhe.

E o velho respondeu:

— É que ando sentindo constantemente uma sede tão grande, que coisa alguma consegue aplacar. Não suporto água. Já bebi um barril de vinho inteiro, mas foi como uma gota no oceano!

— Posso ajudar-te — replicou Simplório. — Vem comigo e serás satisfeito.

Levou o velho à adega do rei. E ele bebeu tanto que, antes do anoitecer, todos os barris da adega estavam vazios.

Simplório reclamou de novo a mão da princesa, mas o rei não se resignava a dar a mão de sua filha a um sujeito tão feio e ainda por cima chamado Simplório, e exigiu que fosse satisfeita uma nova condição: apresentar um homem capaz de comer tantos pães que, juntos, tivessem o volume de uma montanha.

Simplório não perdeu tempo. Correu à floresta onde, no lugar de costume, encontrou o velhinho, que, muito triste, se queixava:

— Sou capaz de comer uma fornada inteira de bolos, mas o que adianta isso, se sinto constantemente uma fome devoradora? Meu estômago está sempre vazio e tenho de apertá-lo, como vês, para não morrer de inanição!

De fato, Simplório reparou que o velho tinha uma corda amarrada, e bem apertada, em torno da barriga. E ficou muito alegre ao ouvir as palavras e ver o aspecto do bom velhinho. E levou-o ao palácio do rei, para onde foi levada toda a farinha de trigo existente no reino e com ela preparada tantos pães que, juntos, formavam uma verdadeira montanha. O velho se pôs a devorá-los e, ao anoitecer, não restava mais um pão sequer.

O rei, contudo, continuava disposto a tudo fazer para evitar que sua filha se cassasse com um homem tão desprovido de atrativos físicos e intelectuais.

E quando Simplório, pela terceira vez pediu que lhe fosse dada a mão da princesa, foi-lhe imposta pelo soberano a incumbência de trazer um navio que tanto pudesse navegar na água como na terra.

Simplório voltou depressa à floresta e lá encontrou o velho com quem ele havia partilhado o seu bolo. Ao saber da nova exigência real, o velho disse:

— Como me deste de comer e de beber, dar-te-ei o navio. Foste bom para mim e provo desse modo a minha gratidão.

E, quando foi apresentado o navio, o rei percebeu que não adiantava mais fazer outras exigências. O casamento foi celebrado, e, depois da morte do Rei, Simplório herdou o trono e reinou por muitos e muitos anos e viveu muito feliz com sua real consorte.

BERTA, A ESPERTA

Era uma vez um homem que tinha uma filha, chamada Berta, a Esperta.

— É preciso casá-la — disse o pai, quando a filha cresceu.

— É mesmo — concordou a mãe. — Só falta aparecer quem queira desposá-la.

Afinal apareceu um homem, chamado Hans, disposto a casar com Berta, mas exigiu que ficasse provado que Berta, a Esperta, era realmente esperta.

— Ela é espertíssima! — afirmou o pai.

E a mãe acrescentou:

— Ela é capaz de ver o vento passando na rua e ouvir as moscas tossindo.

— Muito bem — disse Hans. — Se ela não for mesmo esperta, não me caso com ela.

Quando acabaram de jantar e antes de se levantarem da mesa, a mãe disse a Berta:

— Minha filha, vai à adega buscar um pouco de vinho.

Berta pegou a jarra, desceu para a adega, sentou-se diante do barril de vinho enquanto enchia a jarra, para não precisar abaixar-se, o que poderia lhe causar dor nas costas, ou mesmo se machucar, com algum movimento brusco. Enquanto o vinho escorria, não se descuidou de olhar se estava tudo direitinho na adega, e acabou descobrindo uma picareta, que havia sido deixada, sem dúvida por descuido, em uma prateleira justamente acima do lugar onde ela se achava.

Ao ver aquilo, Berta, a Esperta, começou a chorar, pois pensou:

"Se eu me casar mesmo com Hans e tivermos um filho, e esse filho crescer, e vier buscar vinho aqui, aquela picareta pode cair na cabeça dele e matá-lo".

E imaginando aquela desgraça, a sensível Berta chorou e soluçou, inconsolável, pois, para uma mãe, não pode haver nada mais triste do que perder um filho.

Enquanto isso, o pessoal, lá em cima, estava esperando o vinho, mas Berta, a Esperta, não aparecia. A dona da casa mandou então que a criada fosse à adega para ver o que acontecera.

A criada desceu e encontrou Berta sentada diante do barril e soluçando, desconsolada.

— O que aconteceu? — perguntou. — Por que estás chorando?

— E não é para chorar? — redarguiu Berta. — Se eu me casar mesmo com Hans, e se tivermos um filho, e se meu filho, quando crescer, vier aqui buscar vinho, aquela picareta pode muito bem cair na cabeça dele e matá-lo!

— Como Berta é esperta! — exclamou a criada, comovida.

Tão comovida, que não resistiu e, sentando-se ao lado de Berta, começou também a chorar.

E, como nem Berta nem a criada voltassem, o pai mandou o filho ver o que havia. O menino desceu para a adega e encontrou Berta e a criada sentadas soluçando.

— Por que estais chorando? — perguntou.

— E não é para chorar? — redarguiu Berta. — Se eu me casar mesmo com Hans e tivermos um filho e o filho crescer, e vier aqui buscar vinho, aquela picareta que está ali em cima pode cair na cabeça dele e matá-lo!

— Como Berta é esperta! — exclamou o menino.

E sentando-se ao lado das duas, começou a chorar também.

Em cima, o pessoal continuava esperando, até que o dono da casa disse à mulher:

— Vai à adega e vê o que aconteceu.

A mulher desceu para a adega e, ao ver todos soluçando, indagou o que acontecera. E Berta explicou que, se se casasse com Hans e tivesse um filho, e se esse filho depois de grande fosse buscar vinho, a picareta que fora deixada na prateleira, no alto, poderia cair em sua cabeça e matá-lo.

— Como Berta é esperta! — exclamou a mãe.

E sentou-se ao lado dos filhos e da criada, soluçando também.

Cansado de esperar, já impaciente, o dono da casa desceu ele próprio à adega. E, ao ver a choradeira geral, quis saber o motivo. E, quando ficou sabendo que, se Berta se casasse com Hans e tivesse um filho, e se o filho depois de grande fosse buscar vinho, a picareta poderia cair em sua cabeça e matá-lo, o pai de Berta não pôde fazer outra coisa senão chorar também, depois de ter exclamado:

— Como Berta é esperta!

O noivo, deixado sozinho na sala de jantar, durante tanto tempo, acabou pensando:

"Devem estar esperando por mim lá embaixo. Vou ver o que querem".

Desceu, e ao ver os cinco soluçando e gemendo, perguntou:

— Que desgraça aconteceu aqui?

— Ah, meu querido Hans! — exclamou Berta. — Se casarmos e tivermos um filho, depois de grande nosso filho pode vir aqui buscar vinho e então aquela picareta pode cair em sua cabeça e matá-lo! Não temos razão de chorar?

— Vem! — disse Hans, apertando a mão de Berta. — Não é preciso mais provas de quanto és esperta, Berta!

E se casou com ela.

Algum tempo depois de casados, Hans disse à esposa:

— Vou sair para trabalhar, a fim de ganhar dinheiro para o nosso sustento. Vai ao trigal e ceifa um bom número de espigas, para que possamos fazer pão.

— Sim, meu querido — disse Berta. — Daqui a pouco irei para lá.

Preparou um bom caldo, que levou para o campo. Lá chegando, disse a si mesma:

— O que farei? Vou ceifar o trigo ou comer primeiro? Vou comer primeiro.

Bebeu bastante do caldo, e, quando se sentiu satisfeita, ficou de novo indecisa:

— Vou ceifar ou dormir primeiro?

E decidiu:

— Vou dormir primeiro.

Deitou-se no meio do trigal e ferrou no sono. Enquanto isso, Hans já voltara para casa havia muito tempo, e nada de Berta aparecer. E ele pensou:

— Que esperta esposa a minha! É tão industriosa, que nem veio aqui à nossa casa para comer.

Anoiteceu, porém, sem que Berta tivesse voltado, e Hans resolveu sair, para ver quanto do trigal já fora ceifado. E constatou que o trigal continuava intacto: não fora colhida sequer uma espiga. E Berta dormia a sono solto no meio do trigal.

Hans, então, correu até sua casa, pegou uma rede de caça, com campainhas presas à sua orla, e enrolou-a em torno de Berta, sem que ela acordasse. Isso feito, voltou para casa, onde ficou trancado.

Afinal, depois de dormir muitas horas, Berta, a Esperta acordou, já alta noite. Levantou-se e tomou um grande susto, ouvindo as campainhas tilintarem ao seu redor, e tilintarem cada vez mais alto e mais depressa, quando saiu caminhando, desorientada. Tão atarantada ficou, diante daquela barulheira, que não sabia explicar, que ficou sem saber se era ela mesma ou não.

— Sou eu mesma ou não? — perguntou em voz alta.

E, como ninguém respondeu, a dúvida cruel continuou.

Decidiu afinal: "Vou voltar e perguntar se eu sou eu mesma, e naturalmente eles sabem e me responderão."

Voltou para a aldeia e bateu na porta de sua casa, que estava fechada. Ninguém abriu e ela bateu na janela do quarto de dormir e gritou:

— Hans, Berta está aí?

— Está sim! — gritou Hans, do lado de dentro.

Apavorada, Berta exclamou:

— Meu Deus do céu! Quer dizer que não sou eu!

Ainda tentou bater em outras casas, mas ninguém quis abrir a porta da rua, porque o barulhento tinir das campainhas metia medo a todo mundo.

Sem encontrar abrigo em lugar algum, Berta, a Esperta, fugiu da aldeia, correndo desesperada, e nunca mais foi vista por pessoa alguma.

O NABO

Era uma vez dois irmãos, ambos os quais já haviam servido como soldados; um era pobre e o outro era rico. O primeiro, para se livrar da pobreza, vendeu seu capote militar e tornou-se lavrador. Tratou de cultivar seu pedacinho de terra, no qual semeou nabo. A semente se transformou em planta, que parecia não querer parar de crescer, e cresceu tanto, que poderia ser chamado O Rei dos Nabos, pois nunca se vira antes um nabo daquele tamanho, e nem se veria depois.

Ficou afinal tão enorme, que foi preciso uma carreta inteira, puxada por uma parelha de bois para transportá-lo, e o lavrador não tinha a menor ideia do que iria fazer com o nabo, e nem se aquilo lhe seria favorável ou desfavorável. E pensou: "Se eu o vender, conseguirei um preço que realmente pague a pena? E, quanto a comê-lo, a verdade é que os nabos comuns servem da mesma maneira. O melhor é oferecê-lo ao rei, como um presente."

E, tendo assim resolvido, colocou o nabo em uma carroça, atrelou a junta de bois, e levou-o ao palácio, oferecendo-o ao rei.

— Que coisa estranha é essa? — perguntou o rei. — Já vi muitas coisas maravilhosas diante dos meus olhos, mas jamais vi um monstro igual a esse. Foi resultado de alguma semente especial ou devido à tua própria sorte?

— Sorte, Majestade? — redarguiu o lavrador. — É coisa que não tenho. Sou um pobre soldado, que mal podendo se sustentar, vendeu o seu capote e comprou um pedacinho de terra para cultivar. Tenho um irmão que é rico e conhecido de Vossa Majestade, mas eu, como nada tenho, sou esquecido por todos.

O rei teve pena e disse:

— Ficarás livre de tua pobreza e vou dar-te o suficiente para alcançares uma posição igual à do teu rico irmão.

E, de fato, fez-lhe chegar às mãos tanto ouro, tantas terras, plantações e pastagens, que o tornou imensamente rico, tão rico que a fortuna de seu irmão sequer podia ser comparada com a sua.

Quando o irmão rico ficou sabendo que o outro se enriquecera apenas com um nabo, sentiu muita inveja, e ficou pensando, noite e dia, como conseguiria um golpe de sorte semelhante. Na verdade, resolveu contar muito mais com a astúcia do que com a sorte. Escolheu ouro e cavalos puro-sangue para levar ao rei, pensando: "Se meu irmão conseguiu tanta coisa com um nabo, por que não conseguirei com tão ricos presentes?"

O rei recebeu os presentes, agradeceu, e disse que não podia retribuir com um presente mais valioso do que o enorme nabo que o seu irmão oferecera.

E o ricaço foi obrigado a levar para casa o nabo descomunal. Ficou furioso, possesso, e resolveu mandar matar o irmão. Contratou assassinos profissionais, que ficaram de emboscada, e procurou o irmão, ao qual disse:

— Meu caro mano, sei onde há um tesouro escondido e podemos, juntos, retirá-lo e o dividir entre nós.

O outro achou boa ideia, e o acompanhou, inteiramente confiante. No caminho, os assassinos o agarraram, o amarraram e se preparavam para enforcá-lo em uma árvore, quando ouviram o barulho do galopar de um cavalo, que se aproximava. Apavorados, eles enfiaram a vítima apressadamente em um saco, que alçaram para o alto da árvore, e fugiram.

O prisioneiro, contudo, conseguiu abrir um buraco no saco, no qual enfiou a cabeça. O cavalo cujo galope amedrontara os facínoras era cavalgado por um jovem estudante, que, para se distrair durante a viagem, cantava alegremente. Quando o prisioneiro, da copa da árvore, viu que alguém estava passando embaixo, gritou:

— Bom dia! Chegaste na hora certa!

O viajante olhou em torno, mas não descobriu de onde vinha a voz.

— Quem está falando? — perguntou.

A resposta veio do alto da árvore:

— Levanta a cabeça. Aqui estou, dentro do Saco da Sabedoria. Em pouco tempo, aprendi muita coisa, comparadas com a qual todas as escolas não passam de brincadeiras. Em muito pouco tempo, terei aprendido tudo e descerei mais sábio do que todos os outros homens. Compreendo o que se dá com as estrelas, os signos do zodíaco e a passagem dos ventos, a areia do mar, a cura das enfermidades e as virtudes de todas as ervas, aves e pedras. Se entrares dentro dele alguma vez, vereis que magníficas coisas se aprende com o Saco da Sabedoria.

Ao ouvir o anúncio de tantas maravilhas, o estudante ficou embasbacado e exclamou:

— Bendita seja a hora em que te encontrei! Não posso também entrar nesse saco durante algum tempo?

O outro respondeu lá do alto, como se não estivesse muito disposto a atender ao pedido:

— Deixar-te-ei entrar, contanto que não seja por muito tempo. Mas terás que esperar mais meia hora, pois há uma coisa que ainda tenho que aprender antes.

O estudante concordou, mas, depois de esperar durante algum tempo, ficou impaciente, e pediu para que lhe fosse permitido entrar logo no Saco da Sabedoria, pois a sua sede de saber era muito forte. Lá de cima, o outro fingiu que estava condescendendo, e disse:

— Para que eu possa sair da casa da sabedoria, terás de descê-la, com a ajuda da corda, e então poderás nela entrar.

O estudante não teve dúvida: desceu o saco bem depressa, libertou o prisioneiro e gritou:

— Agora, levanta-me bem depressa!

E tratou de entrar no saco imediatamente.

— Alto lá! — intimou o "sábio". — Eu vou te arranjar.

E, segurando o outro pela cabeça, enfiou-o no saco, que logo alçou para o alto da árvore.

— Como vão as coisas por aí, meu caro? — gritou depois. — Já, já, verás a sabedoria chegando, e irás adquirir uma formidável experiência. Fica inteiramente tranquilo, até que te tornes mais sábio.

E, assim tendo dito, montou no cavalo do estudante e foi-se embora. Uma hora mais tarde, porém, mandou um homem libertá-lo.

OS SETE SUÁBIOS

Eram uma vez sete suábios. O primeiro era Mestre Schulz, o segundo Jackli, o terceiro Marli, o quarto Jergli, o quinto Michal, o sexto Hans e o sétimo Veitli. Todos os sete resolveram viajar pelo mundo em busca de aventuras e para executarem grandes feitos. Para isso, porém, seria necessário se precaverem, indo bem armados, e seria aconselhável levar somente uma lança, uma só, porém muito forte e muito comprida.

Assim decididos, foi fabricada a poderosa lança, que os sete carregavam juntos. Na frente, caminhava o mais corajoso e mais impetuoso de todos, Mestre Schulz. Os outros seguiam, por ordem de idade, indo Veitli atrás de todos. E aconteceu que certo dia, no verão, quando os companheiros já haviam caminhado muitas léguas, e ainda estavam longe da aldeia onde iriam pernoitar, ao atravessarem um prado, ao anoitecer, um grande besouro ou vespão passou junto deles, depois de levantar voo de uma moita, zumbindo de uma maneira ameaçadora.

Mestre Schulz ficou tão aterrorizado, que largou a lança e sentiu um suor frio lhe cobrir o corpo.

— Atenção! Atenção! — gritou, advertindo os outros. — Meu Deus do céu! Estou ouvindo um tambor.

Jackli, que vinha logo atrás dele, sustentando a lança, e cujas narinas captaram um cheiro meio esquisito, exclamou:

— Deve estar acontecendo alguma coisa séria, pois estou sentindo cheiro de pólvora!

Ouvindo essas palavras, Mestre Schulz saiu correndo e agilmente pulou uma cerca, mas, por azar, caiu justamente em cima de um ancinho, que tinha sido ali deixado depois da ceifa, e cujo cabo lhe bateu, com toda a força no rosto.

— Por favor! — gritou. — Faze-me prisioneiro! Eu me rendo! Eu me rendo!

Os outros seis companheiros, tendo, por sua vez, largado a lança, fugiram, pularam a cerca e caíram amontoados por cima de Mestre Schulz, todos gritando:

— Eu também me rendo! Se tu te rendeste, eu também me rendo!

Mas, como não apareceu inimigo algum para aceitar a rendição, os sete suábios verificaram que havia ocorrido um engano, e, para que o caso não se tornasse conhecido, e eles não fossem ridicularizados e considerados burros, juraram uns aos outros se manterem em silêncio, enquanto não acontecesse que um deles falasse inadvertidamente.

Seguiram viagem. O segundo perigo que desafiaram não pode ser comparado ao primeiro. Alguns dias depois, eles estavam atravessando um campo não cultivado, onde uma lebre cochilava ao sol, quando, vendo seus grandes olhos muito abertos, os sete suábios se assustaram diante da presença de tão horrível animal selvagem. Pararam para trocarem ideia, acerca do que poderiam fazer correndo o menor perigo possível. Sabiam que, se corressem, o monstro poderia persegui-los e devorá-los. Assim, decidiram:

— Temos de travar uma grande e perigosa luta. Aventurar-se com coragem já é quase vencer.

Dispostos a tudo, os sete irmãos empunharam juntos a lança, com Schulz na frente e Veitli atrás de todos. Mestre Schulz tentava sempre empurrar para trás a pesada lança, ao passo que Veitli, tendo se tornado muito corajoso, na retaguarda como estava, queria investir audaciosamente e gritava:

Avante, suábios! Pra frente! Pra frente!
Talvez haja medo, mas eu sou valente!

Hans, porém, não deixou a insinuação sem resposta, e disse:

Ser bravo é bem fácil da boca pra fora,
Mas, quando há perigo, não chegas na hora!

E Michal deu a sua contribuição:

Que ser mais horrível, medonho, fremente!
É mesmo o diabo que está lá na frente.

Chegou, então, a vez de Jergli:

Se o próprio Diabo, acaso, não for,
É a mãe ou a madrasta daquele senhor.

E, então, Marli teve uma boa ideia e disse a Veitli:

Valoroso Veitli, vamos, avança, avança!
E eu, atrás de ti, sustentarei a lança!

Veitli, contudo, preferiu não obedecer, e Jackli interveio:

Cabe somente a Schulz o primeiro lugar,
E a ele essa glória não se pode roubar.

Mestre Schulz, com isso, encheu-se de coragem e disse, solenemente:

*O fero inimigo vençamos então,
Com toda a bravura da nossa nação!*

Todos juntos investiram contra o dragão. Mestre Schulz persignou-se e pediu a ajuda de Deus, mas isso não foi bastante e, ao se ver cada vez mais perto do inimigo, ele gritou, angustiado:
— Socorro, meu Deus!
O grito acordou a lebre, que, assustada por sua vez, fugiu espavorida. Vendo-a assim afastar-se do campo de batalha, a toda velocidade, Mestre Schulz quase pulou de alegria. E gritou bem para Veitli:

Presta atenção e irás ver uma coisa engraçada:
O nosso inimigo é lebre, lebre e mais nada!

Os corajosos suábios continuaram, porém em busca de novas aventuras, e chegaram à margem do Mosela, um rio profundo mas muito tranquilo, sobre o qual existem poucas pontes, de modo que, em muitos lugares, a travessia tem de ser feita em barcos. Os sete suábios, não sabendo disso, perguntaram a um homem que estava trabalhando na outra margem como poderiam ir para aquele lado. A distância, todavia, não permitiu que o homem ouvisse bem e ele redarguiu, com o forte sotaque dos habitantes daquela região:
— O que é? O que é?
Mestre Schulz, cuja especialidade não era a linguística, pensou que o homem tivesse respondido:
— Passa pelo vau.
E, como estava à frente de todos, entrou no rio, e não tardou a ficar atolado na lama, e coberto pela água, enquanto o seu chapéu era levado pelo vento para a outra margem e uma rã, ao seu lado, começou a coaxar:
— Vau! Vau! Vau!
Os outros seis ouviram, e um deles disse:
— Companheiros, Mestre Schulz está nos chamando da outra margem. Se ele pôde atravessar, nós também podemos.
Todos entraram na água, então, e se afogaram. Assim, uma simples rã matou todos eles, e nenhum dos amigos suábios voltou para a sua terra.

AS MOEDAS-ESTRELAS

Era uma vez uma menina órfã de pai e mãe, e tão pobre, que não tinha uma casa onde morar e uma casa onde dormir, e nada para comer, a não ser um pedaço de pão, e nada mais para vestir, a não ser a roupa que usava. Era boa e piedosa, porém. E quando se viu assim abandonada por todo mundo, ela saiu pelos campos, confiada no bom Deus. E então um mendigo aproximou-se dela e disse que estava faminto e nada tinha para comer. E ela lhe deu o seu pedaço de pão, e continuou a caminhada. Mais adiante encontrou uma criança, que lhe disse que sentia muito frio na cabeça, e não tinha uma touca, e a menina lhe deu a sua touca. E quando encontrou depois outra criança com muito frio e sem ter um vestido, deu-lhe o seu. E, já noite escura, chegou a uma floresta, e outra criança apareceu, sem uma camisa para lhe cobrir a nudez. E a boa menina deu-lhe a sua camisa, pensando que poderia ficar nua, pois a escuridão lhe encobriria a nudez.

E assim, ficou sozinha e nua, e, de repente, caíram do céu algumas estrelas, e essas estrelas eram moedas de ouro, que a menina colheu, e, com elas, surgiu também uma roupa que ela vestiu.

O URSO E A CARRIÇA

Em certo dia de verão, o urso e o lobo estavam passeando na floresta, quando o urso ouviu um pássaro cantando tão bonito que perguntou:

— Compadre Lobo, quem é esse passarinho que canta tão bonito?

— É — respondeu o Lobo — o rei dos pássaros, diante do qual devemos nos curvar com toda a reverência.

Na verdade, quem estava cantando era a carriça.

— Nesse caso — retrucou o urso — eu gostaria muito de ir ao palácio real. Leve-me até lá, Compadre Lobo.

— Não é tão fácil assim como você está pensando — redarguiu o lobo. — Temos de esperar até que chegue a Rainha.

Pouco depois, a Rainha apareceu, trazendo no bico alimento para os filhotes, e o Rei também chegou, e os dois deram comida aos filhotes.

O urso queria se aproximar logo, mas o lobo o segurou pelo braço, dizendo:

— Espere aí, compadre. Você tem que esperar até que o Rei e a Rainha tenham ido embora.

Os dois amigos se afastaram então do buraco onde ficava o ninho da carriça, mas o urso não sossegou enquanto não pôde ver o palácio real, o que aconteceu logo que o Rei e a Rainha voaram para longe.

O urso olhou, então, cheio de curiosidade, mas só viu cinco ou seis filhotes, muito feios, deitados no ninho.

— Isto não é palácio real nem aqui nem na China! — exclamou. — Estes filhotes feios desse jeito é que são filhos de Rei? São uns pobres coitados, uns vagabundos!

Ouvindo isso, os filhotes de carriça ficaram indignados e gritaram:

— Desaforado! Não somos pobres coitados nem vagabundos! Fique sabendo que nossos pais são muito importantes! Você vai se arrepender do que disse! Vai pagar muito caro por isso!

O lobo e o urso ficaram preocupados e logo se afastaram, voltando para as suas tocas. Os filhotes da carriça, por seu lado, continuaram a gritar e a ameaçar e, quando seus pais apareceram trazendo de novo os alimentos, declararam:

— Mesmo se ficarmos morrendo de fome, não vamos comer uma perna de mosca sequer, enquanto vocês não mostrarem que não somos uns pobres coitados, uns vagabundos. O urso esteve aqui e nos xingou!

— Podem ficar sossegados, que ele vai ser castigado — disse o Rei.

E voou logo, junto com a Rainha, para a toca do urso e gritou-lhe:

— Seu bestalhão, você xingou meus filhos? Pois pode saber que isso não vai ficar assim, não! Você vai ser castigado, vai ter de enfrentar uma guerra sangrenta!

Declarada a guerra, o Urso e todos os animais quadrúpedes foram convocados para dela participarem: bois, cavalos, burros, veados e todos os outros animais da Terra. Por seu lado, a carriça convocou todos os animais que voam, não somente as aves, grandes e pequenas, como também as moscas, as abelhas, as vespas, etc.

Antes de serem iniciadas as operações, a carriça mandou espiões ao território inimigo, a fim de descobrirem quem seria o seu comandante-chefe. A vespa, que era o mais habilidoso desses espiões, voou para a floresta onde os inimigos se tinham reunido e se escondeu atrás de uma folha de árvore, junto da qual os quadrúpedes discutiam as medidas a serem tomadas:

O Urso convocou, então, a Raposa e disse-lhe:

— Você, que é o mais esperto de todos os animais, será o comandante das nossas forças.

— Ótimo! — exclamou a Raposa. — Mas qual deverá ser o sinal que usarei para transmitir as ordens aos meus comandados?

Ninguém sabia, e a Raposa decidiu:

— Eu tenho uma cauda comprida e muito cheia, que até se parece com um leque de penas vermelhas. Então, fica combinado o seguinte: quando eu levantar o rabo, quer dizer que tudo vai bem e vocês devem avançar. Quando eu abaixá-lo, tratem de correr para trás o mais depressa possível, pois as coisas estão pretas.

Ao ouvir aquilo, a vespa tratou de sair voando e foi contar à carriça o que ficara sabendo, com todos os detalhes.

Quando amanheceu, e se aproximou a hora da batalha, todos os animais quadrúpedes avançaram, correndo, e fazendo um barulho tal que parecia que se tratava de um terremoto. A carriça também avançou com o seu exército voador, fazendo igualmente um barulho ensurdecedor com o bater de tantas asas, os gritos de tantas aves e o zumbido de tantos insetos. Uma barulheira que fazia medo a todo o mundo. Mas todos avançavam contra o inimigo, de um lado e do outro.

E a carriça ordenou a vespa que se metesse debaixo do rabo da raposa e o picasse com toda a força. Quando sentiu a primeira picada, a raposa começou a levantar a perna, com a dor, mas se conter a tempo e conservou a cauda para cima. Com a segunda picada, teve de baixar a cauda por um instante. Com a terceira, não aguentou mais: deu um grito de dor e enfiou o rabo entre as pernas.

Ao verem se abaixar a cauda da raposa, os quadrúpedes trataram de fugir o mais depressa possível, cada um procurando a sua toca para se esconder. As aves ganharam a guerra.

O Rei e a Rainha voltaram para casa, alegríssimos e anunciaram aos filhos:

— Podem se regozijar, meus filhos! Agora, comam e bebam à vontade, que somos vitoriosos na batalha!

Os filhotes, porém, retrucaram:

CONTOS DE FADAS

— Não vamos comer enquanto o urso não vier aqui nos pedir perdão e disser que somos importantes e dignos!

A carriça voou até a toca do urso e gritou:

— Seu bestalhão, você tem de ir até o nosso ninho e pedir perdão aos meus filhos! Do contrário, vou lhe partir os ossos, um a um!

Morrendo de medo, o urso foi rastejando até o ninho da carriça e pediu perdão aos filhotes, que, afinal, se deram por satisfeitos, e comeram e beberam à farta e se divertiram até altas horas da noite.

OS QUATRO IRMÃOS

Era uma vez um homem muito pobre, que tinha quatro filhos. E, quando eles se tornaram homens feitos, o velho pai lhes disse:

— Meus queridos filhos, tereis de sair pelo mundo, pois sou muito pobre para vos sustentar. Viajai, pois, para aprenderdes cada um ofício com o qual podereis ganhar a vida e melhorar de vida.

E, assim, os quatro moços pegaram os seus cajados e saíram juntos pela porta da cidade. Depois de terem viajado durante algum tempo, chegaram a uma encruzilhada, onde as estradas tomavam quatro direções diferentes.

— Aqui temos de nos separar — disse o irmão mais velho. — Devemos, porém, nos encontrar de novo aqui neste lugar, daqui a quatro anos exatos.

Cada um tomou, então, um dos rumos, e o irmão mais velho no caminho se encontrou com um homem, que lhe perguntou aonde ia e o que pretendia fazer.

— Quero aprender um ofício — respondeu o jovem.

— Vem comigo, para te tornares um ladrão — convidou o desconhecido.

— Não — recusou o moço. — Roubar já não é considerado como uma profissão decente, e o fim de quem a pratica é sempre ser pendurado com uma corda no pescoço.

— Não precisas ter medo da forca — replicou o outro. — Eu te ensinarei a furtar de uma maneira como nenhum outro homem furtou antes, e sem perigo algum de seres apanhado.

O moço acabou ouvindo as lições do malfeitor e acabou se tornando um consumado gatuno, tão hábil que tudo que desejava fatalmente acabava em suas mãos e sem que mal algum lhe acontecesse.

O segundo irmão também encontrou um desconhecido que lhe perguntou aonde ia e o que pretendia fazer.

— Ainda não sei — confessou o moço.

— Então, vem comigo, para te tornares um astrônomo. Não há ofício melhor do que esse, pois coisa alguma ficará escondida de ti.

O moço gostou da ideia e acabou se tornando um astrônomo à altura dos melhores, e, quando se preparou para fazer a viagem de volta, seu mestre deu-lhe um telescópio e disse-lhe:

— Com este telescópio, poderás ver tudo o que se passa, no céu ou na terra, e coisa alguma ficará escondida de ti.

O terceiro irmão foi instruído por um caçador, e tão bem instruído, que não tinha rival em seu ofício. Quando partiu, seu mestre deu-lhe uma espingarda, dizendo-lhe:

— Podes contar de todo com esta arma. Para onde for que a aponte, fica certo de que acertarás no alvo.

O mais moço dos irmãos encontrou um homem, que, sabendo que ele desejava aprender um ofício, perguntou-lhe:

— Não gostarias de ser alfaiate?

— Para falar a verdade, não — respondeu o jovem. — Não me parece nada agradável essa história de ficar curvado de manhã à noite, enfiando a agulha no pano e tirando a agulha do pano.

— Estás redondamente enganado! — replicou o desconhecido. — Comigo aprenderias uma espécie de todo diferente da arte do corte e confecção, uma arte respeitável e lucrativa.

E o homem acabou convencendo o jovem, que o acompanhou e aprendeu a sua arte e todos os seus segredos. Quando chegou o dia de fazer o jovem a viagem de volta, o mestre lhe deu uma agulha, explicando:

— Com esta agulha, poderás coser tudo que te for apresentado, seja uma coisa tão macia como a gema do ovo, seja tão dura quanto o aço, e tudo se transformará em uma peça em que todo sinal de costura será invisível.

No dia exato em que haviam se passado quatro anos de sua separação, os quatro irmãos se encontraram, no lugar onde tinham se separado, e voltaram para junto do pai, que ficou muito alegre com o seu regresso. E os jovens contaram o que havia acontecido e como cada um deles se tornara perito na profissão escolhida.

Achavam-se então sentados diante da casa, à sombra de uma árvore alta e copada, e o velho disse aos filhos:

— Agora quero que seja comprovada a perícia de cada um vós em seu respectivo ofício.

Olhou para cima, e disse ao segundo filho:

— Bem no alto desta árvore há um ninho de tentilhão. Dize-me quantos ovos há no ninho.

O astrônomo pegou o óculo, olhou e informou:

— São cinco ovos.

O velho recomendou, então, ao filho mais velho:

— Sobe na árvore e retire os ovos, sem assustar o pássaro que os está chocando.

O ladrão sem rival trepou na árvore, alcançou o ninho, retirou os ovos e entregou-os ao pai, sem que o pássaro que estava no choco tivesse sequer notado o que acontecera.

O velho, então, pegou os ovos, colocou um em cada canto da mesa e um bem no meio, e disse ao filho caçador:

— Divide, com um tiro, cada ovo pela metade exata.

O caçador não se fez de rogado: disparou um tiro e, só com ele, atingiu os cinco ovos e partiu-os pela metade, como queria o pai.

— Agora é a sua vez — ordenou o velho ao alfaiate. — Deves costurar os ovos, sem machucar os filhotes que estão lá dentro, bem vivos, pois não foram atingidos pelo tiro.

O alfaiate foi buscar a agulha e coseu os cinco ovos em pouco tempo. Chegou, então, de novo, a vez do ladrão, que trepou na árvore e colocou outra vez os ovos no ninho, sem que o pássaro que os estava chocando tivesse notado. Alguns dias depois, os filhotes quebraram a casca e saíram, e tinham uma linha vermelha em torno do pescoço, onde haviam sido costurados pelo alfaiate.

— Muito bem! — exclamou o velho. — Meus filhos são de fato formidáveis! Aproveitaram perfeitamente o tempo, aprenderam maravilhas. Não sei qual é o melhor. Isso só poderá ser esclarecido quando tiverem oportunidade de usarem o seu talento.

Pouco tempo depois houve no país um grande rebuliço, pois a filha do rei fora raptada por um dragão. O Rei ficou desesperado e lançou uma proclamação anunciando que quem trouxesse a princesa de volta a des-posaria.

— Seria uma ótima oportunidade de mostrarmos o que sabemos fazer — disseram uns aos outros os quatro irmãos.

E resolveram, juntos, libertar a princesa.

— Vou logo saber onde ela está — disse o astrônomo.

E, tendo olhado no telescópio, anunciou pouco depois:

— Já a estou vendo. Ela se encontra muito longe, em um rochedo à beira-mar e o dragão está junto dela, tomando conta.

Foi, então, procurar o Rei, para pedir um navio, para ele e seus irmãos, e nesse navio os quatro irmãos navegaram até chegarem ao rochedo, onde viram a princesa, tendo a seu lado o dragão, que estava dormindo, com a cabeça apoiada em seu regaço.

— Não me atrevo a atirar — disse o caçador. — Matando o dragão eu mataria também a linda princesa.

— Vou pôr à prova a minha arte — disse o ladrão.

E, tendo galgado o rochedo, retirou a moça, com tanta destreza, que o monstro continuou dormindo a sono solto. Jubiloso, levou-a para o navio, com a ajuda dos irmãos, e a nave logo ganhou o alto-mar.

O dragão, porém, tendo acordado e não vendo a princesa ao seu lado e vendo o navio que já ia longe, alçou voo para perseguir os raptores. Tendo alcançado a nave, abaixou o voo para nela pousar, mas o caçador disparou um tiro que o atingiu bem no coração. O monstro caiu morto mas, ao atingir o mar, seu corpo enorme atingiu também o navio e o despedaçou.

Felizmente, os quatro irmãos e a princesa conseguiram se agarrar a algumas tábuas, mas ficaram flutuando em alto mar, ao sabor das ondas. O perigo continuava muito sério, e tudo estaria perdido, se o alfaiate não entrasse em ação por sua vez: com sua agulha mágica, costurou as tábuas em que se agarravam, formando uma jangada, que lhes proporcionou muito mais segurança, e ainda lhes permitiu que recolhessem todas as outras partes do navio, que, dentro de algum tempo, e graças à maravilhosa agulha e à habilidade de seu manipulador, estava completamente restaurado, e levou-os sãos e salvos até o seu destino.

Ao receber a filha de volta, o Rei não pôde esconder o seu júbilo, e disse aos quatro irmãos:

— Um de vós terá a princesa como esposa, mas vós mesmos tereis de resolver qual será.

Travou-se, então, entre os quatro uma acalorada discussão, em que cada um fazia valer o seu próprio mérito.

— Se eu não tivesse visto a princesa — disse o astrônomo — todas as vossas artes teriam sido inúteis. Ela deve ser minha, portanto.

— O que adiantaria a teres visto, se eu não a tivesse livrado do dragão? — replicou o ladrão. — Ela tem de ser minha.

— A princesa e nós todos teríamos sido despedaçados, se eu não tivesse matado o dragão — protestou o caçador. — Eu é que tenho de desposá-la.

— Se eu não tivesse costurado o navio, teríamos todos morrido afogados — lembrou o alfaiate. — Só eu poderei ser o noivo.

O rei decidiu então:

— Todos vós tendes igual direito. Nenhum, portanto, poderá desposá-la. Dar-vos-ei, porém, como recompensa, metade do reino.

Os irmãos ficaram satisfeitos com a solução.

— É melhor isso do que brigarmos uns com os outros — disseram.

Receberam a recompensa e viveram felizes em companhia do pai, enquanto Deus foi servido.

OS SAPATOS ESTRAGADOS NA DANÇA

Era uma vez um Rei que tinha doze filhas, cada qual mais bela do que a outra. Todas dormiam no mesmo quarto, com as camas enfileiradas lado a lado, e todas as noites, quando elas se recolhiam, o Rei fechava a porta e a trancava.

Uma certa manhã, quando abriu a porta do quarto das princesas, o Rei viu que os sapatos das jovens estavam completamente estragados por terem sido utilizados para a dança, e ninguém sabia explicar como aquilo acontecera.

O Rei lançou, então, uma proclamação, anunciando que todo aquele que descobrisse onde as princesas haviam dançado durante a noite, poderia escolher uma delas para ser sua esposa e herdaria o reino, depois da morte do Rei. No entanto, todo aquele que se dispusesse a descobrir tal coisa, e não o fizesse dentro de três dias, perderia a vida.

Não tardou a se apresentar um príncipe, disposto a tentar a façanha. Foi muito bem recebido e à noite foi levado para um quarto vizinho do quarto das princesas. Sua cama foi colocada de modo que poderia observar onde iam dançar as princesas, e, a fim de que elas nada pudessem fazer secretamente ou saíssem para outro lugar, a porta do seu quarto foi deixada aberta.

As pálpebras do príncipe ficaram pesadas e ele adormeceu. Quando acordou no dia seguinte, todas as doze princesas tinham ido à dança, pois os seus sapatos estavam com buracos na sola. O mesmo aconteceu na segunda e na terceira noite, e a cabeça do príncipe foi decapitada, sem dó nem piedade.

Muitos outros tentaram a façanha, e todos acabaram perdendo a cabeça. E aconteceu que um pobre soldado, que fora ferido e já não podia servir no exército, quando caminhava pela estrada que levava à capital do país, onde vivia o Rei, se encontrou com uma mulher, que lhe perguntou aonde estava indo.

— Eu mesmo não sei muito bem — ele respondeu. — Mas estou com a ideia de descobrir onde as princesas dançaram e estragaram os sapatos e assim tornar-me Rei.

— Isso não é difícil — disse a mulher. — Não deves beber o vinho que te servirão à noite e deves fingir que estás dormindo a sono solto.

E, assim falando, deu ao soldado um casaco, recomendando:

— Se vestires isto, tornar-te-ás invisível e poderás acompanhar as doze princesas.

Ouvindo isso, o soldado ficou muito animado e, sem demora, foi procurar o Rei e se apresentou como pretendente à mão de uma das princesas e foi bem recebido como os outros. Vestiram-lhe trajes reais e foi conduzido ao quarto onde pernoitaria.

Antes de deitar-se, a princesa mais velha ofereceu-lhe um copo de vinho, mas ele havia amarrado uma esponja embaixo do queixo e deixou o vinho correr em cima dela. Depois, deitou-se e começou a roncar, como se estivesse dormindo profundamente.

Certas de que o espião estava dormindo, as princesas, rindo muito, fizeram comentários, prevendo que iria se repetir o desfecho de sempre, e a mais velha observou, irônica:

— Ele também poderia ter salvo a vida, coitado!

Trataram então de se vestir com o maior luxo, enquanto conversavam sobre o baile onde tanto iriam se divertir. A caçula, porém, mostrava-se preocupada.

— Não sei porque — dizia — não compartilho de vossa alegria. É muito estranho, mas sinto que um infortúnio nos ameaça.

— És uma tola, que vives sempre amedrontada — replicou a irmã mais velha. — Esqueceste quantos príncipes já vieram aqui em vão? Nem havia necessidade de dar um soporífero ao idiota desse soldado. Ele não iria acordar de qualquer modo.

Antes de saírem, as princesas olharam, por seguro, para o espião, mas ele continuava imóvel, de olhos fechados, e elas se sentiram bem seguras. A irmã mais velha deu uma pancada em seu leito, que imediatamente afundou-se no chão e, uma atrás da outra, as princesas desceram pela abertura que a cama deixou, indo a mais velha à frente e a caçula atrás de todas. Prestamente, o soldado vestiu o casaco que a mulher da estrada lhe dera e, tendo se tornado invisível, acompanhou as princesas.

Enquanto desciam a escada, o soldado, sem querer, pisou no vestido muito comprido da princesa mais nova.

— O que é isso? — ela gritou horrorizada. — Estão puxando o meu vestido!

— Deixa de tolice! — replicou a mais velha. — Seu vestido deve ter prendido em algum prego.

No fim da escada, chegaram a uma linda alameda cujas árvores tinham folhas de prata, que brilhavam e cintilavam.

"Vou levar um sinal comigo", pensou o soldado, quebrando um pequeno galho de uma árvore.

O estalo que o galho deu ao quebrar-se assustou a caçula, que exclamou:

— O que foi que aconteceu? Ouviste o barulho?

— É uma salva disparada em regozijo por termos nos livrado tão depressa do nosso príncipe — zombou a mais velha.

Entraram então em uma alameda cujas árvores tinham folhas de ouro e finalmente chegaram a uma cujas árvores tinham folhas de brilhantes.

O soldado quebrou um raminho em cada uma das alamedas, e os estalos de novo assustaram a princesa caçula, e provocaram zombarias das mais velhas.

Afinal, chegaram a um grande lago, em cujas águas flutuavam doze pequenos barcos, em cada um dos quais se encontrava um belo príncipe. Estavam à espera das doze princesas e cada um levou a sua escolhida ao seu barco. O soldado acomodou-se junto da princesa mais nova.

— Não sei porque este barco está muito mais pesado hoje — disse o príncipe.

— É porque está muito quente — disse a princesa. — Eu também estou sentindo muito calor.

Na outra margem do lago, ficava um lindo castelo, feericamente iluminado, de cujo interior vinha o som de músicas alegres e dançantes.

Todos entraram e cada príncipe dançou com a namorada, e o soldado dançou invisível com as princesas e, quando uma delas pegava um copo de vinho, ele o bebia, e ao levar o copo à boca, a princesa constatava que ele estava vazio, o que proporcionou novos sustos da caçula e novas zombarias da mais velha. Dançaram até às três horas da manhã, quando todos os sapatos estavam com as solas cheias de furos, e as jovens foram obrigadas a se retirarem.

Os príncipes as levaram nos barcos para a travessia do lago, e, dessa vez, o soldado sentou-se junto da princesa mais velha. Chegando à outra margem, as princesas se despediram dos príncipes e prometeram voltar na noite seguinte.

Ao chegarem à escada, o soldado correu na frente e, quando as princesas chegaram ao seu quarto, ele já estava deitado no seu, roncando a toda altura.

Nas duas noites seguintes, ele tornou a acompanhar as princesas à dança onde gastavam os sapatos. Na terceira noite levou uma taça, para servir de comprovante.

Tendo chegado o momento de responder ao Rei, o soldado levou a taça consigo. As princesas ficaram atrás da porta, com os ouvidos atentos ao que se passaria.

— Onde foi que as minhas doze filhas estragaram os seus sapatos dançando a noite passada? — perguntou o Rei.

— Em um castelo subterrâneo, com doze príncipes — respondeu o soldado, relatando minuciosamente tudo o que se passara e apresentando os comprovantes.

O Rei mandou chamar as doze filhas e perguntou-lhes se o soldado estava falando a verdade. Vendo que não adiantava negar, elas confessaram que sim.

O Rei, então, perguntou ao soldado qual das princesas iria querer para esposa.

— Já não sou muito moço — respondeu o soldado. — Escolho a mais velha, portanto.

O casamento foi celebrado no mesmo dia, mas as princesas ficaram encantadas durante tantos dias quanto os que tinham dançado à noite com os doze príncipes.

OS DOZE IRMÃOS

Era uma vez um Rei, que vivia feliz com sua Rainha, e tinha doze filhos, todos homens. E o Rei disse à Rainha:

— Se a criança que estás esperando for mulher, nossos doze filhos terão que morrer, a fim de que a herança seja grande, e que o reino caiba somente a ela.

E mandou fazer doze caixões, acholchoados, e cada um com o travesseirinho dos defuntos, trancou-os em um aposento, cuja chave deu à esposa, recomendando-lhe que não falasse sobre isso a quem quer que fosse.

A Rainha, contudo, não se resignava de modo algum com a ideia. Isolou-se e chorou durante o dia inteiro, até que o filho caçula, que era o seu predileto, e que se chamava Benjamin, por causa da Bíblia, vendo-a tão triste, perguntou-lhe:

— Por que estás assim tão abatida?

— Não posso dizer-lhe o motivo, meu filhinho — ela respondeu.

O jovem príncipe, porém, tanto insistiu, que ela abriu a porta do aposento onde estavam os caixões de defunto e explicou:

— Meu filho, teu pai mandou fazer estes caixões para ti e teus onze irmãos, pois, se eu der à luz uma menina, todos vós sereis mortos e enterrados neles.

Não cessou de chorar enquanto falava e o filho a consolou, dizendo:

— Não chores, querida mãe. Nós nos salvaremos e iremos embora.

Então, ela teve uma ideia:

— Vai para a floresta, com teus onze irmãos, e que um de vós fique constantemente no alto da árvore mais alta que for encontrada, sempre atento em olhar a torre do castelo. Se eu der à luz um filho, uma bandeira branca ali será hasteada, e podereis voltar. Se, porém, nascer uma menina, será hasteada uma bandeira vermelha. Tratai de fugir bem depressa, e que Deus vos proteja. E todas as noites eu me levantarei e rezarei por vós, no inverno para que possais vos aquecer junto de uma fogueira, e no verão para que o calor demasiado não vos atormente.

E assim, depois que ela os abençoou, seus filhos foram para a floresta, onde, no mais alto carvalho que encontraram, todos iam se revezando, para observarem a torre do castelo. Depois de se passarem doze dias, chegou a vez de Benjamin ocupar o posto, e ele viu que estava sendo hasteada uma bandeira. Não era, porém, a bandeira branca e sim a vermelha, que anunciava que todos os irmãos teriam que morrer.

Quando souberam disso, os irmãos ficaram enfurecidos, dizendo:

— Teremos todos de ser mortos por causa de uma menina? Juramos vingança, seja onde for que a encontremos, seu sangue há de ser derramado.

Trataram depois de penetrar mais profundamente na floresta e, na sua parte mais sombria, encontraram uma pequena cabana, que era encantada.

Decidiram então:

— Vamos morar aqui, e tu, Benjamin, que és o mais moço e o mais fraco, tomarás conta da casa, enquanto nós outros sairemos, a fim de providenciar a alimentação.

E saíram pelos arredores, matando lebres, corças, aves e tudo que servisse para comer, e que Benjamin tinha de preparar, para que fosse saciada a fome dos doze jovens.

A menina que a Rainha dera à luz havia crescido; era boa de coração, bela de rosto e tinha uma estrela de ouro na fronte. Certa vez, em um dia da lavagem geral de roupa no palácio, a princesinha viu, entre a roupa lavada, doze camisas de homem e perguntou à mãe:

— De quem são aquelas camisas, muito pequenas para meu pai?

— São de teus doze irmãos, filhinha — respondeu a mãe.

— Onde estão meus doze irmãos? — perguntou a donzela. — Nunca ouvi falar a seu respeito.

— Só Deus sabe onde eles se encontram agora — disse a Rainha.

E levou a filha ao quarto secreto, mostrando-lhe os doze caixões de defunto.

— Estes caixões — explicou — foram destinados a seus irmãos, que fugiram escondidos antes do seu nascimento.

E, em prantos, contou como tudo se passara.

— Não chores, querida mãezinha — pediu a donzela. — Irei procurar meus irmãos.

E levando as doze camisas, a princesa entrou pela floresta. Caminhou o dia todo e, ao anoitecer, chegou à cabana encantada. Entrou e encontrou um jovem que lhe perguntou:

— De onde vens e o que fazes?

E ficou atônito, vendo que ela era tão bela, que trajava vestes reais e tinha uma estrela de ouro na testa.

— Sou uma princesa — respondeu a moça — e estou procurando meus doze irmãos e continuarei caminhando, até onde o céu for azul, para encontrá-los.

E mostrou ao jovem as doze camisas. Benjamin viu que era sua irmã, e disse:

— Sou Benjamin, seu irmão mais moço.

A princesa começou a chorar de alegria, e Benjamin chorou também e os dois se abraçaram e se beijaram com muito amor.

— Ainda há uma dificuldade, minha irmã — disse Benjamin depois. — Combinamos que mataríamos toda moça que encontrássemos, porque fomos obrigados a sair de nosso reino por causa de uma mulher.

— Morrerei de boa vontade, se com isso possa salvar meus doze irmãos — disse a princesa.

— Não! — protestou Benjamin. — Não hás de morrer. Esconde aqui debaixo deste barril até que voltem meus onze irmãos, e não tardarei a chegar a um acordo com eles.

A princesa assim fez, e, quando escureceu, os irmãos voltaram da caçada, e, tendo encontrado o jantar pronto, sentaram-se à mesa e começaram a comer.

— Que novidade aconteceu? — perguntaram então.
— De nada sabem? — redarguiu Benjamin.
— Não — eles responderam.
— Estivestes na floresta, eu não saí de casa e, no entanto, sei mais do que sabeis — disse Benjamin.
— Dize, pois — pediram os outros.
— Só direi se prometerdes que não matareis a primeira donzela que encontrardes.
— Prometemos! — exclamaram os onze. — Será perdoada. Mas conta.
— Nossa irmã está aqui! — disse Benjamin.

Levantou o barril, e a princesa apareceu, com suas vestes reais, sua grande beleza e a estrela de ouro na fronte.

Todos então se regozijaram e abraçaram e beijaram a irmã, cheios de amor.

A partir de então, a princesa ficou em casa com Benjamin, ajudando-o em seus trabalhos domésticos, enquanto os outros onze iam à floresta e voltavam trazendo muita caça, que Benjamin e a princesa preparavam para alimentá-los.

Certa vez, os dois que ficavam em casa prepararam um magnífico jantar e, quando todos se reuniram, sentaram-se à mesa e comeram e beberam, cheios de alegria. Acontece, porém, que havia um pequeno jardim pertencente à casa encantada, onde cresciam doze lírios. A princesa, querendo agradar os irmãos, apanhou as doze flores, a fim de oferecer uma a cada um deles. Contudo, no momento em que colheu as flores, os doze irmãos foram transformados em doze corvos e a casa e o jardim desapareceram.

A pobre donzela se viu então sozinha na floresta, tendo os doze corvos voado para longe. Vagava desesperada, quando encontrou uma velha que lhe disse:

— O que fizeste, minha filha? Por que não deixaste crescer em paz os doze lírios brancos? Eles eram teus irmãos, que agora se transformaram em corvos para sempre.

— Não haveria um meio de salvá-los? — perguntou a jovem em prantos.
— Não — disse a velha. — É verdade que há um, um único, mas tão difícil, que não poderás salvá-los se valendo dele. Terias de ficar sete anos sem falar e sem rir, pois se dissesses uma só palavra durante os sete anos de espera, teus irmãos morreriam na mesma hora.

"Hei de libertar meus irmãos!" pensou a princesa e, tendo encontrado uma alta árvore, nela se acomodou e lá ficou séria e calada.

Acontece que havia um rei caçando na floresta e um de seus cães, um grande galgo, farejando a jovem que se escondera na árvore, se pôs a latir e a rosnar, chamando a atenção do Rei, que ficou fascinado, ao ver a linda princesa com a estrela de ouro na testa, e se apaixonando por ela, perguntou-lhe se não queria ser sua esposa. Ela não respondeu, mas fez uma ligeira inclinação com a cabeça.

O rei trepou na árvore, carregou a donzela, pô-la em seu cavalo e levou-a para o seu palácio. O casamento foi realizado com grande solenidade, mas a noiva não falava nem ria.

O casal viveu feliz durante alguns anos, mas a mãe do Rei, que era muito má, começou a caluniar a nora.

— Essa mulher que trouxeste para aqui não passa de uma mendiga. Quem sabe que malefícios ela pratica secretamente! Ainda mesmo se fosse surda-muda, poderia rir de vez em quando. Quem não ri é porque tem muito mau coração, e a consciência pesada.

A princípio, o rei não acreditou nas acusações, mas tanto a sua mãe insistiu, que ele acabou se convencendo e condenou a esposa à morte.

Foi feita uma grande fogueira no pátio do palácio, para que nela fosse queimada viva a suposta bruxa. O rei, da janela, assistia ao doloroso espetáculo, vendo, com lágrimas nos olhos, porque ainda a amava, a jovem rainha ser amarrada no poste e a fogueira em torno dela ser acesa.

E quando as chamas se aproximavam dela, chegou o último momento do prazo de sete anos em que ela tivera de ficar muda e de não rir.

Ouviu-se, então, vindo do alto um grande silvo e doze corvos apareceram voando velozes como setas e, quando pousaram no chão, transformaram-se nos doze irmãos, que prontamente salvaram a irmã das chamas e apagaram a fogueira.

E a jovem princesa pôde então falar, e o rei ficou sabendo porque ela era muda e incapaz de rir. O Rei rejubilou-se ao saber de sua inocência e os dois viveram felizes pelo resto de seus dias.

A malvada madrasta foi julgada e, tendo sido condenada à morte, foi metida em um barril cheio de cobras venenosas e de azeite fervendo, e assim terminou a sua vida tão cheia de malvadezas e falsidades.

O DR. SABE-TUDO

Era uma vez um pobre camponês chamado Coelho, que, em uma carreta puxada por uma parelha de bois, levou para a cidade um carregamento de madeira, e vendeu-a a um médico, por dois táleres. E enquanto lhe estava sendo feito o pagamento, o médico se achava sentado à mesa de jantar, e Coelho ficou admirado ao ver como ele comia e bebia bem, e sentiu muita vontade de ser médico também. E, afinal, perguntou se não poderia ser.

— Pode, muito — disse o médico. — É só providenciar.

— O que devo fazer então? — perguntou o camponês.

— Em primeiro lugar — respondeu o médico — compra um livro de ABC daqueles que têm um galo no frontispício; em segundo lugar, vende a tua carreta e a tua junta de bois e, com o dinheiro, compra algumas roupas e tudo o mais que diz respeito à medicina; em terceiro lugar, manda fazer uma tabuleta com a inscrição: "Sou o Dr. Sabe-Tudo" e prende na porta de tua casa.

O camponês fez logo o que lhe fora aconselhado, e a novidade logo se espalhou. Algum tempo depois, um fidalgo muito rico foi vítima de um furto, envolvendo muito dinheiro. Ouvindo falar no Dr. Sabe-Tudo, o ricaço deduziu que ele deveria saber quem era o autor do furto. E logo se meteu em sua rica carruagem, dirigiu-se à casa de Coelho e perguntou-lhe se ele era mesmo o Dr. Sabe-Tudo.

— Sou, sim — respondeu o camponês.

O ricaço convidou-o então a ir com ele à sua mansão, para descobrir o dinheiro roubado.

— Irei, mas minha mulher, Grete, deve ir também — disse o Dr. Sabe-Tudo.

O ricaço concordou e o casal foi acomodado na luxuosa carruagem.

Quando chegaram à mansão, o almoço foi logo servido e o dono da casa convidou o camponês para sentar-se à mesa.

— Pois não — aceitou Coelho. — Mas minha mulher, Grete, deve almoçar também.

O casal de camponeses sentou-se, pois, à mesa do fidalgo, e quando apareceu o primeiro criado para servir a comida, Coelho cutucou a esposa e disse:

— Eis o primeiro.

Estava querendo dizer que era o primeiro prato a ser servido, mas o criado achou que ele estava querendo dizer que se tratava do primeiro ladrão, o que era verdade. Ficou horrorizado.

— O doutor é mesmo sabe-tudo — disse ao outro criado. — Estamos perdidos. Ele disse que eu era o primeiro.

O outro criado não queria, de modo algum, servir à mesa, mas foi obrigado, e quando apareceu na sala de jantar, Coelho cutucou a mulher e disse:

— Este é o segundo.

O criado ficou tão assustado quanto o primeiro, e o mesmo aconteceu com o terceiro criado que serviu à mesa.

Quando foi servido o quarto prato, que vinha em uma travessa tampada e era um coelho, o dono da casa, querendo pôr mesmo à prova a habilidade do convidado, pediu-lhe que dissesse o que estava sendo servido. Não fazendo a menor ideia do que poderia ser, o interrogado lamentou-se:

— Coitado do Coelho!

— Ele sabe mesmo! — exclamou o ricaço, admirado.

Ao ouvirem isso, os criados ficaram apavorados e fizeram sinal ao "médico" que queriam conversar com ele fora da sala. Todos os quatro confessaram-lhe então que tinham furtado o dinheiro, mas estavam dispostos a devolvê-lo, e ainda pagarem para não serem denunciados e se livrarem da forca. E mostraram-lhe onde o dinheiro estava escondido.

O quinto ladrão, porém, escondeu-se no forno, com os ouvidos atentos, para saber se o doutor tinha conhecimento de mais alguma coisa.

Coelho voltou à sala e disse ao dono da casa:

— Excelência, agora vou procurar em meu livro onde o dinheiro está escondido.

Começou, então, a folhear o livro do ABC, procurando o galo do frontispício. Como não conseguisse achá-lo logo, exclamou:

— Eu sei onde estás, assim é melhor apareceres logo!

O criado que estava escondido pensou que o "doutor" estava se referindo a ele e, apavorado, saiu gritando:

— Este homem sabe mesmo tudo!

O Dr. Sabe-Tudo mostrou então ao ricaço onde estava escondido o dinheiro, mas não revelou quem o roubara, de modo que recebeu fartas recompensas de ambas as partes, e se tornou assim, um homem muito rico e muito famoso também.

OS TRÊS IRMÃOS AFORTUNADOS

Era uma vez um homem que, certo dia, tendo chamado seus três filhos para uma conversa, deu ao primeiro um galo, ao segundo uma foice e ao terceiro um gato, explicando:

— Já estou muito velho, às vésperas da morte, e quero cuidar do vosso futuro, antes de meu fim. Pobre como sou, não posso vos deixar dinheiro, e o que estou lhes dando pode parecer desvalioso, mas tudo depende da maneira com que souberdes utilizá-lo. Basta que procureis um país onde estas coisas sejam desconhecidas e vossa fortuna estará assegurada.

Depois da morte do pai, o filho mais velho foi correr mundo com seu galo, mas em todos os lugares por onde passava todo o mundo conhecia galo. Nas cidades, ele avistava sempre os galos à longa distância, rodopiando, conforme o vento, nas torres das igrejas. Nas aldeias, ouvia o galo cantando por todo lado. Não se podia conceber que ele ficasse rico mostrando um galo a gente que estava cansada de conhecer galos.

Afinal, contudo, o dono do galo chegou a uma ilha cujos habitantes ignoravam inteiramente a existência dos galináceos, e, além disso, não sabiam dividir o tempo. É claro que sabiam distinguir a noite do dia, mas, no meio da noite, eram incapazes de saber quanto tempo decorrera desde o pôr do Sol e quanto tempo ainda faltava para amanhecer.

— Vede! — convidava o dono do galo aos moradores da ilha. — Que bela e orgulhosa criatura! Tem uma coroa vermelha como um rubi na cabeça e usa esporas, como um cavaleiro. Ele chama as pessoas três vezes durante a noite e, quando canta pela última vez, o Sol está prestes a aparecer. Se ele canta, porém, à luz do dia, é que o tempo vai mudar.

Os ilhéus gostaram do galo. Ficaram sem dormir uma noite inteira, ouvindo anunciar a passagem do tempo, com muita clareza, às duas, quatro e seis horas da manhã. Perguntaram, então, ao forasteiro quanto queria para vendê-lo.

— Cerca de tanto ouro quanto um burro seja capaz de carregar — disse ele.

— É um preço ridículo para tão preciosa criatura! — todos concordaram, e, juntando as suas economias, pagaram o preço com muito boa vontade.

Quando o jovem regressou à casa com toda aquela fortuna, os irmãos ficaram atônitos, e o segundo disse:

— Muito bem. Vou ver se consigo livrar-me de minha foice lucrando tanto.

Tudo, porém, parecia indicar que não conseguiria, pois por toda parte onde viajava se encontrava com lavradores carregando suas foices no ombro.

Afinal, ele chegou a uma ilha cuja população ignorava a existência de foices.

Quando o trigo amadurecia, os habitantes levavam um canhão para os trigais e atiravam para baixo. O resultado, contudo, era muito incerto e muitas plantas eram estragadas ou inutilizadas, e tudo isso à custa de um barulho dos diabos. Por isso, quando o nosso homem pegou na foice e começou a ceifar rápida e eficientemente, os ilhéus ficaram embasbacados. Concordaram em comprar a foice em sua mão, pelo preço que ele exigisse, e acabaram ficando com a ferramenta, em troca de um cavalo carregado de tanto ouro quanto aguentava carregar.

Depois do êxito do segundo irmão, o terceiro resolveu também encontrar alguém que nunca tivesse visto um gato e vender o seu por um preço compensador. A tarefa não era fácil: havia gatos em profusão por toda parte por onde andou. Em vez de comprar gatos, o que muita gente fazia era afogar, sem dó nem piedade, ninhadas inteiras de gatinhos.

Felizmente, o terceiro irmão acabou navegando para uma ilha onde jamais fora visto um gato, e os camundongos tinham se tornado tão numerosos que acabaram perdendo o respeito pelo gênero humano: subiam pelas mesas e cadeiras, devorando tudo que encontravam, estivessem ou não presentes os donos da casa. O próprio Rei não conseguia se livrar deles em seu palácio. Logo, porém, que o gato começou sua caçada, limpou dos ratos vários aposentos do palácio real, e o povo implorou ao Rei que comprasse aquele maravilhoso animal. O Rei prontamente pagou ao terceiro irmão o preço que ele queria, uma mula carregada de ouro, e o felizardo voltou para casa tão rico como os seus irmãos.

Enquanto isso, o gato continuava a se regalar com os camundongos do palácio real, matanto tantos que nem poderiam ser contados. Aquilo lhe deu sede e ele gritou:

— Miau! Miau!

Ouvindo aquele estranho grito, o Rei e todo o seu povo ficaram apavorados e fugiram do palácio. O Rei reuniu então o conselho de ministros, a fim de decidir que providência deveria ser tomada.

Ficou resolvido enviar um arauto intimando o gato a sair do palácio, pois, do contrário, seria usada a força contra ele.

— É preferível sermos atormentados pelos ratos, calamidade com a qual já estamos acostumados, do que ficarmos à mercê de um monstro como esse.

Foi, portanto, enviado um mensageiro, um nobre de alta linhagem, para perguntar ao gato se estava disposto a sair do castelo pacificamente. Em vez de responder, o gato, cuja sede ia se tornando cada vez maior, se limitou a dizer:

— Miau! Miau!

O mensageiro traduziu o miau por "É claro que não!" e foi relatar ao rei o resultado negativo de sua missão.

— Então, terá de ser expulso pela força! — opinaram os doutos conse-lheiros.

Foi utilizado um canhão, e o palácio incendiou-se. Quando o fogo atingiu o aposento onde se encontrava o gato, ele escapuliu, pulando a janela, e foi-se embora, tranquilamente. Os sitiantes, porém, não abandonaram a luta, enquanto o palácio não ficou totalmente arrazado.

A BELA ADORMECIDA

Há muitos e muitos anos, viviam um rei e uma rainha cujo maior desejo era o de terem um filho. E certo dia, quando a Rainha estava tomando banho, uma rã saiu aos pulos de dentro da água e lhe disse:

— Teu desejo será satisfeito. Antes de um ano terás uma filha.

A profecia da rã se mostrou verdadeira, e a Rainha deu à luz uma linda menina, tão linda que o Rei, jubiloso, resolveu oferecer uma grande festa para comemorar o acontecimento.

Convidou não somente os parentes, amigos e conhecidos, como também as Fadas, a fim de que fossem boas e bem dispostas para com a criança. Havia no reino treze fadas, mas, como só havia doze pratos de ouro para que neles elas comessem no banquete, uma delas não foi convidada.

A festa realizava-se com todo o esplendor e as fadas ofertaram seus dons à criancinha: uma lhe deu a virtude, outra a beleza, uma terceira a riqueza e assim por diante. Tudo, enfim, que há de desejável na vida.

Quando onze das fadas tinham feito as suas bonançosas promessas, apareceu inesperadamente no palácio aquela que não fora convidada. Sem cumprimentar e mesmo olhar para pessoa alguma, a intrusa gritou, com voz furiosa e ameaçadora:

— Quando tiver quinze anos, a princesa espetará a mão em um fuso de fiar e cairá morta.

E, sem dizer mais uma palavra sequer, virou as costas e foi-se embora.

Todos os presentes ficaram estarrecidos, mas a duodécima fada, que ainda não havia pronunciado o seu voto propício, adiantou-se e, como não tinha poderes para anular o prognóstico da fada perversa, mas apenas abrandar o seu efeito, disse:

— Não será a morte que a atingirá, e sim um sono profundo, que imobilizará a princesa durante cem anos.

O Rei, ainda esperançoso que poderia evitar a anunciada desgraça, mandou que fossem destruídos todos os fusos existentes no reino. Enquanto isso, as promessas favoráveis das boas fadas se cumpriam, pois a princesa era linda, modesta, prestativa, paciente e inteligente, e todos que a viam a admiravam e a queriam.

Aconteceu que certo dia o Rei e a Rainha saíram de casa e a princesa, então com quinze anos, ficou sozinha no palácio. Resolveu então percorrê-lo, por curiosidade, pois não conhecia muitos aposentos do enorme casarão. Afinal chegou a uma velha torre. Subiu uma escada em caracol e encontrou uma portinha, em cuja fechadura havia uma chave enferrujada. A princesa girou-a, abriu a porta e entrou.

Era um aposento muito pequeno, onde se encontrava uma velha com um fuso, fiando linho.

— Bom dia, vovozinha — disse a princesa. — O que estás fazendo?

— Estou tecendo — respondeu a velha.

A princesa ficou muito interessada por aquela atividade que desconhecia de todo e quis também manobrar o fuso. Mal o tocou, porém, feriu o dedo.

E mal sentiu a picada, caiu deitada em uma cama que havia junto do fuso, dormindo profundamente, e o seu sono se estendeu por todo o palácio. O Rei e a Rainha, que tinham acabado de chegar, adormeceram no salão nobre, e com eles todos os membros da corte. Os cavalos adormeceram na cocheira, os cães no pátio, os pombos em cima do telhado, as moscas nas paredes. O próprio fogo, que crepitava no fogão, ficou estático. O cozinheiro, que estendera o braço para castigar um menino que o ajudava e que cometera alguma falta, ficou dormindo com o braço no ar. O vento parou, e as árvores que rodeavam o castelo não moveram mais uma folha sequer.

Em torno do castelo, a uma certa distância começou a crescer uma cerca de espinheiros, que ia se tornando mais espessa de ano para ano, de modo que encobriu tudo, até a bandeira hasteada no alto da torre.

Espalhou-se contudo, pelos arredores a história da Bela Adormecida, como a princesa passou a ser chamada, e apareciam de vez em quando príncipes que tentavam chegar ao castelo, atravessando o espesso espinhal. Sempre, porém, acabavam achando impossível e desistindo, e os poucos que tentaram ir adiante tiveram morte horrível.

Depois de se passarem muitos e muitos anos, apareceu um príncipe que ouviu um velho falando a respeito da cerca de espinhos, que, segundo se dizia, escondia um castelo, no qual uma linda princesa estava adormecida e assim ficaria durante cem anos, e seus pais e toda a gente da corte igualmente dormiam. Seu avô já lhe contara também que muitos príncipes tinham tentado chegar ao castelo, mas haviam morrido no meio do espinhal.

— Eu não tenho medo! — exclamou o jovem príncipe. — Irei ver a Bela Adormecida.

O velho tentou em vão dissuadi-lo da ideia, que era uma verdadeira loucura na sua opinião. Por essa ocasião, tinham se passado os cem anos da profecia e aproximava-se o momento em que a Bela Adormecida iria despertar.

Quando o príncipe se aproximou da cerca de espinhos, não viu espinho algum, e sim milhares de lindas flores, que o deixavam passar incólume, mas que se fechavam atrás dele, como uma cerca.

No pátio do castelo, cavalos e cães dormiam, imóveis; no telhado estavam imóveis pombos, com a cabeça enfiada embaixo da asa. Dentro do palácio, as moscas continuavam dormindo nas paredes, na cozinha o cozinheiro ainda estava com o braço levantado, tentando pegar o menino, e uma criada dormira depenando uma galinha. No salão nobre, o Rei e a Rainha dormiam junto do trono e os cortesãos dormiam, espalhados por toda a parte.

O príncipe avançou mais ainda, chegou à torre e abriu a porta do quarto onde se encontrava a Bela Adormecida. Tão bela, que ele não pôde dela afastar os olhos por um segundo, e curvando-se, beijou-a. A Bela Adormecida, logo que foi beijada, acordou, abriu os olhos e encarou o príncipe, com uma expressão de doçura e carinho.

Os dois desceram da torre, e o Rei e a Rainha e todos os cortesãos acordaram e olharam uns para os outros atônitos. Os cavalos relincharam e os cães latiram no pátio; os pombos acordaram no telhado e alçaram voo; o fogo na cozinha crepitou de novo e cozinhou a carne, a criada continuou a depenar a galinha e o cozinheiro acertou um tapa com toda a força na cabeça do menino.

E o casamento da princesa com o príncipe que a beijou após seu sono de cem anos, foi celebrado com a maior pompa, e o casal viveu feliz até o fim de seus dias.

UM-OLHO, DOIS-OLHOS E TRÊS-OLHOS

Era uma vez uma mulher que tinha três filhas, a mais velha das quais era chamada Um-Olho, porque só tinha um olho no meio da testa, a segunda era chamada Dois-Olhos, porque tinha dois olhos, como todo mundo, e a terceira era chamada Três-Olhos, porque, além dos dois olhos que todo o mundo tem, tinha um terceiro, no meio da testa.

No entanto, como Dois-Olhos era igual aos outros seres humanos, era odiada pelas irmãs e pela mãe.

— Com teus dois olhos, não és melhor do que as pessoas comuns — diziam-lhe. — Não és igual a nós!

E maltratavam-na sem dó nem piedade, deixavam-na vestir farrapos e só lhe davam para comer o pouco que sobrava. Em suma: não poupavam esforços para torná-la infeliz.

E aconteceu que certo dia, Dois-Olhos foi ao campo levar a cabra para pastar, e estava faminta, porque as irmãs só lhe haviam dado umas poucas migalhas para comer. Sentou-se então em uma encosta e começou a chorar. E suas lágrimas eram tantas, que dois regatos correram de seus olhos.

De repente, ela viu a seu lado uma mulher, que lhe perguntou:

— Por que estás chorando, Dois-Olhos?

— Não hei de chorar, se tenho dois olhos e minhas irmãs me perseguem por isso de todos os modos e só me dão para comer o resto do que comem? — redarguiu a infeliz. — Hoje me deram tão pouco que estou com o estômago inteiramente vazio.

Então a fada (pois era uma fada) disse-lhe:

— Enxuga as tuas lágrimas, Dois-Olhos, e vou te ensinar como podes nunca mais passar fome. Basta dizer à tua cabra:

Vamos cabrinha, sê camarada:
Serve uma mesa bem variada.

E imediatamente aparecerá diante de ti uma mesinha, com as mais deliciosas iguarias que podes imaginar. E, depois que tenhas comido à vontade, basta dizeres:

Podes agora, cabra querida,
Tirar a mesa. Estou servida.

Tudo, então, desaparecerá.

E, sem dizer mais nada, a boa fada desapareceu, e Dois-Olhos pensou: "Vou ver se é verdade mesmo, pois estou morrendo de fome". E falou:

Vamos cabrinha, sê camarada:
Serve uma mesa bem variada.

Mal pronunciara estas palavras, surgiu uma mesinha, coberta por uma toalha branca, bem na sua frente. Na mesa estava um prato, com garfo e faca ao lado, assim como uma colher de prata, e as iguarias mais finas, cheirosas e quentes, como se tivessem acabado de sair da cozinha.

Dois-Olhos rezou uma curta prece: "Senhor Deus, sê para sempre nosso Conviva, Amén". Depois, saboreou a comida, que era realmente muito gostosa. Quando se deu por satisfeita, repetiu as palavras que a boa fada lhe ensinara:

Podes agora, cabra querida,
Tirar a mesa. Estou servida.

Imediatamente desapareceu a mesinha, e, com ela, tudo que nela se encontrava. "Que ótimo meio de arrumar casa!" pensou Dois-Olhos, muito satisfeita da vida.

Ao anoitecer, quando voltou para casa com a cabra, encontrou um prato de barro, onde as irmãs tinham deixado para ela as sobras da comida, mas nem as tocou.

No dia seguinte, ela saiu com a cabra deixando intactos uns pedaços de pão velho que lhe tinham deixado. E também intacto ficou o repulsivo jantar que lhe fora reservado.

Na primeira e na segunda vez que isso aconteceu, as malvadas irmãs não notaram, mas, como o fato se repetia diariamente, elas acabaram reparando e comentando:

— Está acontecendo alguma coisa com Dois-Olhos. Ela nem toca na comida que lhe deixamos. Deve ter descoberto outro meio de se alimentar.

A fim de descobrirem a verdade, ficou resolvido que Um-Olho acompanhasse Dois-Olhos quando ela levasse a cabra para pastar e a observasse o tempo todo, para ver de que maneira ela estava se alimentando.

Assim, no dia seguinte, Um-Olho disse a Dois-Olhos:

— Vou contigo ao pasto, a fim de ver se a cabra está se alimentando direito.

Dois-Olhos, porém, percebeu muito bem qual era a intenção de sua perversa irmã e levou a cabra para uma pastagem onde o capim estava muito alto. Depois disse:

— Vamos nos sentar para descansarmos um pouco, Um-Olho, e eu cantarei um pouco para ti.

Um-Olho sentou-se, muito cansada, pois não tinha costume de andar, e também sentindo muito calor, pois o dia estava de fato muito quente. Dois-Olhos pôs-se então a cantar repetidamente:

>*Ao sono já te entregaste?*
>*Um-Olho, já despertaste?*

Um-Olho não resistiu ao calor, ao cansaço e à monotonia do canto. Adormeceu profundamente.

Vendo que não havia perigo de que a irmã descobrisse o seu segredo, Dois-Olhos então se dirigiu à cabra:

>*Vamos cabrinha, sê camarada:*
>*Serve uma mesa bem variada.*

E comeu e bebeu quanto quis, depois falou de novo:

>*Podes agora, cabra querida,*
>*Tirar a mesa. Estou servida.*

No mesmo instante, a mesa e a comida desapareceram. Dois-Olhos então acordou Um-Olho e disse-lhe:

— Queres tomar conta da cabra e dormir ao mesmo tempo, mas, assim, a cabra acaba sumindo. Vamos voltar para casa, que já está na hora.

As duas voltaram para casa e, mais uma vez, Dois-Olhos deixou intacto o pouco apetitoso jantar. Um-Olho não soube explicar à mãe porque a irmã ficara sem comer, e desculpou-se:

— Fiquei com tanto calor e tão cansada que dormi.

No dia seguinte, a mãe recomendou a Três-Olhos:

— Desta vez tu é que irás acompanhar Dois-Olhos e observá-la com a maior atenção, para ver se ela come alguma coisa quando está fora, pois em casa ela nem prova os alimentos. Deve, portanto, estar matando a fome e a sede em segredo. Vê se há alguém ajudando.

Três-Olhos disse então à irmã:

— Vou contigo ao pasto, a fim de ver se a cabra está se alimentando direito.

Dois-Olhos, porém, sabia qual era a intenção de Três-Olhos e levou a cabra para uma pastagem onde o capim era muito alto. Depois disse:

— Vamos nos sentar para descansarmos um pouco, Três-Olhos, e eu cantarei para ti.

Três-Olhos sentou-se, muito cansada, pois não tinha costume de andar e também sentindo muito calor, pois o dia estava de fato muito quente. Dois-Olhos pôs-se então a cantar, repetidamente:

Ao sono já te entregaste?
Três-Olhos, já despertaste?

Na verdade, porém, em vez de cantar: "Três-Olhos", como pensava que estava, ela cantava, distraída:

Ao sono já te entregaste?
Dois-Olhos, já despertaste?

Assim, dois dos três olhos de Três-Olhos adormeceram, mas o outro ficou acordado. Três-Olhos o fechou, mas por artimanha, para fingir que também ele adormecera: ele piscava e podia ver tudo que se passava muito bem. E então, Dois--Olhos, pensando que Três-Olhos estava dormindo, lançou mão do encantamento que a boa fada lhe havia ensinado:

Vamos cabrinha, sê camarada:
Serve uma mesa bem variada.

E comeu e bebeu quanto quis, depois ordenou que a mesinha desaparecesse:

Podes agora, cabra querida,
Tirar a mesa. Estou servida.

E cantou de novo:

Ao sono já te entregaste?
Três-Olhos, já despertaste?

E, quando as duas irmãs voltaram para casa, Dois-Olhos mais uma vez não quis comer, e Três-Olhos disse à sua mãe:
— Agora já sei porque aquela idiotinha convencida não quer comer.
E descreveu minuciosamente tudo que observara com o olho da testa:
— Eu pude ver tudo, perfeitamente — concluiu. — Ela adormeceu dois de meus olhos, mas o terceiro ficou aberto.
Furiosa, a mãe investiu contra Dois-Olhos, gritando:
— Queres passar melhor do que nós passamos?
E agarrando uma faca de açougueiro, cravou no coração da cabra.
Dois-Olhos saiu de casa, muito triste, sentou-se na encosta junto da pastagem e começou a chorar. De repente, a fada apareceu ao seu lado e perguntou:
— Por que estás chorando?

— E não tenho razão de chorar? — redarguiu Dois-Olhos. — A cabra que servia a mesa para mim, quando eu repetia o encantamento que me ensinaste, foi morta por minha mãe, e vou ter de passar fome de novo.

— Vou te dar um bom conselho, Dois-Olhos — disse a boa fada. — Pede a tuas irmãs que te deem as entranhas da cabra e enterra-as no terreno em frente de tua casa. O teu futuro ficará assegurado.

Ditas estas palavras, a fada desapareceu. Voltando para casa, Dois-Olhos pediu às irmãs:

— Queridas irmãs, dai-me uma parte da minha cabra. Não peço as partes boas, mas as entranhas.

As irmãs riram, zombando dela, e disseram:

— Com as entranhas podes ficar. É o que mereces.

Dois-Olhos seguiu, então, o conselho da fada e enterrou as entranhas no terreno em frente de sua casa.

Na manhã seguinte, quando acordaram e abriram a porta da casa, as moradoras ficaram surpresas, vendo que, durante a noite, crescera em frente uma frondosa árvore, cujos ramos tinham folhas de prata e dos quais pendiam frutos de ouro, uma coisa tal que não podia haver no mundo outra mais bela. As três malvadas não compreendiam como aquela árvore podia ter nascido ali da noite para o dia, mas Dois-Olhos viu que sua semente foram as entranhas da cabra, pois a árvore nascera exatamente no lugar onde ela as havia enterrado.

A mãe disse então a Um-Olho:

— Minha filha, sobe na árvore e apanha algumas daquelas frutas para nós.

Um-Olho trepou na árvore, mas quando estendeu o braço para apanhar uma das frutas de ouro, o galho se afastou de sua mão, e o fato se repetiu, todas as vezes que ela tentava colher uma fruta.

Vendo que a filha não conseguiria mesmo ser bem sucedida, a mãe dirigiu-se a Três-Olhos:

— Trepa tu na árvore, minha filha. Com os teus três olhos, podes ver melhor do que Um-Olho.

Três-Olhos, porém, não teve mais sorte do que a irmã, e a mãe, já impaciente, trepou na árvore ela própria, mas nada conseguiu também.

Dois-Olhos disse, então:

— Deixai-me ir agora. Talvez eu consiga.

— Achas mesmo que conseguirás isso com teus dois olhos? — protestaram as irmãs, indignadas.

Dois-Olhos, porém, trepou na árvore e colheu muitas frutas com a maior facilidade. A mãe arrebatou-as todas de suas mãos, e, em vez de tratá-la melhor após o seu sucesso, ela e as duas outras filhas, morrendo de inveja, mostraram-se ainda mais cruéis e mais grosseiras para com ela.

E aconteceu que, quando todas estavam paradas, de pé junto da árvore, apareceu um jovem cavaleiro.

— Depressa! — gritaram as irmãs malvadas. — Esconde aqui debaixo e não nos desgraces, Dois-Olhos!

E, bem depressa, esconderam a irmã debaixo de um barril vazio que fora deixado junto da árvore, e também lá ocultaram as frutas de ouro que haviam sido colhidas.

O cavaleiro aproximou-se. Era um guapo mancebo, que olhou admirado para a árvore de ouro e de prata e perguntou às duas irmãs perversas a quem pertencia aquela maravilhosa árvore, acrescentando:

— Qualquer pessoa que me der um ramo dela pode pedir o que quiser e o seu desejo será satisfeito.

— A árvore é nossa — disseram as malvadas.

E se viram muito embaraçadas, pois, por mais que se esforçassem, não conseguiam apanhar um ramo da árvore.

— É muito estranho que a árvore vos pertença, e, no entanto, sejais incapazes de cortar um simples galho dela.

As duas insistiam em afirmar que a árvore era delas, mas Dois-Olhos, ouvindo a discussão, e vendo que as irmãs estavam mentindo, levantou um pouco o barril e jogou duas frutas de ouro, que rolaram até os pés do jovem cavaleiro.

Vendo-as, ele ficou surpreso e perguntou de onde tinham vindo as frutas. As duas malvadas tiveram de contar que tinham uma irmã, que não tinha licença para se mostrar, pois só possuía dois olhos, como as pessoas comuns.

O cavaleiro, porém, fez questão de vê-la, e gritou:

— Aparece, Dois-Olhos!

Reanimada, Dois-Olhos saiu debaixo do barril e o cavaleiro ficou surpreso com a sua grande beleza, e disse-lhe:

— Certamente, Dois-Olhos, serás capaz de apanhar um ramo desta árvore para mim.

— Sem dúvida — replicou a jovem — pois esta árvore me pertence.

E trepando na árvore com grande agilidade, apanhou um ramo e entregou-o ao jovem cavaleiro.

— O que desejas em troca disso, Dois-Olhos? — ele perguntou.

— Sofro de fome e sede, penúria e maus tratos, desde que amanhece até que me deito — respondeu a moça. — Se me socorresses, levando-me contigo, sentir-me-ia muito feliz.

O cavaleiro fê-la acomodar-se no seu cavalo, e levou-a consigo para o castelo de seu pai, onde lhe ofereceu lindos vestidos, e ela pôde comer e beber à vontade, e como ele se apaixonara por ela e ela por ele, o seu casamento foi celebrado pouco tempo depois, com muita alegria e muito luxo.

Enquanto Dois-Olhos era levada pelo belo cavaleiro, suas perversas irmãs rilhavam os dentes de ódio, despeitadas e invejosas.

— Mas pelo menos a árvore maravilhosa ficou para nós — disseram. — Mesmo que não possamos colher as frutas, certamente ela acabará nos beneficiando.

A esperança, porém, durou pouco. Quando acordaram, no dia seguinte, a árvore havia desaparecido. E quando Dois-Olhos se levantou e olhou pela janela, teve a agradável surpresa de ver a árvore diante de seus olhos.

Ela e o marido viveram muitos e muitos anos, sempre felizes. Certo dia, apareceram no castelo duas velhas, pedindo esmolas. Ao vê-las, Dois-Olhos reconheceu as irmãs, que haviam caído em tal miséria, que tinham de viver andando de casa em casa, pedindo esmolas, mesmo velhas e semi-inválidas como estavam.

Apesar de tudo o que sofrera, Dois-Olhos as acolheu com bondade e delas cuidou, e as duas se arrependeram do mal que lhe haviam feito na mocidade.

COMADRE LOBA E O RAPOSO

A Loba deu à luz um filhote e convidou o Raposo para padrinho.
— Afinal de contas — ela explicou — ele é nosso parente, e é muito instruído e talentoso. Ele pode instruir meu filhinho e ajudá-lo a vencer na vida.

Também o raposo se mostrou satisfeito.

— Comadre Loba — disse ele — agradeço muito a honra que me concedeu e vou agir de tal maneira que a senhora vai ser devidamente retribuída.

Divertiu-se à farta na festa de batizado, e disse ao despedir-se:

— Minha cara Comadre, temos o dever de cuidar do filhote, proporcionando-lhe boa alimentação, a fim de que fique bem forte. Conheço um aprisco, no qual podemos arranjar um bom bocado.

A Loba gostou da ideia, e saiu com o compadre para a fazenda onde ficava o tal curral. O Raposo apontou-o de longe e disse-lhe:

— A senhora pode entrar lá bem disfarçadamente, sem ser vista, e, enquanto isso, vou examinar do outro lado, para ver se consigo pegar uma galinha.

Não foi o que fez, entretanto, mas se sentou na entrada da floresta, estendeu as pernas e ficou descansando. A Loba entrou de mansinho no curral. Um cão que lá estava latiu tanto, que o pessoal da fazenda acorreu para ver o que havia, e atacou a loba com uma mistura fervendo, que estava sendo preparada para lavagem da roupa.

Afinal Comadre Loba conseguiu escapar e fugir se arrastando. E encontrou Seu Raposo, que, gemendo muito, lhe disse:

— Ah, comadre! Como eu receiava, os camponeses caíram em cima de mim de pauladas e quebraram todas as patas que tenho. Não consigo andar e vou morrer abandonado aqui, se a senhora não me carregar.

Embora estivesse andando com muita dificuldade, Comadre Loba ficou tão preocupada com o compadre, que o carregou e o deixou são e salvo em sua casa.

— Adeus, comadre! — disse Seu Raposo ao despedir-se. — Que a carne assada esteja ao seu gosto é o que desejo.

A RAPOSA E O GATO

Era uma vez um gato, que, tendo se encontrado com a raposa em uma floresta, pensou: "Ela é muito inteligente e tem muita experiência, é muito estimada pela sociedade". E, assim, procurou ser muito amável:

— Bom dia, Dona Raposa! Como tem passado? As coisas estão boas para o seu lado? Os tempos estão duros, não é mesmo, Dona Raposa?

A raposa, arrogante como sempre fora, olhou o gato da cabeça aos pés, e durante muito tempo ficou sem saber se iria ou não responder. Afinal, disse:

— Sabe com quem está falando, seu idiota? Quem lhe deu a liberdade de querer saber o que tenho feito e como vou passando? Você sabe alguma coisa? Quantas artes você sabe?

— Só sei uma — respondeu o gato.

— Qual é? — perguntou a raposa com desdém.

— Quando os cães me perseguem, trepo em uma árvore e me salvo — respondeu o gato.

— Isso é que você sabe? Tem graça! — disse a raposa. — Eu sou mestre em dezenas de artes, e, além disso, tenho astúcia de sobra. Vou ensinar-lhe como se livrar dos cães.

Justamente nesse momento, apareceu um caçador com quatro cães. Mais do que depressa, o gato trepou em uma árvore e se acomodou no alto dela, escondido pelas folhas.

— Recorre às suas artes, Dona Raposa! — gritou lá em cima.

A cachorrada, porém, já havia cercado a desventurada raposa.

— Ah, Dona Raposa! — exclamou o gato. — A senhora, com suas dezenas de artes, está perdida. Se soubesse trepar em uma árvore, não precisaria morrer!

MÃE HILDA

Era uma vez uma viúva que tinha duas filhas, uma das quais era bonita e diligente, e a outra feia e preguiçosa. A viúva, porém, só gostava da feia e preguiçosa, que era sua filha de verdade, sendo a outra sua enteada. E a pobre da boazinha era obrigada a trabalhar muito, comer pouco e andar mal vestida. Todos os dias tinha de sentar-se junto do poço, à margem da estrada, fiando, fiando, até seus dedos sangrarem.

Certo dia, a lançadeira ficou tão suja de sangue, que a jovem mergulhou-a no poço para lavá-la. Mas a peça escapou-lhe das mãos e foi para o fundo do poço. Chorando muito, ela foi contar à madrasta o que acontecera. E a perversa mulher maltratou-a e ameaçou-a, e acabou dizendo:

— Se deixaste a lançadeira cair no poço, tens de buscá-la no poço! Eu a quero de volta sem demora!

A jovem voltou para junto do poço, sem saber o que fazer. E, desesperada como estava, pulou no poço para tirar a lançadeira. E desmaiou.

Quando recuperou os sentidos, viu que se encontrava em uma bela campina, onde cresciam milhares de flores, iluminadas por um sol brilhante. A moça caminhou pelo prado e chegou a um forno cheio de pães, que gritavam:

— Tira-me daqui! Tira-me daqui! Do contrário vou me queimar! Estou sendo assado há muito tempo!

Ela, então, pegou a pá que estava junto do forno e tirou todos os pães, um depois do outro.

Depois, continuou a caminhada e chegou a uma árvore carregada de frutas, que lhe pediu:

— Sacode-me! Sacode-me! As frutas estão maduras.

A jovem sacudiu a árvore, e as frutas caíram como se fossem uma chuva, e ela as amontoou todas juntas e prosseguiu a caminhada.

Afinal, chegou a uma casinha, à porta da qual se encontrava uma velha, que tinha os dentes tão grandes que a jovem ficou amedrontada e já ia sair correndo, quando a mulher a chamou:

— Do que estás com medo, minha filha? Fica comigo. Se fizeres direitinho todo o serviço da casa, será muito bom para ti. Mas terás de ter muito cuidado, para arrumar bem a minha roupa de cama, e sacudi-la bem, até as penas cairem, pois então haverá neve sobre a terra. Sou a Mãe Hilda.

Como a velha lhe falava com um tom carinhoso, a jovem tomou coragem e concordou em entrar a seu serviço. Fazia tudo de maneira que a velha achava plenamente satisfatória e sempre sacudia a cama com tanta força que as penas voavam como se fossem flocos de neve.

E assim, a mocinha ia levando uma vida tranquila. Jamais era censurada e comia carne assada ou cozida diariamente.

Ficou em casa de Mãe Hilda durante um certo tempo, até que começou a se sentir triste. A princípio, não entendia o que estava se passando consigo, mas afinal descobriu que era saudade. Embora estivesse levando uma vida mil vezes melhor do que a que levava em casa, estava com saudade. Afinal, disse à velha:

— Estou com muita saudade de casa. E, embora tenha me dado muito bem aqui, não posso ficar por mais tempo. Tenho de voltar para junto de minha família.

— Não posso censurar-te por teres saudades de casa — disse Mãe Hilda. — E como me serviste com tanta lealdade, eu mesma me encarregarei de levar-te para lá.

Deu a mão à jovem e levou-a até uma porta alta e larga, que se abriu e, justamente quando a transpôs, a jovem foi coberta por uma pesada chuva de ouro, que se grudou à sua roupa.

— É a recompensa por teres sido tão diligente — disse Mãe Hilda, que lhe entregou também a lançadeira que havia caído no poço.

A porta se fechou então, e a moça se viu na superfície da terra, perto da casa de sua madrasta. Quando chegou ao pátio da casa, o galo, que estava pousado junto do poço, cantou:

Cacariacó!
A menina de ouro voltou!

A jovem entrou na casa e, como chegava coberta de ouro, foi bem recebida pela irmã e pela madrasta. Ela contou tudo que lhe acontecera, e, ao saber como sua enteada havia conseguido tanta riqueza, a madrasta ficou ansiosa para fazer com que tivesse a mesma sorte sua filha feia e preguiçosa. Assim, fê-la fiar sentada junto do poço, e, a fim de que a lançadeira ficasse suja de sangue, fez um corte em seu dedo, derramou um pouquinho de sangue na lançadeira, e jogou-a dentro do poço. E a filha pulou no poço em seguida.

Como acontecera com a irmã, ela se viu depois em um belo prado e caminhou pela mesma estrada. Quando passou pelo forno, onde os pães gritavam, pedindo para que fossem tirados de lá, pois já estavam bem assados, a preguiçosa disse:

— Vê lá se eu vou me sujar toda, tirando pão do forno!

E seguiu adiante. Passou, então, pela árvore que gritava:

— Sacode-me! Minhas frutas estão maduras!

— Vai esperando! — exclamou a preguiçosa. — Eu fazer força e correndo o risco de caírem frutas em minha cabeça e eu sair machucada!

Chegou depois à casa da Mãe Hilda, e não teve medo, pois sua irmã já falara a respeito dos dentes enormes da velha. Aceitou sem relutância a proposta de executar ali serviços domésticos.

No primeiro dia, obedeceu Mãe Hilda, e trabalhou direitinho, pensando no ouro que iria lucrar. No segundo dia, porém, começou a sentir preguiça e no terceiro dia ainda foi pior: levantou tarde e sequer sacudiu a roupa de cama.

Mãe Hilda não tolerou a situação por muito tempo e dispensou o serviço da moça feia e preguiçosa, que ficou até muito satisfeita, pois estava ansiosa para voltar para casa e ser coberta de ouro no caminho. Quando, porém, atravessou a porta que Mãe Hilda abriu, não caiu uma chuva de ouro, e sim uma grande tina de pez foi despejada em cima dela.

— É a recompensa pelo teu serviço — disse a velha.

E, quando chegou à casa, a preguiçosa foi saudada pelo galo com um canto bem diferente daquele com que recebera a irmã:

Cacariacô!
A porcalhona voltou!

E o pez se grudou em sua pele e ficou grudado até a sua morte, tornando-a ainda mais feia do que já era.

O VOADOR

Era uma vez um caçador que, entrando em uma floresta para caçar, ouviu um choro de criança. Aproximou-se do lugar de onde ele vinha, e viu, no alto de uma árvore, uma criancinha que para lá fora levada por uma ave de rapina, que a arrancara dos braços da mãe, que adormecera debaixo da árvore.

O caçador trepou na árvore e tirou a criança, um menino, disposto a levá-lo para casa e criá-lo, junto com sua filhinha Lina. De fato, as duas crianças cresceram juntas.

Como fora levado por uma ave para o alto de uma árvore, o menino ficou chamando Voador. Voador e Lina gostavam tanto um do outro, que ficavam muito tristes quando tinham de se separar.

O caçador tinha uma cozinheira que todas as tardes pegava dois baldes e ia buscar água, e não ia uma só vez, mas muitas vezes, ao poço.

Lina teve curiosidade e perguntou à cozinheira, que se chamava Sanna:

— Por que trazes tanta água?

— Eu lhe direi, se prometeres não contar a ninguém — disse Sanna.

Ela prometeu não contar, e a cozinheira disse:

— Amanhã bem cedo, quando teu pai estiver caçando, vou ferver a água toda que eu trouxer, em um balde muito grande, e jogar Voador dentro.

Na manhã seguinte, o caçador saiu bem cedo para caçar, deixando as crianças ainda na cama. E Lina disse a Voador:

— Se nunca me deixares, eu também nunca te deixarei.

— Nem agora nem em tempo algum te deixarei — replicou Voador.

— Vou dizer-te então — falou Lina. — Ontem, vendo a velha Sanna trazer para casa muitos baldes de água, perguntei-lhe porque estava fazendo aquilo, e ela, depois de me fazer prometer que não contaria a ninguém, disse que hoje de manhã cedo ferveria água suficiente para encher uma grande tina, e jogaria você dentro da tina com água fervendo. Mas nós vamos nos levantar logo, vestirmos logo e sairmos daqui juntos.

E as duas crianças levantaram-se, vestiram-se rapidamente e saíram. Quando a água estava fervendo, a cozinheira foi ao quarto procurar Voador para jogá-lo dentro da tina com água fervendo, e, não encontrando-o, assim como Lina, ficou alarmada, perguntando a si mesma:

"O que irei fazer, quando meu patrão voltar para casa e descobrir que as crianças saíram? Tenho de mandar alguém imediatamente atrás delas."

Deu ordem, então, a três criados de saírem em perseguição às crianças e trazê-las de volta. Elas estavam descansando fora da floresta e, quando viram de longe os três criados correndo, Lina disse a Voador:

— Se nunca me deixares, eu também não te deixarei.
— Nem agora nem em tempo algum te deixarei. — replicou Voador.
— Vais virar uma roseira e eu a rosa da roseira — decidiu Lina.

Quando os três criados chegaram à floresta, não viram nem sinal das crianças, mas apenas uma roseira com uma rosa. Certos de que nada se poderia fazer ali, os criados voltaram para casa para anunciarem o seu fracasso, contando que nada mais tinham visto de novidade, a não ser uma roseira com uma rosa.

— Idiotas! — exclamou a cozinheira, furiosa. — Deveríeis ter cortado a roseira, colhido a rosa e trazido para cá. Ide fazer isso, imediatamente.

Os criados chegaram à floresta, mas as crianças de longe viram-nos se aproximarem. Lina disse então:

— Se nunca me deixares, eu também jamais te deixarei.
— Nem agora nem em tempo algum te deixarei — replicou o outro.
— Então, vais virar uma igreja e eu o candelabro da igreja.

Assim foi feito, de modo que, quando os três criados lá chegaram, coisa alguma encontraram, a não ser a igreja com um candelabro. Voltaram para junto da cozinheira para se desculparem, e contaram então que só haviam encontrado uma igreja com um candelabro.

— Idiotas! — exclamou a cozinheira. — Por que não derrubastes a igreja e trouxestes o candelabro?

E a própria cozinheira resolveu ir com os três criados em perseguição aos fugitivos. Estes, porém, mais uma vez avistaram de longe a aproximação de seus perseguidores, e Lina disse a Voador:

— Se nunca me deixares, eu também não te deixarei.
— Nem agora nem em tempo algum te deixarei. — replicou Voador.
— Serás uma lagoa e eu serei um pato nadando nela — disse a menina.

E de fato assim aconteceu.

A cozinheira não tardou a aparecer, e, quando viu a lagoa, deitou-se junto dela, para saciar a sede que o calor e a caminhada haviam provocado.

Então, o pato pousou em sua cabeça e com fortes bicadas empurrou-a para dentro da água, até que a velha bruxa se afogou.

As crianças voltaram para casa, satisfeitíssimas e satisfeitíssimas continuaram, e, se ainda não morreram, estão vivas até hoje.

JOÃO E MARIA

No meio de uma grande floresta, vivia um pobre lenhador, sua mulher e seus dois filhos, um menino e uma menina, ele chamado João e ela Maria.

O lenhador era tão pobre que em sua casa tinham de comer muito pouco. E, quando uma terrível escassez assolou o país, até o pão de cada dia lhes faltou.

Certa noite o lenhador, muito ansioso, em face da triste situação que atravessavam, gemendo e quase chorando, disse à mulher:

— O que vai ser de nós? Como vamos poder alimentar os nossos filhos quando já não temos nós mesmos coisa alguma para comer?

— Vou dizer-te o que temos de fazer, meu marido — respondeu a mulher. — Amanhã cedo levaremos seus filhos para o lugar mais espesso da floresta e acenderemos uma fogueira, daremos uma fatia de pão a cada um e voltaremos para trabalhar, lá os deixando sozinhos. Eles não conseguirão descobrir o caminho de volta e, assim, ficaremos livres deles.

— Não, mulher — disse o homem. — Não farei isso. Como poderei deixar meus filhos abandonados na floresta? As feras não tardarão a matá-los.

— És um idiota! — reagiu a mulher. — Preferes que nós todos morramos de fome? E tanto atormentou o marido, que ele acabou concordando com a proposta.

— Mas eu vou ter saudade de meus filhos! — desabafou.

As duas crianças, que não conseguiram dormir, porque estavam famintas, ouviram tudo que a madrasta disse a seu pai.

Maria não conteve as lágrimas e, chorando, disse ao irmão:

— Agora estamos perdidos! Não temos salvação!

— Não chores, Maria, acalma-te — disse João. — Vou achar um meio de nos livrarmos.

E, quando os velhos adormeceram, ele se levantou, vestiu seu casaquinho e saiu de casa. Era uma noite de lua, muito clara, e as pedrinhas brancas que cobriam o chão em frente da casa brilhavam como moedas de prata. João encheu o bolso de seu casaquinho com quantas pedras que lá conseguiu meter e voltou para a cama.

Quando amanheceu, mas antes mesmo do sol nascer, a madrasta gritou:

— Está na hora de levantar, seus preguiçosos! Vamos à floresta apanhar lenha.

Deu a cada um, um pedaço de pão, recomendando, porém, que só os comessem na hora do jantar, pois não teriam mais nada para se alimentarem naquele dia. Maria guardou o pão embaixo do avental, enquanto João levava as pedrinhas no bolso. E todos seguiram para a floresta.

Depois de caminharem uma certa distância, João parou e olhou para trás, e à medida que avançavam, foi fazendo o mesmo, repetidamente.

— João — disse-lhe o pai — porque estás parando tanto e olhando para trás? Assim, estás nos atrasando.

— Estou olhando para o meu gato, que está no telhado de nossa casa, querendo se despedir de mim — desculpou-se o menino.

— Deixa de ser bobo! — falou a madrasta. — Não é seu gato. É a luz do sol nascente que está batendo no telhado.

Na verdade, João não estava olhando para o gato: cada vez que parava, deixava cair no chão uma das pedrinhas que levava.

Quando chegaram ao meio da floresta, o pai mandou:

— Agora, meus filhos, tratai de apanhar uns gravetos, para fazermos uma fogueira para vos aquecer.

Os meninos fizeram um montão muito alto de gravetos, ao qual foi ateado fogo. E, quando as chamas estavam bem altas, a madrasta disse:

— Agora, crianças, podeis descansar junto do fogo, enquanto vamos cortar lenha na floresta. Quando terminarmos, viremos vos buscar.

João e Maria sentaram-se junto da fogueira, cada um com o pedacinho de pão que haviam trazido e trataram de comer logo, pois a fome era muita. E, como estavam ouvindo o barulho de machadadas, acreditavam que seu pai estivesse perto. Na verdade, porém, o que estavam ouvindo não era o barulho de machadadas, e sim o provocado por um galho de árvore que o lenhador tentara cortar e desistira e que agora o vento empurrava de encontro ao tronco.

Sentadas há longo tempo e embaladas por aquele ruído monótono, as crianças acabaram adormecendo. Quando acordaram já era noite fechada.

Maria começou a chorar,

— Como iremos sair desta floresta.

João, porém a consolou, dizendo:

— Espera mais um pouco, até que nasça a lua. Então, encontraremos o caminho.

E quando nasceu a lua cheia, deu a mão à irmãzinha, e acompanhando as pedrinhas brancas, que brilhavam como moedas de prata e lhes mostrava o caminho.

Os dois caminharam a noite toda e, ao amanhecer, chegaram à casa de seu pai. Bateram na porta e, quando foi abri-la, a madrasta se viu diante de João e Maria.

— Por que ficaram dormindo tanto tempo na floresta, seus marotos? — disse.

— Pensamos que nunca mais iriam voltar!

O pai, contudo, regozijou-se, pois estava com muito remorso do que fizera, concordando em abandonar os filhos.

Não muito tempo depois, ocorreu no país outra terrível escassez, e as crianças ouviram a madrasta, certa noite, dizer ao marido:

— Já comemos tudo que havia, só nos resta metade de um pão. As crianças têm de ir embora, e, portanto, temos de levá-las para bem no meio da floresta, de onde não possam voltar. Não há outro meio de nos salvarmos.

O homem protestou, e o casal discutiu muito, mas, no fim, o homem acabou cedendo, como da primeira vez.

Mas, como da primeira vez, as crianças ainda estavam acordadas, e ouviram a conversa. Quando os velhos dormiram, João levantou-se e preparou-se para catar as pedrinhas, como fizera da primeira vez. A madrasta, porém, havia trancado a porta, e João não pôde sair. Procurou, contudo, consolar a irmãzinha, que chorava:

— Não chores, Maria. Pode dormir sossegada. Deus nos ajudará.

Na manhã seguinte, bem cedinho, a madrasta acordou as crianças e fê-las se prepararem para sair, dando a cada uma um pedaço de pão, ainda menor que o que dera da primeira vez.

No caminho para a floresta, João ia despedaçando o pão em seu bolso e muitas vezes parava e, disfarçadamente, jogava um pedacinho no chão.

— Por que estás parando tantas vezes e olhando em torno? — perguntou o pai. — Assim nos atrasas.

— Estou olhando para o meu pombo, que está pousado no telhado e querendo se despedir de mim — explicou o menino.

— Idiota! — gritou a madrasta. — Não é pombo, não, seu bobo, e sim o sol nascente batendo na chaminé.

Aos poucos, porém, João conseguiu espalhar pelo caminho todas as migalhas de pão.

A madrasta levou João e Maria para um lugar onde a floresta era mais cerrada e onde eles jamais haviam estado em sua vida. Como da primeira vez, foi feita uma grande fogueira e, mais uma vez, a madrasta recomendou aos enteados que ficassem quietinhos juntos da fogueira, esperando a volta do casal, que foi cortar lenha mais adiante.

No meio da tarde, Maria dividiu o seu pedaço de pão com o irmão, que gastara todo o seu marcando a estrada, para encontrarem o caminho de volta. Depois, os dois dormiram e só acordaram quando já era noite fechada.

João animou Maria, que estava com medo, dizendo-lhe:

— Espera, Maria, até que nasça a lua e então poderemos voltar, acompanhando os pedacinhos de pão que espalhei pelo caminho.

Quando a lua nasceu, os dois partiram, mas João não encontrou os pedacinhos de pão: haviam sido comidos pelos pássaros que vivem em bandos enormes nas florestas e nos campos.

— Daqui a pouco encontraremos o caminho — dizia João à irmã, para animá-la.

Não encontraram, porém. Andaram a noite inteira e o dia seguinte inteirinho, até o sol se pôr, mas não saíram da floresta e estavam cansadíssimos e famintos, pois nada encontraram para comer, a não ser alguns morangos, que não davam para matar a fome. E, quando ficaram exaustos, deitaram-se debaixo de uma árvore e adormeceram.

Quando acordaram, estavam na terceira manhã que passavam fora de casa. Puseram-se mais uma vez a caminhar, mas, em vez de encontrarem o caminho, iam se afundando cada vez mais na floresta, e, se não surgisse logo uma ajuda, estariam condenados a morrer de fome e de cansaço.

Ao meio-dia, viram um lindo pássaro, branco como a neve, que cantava pousado em um arbusto. O canto era tão belo que João e Maria pararam para ouvi-lo.

E, quando parou de cantar, o pássaro bateu asas e saiu voando, e as crianças o acompanharam, até chegarem a uma casinha feita de pão doce e de bolos, e cujas vidraças eram de açúcar-cande.

— Vamos parar aqui e fazer uma boa refeição — disse João. — Vou comer um pedaço do telhado e tu, Maria, podes comer algumas janelas, que devem ser bem doces.

João subiu ao telhado e tirou um pedaço dele para provar, enquanto Maria debruçou-se em uma janela e mordiscou a vidraça. Então veio de dentro da casa uma voz abafada:

A casa é minha, a casa é minha!
Quem está lambendo minha casinha?

E as crianças responderam:

Tua casinha ninguém lambeu
Senão o vento que vem do céu.

E continuaram comendo, sem se preocuparem com o que poderia acontecer. João, que estava achando o telhado muito gostoso, arrancou um grande pedaço dele, enquanto Maria arrancava uma vidraça inteira e sentava-se, para saboreá-la à vontade.

De súbito, a porta da casa se abriu e apareceu uma mulher velhíssima, que se aproximou das crianças, arrastando-se, apoiando-se em muletas. João e Maria ficaram tão apavorados, que deixaram cair o que estavam comendo. A velha, porém, não os ameaçou. Ao contrário, parecia muito satisfeita e perguntou:

— Oh, queridas crianças! Quem vos trouxe até aqui? Entrai e ficai comigo. Não vos acontecerá mal algum.

E, dando-lhes a mão, levou os dois para dentro de casa. Lá, foram-lhes oferecidas muitas coisas gostosas: leite e bolos, maçãs e nozes. E depois, eles foram levados para um quarto onde havia duas caminhas com lençóis, cobertas e fronhas brancas como neve. E nelas João e Maria se acomodaram e tinham a sensação de estarem no céu.

A velha, porém, apenas fingira ser boa. Na verdade era uma perversa feiticeira, que fizera aquela casa de pão doce, bolos e açúcar-cande com a intenção de atrair crianças. Quando uma criança caía em seu poder, ela a matava, cozinhava e devorava, pois, para ela, não havia um prato mais delicioso do que carne de criança. As bruxas têm os olhos vermelhos e enxergam muito mal, mas, por outro lado, têm um faro igual ao de certos animais e, mesmo sem vê-lo, percebem quando um ser humano se aproxima. Quando João e Maria chegaram à vizinhança de sua casa, ela se regozijou, e dando uma risada zombeteira, exclamou:

— Eu os tenho! Desta vez, não escaparão!

Naquela manhã, já estava de pé antes dos dois irmãos acordarem e, ao vê-los dormindo, tão corados e bem dispostos, esfregou as mãos, antecipando o prazer que teria ao devorá-los.

— Que prato saboroso! — exclamou.

Depois pegou João e levou-o para uma pequena estrebaria, onde o trancou atrás de uma porta gradeada. Em seguida, foi à cama onde Maria estava dormindo, sacudiu-a brutalmente até que ela acordasse e gritou:

— Levanta, preguiçosa! Vai apanhar água e cozinha alguma coisa boa para teu irmão, que está preso lá fora na estrebaria, para ser engordado. Quando estiver bem gordo, vou comê-lo.

Maria começou a chorar, mas não adiantou: teve de fazer tudo que a perversa bruxa mandou.

E, então, a boa comida foi reservada para João, enquanto Maria só pôde roer os ossos. Todas as manhãs a bruxa ia até a estrebaria e gritava:

— João, mostra seu dedo, para ver se estás gordo!

João, porém, em vez do dedo, mostrava um ossinho que encontrara, e a velha feiticeira ficava desolada, por não conseguir engordá-lo. Quando já havia se passado um mês, e João continuava magro, ela se impacientou e resolveu não esperar mais.

— Vai buscar água e põe para ferver, preguiçosa! — gritou para Maria. — Esteja gordo ou magro, amanhã vou matar João e cozinhá-lo.

Como a pobrezinha da menina chorava e se lamentava, tendo de carregar água e fervê-la para que o seu irmão fosse cozido!

— Ajudai-nos, meu Deus! — exclamava. — Teria sido muito melhor se as feras da floresta nos tivessem devorado do que isso! Pelo menos, teríamos morrido juntos.

— Pára com essa barulhada, vagabunda! — gritou a bruxa. — Não adianta nada.

De manhã bem cedinho, Maria teve de encher de água um caldeirão enorme e acender o fogo para ferver a água.

— Vamos assá-lo primeiro — anunciou a velha. — Já esquentei o forno.

E, assim dizendo, puxou a pobre Maria para junto do forno e ordenou:

— Agora, verifica se o forno já está bastante quente para assarmos o pão.

O que queria, na verdade, era empurrar a menina para dentro do forno e assá-la, para comê-la também. Maria, porém, percebeu a sua intenção e replicou:

— Não sei como se faz para verificar. Como é que é?

— Imbecil! — disse a bruxa. — É só debruçar na abertura do forno e olhar. Assim!

E aproximou-se ela própria da abertura, estendendo a cabeça. Mais do que depressa, a menina empurrou-a para dentro e fechou a porta do forno. A bruxa começou a dar gritos medonhos, e não tardou a morrer, enquanto Maria corria em procura do irmão, a quem anunciou, delirante:

— Estamos salvos, João! A velha bruxa está morta!

Abriu, então, a grade de ferro que fechava a estrebaria e João saiu mais depressa do que um passarinho fugindo da gaiola.

Que alegria foi o encontro dos dois irmãos! Quantos beijos e abraços e gritos de alegria! E, como não precisavam mais ter medo da bruxa, percorreram toda a sua casa, e em cada canto encontravam arcas cheias de pérolas e pedras preciosas.

— São muito melhores que as pedrinhas brancas — disse João, tratando de encher os bolsos com quantas pérolas e pedras preciosas neles coubessem.

— Eu também vou levar algumas — decidiu Maria, enchendo os bolsos de seu avental das valiosas lembranças.

— Mas agora temos de sair daqui, para tratarmos de sair da floresta — disse João.

Saíram e, depois de terem caminhado durante duas horas, chegaram diante de um grande e largo rio.

— Não podemos atravessar — disse João. — Não estou vendo ponte nem vau.

— E não há um barco também — acrescentou Maria. — Mas há um pato branco nadando nestas águas. Vou pedir-lhe para nos ajudar.

E gritou:

Pato, pato branco, ouve, meu patinho:
Maria e João ajuda, pato, sê bonzinho.
Não se avista daqui nem ponte nem canoa.
Carregar-nos, pra ti é coisa à-toa.

O pato nadou até junto das crianças. João acomodou-se em suas costas e disse à irmã para se sentar a seu lado.

— Não — disse Maria. — Ficaria muito pesado para o patinho. Ele nos transportará um de cada vez.

O pato concordou plenamente com a sugestão e, depois de terem atravessado o rio, os dois irmãos caminharam por algum tempo e a floresta ia lhes parecendo cada

vez mais familiar. Afinal, avistaram a casa de seu pai. Entraram correndo em casa e se atiraram nos braços do pai.

O pai não tivera um só dia de alegria depois que abandonara os filhos na floresta. Sua mulher, a perversa madrasta, morrera.

Maria esvaziou os bolsos do avental até que pérolas e pedras preciosas se espalharam por todo o aposento e João atirou punhados de outras tantas pérolas e pedras preciosas. Terminaram, assim, os dias de penúria e todos viveram felizes por muitos e muitos anos.

E toxtorox, acabou-se a história.

JOÃO COM SORTE

João trabalhou durante sete anos para o mesmo patrão, e no fim lhe disse:
— Patrão, já cumpri meu tempo. Agora, vou voltar para casa. Queria receber meu ordenado.

— Você me serviu lealmente, cumpriu o seu dever. A recompensa será de acordo com o trabalho prestado — disse o patrão.

E deu a João um pedaço de ouro do tamanho de uma cabeça. João tirou o lenço do bolso, enrolou o pedaço de ouro no lenço, colocou-o no ombro e tomou o caminho de casa.

Enquanto caminhava, curvado e com muito esforço, avistou um cavaleiro que avançava muito tranquilo, muito satisfeito, cavalgando um belo e veloz animal.

— Ah! — exclamou João, em voz bem alta. — Como é bom andar a cavalo! A gente vai como se estivesse sentado em uma cadeira, não tropeça nas pedras, não gasta os sapatos e anda muito mais depressa e sem precisar se cansar.

O cavaleiro, que ouviu as suas palavras, parou e perguntou-lhe:
— Se é assim, João, por que viaja a pé?
— Tenho de ir a pé — explicou João — porque estou carregando este pedaço de ouro, que é pesadíssimo, e que estou levando para casa. Já estou com o ombro doendo muito por causa do seu peso.

— Se é assim — disse o cavaleiro — por que não troca comigo? Eu lhe dou meu cavalo e você me dá o pesado pedaço de ouro que está carregando.

— Com todo o gosto! — respondeu João, entusiasmado. — Mas devo avisar que o peso dele não é brincadeira!

O cavaleiro apeou, pegou o ouro e ajudou João a montar a cavalo.

— Se quiser que o animal ande bem ligeiro, basta gritar: "Upa! Upa!" — recomendou.

João se sentia satisfeitíssimo por se ver montado a cavalo, podendo viajar muito mais depressa e muitíssimo mais comodamente. E seguindo o conselho do antigo dono do animal, gritou:

— Upa! Upa!

O cavalo começou a galopar, e, antes de João saber o que estava acontecendo, foi atirado dentro de um fosso que separava a estrada do campo. O cavalo teria fugido, se não tivesse sido detido por um camponês que vinha pela estrada, tocando uma vaca à sua frente.

João levantou-se, mas estava muito envergonhado e disse ao camponês:

— Viajar a cavalo não é bom, principalmente quando se tem um cavalo bravo como este, que corcoveia e dá coices. Nunca mais vou montar nele. É muito melhor fazer como você está fazendo, andando a pé, calmamente, sem nenhum perigo, atrás de uma vaca, que lhe fornece leite, manteiga e queijo. Como eu gostaria de ter uma vaca!

— Se isso lhe daria tanto prazer — disse o campônio — eu não me importaria de trocar minha vaca por seu cavalo.

João aceitou a proposta com o maior entusiasmo. O camponês montou a cavalo e se afastou imediatamente, enquanto João seguiu a pé, atrás da vaca, pensando quanto lucrara com a troca:

"Se eu tiver um pedaço de pão (o que terei na certa), vou poder passar manteiga nele e comer queijo, quantas vezes quiser. Quando estiver com sede, posso beber leite à vontade. O que mais posso desejar?"

Quando passou por uma estalagem, fez uma alta e comeu o que trazia consigo, e com o pouco dinheiro que lhe sobrara, pagou um copo de cerveja. Depois seguiu a pé, tocando a vaca na frente, rumo à aldeia onde morava sua mãe.

Quando chegou o meio-dia, o calor se tornara sufocante e João se viu diante de uma charneca que só foi atravessada depois de mais de uma hora de caminhada. Ficou coberto de suor e com a boca seca de tanto calor.

"Vou dar um jeito nisso" pensou João. "Vou ordenhar a vaca e refrescar-me com leite".

Amarrou, então, a vaca a uma árvore, e, como não tinha um balde, colocou seu gorro de couro embaixo do úbere. Por mais que se esforçasse, porém, não saiu uma gota de leite. E ele tanto insistiu, que a vaca, impaciente, deu-lhe um coice na cabeça, com a pata traseira, atirando-o ao chão onde ele ficou por muito tempo, desorientado.

Graças à sua sorte, apareceu um carniceiro, que levava um porco em um carrinho de mão.

— Que história é essa? — perguntou o açougueiro, enquanto ajudava João a se levantar.

João contou-lhe o que acontecera. O outro ofereceu-lhe seu cantil, dizendo:

— Tome um trago, para se refrescar. Certamente, essa vaca não dá mais leite. Só deve servir para puxar arado ou então para o corte.

— Bem — disse João, enquanto alisava os cabelos, despenteados com a queda. — Quem teria pensado nisso? Sem dúvida, é muito bom quando se pode abater um animal assim em casa. Quanta carne pode dar! Mas, para falar a verdade, não gosto muito de carne de vaca. Acho sem graça. Um porquinho assim é que deve dar uma carne muito gostosa. Carne de porco é uma delícia.

— Escute, João — disse o carniceiro. — Como me simpatizei muito com você, estou disposto a trocar meu porco por sua vaca.

— Deus lhe pagará esse favor! — exclamou João emocionado.

Entregou a vaca ao outro, enquanto o porco era retirado do carrinho de mão e entregue a João, que seguiu viagem, pensando como tinha sorte, como tudo acontecia exatamente da maneira que ele desejava.

Logo adiante começou a caminhar ao seu lado um sujeito que levava um belo ganso branco embaixo do braço. Os dois caminhantes se cumprimentaram, e o homem disse a João que estava levando o ganso para uma festa de batizado.

— Veja só o peso dele — disse, segurando o ganso pelas asas. — Levei dois meses o engordando. Quando for assado, quem comer vai ver que gordurinha gostosa!

— Com efeito — disse João, segurando o ganso que o outro lhe entregara. — Está pesando bem, mas o meu porco não fica atrás.

Enquanto isso, o homem do ganso começou a olhar desconfiado para os lados, depois sacudiu a cabeça, como se estivesse preocupado com alguma coisa.

— Escute aqui — disse afinal. — Tome cuidado com o seu porco. Na vila por onde passei há pouco, haviam furtado um porco do próprio prefeito. Se você lá aparecer com esse porco, pode ser preso, porque vão achar que você o furtou.

— Meu Deus do céu! — exclamou João, apavorado. — Ajude-me a sair dessa enrascada. Você está mais familiarizado com estes lugares do que eu. Fique com meu porco e dê-me o seu ganso.

— Vou me arriscar um tanto nesse negócio, mas também não quero ficar pensando que o prejudiquei, deixando de ajudá-lo.

E, levando o porco, afastou-se o mais depressa que pôde.

Livre da preocupação, João seguiu caminho para casa levando o ganso debaixo do braço.

"Não resta dúvida que eu sempre acabo ganhando com as trocas que faço" foi pensando. "Sou mesmo um homem de sorte. Carne de ganso é uma delícia, e este aqui, gordo como está, vai me proporcionar gordura para passar no pão durante uns três meses. E estas lindas penas brancas? Vou encher o travesseiro com elas, e que sonos tranquilos me proporcionarão! Como minha mãe vai ficar alegre!"

Quando atravessava a última aldeia antes de chegar junto ao seu destino, parou junto de um amolador, que estava parado no meio da rua, girando a manivela do rebolo e cantando:

Tesoura, faca, canivete amolo!
Rebolar o rebolo é o meu consolo!

João parou junto dele, curioso, e afinal perguntou:

— Tudo bem contigo, para que esteja tão alegre?

— Tudo ótimo! — respondeu o amolador. — Um bom amolador é um homem que, sempre que mete a mão no bolso, encontra uma moeda de ouro. Mas onde comprou esse belo ganso?

— Não comprei. Troquei-o por um porco — esclareceu João.

— E o porco?
— Ganhei-o em troca de uma vaca.
— E a vaca?
— Ganhei-a dando um cavalo de volta.
— E o cavalo?
— Por ele dei um bloco de ouro.
— E o ouro?
— Era o meu salário por sete anos de trabalho.
— Em suma: teve de fazer uma troca atrás da outra — disse o amolador. — Se da primeira vez tivesses feito uma troca que lhe garantisse ouvir o dinheiro tilintar constantemente em seu bolso, teria resolvido logo o problema.

— Como é que eu poderia conseguir isso? — quis saber João.

— Sendo amolador, como eu — respondeu o outro. — Nada mais precisa para isso que uma pedra de amolar, o resto será uma consequência. Eu tenho uma delas aqui. É verdade que já está um pouco usada, mas você não precisa me pagar com dinheiro. Basta me dar seu ganso. Aceita a troca?

— E ainda me pergunta? — redarguiu João. — Serei o homem mais feliz da Terra. Se encontrar dinheiro sempre que meter a mão no bolso, com o que mais terei de me preocupar?

Entregou o ganso e recebeu a pedra de amolar.

— E ainda vou lhe dar mais uma coisa de brinde — disse o amolador, pegando uma pedra comum, bem pesada, que tinha à mão. — Esta pedra é muito forte, e você

pode usá-la como martelo, etc. Pode levá-la e tenha cuidado com ela, porque é muito valiosa.

João pegou as duas pedras e partiu com o coração leve e os olhos brilhando de contentamento.

"Eu acho que nasci empelicado" foi pensando. "Tudo que eu quero acaba acontecendo!"

Dentro de algum tempo, como estivera caminhando desde o nascer do dia, começou a se sentir cansado. A fome também o atormentava, pois, com a satisfação que tivera com a troca da vaca, ficara tão entusiasmado que acabara de uma vez com todo o seu estoque de alimentos. Afinal, o cansaço e a fome só lhe permitiam arrastar-se com muita dificuldade, e era obrigado a parar, de momento em momento. As pedras também estavam muito pesadas. E ele começou a pensar como seria bom se não fosse obrigado a carregá-las.

Arrastou-se, como uma lesma, até um poço que avistou no campo, achando que ali poderia saciar a sede e descansar um pouco. Para evitar que as pedras se estragassem, quando se recostasse, ele as colocou, com todo cuidado, ao seu lado, em cima do murinho que protegia a beira do poço. Sentou-se e levantou-se para tirar água do poço, escorregou, e, para não cair, teve de se agarrar ao muro do poço e esbarrou então nas duas pedras, que caíram dentro da água.

Ao vê-las, com os seus próprios olhos, afundarem-se na água, de maneira que seria impossível retirá-las, João ajoelhou-se e, com lágrimas nos olhos, agradeceu ao bom Deus, por mais essa graça que lhe concedia, livrando-o — sem que ele precisasse sentir remorso — da necessidade de se livrar daquelas pesadas pedras, cuja obrigação de carregá-las era a única coisa que o aborrecia na vida.

— Não há sobre a face da Terra um homem mais feliz do que eu, Senhor Deus misericordioso! — exclamou.

E, de coração leve, e livre de qualquer outro peso, caminhou em triunfo até junto de sua mãe.

52.
A MORTE DA GALINHA NANICA

Era uma vez uma galinha nanica que foi a um bosque de amendoeiras com o galo nanico e os dois combinaram que cada um que encontrasse uma amêndoa a dividiria com o outro.

Aconteceu que a galinha encontrou uma amêndoa, mas nada disse ao galo, pois tinha intenção de comer a amêndoa sozinha. A amêndoa, porém, era tão grande que a galinha não conseguiu engoli-la e ficou com ela entalada na garganta, e morrendo de medo de se sufocar. E gritou, então:

— Por favor, galo, corre o mais depressa que puder e traga água, se não eu vou me sufocar.

O galo nanico correu o mais depressa que pôde até a fonte e pediu:

— Fonte, me dê um pouco de água! A galinha nanica está deitada no bosque de amendoeiras, engoliu uma amêndoa muito grande e está sufocada!

A fonte respondeu:

— Primeiro corra até a noiva e peça-lhe que dê um pedaço de seda vermelha, para você me trazer.

O galo nanico nem acabou de ouvi-la: correu como uma flexa em procura da noiva, a quem disse:

— Noiva, por favor me dê um pedaço de seda vermelha, a fim de que eu leve para a fonte, e ela me dê um pouco de água para dar de beber à galinha nanica, que está deitada no bosque das amendoeiras, pois engoliu uma amêndoa muito grande e está se sufocando!

E a noiva respondeu:

— Primeiro corra e traga-me o meu véu que está pendurado em um salgueiro.

O galo nanico correu até o salgueiro, tirou o véu, que levou para a noiva e esta lhe deu o pano vermelho, que ele correu e entregou à fonte, que lhe deu um pouco de água.

O galo nanico levou então a água para a galinha, mas enquanto isso, a galinha tinha se sufocado e estava estendida, imóvel, morta.

O galo ficou tão desesperado que deu gritos ensurdecedores, e todos os animais apareceram para lamentar a morte da galinha nanica, e seis camundongos construíram uma pequena carruagem para levar a falecida ao túmulo, e, quando a carruagem ficou pronta, eles mesmos nela se atrelaram para puxá-la e o galo serviu de cocheiro.

No caminho, encontraram a raposa, que perguntou:

— Aonde estás indo, galo nanico?

— Estou indo enterrar minha galinha nanica — respondeu o galo.

— Posso ir também? — quis saber a raposa.

— Pode, mas só atrás, pois na frente meus cavalinhos não aguentam — disse o galo.

A raposa acomodou-se na parte traseira da carruagem e, depois dela, o lobo, o urso, o veado, o leão e todos os outros animais da floresta fizeram o mesmo.

Afinal, chegaram à beira de um rio.

— Como é que vamos atravessar o rio? — perguntou o galo nanico.

Na margem do rio estava uma palha, que se ofereceu:

— Posso me estender sobre o rio e a carruagem atravessar em cima de mim.

Quando, porém, os seis camundongos entraram na ponte, a palha escorregou e eles caíram no rio e se afogaram.

Nova dificuldade surgiu, portanto, mas apareceu um carvão, que disse:

— Tenho largura suficiente para servir de ponte. A carruagem pode passar em cima de mim.

O carvão deitou-se então sobre a água, mas, infelizmente, mal a tocou, deu um silvo, apagou-se e morreu. Ao ver isso, uma pedra teve pena do galo nanico. Quis ajudá-lo e deitou-se sobre a água. Então, o próprio galo puxou a carruagem, mas, quando chegou à outra margem do rio levando a galinha morta, e ia puxar também os outros que viajavam atrás, a carruagem escorregou e todos eles caíram dentro da água e se afogaram.

O galo nanico ficou sozinho com a galinha nanica morta, cavou um túmulo, enterrou-a, e, cheio de saudade, sentou-se em cima do túmulo e lá ficou até morrer também. E assim todos os personagens da história morreram, e a história teve de acabar também.

REI BICO-DE-TORDO

Era uma vez um rei que tinha uma filha belíssima, mas tão orgulhosa que achava não haver nenhum pretendente digno dela. Rejeitava um depois do outro e, além disso, os ridicularizava.

Certa vez, o Rei ofereceu uma grande festa e convidou, perto ou longe, todos jovens casadouros. Todos foram reunidos em uma fila de acordo com sua categoria e sua posição social: os reis em primeiro lugar, depois os grão-duques, os príncipes, os condes, os barões e os plebeus.

A princesa foi levada depois a avaliá-los, e diante de cada um tinha uma objeção a fazer. Um era gordo demais:

— Uma pipa de vinho! — ela comentava.

Outro era demasiadamente magro e alto. E a princesa observava:

— Este aí, qualquer ventania mais forte joga no chão.

O terceiro era baixo demais. E ela:

— Este só em cima de um tamborete.

O quarto era "pálido como a morte" na sua opinião. O quinto, corado demais, parecia "um galo de briga". O sexto não era bastante desempenado, e "corcunda não serve".

E assim a altiva e convencida princesa foi zombando de todos, mas especialmente de um rei que estava entre os primeiros da fila e cujo queixo parecia um bico de ave.

— Este tem um queixo igualzinho ao bico de um tordo! — exclamou ao vê-lo, dando uma gargalhada.

E, de então para diante, ele foi chamado de Rei Bico-de-Tordo.

O pai da orgulhosa princesa, porém, tinha se irritado muito com a atitude da filha, ridicularizando todos os pretendentes, e jurou que a obrigaria a casar-se com o primeiro mendigo que viesse à sua porta.

Alguns dias depois, apareceu diante do palácio um músico ambulante, valendo-se de sua rabeca para ganhar alguns níqueis. Ao ouvir sua música, o rei ordenou que o fizessem entrar. E o músico se apresentou, com suas vestes sujas e rasgadas, executou alguns números para o rei e a princesa, e pediu depois uma esmola.

— Gostei de tua música — disse o rei. — E, em recompensa, vou te dar a mão de minha filha.

A princesa estremeceu, horrorizada.

— Jurei fazer-te casar com o primeiro mendigo que aparecesse, e estou cumprindo o meu juramento.

Ela protestou, lamentou, implorou, mas tudo foi em vão.

O padre foi chamado, e o casamento foi feito sem demora, quando terminou, o rei disse à filha:

— Agora, não é direito que tu, esposa de um mendigo, continue por mais tempo em meu palácio. Pode ir embora, com teu marido.

O mendigo segurou-a pelo braço, e ela foi obrigada a caminhar a pé com ele. Quando chegaram a uma grande floresta, ela perguntou:

— A quem pertence esta linda floresta?

— Pertence ao Rei Bico-de-Tordo. Se o tivesses aceito, ela seria tua.

— Infeliz que sou! Se eu tivsse escolhido o Rei Bico-de-Tordo!...

Depois passaram por um prado, e ela perguntou:

— A quem pertence este lindo prado?

— Pertence ao Rei Bico-de-Tordo. Se o tivesses aceito, ela seria tua.

— Infeliz que sou! Se eu tivesse escolhido o Rei Bico-de-Tordo!...

— Não me agrada — disse o músico ambulante — ouvir-te sempre desejando ter um outro marido. Achas que não estou à tua altura?

Afinal chegaram a uma choupana muito pequena, e ela comentou:

— Meu Deus! Que casa pequenina! A quem pertence esta casinhola miserável?

Respondeu o músico ambulante:

— Esta casa é minha e sua, e aqui vamos viver juntos.

Ela teve de se abaixar para poder passar pela porta.

— Onde estão os criados? — perguntou.

— Onde estão os criados? — redarguiu o mendigo. — Tens de fazer tu mesma o que quiseres que seja feito. Trata de acender o fogo imediatamente e cozinhar o jantar, pois estou muito cansado.

A princesa, porém, não fazia a menor ideia de como se acendia fogo e se cozinhava, e o mendigo teve de ajudá-la, para que as coisas corressem mais ou menos razoavelmente.

Quando terminaram a frugal refeição, foram para a cama, mas, no dia seguinte, o músico ambulante obrigou a princesa a levantar-se bem cedinho, para tomar conta da casa.

Durante alguns dias, os dois viveram daquela maneira, mas afinal as provisões acabaram. E o marido disse, então:

— Não podemos continuar comendo e bebendo, sem ganharmos nada. Terás de fazer cestos para vendermos.

Saiu, cortou alguns ramos de salgueiro e entregou-os à esposa, para fazer cestos. Ela tentou, mas a dura madeira feriu seus delicados dedinhos.

A princesa tentou tecer, mas a aspereza dos fios cobriu de sangue os frágeis dedinhos.

— Estou vendo que não sabes fazer trabalho algum! — queixou-se o mendigo.

— Fiz um mau negócio. Vou tentar agora ganhar dinheiro vendendo potes e outros objetos de cerâmica. Irás ficar sentada no mercado, vendendo esses artigos.

"Ah! — pensou a princesa — Se alguém do reino de meu pai for ao mercado e me vir vendendo lá, como zombará de mim!"

Teve de se resignar, porém, para não morrer de fome.

No princípio, foi bem sucedida, pois apareceram muitos fregueses, porque a vendedora era muito bonita, e eles pagavam o que pedia. Assim, ela se sentava em um canto do mercado e espalhava em torno a mercadoria. Um dia, porém, um cavalariano embriagado saiu galopando dentro do mercado e quebrou todos os potes e vasos que ela estava vendendo. Ela começou a chorar, amedrontada, sem saber o que fazer.

— O que vai ser de mim? — exclamava. — O que meu marido vai dizer disso?

Correu para casa e contou-lhe o seu infortúnio.

— Só mesmo tu é que ias ter ideia de espalhar uma mercadoria tão frágil em um canto do mercado — disse ele. — Sei muito bem que não serves para esses serviços. Por isso, já fui ao palácio do nosso rei e pedi para arranjarem um lugar para ti como ajudante de cozinha, e prometeram arranjar. Assim, poderás comer de graça.

A filha do rei se tornou, assim, uma ajudante de cozinha, e tinha de obedecer ao cozinheiro e executar os trabalhos mais sujos. Em ambos os bolsos trazia duas vasilhas em que recolhia os restos de comida, e disso viviam.

Aconteceu que foi celebrado o casamento do filho mais velho do rei, e a pobre moça, tomada de curiosidade, saiu da cozinha e colocou-se junto à porta do salão principal para olhar. Quando todas as velas foram acendidas e não cessavam de entrar pessoas ricas e importantes, todas trajadas com a maior elegância e bom gosto, a princesa não conteve as lágrimas, lembrando-se do que perdera, e maldizendo, arrependida, sua altivez e arrogância que a haviam humilhado até aquele ponto.

Chegou-lhe às narinas o aroma desprendido pelos deliciosos pratos que estavam sendo servidos e, de vez em quando, os criados lhe atiravam algumas migalhas deles, que ela guardava nos bolsos, a fim de levá-las para casa.

De repente, o filho do rei entrou, vestido de seda e veludo e com cadeias de ouro em torno do pescoço. E, quando viu aquela moça tão linda junto da porta, segurou-a pela mão, querendo dançar com ela. Ela, porém recusou e tentou fugir, com medo, pois viu que se tratava do Rei Bico-de-Tordo, seu pretendente, que ela recusara com desdém. Não lhe adiantou, no entanto, a resistência, pois ele a arrastou para o salão. E, com os vivos movimentos que, fazia, ela deixou que caíssem dos bolsos os restos de comida que guardava, e que se espalharam pelo chão, provocando gargalhadas dos presentes.

Envergonhadíssima, pedindo a Deus que o chão se abrisse diante dela e a tragasse, a princesa correu para fora do salão e teria fugido do palácio, se, na escadaria, um homem não a tivesse agarrado pelas costas. E quando se virou para ver de quem se tratava, viu de novo o Rei Bico-de-Tordo ao seu lado. E ele disse, com ternura:

— Não tenhas medo. Eu e o músico ambulante com quem vives naquela horrível cabana somos uma única e mesma pessoa. Por amor de ti eu me disfarcei. E sou também o cavalariano que galopou em cima de seus potes e vasos. Tudo isso eu fiz para humilhar o teu espírito orgulhoso e para punir-te pela insolência com que me trataste.

— Errei muito, errei horrivelmente, e não tenho direito de ser tua esposa — disse a princesa chorando amargamente.

— Isso são coisas do passado — disse o Rei Bico-de-Tordo. Vamos celebrar agora o nosso casamento. As criadas de quarto apareceram e vestiram a noiva com os mais belos e mais ricos trajes. E apareceram seu pai e toda a sua corte, desejando-lhe muita felicidade em seu casamento com o Rei Bico-de-Tordo. E a festa nupcial foi magnífica. Uma pena a gente não ter podido participar!

HISTÓRIA DO JOVEM QUE SAIU PELO MUNDO PARA APRENDER O QUE É O MEDO

Era uma vez um homem que tinha dois filhos, o mais velho dos quais era inteligente e sensato, estudioso e eficiente em suas atividades, ao passo que o outro não aprendia nem entendia coisa alguma, e todo o mundo que o ficava conhecendo costumava dizer:

— Eis um sujeito que vai dar muita amolação a seu pai!

Quando havia necessidade de tomar uma providência, de executar uma tarefa, era sempre ao mais velho que se tinha de recorrer. Quando, porém, o desempenho de alguma incumbência exigia que ele saísse à noite e tivesse de passar perto do cemitério ou em algum outro lugar deserto ou mal-assombrado, o caso mudava de figura.

— Não, meu pai! — dizia ele. — Não posso ir, porque fico tremendo dos pés à cabeça.

Também, quando se contavam à noite, à beira do fogo, histórias arrepiadoras de fantasmas e feitiçarias, era comum alguém dizer:

— Ih! Já estou tremendo dos pés à cabeça!

O caçula, ouvindo tais palavras, ficava sem entender o que elas queriam dizer.

"O que será ficar tremendo?" pensava. "Nunca tremi na minha vida, não sei o que é isso. Eu queria aprender a tremer".

E, quando manifestou em voz alta o que pensava, seu irmão disse consigo mesmo:

"Coitado desse meu irmão! Como é burro! Vai ser um inútil a vida toda".

E o pai replicou:

— Muito cedo aprenderás o que é tremer de medo. Mas isso não vai te ajudar a ganhar com teu trabalho o pão de cada dia.

Algum tempo depois, o sacristão foi fazer uma visita ao pai dos dois jovens e, na conversa, o homem contou que estava preocupado com seu filho caçula, que, em vez de querer aprender um ofício estava empenhado em aprender como tremer de medo.

— Se é só isso — disse o sacristão — pode deixá-lo por minha conta. Ele vai aprender comigo. Manda-o à minha casa e verás o resultado.

O pai ficou contente, ante a possibilidade de ver o filho aprender alguma coisa. Talvez fosse um bom começo. O sacristão levou-o, então, para sua casa, e decidiu que ele tocaria o sino da igreja.

Um ou dois dias depois, acordou-o à meia-noite e mandou-o subir à torre da igreja e tocar o sino.

"Vais aprender agora mesmo o que é tremer de medo" pensou.

E, sem que o jovem percebesse, foi para a torre antes dele, e, quando o aprendiz pegou na corda para tocar o sino, viu de pé na escada uma figura branca, parecendo um fantasma.

— Quem está aí? — perguntou o jovem.

Não houve resposta, e a figura continuou imóvel onde estava.

— Responde, ou vai embora, que nada tens de fazer aqui! — gritou o moço.

O sacristão nem se mexeu, porém, a fim de que o outro pensasse que se tratava de um fantasma.

— Responde! — tornou o jovem a gritar. — Responde, se és uma pessoa honesta, senão eu te atirarei pela escada abaixo!

"Isso é da boca para fora" pensou o sacristão. "Ele não tem coragem de cumprir a ameaça."

E continuou imóvel e calado. Pela terceira vez, o jovem o intimou a identificar-se. E, não sendo atendido, avançou contra ele e o empurrou pela escada abaixo. O coitado do sacristão rolou dez degraus e ficou estendido em um canto, imóvel, enquanto o rapaz pegou de novo a corda e tocou o sino. Isso feito, voltou para casa, deitou-se e adormeceu.

A mulher do sacristão cansou de esperar o marido, que não voltara. Afinal, muito preocupada, acordou o jovem e perguntou-lhe:

— Sabes onde está meu marido? Ele foi para a torre antes de ti.

— Não sei, não — respondeu o rapaz. — Mas havia uma pessoa em pé no alto da escada, que não me respondeu quando lhe perguntei quem era, e nem foi-se embora. Achei que era um ladrão e atirei-o pela escada abaixo. Podes ir lá, ver se era ele. Se for, sinto muito.

A mulher correu à torre da igreja e encontrou o marido gemendo muito, sem poder caminhar, pois tinha quebrado uma perna na queda. Com dificuldade, levou-o para baixo, depois correu para a casa do pai do jovem.

— Teu filho é responsável por uma grande desgraça! — anunciou. — Jogou meu marido pela escada abaixo e ele quebrou a perna. Vai imediatamente tirar aquele vagabundo de nossa casa!

O pai ficou horrorizado, correu para lá e repreendeu severamente o filho.

— Como pudeste fazer uma coisa dessas? — exclamou.

— Deve ter sido o diabo que meteu lá, disfarçado, como um malfeitor. Eu não sabia quem era e pedi-lhe que dissesse quem era ou que fosse embora, e não foi uma vez só, não, mas três vezes.

— Ah! — exclamou o pai. — Só me tens dado desgosto. Some de meus olhos. Não quero te ver mais nunca.

— Sim, meu pai — replicou o filho, muito calmo. — Vou aprender o que é tremer de medo, e depois posso aprender um ofício para me sustentar.

— Aprende o que quiseres — disse o pai. — Para mim é indiferente. Toma estes cinquenta táleres e gasta-os como quiseres. Vai correr o mundo e não digas a ninguém de onde vieste e nem quem é teu pai, pois tenho motivo para ter vergonha de ser teu pai.

— Muito bem, meu pai. Cumprirei a tua vontade — prometeu o moço. — Se não queres mais nada senão isso, não vou me esquecer.

Quando amanheceu, portanto, o jovem meteu o dinheiro no bolso e saiu pela estrada, falando de vez em quando consigo mesmo:

— Ah! Se eu pudesse tremer de medo!... Se eu pudesse tremer de medo!...

Aproximou-se então um homem, que ouvira a conversa que ele estava mantendo consigo mesmo, e, depois de caminharem juntos algum tempo, chegaram a um ponto de onde se podia ver as forcas, quando o homem lhe disse:

— Escuta: aqui neste lugar sete sujeitos se casaram com a filha do cordoeiro, e agora estão aprendendo a voar. Senta aí e espera a noite chegar, que vais aprender a tremer de medo.

— Se basta fazer isso — disse o jovem — vai ser fácil. E, se eu conseguir tremer de medo só com isso, te darei os meus cinquenta táleres. Volta aqui para me procurar, amanhã bem cedo.

E o moço aproximou-se das forcas, sentou-se debaixo delas e esperou até anoitecer. Como estava com frio, acendeu uma fogueira, mas à meia-noite começou a soprar um vento tão forte, que, apesar da fogueira, ele não conseguia se esquentar. E, como o vento fizesse os enforcados se balançarem, indo para diante e para trás, ele pensou:

"Se aqui, junto da fogueira, está tão frio, imagina que frio eles devem estar sentindo, coitados!"

E, apiedado, levantou a escada que estava perto, subiu até o alto de cada forca e trouxe cada enforcado para ficar ao seu lado, junto da fogueira, a fim de que se esquentassem um pouco. Eles, porém, se esquentaram até demais, pois, empurradas pelo vento, as chamas os atingiram e começaram a queimar suas roupas:

— Tende cuidado, senão vou vos enforcar de novo! — ameaçou o jovem.

E, como os defuntos não lhe dessem atenção, ele cumpriu a ameaça, e pendurou-os todos nas forcas outra vez.

Depois atirou mais algumas achas na fogueira, atiçou o fogo e, mais aquecido, e muito cansado, deitou-se e dormiu a sono solto, até que, na manhã seguinte, o homem que lhe ensinara o remédio para tremer de medo foi reclamar os cinquenta táleres.

— Já sabe agora como tremer de medo? — perguntou.

— De modo algum! — respondeu o moço. — Aqueles sujeitos ali não abriram a boca, e são tão idiotas que deixaram que se queimassem até os trapos que vestiam.

O outro homem viu que tinha de desistir da recompensa e saiu maldizendo e ameaçando:

— Nunca mais apareças na minha frente!

O jovem sem medo também se afastou, acabrunhado, dizendo para si mesmo:

— Ah! Se eu pudesse tremer de medo! Se eu pudesse tremer de medo!

Um carroceiro, que também seguia pela estrada, ouvindo-o resmungar, mal-humorado, perguntou-lhe:

— Por que estás aí resmungando, parecendo preocupado? Quem és?

— Não sei — respondeu o jovem.

— De onde vens? — insistiu o outro.

— Não sei — foi a resposta.

— Quem é teu pai?

— Isso eu não posso dizer.

— Por que estás sempre resmungando?

— É que eu queria muito saber tremer de medo, mas não consigo aprender! — confessou o jovem, desolado.

— Tolice tua estar te preocupando com isso — disse o carroceiro. — Vem comigo. Vou arranjar um lugar que te convém.

O jovem acompanhou o carroceiro e à noite chegaram a uma hospedaria onde resolveram passar a noite. E ainda entrando na hospedaria o jovem não parava de repetir, em voz bem alta:

— Ah! Se eu pudesse tremer de medo!... Se eu pudesse tremer de medo!...

Ouvindo tal lamúria, o estalajadeiro deu uma risada e disse:

— Se é esse o teu desejo, terás aqui uma boa oportunidade!

Sua esposa, porém, interferiu:

— Silêncio! Tantas pessoas já perderam a vida, e seria uma pena se os belos olhos deste jovem nunca mais pudessem ver a luz do Sol de novo!

O jovem, contudo, se prontificou:

— Por mais difícil que seja, eu quero aprender. É para isso que estou viajando.

E não deu mais sossego ao estalajadeiro, até que ele lhe contou que a certa distância da estalagem havia um castelo encantado, onde seria facílimo tremer de medo, se ele conseguisse lá permanecer durante três noites. O rei prometera ao homem que executasse tal façanha casar-se com sua filha, a donzela mais linda que havia sobre a face da terra. Além disso, no castelo havia grandes tesouros, que eram guardados por espíritos malignos, e tais tesouros seriam liberados e tornariam um homem pobre riquíssimo. Muitos homens tinham tentado a façanha, mas nenhum regressara do castelo.

No dia seguinte, de manhã, o jovem destemido foi procurar o rei e anunciou:

— Se me for permitido, irei, com muito prazer, passar três noites no castelo enfeitiçado.

O rei olhou o jovem, simpatizou com sua mocidade e disse-lhe:

— Poderás pedir três coisas para levares contigo ao castelo, mas têm de ser coisas inanimadas.

— Eu desejaria levar lenha para acender o fogo, um torno e uma tábua de cortar carne com uma faca bem afiada.

O rei concordou com o seu pedido, mandando colocar tudo no castelo durante o dia. Quando anoiteceu, o jovem subiu para a parte superior do castelo, acendeu o fogo em um dos aposentos, colocou a faca diante de si, sentou-se junto do torno e recomeçou as suas lamúrias:

— Ah! Se eu pudesse tremer de medo! Se eu pudesse tremer de medo!

À meia-noite, quando já estava com sono e resolveu atiçar o fogo, ouviu um grito vindo de um dos cantos do aposento:

— Miau! Como está frio!

— O que estais gritando, idiotas? Se está frio, vinde esquentar junto do fogo — gritou o jovem.

Imediatamente dois gatos pretos enormes, dando um pulo altíssimo, se colocaram cada um de um lado dele, olhando-o com uma expressão feroz. Depois de terem se aquecido, propuseram:

— Vamos jogar cartas, companheiro?

— Por que não? — redarguiu o jovem intemerato. — Mas antes mostrai-me vossas patas.

Os gatos mostraram.

— Que unhas compridas! — exclamou o jovem. — Vou cortá-las, a fim de que possais pegar direito nas cartas do baralho.

Agarrou os bichos pela garganta, cortou-lhes os pés na tábua de cortar carne, e disse:

— Não estou mais com vontade de jogar.

Matou os gatos com a faca e jogou-os dentro da água.

Mal, porém, se livrara dos dois, e ia se sentar de novo junto do fogo, surgiram gatos e cães pretos em todos os cantos e todos os buracos, arrastando correntes, e cada vez apareciam mais, de modo que o jovem não podia mais se mexer. E a bicharada toda dava gritos horríveis, pisava o fogo, espalhando as achas e provocavam a maior desordem.

O jovem destemido limitou-se a olhá-los durante algum tempo, mas quando achou que estavam indo longe demais, agarrou o facão e gritou:

— Fora daqui, pestes!

E começou a distribuir cutiladas a torto e a direito, com toda a força. Alguns dos bichos conseguiram fugir, os outros foram mortos e atirados dentro da água.

O jovem reacendeu o fogo e, olhando em torno, viu a um canto uma cama.

— É disso que estou precisando! — exclamou.

Deitou-se, porém mal fechou os olhos, a cama começou a mover-se e saiu, como se estivesse sendo empurrada, percorrendo todo o castelo.

— Está muito bom — disse o jovem. — Mas pode andar mais depressa.

A cama disparou, então, como se estivesse sendo puxada por seis cavalos, correndo pelos corredores e pelas escadas, aos solavancos. O jovem atirou para fora as cobertas e o travesseiro e saiu da cama, dizendo:

— Quem quiser agora que aproveite a cama!

E deitou-se junto do fogo, mesmo no chão. Na manhã seguinte, quando foi ao castelo mal-assombrado, o rei, vendo-o estendido no chão, imóvel, de olhos fechados, pensou que ele estava morto, e lamentou:

— É realmente uma pena um moço tão bonito morrer dessa maneira!

O jovem ouviu aquelas palavras, levantou-se e disse:

— Ainda não foi desta vez!

O rei ficou atônito, mas muito satisfeito e perguntou ao intemerato como se sentia.

— Otimamente — ele respondeu. — Uma noite já se passou, as outras duas vão se passar da mesma maneira.

— Não esperava tornar a ver-te vivo — confessou o Rei. — Ainda não aprendeste a tremer?

— Não — respondeu o jovem. — Não houve jeito. Se alguém conseguisse me ensinar!...

Na segunda noite, ele voltou ao castelo, repetindo o seu velho estribilho:

— Ah! Se eu pudesse tremer de medo! Se eu pudesse tremer de medo!

Quando deu meia-noite, ouviu um barulho, fraco a princípio, mas que depois foi se tornando cada vez mais forte, como se inúmeras pessoas estivessem pulando pelos aposentos e corredores do castelo. Houve, depois, um silêncio momentâneo, e de repente, dando um grito horrível, caiu pela chaminé metade de um homem, que parou bem junto do jovem intemerato.

— Está faltando a outra metade! — disse ele. — Assim é pouco.

O barulho recomeçou então, e, repetindo o grito horrível, a outra metade do homem apareceu, caindo pela chaminé, como antes.

— Espera, que vou atiçar um pouco para te aqueceres melhor — disse o jovem.

Depois de atiçar o fogo, olhou em torno, e viu que as duas metades do corpo tinham se unido, e um homem horroroso estava sentado no seu lugar.

— Este banco não faz parte do nosso trato — protestou o jovem — É meu.

O homem quis empurrá-lo, mas ele não se intimidou: lançando mão de toda a sua força expulsou o intruso do banco e tornou a sentar-se lá.

Outros homens caíram então pela chaminé. Trouxeram consigo nove pernas de defunto e duas caveiras, e começaram a disputar uma partida, usando as pernas como paus e as caveiras como bola, no jogo "dos nove paus".

— Eu também posso jogar? — perguntou o jovem.

— Podes, se tiveres dinheiro — responderam.

— É coisa que não me falta — disse o jovem. — Mas as bolas não estão bem redondas. Vou consertá-las.

E, pegando as caveiras, levou-as ao torno e as poliu até torná-las bem redondas.

— Agora, elas vão rolar melhor — afirmou. — Que bom! Vamos nos divertir a valer!

Jogou com os estranhos seres, durante algum tempo, perdendo parte do seu dinheiro, mas, de súbito, tudo desapareceu diante de seus olhos. Deitou-se, então, e dormiu tranquilamente.

Na manhã seguinte, o rei voltou a procurá-lo.

— Que fizeste dessa vez? — perguntou.

— Joguei uma partida de "nove paus" — ele respondeu. — E perdi algum dinheiro.

— Não tremeste? — insistiu o Rei.

— Não. Diverti-me muito. Continuo sem saber como é que se treme.

Na terceira noite, o jovem sentou-se outra vez em seu banco e outra vez lamentou-se:

— Ah! Se eu pudesse tremer de medo! Se eu pudesse tremer de medo!

Tarde da noite, apareceram seis homens, muito altos, trazendo um caixão de defunto.

Dando uma risada, o intemerato exclamou:

— Deve ser meu priminho, que morreu há poucos dias. Vem cá, meu priminho, vem cá.

Os homens puseram o caixão no chão. O jovem aproximou-se dele e tirou a tampa. Dentro, estava um defunto, cuja face ele apalpou. Estava fria como gelo.

— Espera, que vou te esquentar um pouco — disse o jovem.

Estendeu a mão para o fogo, até que ela esquentasse e esfregou no rosto do defunto, que continuou, porém, gelado. O intemerato tirou o morto do caixão e sentou-se com ele no colo perto do fogo, esfregando-lhe os braços, para reavivar a circulação do sangue. Como também isso não surtisse efeito, pensou:

"Quando duas pessoas dormem juntas, uma aquece a outra".

Levou, então, o defunto para a cama, cobriu-o bem e deitou-se junto dele. Algum tempo depois, o morto esquentou-se e começou a mexer.

— Eu consegui te esquentar, não é mesmo, meu primo? — perguntou o jovem, amavelmente.

Em vez de responder, o morto levantou-se e gritou:

— Agora, vou te estrangular!

— O quê?! — exclamou o jovem, estarrecido. — É assim que me agradeces? Pois vais é voltar para o teu caixão agora mesmo.

E, juntando a ação à palavra, carregou o insolente defunto, meteu-o no caixão e fechou a tampa.

Os seis homens, então, levaram o caixão para fora.

— Não há mesmo um meio de eu tremer de medo! — lamentou-se o jovem. — Vou ficar sem saber a vida toda!

Nesse momento, entrou um homem que era mais alto do que todos os seis, e tinha um aspecto terrível, sendo, porém, velho, com uma barba branca muito comprida.

— Seu desgraçado — disse o recém-vindo — agora mesmo vais aprender a tremer, pois vais morrer.

— Calma, calma! — gritou o jovem. — Se eu vou morrer, quero saber porquê.

— Venho buscar-te dentro de muito pouco tempo! — ameaçou o homem.

— Calma, calma, nada de ameaças, meu velho! — replicou o intemerato. — Não fales desse modo comigo! Sou tão forte como tu, talvez mesmo mais forte.

— Vamos ver — disse o velho. — Se fores realmente mais forte, deixar-te--ei ir embora. Agora, vem, vamos experimentar.

Levou, então, o jovem, através de corredores sombrios, até uma forja de ferreiro, pegou um machado, e, com uma só machadada, derrubou uma bigorna.

— Posso fazer melhor do que isso — afirmou o jovem, e aproximou-se da outra bigorna.

O velho chegou junto dela, para observar melhor, debruçando, de modo que a barba ficou bem baixa. O jovem pegou o machado e, com uma só machadada, partiu a bigorna pelo meio, atingindo também a barba do velho.

— Estás vendo? — perguntou, em tom de desafio. — Agora é a tua vez de morrer!

Pegou uma barra de ferro e espancou o velho, até que esse, gemendo, arquejante, implorou-lhe que parasse, prometendo-lhe grandes riquezas. O jovem largou a barra de ferro, e o velho levou-o de volta ao castelo, até um subterrâneo, onde havia três arcas cheias de ouro.

— A primeira destas arcas é para os pobres, a segunda para o rei, e a terceira é tua — disse o velho.

Nesse momento um sino tocou as doze pancadas da meia-noite, e o espírito desapareceu, deixando o jovem envolto na mais completa escuridão.

— A escuridão não me impedirá de achar o caminho de volta — disse ele.

E, realmente, não levou muito tempo para voltar, deitar-se perto do fogo e adormecer tranquilamente.

Na manhã seguinte, o rei apareceu no castelo e a primeira coisa que disse foi:

— E agora já aprendeste a tremer?

— Não houve jeito! — respondeu o jovem. — Meu defunto primo esteve aqui e um velho me mostrou muito dinheiro escondido lá embaixo, mas nenhum conseguiu me ensinar.

— Então — disse o rei — salvaste o castelo e casarás com minha filha.

— Ótimo! — exclamou o intemerato. — Mas o diabo é que não houve meio de eu tremer de medo!

O ouro foi levado e as núpcias celebradas. Por mais, todavia, que o jovem rei amasse sua esposa — e a amava muito — ele continuava a repetir, muitas vezes:

— Ah! Se eu pudesse tremer de medo!... Se eu pudesse tremer de medo!...

Isso acabou irritando a jovem rainha. Certo dia sua camareira lhe disse:

— Vou arranjar um meio de curá-lo. Ele não vai demorar muito a saber tremer de medo.

Foi ao riacho que atravessava o jardim e apanhou muitos peixinhos, que levou para dentro em um balde. À noite, quando o jovem rei dormia em companhia da esposa, ela atirou o balde de água bem fria com os peixinhos em cima dele, que acordou assustado, e gritou:

— O que é isso, que faz tremer tanto? Ah! Que bom! Aprendi a tremer.

RAPUNZEL

Era uma vez um casal cujo maior desejo era ter um filho. Os anos iam se passando, e o filho não vinha. Afinal, a mulher ficou esperançosa de que Deus ouviria suas preces.

Na casa em que morava o casal havia no fundo uma janelinha, da qual podia-se ver um esplêndido jardim repleto das mais belas flores e folhagens. Era, porém, cercado por um muro muito alto e ninguém se atrevia a entrar nele, pois pertencia a uma feiticeira que tinha grandes poderes mágicos e era temida por todo mundo.

Certo dia, a mulher estava contemplando o jardim da bruxa, através da janelinha, quando avistou um canteiro de belos rapúncios, tão verdinhos e parecendo tão frescos, que ela, que gostava muito daquela verdura, sentiu muita vontade de comê-la. Essa vontade foi aumentando de dia para dia, e, como sabia que o seu desejo não poderia ser satisfeito, ela começou a emagrecer e empalidecer, até que o seu estado de fraqueza alarmou o marido, que lhe perguntou:

— O que está te afligindo, minha querida?

— Ah! — ela replicou. — Se eu não comer um pouco do rapúncio que se vê daqui no quintal da bruxa, eu vou morrer.

O marido, que amava muito sua esposa, pensou: "Em vez de deixar minha esposa morrer, tenho de trazer-lhe alguns rapúncios, custe o que custar".

E, assim pensando, ao anoitecer pulou o muro da casa da bruxa, apanhou alguns rapúncios e levou-os para a mulher, que, imediatamente, preparou com eles uma salada, devorando-a, por assim dizer. Gostou tanto que, no dia seguinte, quis comer três vezes mais salada de rapúncio do que comera na véspera. Para ter algum sossego, seu marido teve de pular outra vez o muro da casa da bruxa.

Aproveitou de novo a escuridão noturna. Ao descer do muro, porém, ficou apavorado, vendo a feiticeira de pé, à sua frente.

— Como te atreves a entrar no meu quintal e furtar meu rapúncio, como um ladrão? — ela perguntou.

— Ah! — exclamou o homem. — Fui forçado a fazer isso por causa de uma necessidade absoluta. Minha mulher viu os rapúncios daqui, de uma janela da nossa casa, e ficou com tanta vontade de prová-los, que morreria certamente, se não comesse alguns.

A feiticeira, então, dominou a raiva e disse ao homem:

— Se é assim como dizes, vou permitir que leves tantos rapúncios quanto quiseres, mas com uma condição: terás de me dar a filha que tua mulher vai dar à luz. Ela será muito bem tratada, e cuidarei dela como se fosse minha filha.

Apavorado, o homem concordou, e, logo que sua mulher deu à luz uma menina, a bruxa apareceu, deu à recém-nascida o nome de Rapunzel (rapúncio) e levou-a consigo.

Rapunzel tornou-se a criança mais linda que havia sobre a face da Terra. Quando tinha doze anos, a bruxa trancou-a em uma torre no meio da floresta e que não tinha escadas nem portas, mas tinha uma janelinha bem no alto. Quando a feiticeira queria entrar na torre, colocava-se diante da janela e cantava:

Rapunzel, Rapunzel!
Desce os teus cabelos.

Rapunzel, então, deixava cair fora da janela a sua comprida cabeleira, e a bruxa subia se agarrando a ela, como se fosse uma corda.

Um ou dois anos depois, aconteceu que o filho do Rei entrou na floresta e passou pela torre. Ouviu, então, um canto, tão belo, que ele parou para ouvir. Era Rapunzel, que, em sua triste solidão, cantava para os males espantar. O príncipe quis subir na torre, para ver a cantora, e procurou a porta da torre, mas porta alguma foi encontrada. Ele voltou para o palácio de seu pai, mas o canto o comovera tanto, que todos os dias ia à floresta para escutá-lo.

Certa vez, quando estava ouvindo, atrás de uma árvore, viu a feiticeira chegar e ouviu o que ela cantava:

Rapunzel, Rapunzel!
Desce os teus cabelos.

Rapunzel tinha os cabelos extraordinariamente longos, brilhantes como ouro, e, quando ouviu a voz da feiticeira, desatou as tranças e soltou na janela a magnífica cabeleira, que desceu vinte varas de extensão, e a bruxa subiu, agarrando-se a ela.

— Se essa é a escada pela qual se sobe, eu também vou tentar minha sorte — murmurou o príncipe.

E, no dia seguinte, quando começou a anoitecer, foi até a torre e cantou:

Rapunzel, Rapunzel!
Desce os teus cabelos.

Imediatamente o cabelo desceu e o príncipe subiu.

A princípio, Rapunzel ficou terrivelmente assustada ao ver aproximar-se um homem que jamais vira antes. O príncipe, porém, começou a falar-lhe com doçura, e disse-lhe que o seu coração tinha ficado tão tocado por seu canto, que não tivera mais sossego desde que o ouvira e tivera de procurar a cantora.

Rapunzel perdeu o medo, e, quando o príncipe lhe perguntou se o aceitaria como marido, e viu que ele era moço e bonito, pensou que ele a amaria mais do que a velha Senhora Gothel, e disse que sim, deixando que ele lhe tomasse as mãos entre as dele.

— Eu te acompanharei de boa vontade, mas não sei como sair daqui — disse.

— Todas as vezes que subires aqui, traze contigo uma meada de seda, e vou tecer com elas uma escada, e, quando ela ficar pronta, eu descerei e partirei contigo em teu cavalo.

Os dois combinaram que ele iria vê-la todas as noites, pois a bruxa ia durante o dia.

A feiticeira nada notou, mas ficou sabendo, no dia em que Rapunzel, inadvertidamente, lhe disse:

— Por que será, senhora Gothel, que é tão mais difícil para mim sustentar nos meus cabelos a senhora do que o jovem príncipe?

— Ah! Menina maldita! — gritou a bruxa.

Furiosa, ela agarrou as belas tranças de Rapunzel, enrolou-as em torno de seu punho direito e, pegando uma tesoura, cortou-as, e foi tão impiedosa que levou Rapunzel para um deserto, onde teve que viver, sofrendo as maiores privações, desesperada.

No entanto, no mesmo dia em que expulsou Rapunzel e cortou-lhe as tranças, a bruxa amarrou-as na janela e, quando o príncipe deu a senha para entrar, ela jogou os cabelos até embaixo e o príncipe por eles subiu, para, em vez da linda Rapunzel, encontrar a horrorosa bruxa, que, com os olhos de fogo e babando de raiva, gritou-lhe:

— Vieste encontrar tua querida? Fica sabendo que o belo pássaro não está mais cantando em seu ninho. O gato comeu e vai também furar teus olhos. Rapunzel está perdida para ti. Nunca mais irás vê-la.

Desesperado, o príncipe jogou-se para baixo. Escapou com vida, mas os espinhos sobre os quais caiu furaram-lhe os olhos. Então, vagou perdido pela floresta, alimentando-se apenas de frutas e raízes, e não fazendo outra coisa senão lamentar a perda da mulher que tanto amava.

Assim viveu durante alguns anos e afinal chegou ao deserto onde a desventurada Rapunzel vivia com os gêmeos, um menino e uma menina, que no deserto haviam nascido. Ele ouviu uma voz que lhe era familiar e caminhou na direção de onde ela vinha. Ao vê-lo, Rapunzel reconheceu-o e caiu em seus braços, chorando. Duas de suas lágrimas umedeceram os olhos do príncipe, que, livres da maldição da bruxa, recuperaram a visão. Ele, então, levou Rapunzel e os filhos para o seu reino, onde foi calorosamente recebido. E os dois viveram felizes por muitos e muitos anos.

CHAPEUZINHO VERMELHO

Era uma vez uma menina muito querida por todo o mundo que a conhecia, por sua bondade e simpatia, mas acima de tudo querida por sua avó, que seria capaz de se privar de tudo para favorecer a neta. Certa vez, deu-lhe um chapeuzinho de veludo vermelho, e a menina gostou tanto dele, que nunca mais usou outro chapéu. E acabou sendo apelidada de Chapeuzinho Vermelho e praticamente ninguém a chamava por seu verdadeiro nome.

Certo dia, sua mãe lhe disse:

— Chapeuzinho Vermelho, aqui estão um pedaço de bolo e uma garrafa de vinho, para levares para tua avó, que está adoentada e muito fraca. Isso lhe fará bem. Vai antes que o tempo fique muito quente. Anda direitinho, sem correr, e não saias do caminho, pois podes cair e quebrar a garrafa, e sua avó ficará sem o vinho. Quando entrares em seu quarto, não te esqueças de dizer: "Bom dia" e não olhes em todos os cantos, antes disso.

— Podes ficar sossegada, mamãezinha, que farei tudo direitinho — disse Chapeuzinho Vermelho.

A avó da menina morava no limiar da floresta, a meia légua da aldeia e logo que Chapeuzinho Vermelho entrou na floresta, um lobo a viu. A menina ignorava que perigosa criatura ele era, e não teve medo.

— Bom dia, Chapeuzinho Vermelho — disse ele.

— Bom dia, lobo.

— Aonde vais tão cedo, Chapeuzinho Vermelho?

— À casa de minha avó.

— O que trazes nesse cesto?

— Bolo e vinho. Vovó anda doente e precisa se fortalecer.

— Onde mora sua avó, Chapeuzinho Vermelho?

— A mais um quarto de légua daqui — respondeu Chapeuzinho Vermelho. — A sua casa fica perto de um grande carvalho e ao seu lado há muitas amendoeiras. Deves conhecê-las.

Enquanto Chapeuzinho Vermelho falava, o lobo ia pensando: "Que menina delicada! Que carninha tenra! Um bom bocado! Será muito melhor devorá-la do que devorar a velha. Tenho de agir com astúcia para pegar as duas".

Assim, caminhou durante algum tempo ao lado da menina, depois disse:

— Vê, Chapeuzinho Vermelho, que lindas flores há por aqui. E como os passarinhos estão cantando! Caminhas muito séria, sem sequer olhar para os lados, como se estivesses indo para a escola, sem prestar atenção na beleza da floresta.

Chapeuzinho Vermelho levantou os olhos e, quando viu os raios de sol dançando aqui e ali entre as árvores, e as lindas flores que cresciam em todos os lados, pensou: "E se eu levasse para vovó um belo ramalhete dessas flores tão bonitas? Ela iria gostar muito. É ainda bem cedo, eu poderei colher as flores sem levar muito tempo."

E, assim pensando, saiu da estrada e entrou no bosque para colher as flores. E, sempre que colhia uma, via mais adiante uma outra que achava mais bonita e, assim, foi se afundando cada vez mais na floresta. Enquanto isso, o lobo correu diretamente para a casa da avó e bateu na porta.

— Quem é? — perguntou a velha.

— Chapeuzinho Vermelho — respondeu o lobo. — Estou trazendo bolo e vinho. Abra a porta.

— Levanta a aldrava — disse a avó. — Estou muito fraca, não consigo me levantar.

O lobo levantou a aldrava, a porta se abriu e, sem dizer uma palavra, ele avançou diretamente para a cama da velha e devorou-a. Depois, vestiu a sua roupa, pôs na cabeça a sua touca, e meteu-se debaixo das cobertas, depois de descer a cortina, para que ficasse bem escuro.

Chapeuzinho Vermelho andou por muito tempo colhendo as flores e colheu tantas que mal podia carregá-las. Dirigiu-se, então, para a casa da avó.

Ficou surpresa ao encontrar a porta aberta e, quando entrou no quarto, experimentou uma sensação estranha.

"Que coisa esquisita!" pensou. "Sempre que venho ver vovó fico tão alegre e hoje está tão diferente!"

— Bom dia, vovó! — exclamou.

Não houve resposta. A menina aproximou-se da cama e puxou a cortina. Achou a avó muito estranha, com a touca quase escondendo o rosto.

— Oh, vovó! — exclamou. — Que orelhas tão grandes!

— É para te ouvir melhor!

— E estes olhos tão grandes!

— É para te ver melhor!

— E estas mãos tão grandes!

— É para te abraçar melhor!

— E que boca horrível, vovó!

— É para te comer melhor!

E mal acabara de falar, o lobo deu um pulo da cama e engoliu Chapeuzinho Vermelho. E, tendo saciado o seu apetite voltou para a cama e, dentro em pouco, estava roncando estrepitosamente.

Um caçador que estava passando diante da casa ouviu o barulho e pensou: "Como a velha está roncando alto! Deve estar passando mal. Vou ver se está precisando de alguma coisa". Entrou no quarto e, quando se aproximou da cama, viu o lobo.

— Ah! seu bandido — murmurou. — Até que enfim te encontrei!

Apontou a espingarda para matá-lo, mas se lembrou que certamente ele tinha devorado a velha e talvez ela ainda pudesse ser salva. Assim, largou a espingarda e pegou uma tesoura, com a qual cortou, com muito cuidado, a barriga do lobo.

Depois da segunda tesourada, viu o brilho do chapeuzinho vermelho e, com mais outras duas tesouradas, a menina pulou para fora, exclamando:

— Que medo que eu tive! Como estava escuro dentro da barriga do lobo!

E depois, a velha foi retirada, viva também, mas mal podendo respirar. Mais do que depressa, Chapeuzinho Vermelho foi buscar umas pedras bem grandes, que foram metidas na barriga do lobo, devidamente costurada. Quando o lobo acordou, quis caminhar, mas as pedras eram muito pesadas e ele caiu morto.

Foi uma alegria para todos três. O caçador tirou a pele do lobo e levou-a para casa, a avó comeu o bolo e bebeu o vinho que a neta trouxera, e Chapeuzinho Vermelho, muito alegre por ter escapado, prometia a si mesma: "De agora em diante, jamais me afastarei do caminho, desobedecendo minha mãe".

Conta-se também que certa vez que Chapeuzinho Vermelho fora de novo levar um bolo para sua avó, outro lobo conversou com ela e tentou afastá-la do caminho. A menina, contudo, já tendo tido uma amarga experiência, não se iludiu e caminhou diretamente para a casa da avó, à qual alertou sobre a pretensão do lobo.

— Vamos trancar a porta, para não haver perigo — decidiu a avó.

Pouco depois, o lobo chegou e bateu na porta, gritando:

— Abre a porta, vovó! Sou Chapeuzinho Vermelho e vim trazer uns bolos para a senhora.

Não sendo atendido, o lobo, depois de ter rodeado a casa, na esperança de encontrar outra entrada, pulou para o telhado, tencionando esperar até que anoitecesse e Chapeuzinho Vermelho voltasse para casa e, então, segui-la e devorá-la na escuridão.

A avó, porém, percebeu o que ele estava tramando, e teve uma ideia. Diante da casa havia um grande cocho de pedra, e ela disse à neta:

— Pega o balde, Chapeuzinho Vermelho. Ontem cozinhei umas salsichas. Joga no cocho a água em que as cozinhei.

A menina carregou água até o cocho ficar bem cheio. O lobo sentiu o cheiro das salsichas e começou a esticar o pescoço para aspirá-lo, e esticou tanto que acabou escorregando e caindo do telhado dentro do grande cocho, e se afogou.

Chapeuzinho Vermelho voltou tranquila e satisfeita para casa e nunca mais lhe aconteceu outra aventura desagradável.

A ESPERTA GRETEL

Era uma vez uma cozinheira, que usava sapatos com salto vermelho, e, quando saía com eles, caprichava nos passos e, muito satisfeita da vida, pensava: "Não há dúvida de que sou uma moça bonita!" E, quando chegava em casa, para fazer jus à sua alegria, bebia um copo de vinho e, como o vinho dá vontade de comer, provava o melhor do que estava fazendo, até ficar satisfeita, dizendo a si mesma: "A cozinheira deve saber como é o gosto de sua comida".

Acontece que, certo dia, seu patrão lhe disse:

— Hoje, temos um convidado para o jantar. Prepara dois frangos, bem caprichados.

— Sim senhor. Vou preparar — disse Gretel.

Matou dois frangos, escaldou-os, depenou-os, temperou-os e, quando começava a anoitecer, levou-os ao fogo para assá-los. Os frangos foram escurecendo, e estavam quase prontos, mas o convidado não chegava. Gretel foi procurar o patrão e disse:

— Se o convidado não chegar, tenho de tirar os frangos do fogo. Mas será uma pena se eles não forem comidos no momento exato em que estiverem mais gostosos.

— Eu mesmo vou buscar o convidado — resolveu o patrão.

Mal ele virou as costas, Gretel virou o espeto em que os frangos eram assados, e pensou: "Ficar tanto tempo perto do fogo, faz a gente suar e provoca muita sede. Não sei a hora que eles vão chegar. Enquanto não chegam, vou à adega tomar um pouco de vinho". Tirou o espeto do fogo, desceu até a adega, pegou uma jarra de vinho e, depois de fazer saúde a si mesma, bebeu uma boa golada, e mais outra por cima, para o estômago ficar bem lavado.

Voltou para a cozinha, levou os frangos de novo ao fogo, e girou o espeto, bem animada. E, como os frangos estavam desprendendo um cheiro gostoso, capaz de despertar o apetite de qualquer um, Gretel pensou: "Deve ter havido alguma coisa. Os frangos estão no ponto!".

Apalpou-os, e disse consigo mesma: "Como estão macios! É uma pena, um desaforo mesmo, que eles não sejam saboreados quando estão mais gostosos!"

Foi à janela, para ver se o patrão estava chegando com o convidado, mas não viu pessoa alguma, e voltou desolada para perto dos frangos, pensando: "Uma das asas já está se queimando! É melhor eu tirá-la e comê-la."

Cortou a asa que estava se queimando e devorou-a. Realmente, estava muito gostosa. Quando acabou, porém, lançou um olhar saudoso ao frango, lembrou, vendo a outra asa, que o patrão ia achar esquisito a ausência da asa, resolveu cortar a que sobrara e, naturalmente, comê-la também.

Depois de haver comido ambas as asas, Gretel foi procurar o seu patrão, mas não o encontrou. E, de súbito, ocorreu-lhe uma ideia: Talvez ele e o convidado tivessem desistido do jantar. Já passara tanto da hora marcada!

E resolveu: se um dos frangos já estava todo cortado, o melhor seria comê-lo inteiramente. É claro que acompanhado de um bom copo de vinho.

E, se pensou, melhor agiu. Voltou à adega, tomou um copázio de vinho, e, com o apetite aguçado, incumbiu-se do frango mutilado, que deixou de existir sem demora.

E tendo desaparecido um frango inteiro, sem que seu patrão tivesse regressado, Gretel olhou para o outro, e falando consigo mesma, disse:

— Na verdade, Gretel, se foi comido um frango, é justo que o outro também seja comido. Que diferença há entre um e outro?

E, assim, depois de ter preparado o estômago com outro copázio de vinho, comeu o segundo frango, com asas e tudo.

E ainda estava mastigando quando ouviu a voz do patrão gritando:

— Depressa, Gretel! O meu convidado já está chegando! Veio logo atrás de mim.

— Vou servir agora mesmo, patrão! — replicou Gretel.

O patrão tratou então de olhar a mesa, para ver se tudo estava arrumado direitinho, e pegou uma grande faca, com que iria trinchar os frangos, e resolveu amolá-la, a fim de que ficasse bem afiada.

Logo depois, o convidado chegou e bateu, com educação e polidez na porta da casa. Gretel correu para recebê-lo e, fazendo sinal de silêncio com os dedos nos lábios, disse-lhe:

— Trata de fugir o mais depressa que puder, pois meu patrão o atraiu para aqui com esse convite para jantar, mas na verdade está querendo matá-lo. Já está amolando a faca para cortar-lhe o pescoço.

Ouvindo, de fato, o ruído de uma faca sendo amolada, o convidado fugiu correndo o mais depressa que pôde.

E Gretel não perdeu tempo. E foi dizer ao patrão:

— Que convidado o senhor me arranjou! Imagine que ele tomou os dois frangos que eu ia servir e fugiu com eles!

— Que golpe sujo! — exclamou o patrão. — Se ao menos tivesse deixado um!...

E, vendo o outro, que fugia em corrida desabalada, gritou:

— Um só! Um só!

Queria, assim dizendo, que ele devolvesse um dos frangos, mas o fujão achou que ele estava querendo dizer que só lhe cortaria uma orelha.

E correu cada vez mais depressa, disposto a chegar em casa não só com vida, mas também com ambas as orelhas.

RUMPELSTILTSKIN

Era uma vez um moleiro pobre, mas que tinha uma linda filha. E aconteceu que ele teve de falar com o rei e, para parecer importante, disse:
— Tenho uma filha que fia tão bem, que faz fios de ouro fiando palha.
— A fiação é uma arte que aprecio — disse o rei ao moleiro. — Se tua filha é tão hábil como dizes, traze-a amanhã aqui ao palácio, a fim de ser submetida a uma prova.

E, quando a jovem lhe foi apresentada, levou-a a um aposento que estava completamente cheio de palha.
— Se amanhã cedo não tiveres transformado em ouro toda esta palha, terás que morrer. Para isso, aqui estão todos os instrumentos necessários à tua tarefa — disse o rei.

E ele próprio trancou a porta, deixando a moça sozinha, desesperada, pois não sabia o que fazer. Não tinha a menor ideia de como transformar palha em fios de ouro, e tanto se apavorou, que se pôs a chorar convulsivamente.

Imediatamente, porém, a porta se abriu, e apareceu um homenzinho que lhe disse:
— Boa noite, senhorita Fiandeira, por que estás chorando?
— Ai de mim! — lamentou-se a jovem. — Tenho de transformar a palha em fios de ouro, e não tenho a menor ideia de como se pode fazer tal coisa.
— O que me darás se eu fizer isso?
— Meu colar — disse a jovem.

O anão recebeu o colar, sentou-se diante da roda e trabalhou a noite inteira. Quando amanheceu, não havia mais uma só palha no aposento e todos os carretéis estavam repletos de fios de ouro.

Mal amanheceu, o rei apareceu, e, ao ver todo aquele ouro, ficou admiradíssimo e satisfeito, mas ainda se tornou mais ganancioso. Trancou a jovem em um outro aposento muito maior do que o primeiro e também cheio de palha do soalho ao teto, e ordenou-lhe que transformasse a palha em fios de ouro durante a noite, se não quisesse morrer.

Mais uma vez, a filha do moleiro desfez-se em pranto, desolada. E mais uma vez apareceu o anão, perguntando o que ela lhe daria se executasse a tarefa que o rei exigia. Ela concordou em dar-lhe o seu anel, e o anão pegou o anel e trabalhou a noite inteira fazendo a palha se transformar em reluzentes fios de ouro.

Foi grande o regozijo do rei ao ver tal coisa, mas ainda não se deu por satisfeito, querendo mais ouro. E disse à jovem:

— Ainda terás de fiar isto durante a noite. E serás minha esposa.

E levou-a a um terceiro aposento, bem maior que o segundo e, como ele, repleto de palha, do chão ao teto.

"Embora ela seja filha de um moleiro, a verdade é que eu não poderia encontrar uma mulher mais rica no mundo inteiro" pensou.

E, quando a jovem ficou sozinha à noite, apareceu o anão, que perguntou:

— O que vai me dar para fiar a palha esta noite?

— Nada mais tenho que te possa dar — foi a resposta.

— Então, promete-me que, se fores rainha, me darás o teu primeiro filho — insistiu o homenzinho.

Pensando que a hipótese de chegar a ser rainha e ter um filho era muito duvidosa, e, além disso, não vendo outro recurso para se livrar da morte, a moça prometeu.

O anão iniciou logo o trabalho. E, quando o rei apareceu na manhã seguinte, e encontrou mais ouro, como queria, casou-se com a jovem, e a filha de um moleiro tornou-se rainha.

Um ano depois, ela deu à luz uma linda criança. Jamais se lembrou do anão, mas eis que um dia, de repente, ele apareceu em seu quarto e exigiu:

— Vim buscar o que me prometeste.

A rainha ficou horrorizada, e prometeu ao anão todas as riquezas do reino, se desistisse de sua exigência, e deixasse a criança com ela.

— Um ser vivo me é mais precioso do que todas as riquezas do mundo — limitou-se a responder o homenzinho.

Tanto, porém, a rainha chorou e implorou, que ele acabou tendo pena dela, e disse-lhe:

— Vou te dar mais três dias. Se, nesse prazo, descobrires meu nome, deixarei que continues com a criança.

A rainha passou a noite inteira procurando lembrar-se de todos os nomes que conhecia e mandou um mensageiro percorrer o país procurando outros nomes.

Quando o anão apareceu, no dia seguinte, ela citou todos os nomes que se lembrava, começando por Gaspar, Melchior e Baltazar, e continuando por dezenas e dezenas de outros, mas de cada vez, o nanico repetia:

— Não é esse o meu nome.

No segundo dia, a Rainha mandou fazer indagações entre os habitantes da cidade e, quando o anão apareceu, recitou uma lista enorme de nomes raros e extravagantes: Chortrribs, Cheepschank, Laceleg... E ele sempre respondia:

— Não é esse o meu nome.

No terceiro dia, o mensageiro apresentou-se à rainha e disse:

— Não consegui encontrar um único nome novo, mas subi a uma alta montanha, além da floresta e lá vi uma casinha, em frente da qual havia uma fogueira, em torno da qual estava pulando um anão, muito feio, muito esquisito, que, de vez em quando, levantava os braços para o ar e cantava:

Que coisa boa que se seja assim,
Que tudo acabe
Bem para mim
Pois ninguém sabe
Como me chamo: Rumpelstiltskin.

É fácil imaginar a alegria da jovem rainha quando o mensageiro disse aquele nome.

Mais tarde, o anão apareceu, como era esperado, muito satisfeito da vida, com um ar vitorioso de desafio, mais do que convencido de que iria sair do palácio levando consigo o filho do rei e da rainha.

— Então, rainha — perguntou, cheio de empáfia. — Como é mesmo que me chamo?

— Será Conrado? — ela redarguiu.

— Não!

— Será Sigismundo?

— Não!

A Rainha fingiu que estava pensando, depois perguntou:

— Quem sabe é Rumpelstiltskin?

— Foi o diabo que ensinou! — gritou o anão furioso. — Foi o diabo que ensinou!

E, em sua fúria, bateu o pé com tanta força no chão, que a perna afundou no chão inteiramente e, então, puxou com tanta força a outra perna, com ambas as mãos, que partiu seu corpo em duas partes.

BRANCA DE NEVE
E ROSA VERMELHA

Era uma vez uma pobre viúva que morava em uma cabana isolada. Em frente de sua humilde morada havia um jardim onde cresciam duas roseiras, uma das quais de rosas brancas e a outra de rosas vermelhas. A viúva tinha duas filhas, que se pareciam com as rosas e a primeira se chamava Branca de Neve e a segunda Rosa Vermelha. Ambas eram boas e felizes, joviais e alegres como as crianças boas e felizes, mas Branca de Neve era mais quieta e sossegada do que a irmã. Rosa Vermelha gostava muito de correr pelos campos e prados, colhendo flores e caçando borboletas, ao passo que Branca de Neve preferia ficar em casa, perto da mãe, ajudando-a nos serviços domésticos ou lendo para ela, quando nada tinham que fazer.

Por outro lado, as duas meninas eram tão amigas, que, sempre que saíam juntas iam de mãos dadas.

— Não havemos de nos separar nunca — costumava dizer Branca de Neve.

E Rosa Vermelha confirmava:

— Jamais!

Frequentemente as duas irmãs iam à floresta, colher morangos, e os bichos que viviam na floresta nem lhes faziam mal nem delas fugiam, mas, ao contrário, delas se aproximavam, confiantes. A lebre comia couve em suas mãos, a corça pastava perto delas, o cabrito montês pulava alegremente ao seu lado e os pássaros pousavam nos arbustos mais próximos e cantavam todos os cantos que sabiam para alegrá-las.

Nenhum acidente lhes acontecia. Se se distraíam e demoravam muito na floresta, e se anoitecia quando lá ainda se encontravam, sem se amedrontarem, as duas meninas se deitavam na grama macia, uma ao lado da outra, e dormiam calmamente até o amanhecer, sem que sua mãe se preocupasse por sua causa.

Certo dia, em que tinham passado a noite na floresta, e o orvalho noturno as despertara, viram junto de si um lindo menino vestido de branco, um branco brilhante como a prata, que, sem dizer uma palavra, olhou para elas com uma expressão de carinho no rosto, e depois se afastou, desaparecendo no seio da floresta.

As irmãs repararam, quando olharam em torno, que haviam dormido pertinho de um precipício e que, certamente, caminhando na escuridão como haviam caminhado, teriam morrido, se tivessem dado mais alguns passos à frente. E, quando voltaram para casa, sua mãe lhes disse que o menino que tinham visto só podia ser o anjo da guarda, que protege as crianças obedientes e boas.

As duas irmãs mantinham a modesta casinha em que moravam tão limpa, tão bem arrumada, que era um prazer vê-la e visitá-la. No verão, Rosa Vermelha era quem cuidava da casa, levando um ramalhete de flores na cama de sua mãe, antes que ela acordasse, e nele havia uma rosa de cada roseira. No inverno, Branca de Neve acendia o fogo e punha a chaleira no fogão. A chaleira era de cobre, mas brilhava como se fosse de ouro, tão bem era areada.

À noite, quando a neve caía em pesados flocos, a mãe das duas meninas dizia:

— Vai trancar a porta, Branca de Neve.

A filha obedecia, e as três se sentavam perto da lareira, e a mãe pegava um livro e lia em voz alta para as meninas, que ficavam ouvindo, bem caladinhas, e fazendo crochê. Atrás delas, pousada em seu poleiro, uma pomba branca dormia, com a cabeça debaixo das asas.

Certa noite, quando as três estavam entretidas daquele modo, bateram na porta, um tanto nervosamente, como se fosse alguém aflito para entrar.

— Depressa, Rosa Vermelha, vai abrir a porta — disse a mãe. — Deve ser algum viajante procurando pousada.

Rosa Vermelha abriu a porta, pensando que se tratava de um mendigo, mas, na verdade, foi um urso que enfiou sua negra cabeçorra através da porta.

Dando um grito de horror, Rosa Vermelha recuou, a pomba acordou e sacudiu as penas e Branca de Neve se escondeu atrás da cama de sua mãe.

— Não tenhas medo! — falou o urso. — Não vou fazer mal a ninguém. Estou meio gelado, e só desejo aquecer-me um pouco nesta casa.

— Coitado do urso! — exclamou a mãe das meninas. — Senta perto do fogo, e tem cuidado para não queimar a sua pele.

Depois gritou:

— Branca de Neve! Rosa Vermelha! Vinde! O urso não vai fazer mal a ninguém. Ele prometeu.

As duas voltaram e se aproximaram, a princípio ainda hesitantes, mas não tardaram a perder todo o medo.

— Por favor, meninas — disse o urso. — Tirai um pouco da neve do meu pelo.

As duas irmãs foram buscar a vassoura e puseram mãos à obra. Dentro de pouco tempo, o urso estava limpinho. As meninas se sentiam inteiramente à vontade, enquanto o urso, deitado junto do fogo, ronronava como um gato, muito satisfeito da vida. No fim, as meninas e o urso conviviam como se fossem velhos amigos: elas puxavam-lhe o pelo, montavam em suas costas, faziam toda a espécie de brincadeiras. O urso parecia se divertir muito e somente quando elas já haviam brincado muito e ele já estava cansado, foi que o urso disse:

Cuidado, meninas!
Podeis brincar,
Mas com carinho.
Quereis matar
O vosso ursinho?

Quando chegou a hora de dormir, as meninas foram para a cama, sua mãe disse ao urso:

— Podes dormir ali, perto do fogo, e ficarás protegido contra o frio e o mau tempo.

Quando amanheceu, as meninas permitiram que o urso fosse embora, e ele saiu e caminhou pelo chão coberto de neve, internando-se na floresta.

A partir de então, o urso aparecia na casa, todas as noites, à mesma hora, e as meninas divertiam-se com ele, enquanto queriam. E ficaram tão acostumadas com ele, que não trancavam a porta enquanto ele não chegava à noite.

Quando veio a primavera e todas as plantas lá fora ficaram verdes, o urso disse, certa manhã, a Branca de Neve:

— Agora tenho de partir, e não voltarei senão depois do verão.

— Aonde vais, então, querido urso? — perguntou a menina.

— Tenho de ir para a floresta, a fim de proteger os meus tesouros contra os amaldiçoados anões. Durante o inverno, quando a terra endurece muito, eles são obrigados a ficar embaixo, sem poderem abrir caminho. Quando, porém, o sol provoca o degelo e amolece a terra, eles abrem caminho através dela e furtam tudo de valioso que encontram. E, quando as coisas caem em suas mãos e em suas cavernas, é muito duvidoso que tornem a ver o sol novamente.

Branca de Neve sentiu muito a partida do amigo. Quando abriu a porta para ele, o urso saiu quase correndo e uma parte de seu pelo prendeu-se na fechadura, e Branca de Neve teve a impressão de ter visto, através de uma nesga, um brilho de ouro sob os pelos do urso. Não pôde reparar muito, porém, porque ele saiu correndo e logo desapareceu entre as árvores.

Algum tempo depois, a mãe das duas meninas mandou-as à floresta, para buscarem lenha. Elas encontraram então uma árvore muito grande caída no chão e junto dela algo estava pulando para diante e para trás, mas, de onde estavam, as irmãs não conseguiram verificar do que se tratava. Quando se aproximaram, viram um anão, muito velho, com o rosto todo enrugado e uma compridíssima barba branca. A ponta da barba se prendera a uma fenda que havia no tronco da árvore, e o anão pulava de um lado para outro, procurando se libertar, sem conseguir.

Ao ver as meninas, ele as encarou, com um olhar feroz.

— O que estão fazendo aí sem ajudar? — ele gritou.

— Por que ficaste preso assim? — redarguiu Rosa Vermelha.

— Idiota! — reagiu o anão. — Eu ia cortar a árvore, a fim de tirar um pedacinho de madeira para cozinhar. Não podemos usar achas muito grandes, porque o pouquinho de comida que nos satisfaz queimaria ao ser preparada. Eu já introduzira a cunha no tronco da árvore, e tudo ia indo muito bem, quando, de repente, a árvore caiu, tão depressa que pegou a ponta da minha linda barba branca. E eu não consigo me libertar, e tenho de ver essas caras idiotas rindo de mim!

As meninas se esforçaram muito, mas não conseguiram libertar a barba.

— Vou chamar alguém para nos ajudar — disse Rosa Vermelha, fazendo menção de sair.

— Cretina! — gritou o anão. — Chamar mais alguém para quê? As duas são mais do que suficientes! Não podes pensar em outra coisa melhor?

— Não te impacientes — disse Branca de Neve. — Vou ajudar-te.

Tirou do bolso uma tesoura e cortou a ponta da barba do anão, que, logo que se viu livre, pegou um saco que estava escondido entre as raízes, cheio de ouro, e o pôs nas costas, resmungando:

— Desaforo cortar um pedaço de minha linda barba branca! Cambada de idiotas! Desejo que tenham muita má sorte!

E, carregando o saco nas costas, afastou-se sem sequer lançar um olhar para as meninas.

Algum tempo depois, Branca de Neve e Rosa Vermelha saíram a fim de pescar peixes para o jantar, quando, ao chegarem perto do ribeirão, viram o que lhes pareceu ser um grande gafanhoto pulando em direção à água, como se pretendesse nela mergulhar. Aproximaram-se mais, e viram que se tratava do anão.

— Aonde estás indo? — perguntou Branca de Neve. — Naturalmente não estás querendo pular dentro da água.

— Não sou idiota até esse ponto! — gritou o anão. — Não estás vendo que o maldito peixe está querendo me puxar?

O anãozinho estava sentado perto do ribeiro, pescando, quando o vento embaraçou a sua barba com a linha do anzol. Logo depois, um peixe muito grande agarrou a isca e começou a puxar o homenzinho em sua direção, forçando-o a seguir todos os seus movimentos e mantendo-o no constante perigo de ser arrastado para dentro da água.

As jovens chegaram justamente a tempo; seguraram-no com força e tentaram tirar sua barba da linha do anzol, mas em vão: a linha e a barba estavam embaraçadas de tal maneira que não havia jeito de separá-las. Não houve outro recurso senão recorrer à tesoura e cortar a barba, uma parte da qual ficou perdida.

Quando o anão viu o que acontecera, em vez de agradecer, ficou furioso.

— Não têm vergonha, não, suas vagabundas, de desfigurarem assim o rosto de um homem? Não foi bastante cortar a ponta de minha barba? — gritou ele. — Agora cortaste também a melhor parte dela!

Depois, pegou um saco de pérolas que escondera no mato e, sem dizer mais nada, saiu correndo e desapareceu atrás de uma pedra.

Aconteceu que, poucos dias depois, a mãe das jovens mandou-as à cidade para comprarem linha, agulha, fitas e rendas. A estrada atravessava uma charneca, espalhada na qual se encontravam enormes pedras. Ali notaram uma ave muito grande, que voava vagarosamente em círculos, abaixando o voo cada vez mais, até pousar em uma das pedras, à pequena distância. Imediatamente, as irmãs ouviram um grito alto e doloroso como um gemido. Correram para mais perto e viram, horrorizadas, que a ave tinha agarrado seu velho conhecido, o anão.

Apiedadas, elas seguraram o homenzinho com toda a força, e tanto resistiram, que a águia acabou largando a sua presa. Solto, o anão, tão logo passou o medo que tivera, gritou furioso:

— Será possível que essas cretinas não pudessem fazer as coisas com mais cuidado? Estragaram meu casaco pardo, que está todo rasgado, cheio de buracos! Imbecis!

Pegou então um saco de pedras preciosas que havia escondido no rochedo, e sumiu, entrando em um buraco de pedra. As meninas, que já se haviam acostumado com a sua ingratidão, continuaram o seu caminho, indo fazer as suas compras na cidade.

Quando atravessavam de novo a charneca, em sua volta para casa, surpreenderam o anão, que havia esvaziado o seu saco de pedras preciosas em um lugar em que o chão era bem limpo, pensando que ninguém iria passar mais por ali naquele dia. O sol que se punha dava um brilho fulgurante às pedras preciosas, de cores variadas e todas muito belas. As meninas não puderam deixar de parar, olhando, fascinadas, para a beleza do espetáculo.

— Vagabundas! — gritou o anão, com toda a fúria do seu ódio impresso na fisionomia.

E continuava insultando as meninas, quando se ouviu um rugido fortíssimo, e um urso negro surgiu, correndo em sua direção.

Apavorado, o anão tratou de fugir, mas não conseguiu alcançar a sua caverna, pois o urso já chegara e bloqueava a entrada.

— Prezado senhor Urso! — gritou ele, então. — Não me mate, Excelência! Eu lhe darei todos os meus tesouros! Veja que beleza de pedras preciosas estão aqui! Conceda em troca a minha vida! O que lhe adiantará a vida de um pobre coitado, de um miserável como eu? Um ser tão pequeno que nem dará para encher a sua boca, Excelência? Devore estas duas meninas, que têm a carne tenra como a de uma perdiz! Tenha pena de mim! Devore essas meninas, que são idiotas e más!

A resposta às súplicas do abjeto anão foi uma patada que o privou imediatamente de todo e qualquer movimento.

As meninas tinham fugido, mas o urso as chamou:

— Por que têm medo, Branca de Neve e Rosa Vermelha? Um momento! Irei convosco.

As irmãs reconheceram a voz do urso que era seu amigo e esperaram. E, quando ele se aproximou, viram, com surpresa, todo o seu pelo cair, e ele se transformar num bonito jovem, cuja roupa era toda de ouro.

— Sou um príncipe — explicou. — Fui encantado por aquele maldito anão, que roubou todos os meus tesouros. Tive de vagar pela floresta, como um urso selvagem, até me livrar do feitiço com a sua morte. Agora, ele recebeu o bem merecido castigo.

Mais tarde, Branca de Neve se casou com o príncipe e Rosa Vermelha com seu irmão. A mãe das duas jovens viveu ao lado delas, por muitos e muitos anos. Levou consigo as duas roseiras, transplantadas para um jardim que ela podia contemplar da janela de seu quarto. E as roseiras continuaram dando, todos os anos, as belas rosas brancas e vermelhas.

COMO SEIS HOMENS SE ARRANJARAM NO MUNDO

Era uma vez um homem que conhecia todos os ofícios. Serviu na guerra, comportando-se com valor e bravura, mas, quando a guerra acabou, recebeu sua baixa e três moedas de cobre para custear as despesas durante a viagem de regresso à sua terra.

— Que desaforo! — disse, furioso. — O que farei com uma miséria destas? Se eu pudesse encontrar homens iguais a mim, o rei teria de me dar todos os tesouros do país.

Ainda furioso, entrou na floresta, e encontrou um homem que tinha acabado de arrancar seis árvores como se fossem espigas de milho. Disse-lhe então:

— Queres ser meu criado e acompanhar-me?

— Quero, sim — disse o homem. — Mas antes tenho de levar estes gravetos para minha mãe.

Fez um feixe com as árvores, pôs o feixe no ombro e afastou-se. Voltou pouco depois para junto do patrão, que lhe disse:

— Nós dois podemos nos arranjar muito bem no mundo.

Os dois saíram juntos, atravessando a floresta, e pouco depois encontraram um caçador, parado, apontando a espingarda para um alvo que não se via qual era.

— O que estás mirando, caçador? — perguntou o nosso herói.

E o caçador respondeu:

— A duas milhas daqui, uma mosca está pousada no galho de um carvalho e vou arrancar seu olho esquerdo com um tiro.

— Vem comigo! — convidou o outro. — Se nós três nos juntarmos, saberemos, sem dúvida alguma, como nos arranjarmos no mundo.

O caçador aceitou o convite sem hesitar e os três homens, pondo-se a caminho, chegaram dentro de algum tempo a um lugar onde havia sete moinhos de vento, cujas asas giravam a grande velocidade, o que o nosso herói estranhou, pois nem um galho e nem sequer uma folha das árvores e dos arbustos mais próximos estavam sendo agitados pelo vento.

De qualquer maneira, ele prosseguiu a caminhada, em companhia de seus dois criados, e duas milhas mais adiante encontraram um homem trepado em uma árvore, que apertava com o dedo uma das ventas do nariz e soprava com a outra venta.

— Que engraçado! — exclamou o patrão. — O que fazes aí?

E o outro respondeu:

— A duas milhas daqui ficam sete moinhos de vento e estou soprando para fazer com que as suas asas girem.

— Vem comigo — convidou o patrão. — Se nós quatro nos juntarmos, poderemos nos arranjar muito bem no mundo.

Então, o homem do sopro desceu da árvore e se juntou aos outros três, e seguiram viagem. Mais adiante, encontraram um homem que estava de pé, firmando em uma única perna, pois havia tirado a outra, que se encontrava ao seu lado.

— Não resta dúvida de que dispuseste as coisas muito bem para descansares! — disse-lhe o patrão.

— Sou um corredor — replicou o outro. — Para não correr depressa demais, tive de tirar uma das pernas, pois, se correr com as duas, sou mais veloz do que uma ave voando.

— Vem comigo! — convidou nosso herói. — Se nós cinco andarmos juntos, poderemos nos arranjar muito bem neste mundo.

O outro aceitou sem relutância, e assim os cinco caminharam juntos e um pouco adiante encontraram um homem que trazia na cabeça um boné, mas o usava exclusivamente sobre uma das orelhas. O ex-soldado estranhou aquilo, mas o outro explicou:

— Se eu usar o boné direito, provocarei um frio terrível, e todas as aves cairão mortas no chão.

— Vem comigo! — exclamou, o chefe, entusiasmado. — Se nós seis andarmos juntos, poderemos nos arranjar muito bem neste mundo.

E, realmente, os seis saíram juntos e chegaram à cidade, onde o rei lançara uma proclamação anunciando que o homem que apostasse uma corrida com sua filha e a vencesse, seria seu marido. Se perdesse, porém, perderia também a cabeça.

O patrão foi procurar o rei e disse que estava interessado em participar da corrida, embora indiretamente:

— Mandarei um criado em meu lugar.

— Nesse caso — disse-lhe o rei — tanto a vida dele como a tua estão em jogo. Se ele perder a corrida, tanto ele como tu perderão também a cabeça.

Ficou combinada a competição. O homem ajustou a outra perna ao corredor e disse-lhe:

— Agora, trata de ganhar a prova!

Ficou combinado que aquele dos competidores que conseguisse primeiro encher um cântaro de água em um poço muito distante e trazê-lo de volta seria o vencedor.

O corredor recebeu um cântaro e a princesa outro e partiram ao mesmo tempo. Mal, porém, a filha do rei avançara alguns passos, o corredor já correra mais de uma milha e desaparecera no horizonte. Em um tempo curtíssimo, ele chegou ao poço, encheu o cântaro e voltou.

No meio do caminho, porém, sentindo-se cansado, deitou-se no chão e adormeceu. Tinha tido o cuidado, porém, de usar como travesseiro uma caveira de burro, cujo desconforto evitaria que ele dormisse profundamente, e tardasse a acordar.

Enquanto isso, a princesa, que era também uma corredora muito veloz — dentro dos padrões normais — também chegara ao poço, enchera o cântaro e voltara. E, vendo adormecido o seu competidor, ficou muito alegre, pensando:

— Meu adversário está em minhas mãos.

Esvaziou seu cântaro, e continuou a corrida.

Tudo estaria perdido se, por sorte, o caçador não estivesse no alto do castelo e não tivesse visto tudo, com seus olhos de lince.

— A princesa não vai nos vencer! — exclamou.

E, pegando a sua espingarda, disparou com tanta precisão, que acertou na caveira de burro, sem ferir o corredor. Acordado, o corredor viu que o cântaro estava vazio e que a princesa já estava bem longe.

Não perdeu tempo: voltou ao poço, tornou a encher o cântaro e voltou para o ponto de partida, onde chegou dez minutos antes da princesa.

— Viva! — exclamou. — Só agora é que usei verdadeiramente as minhas pernas. O que fiz antes nem merece ser chamado de corrida.

O rei e a princesa, contudo, não ficaram de modo algum satisfeitos diante da perspectiva de um casamento com um simples soldado desengajado, e trataram de estudar um meio de ficarem livres dele e de seus companheiros.

— Achei um meio — disse o rei. — Nada temas, que eles não voltarão.

E disse aos seis companheiros:

— Agora é hora de divertir-vos, comendo e bebendo.

E levou-os para um aposento que tinha o soalho e as portas de ferro e cujas janelas eram gradeadas. No meio, havia uma mesa, repleta das iguarias mais deliciosas.

— Aproveitai! — disse aos seis.

E, deixando-os lá, com a porta trancada pelo lado de fora, ordenou, então, ao cozinheiro que acendesse fogo embaixo do chão de ferro até esquentá-lo ao rubro. O cozinheiro obedeceu sem demora, e os seis companheiros começaram a sentir um calor fortíssimo, que foi se tornando cada vez pior, e não tardaria a ficar insuportável.

Vendo que a porta e a janela estavam trancadas, impedindo a sua retirada, os seis companheiros perceberam a traição do rei.

— Ele nos apanhou com uma manobra traiçoeira. Mas nada vai conseguir! — exclamou o homem do boné. — Vou provocar um frio tal, que o calor e o fogo acabará se apagando.

Pôs o boné na posição correta, e imediatamente começou a fazer tanto frio, que até a comida ficou gelada nos pratos e nas terrinas e travessas.

Furioso, o rei censurou o cozinheiro violentamente, por não ter feito o que lhe fora ordenado.

— Há fogo suficiente embaixo daquela sala! — afirmou o cozinheiro. — Vossa Majestade pode ver!

Sua majestade viu, de fato, que o fogo estava crepitando sob a sala de ferro, e compreendeu que não adiantava enfrentar os seis homens daquela maneira.

De novo começou a imaginar como se livraria daquela gente. Afinal, mandou chamar o ex-soldado à sua presença e disse-lhe:

— Se aceitares uma valiosa recompensa e desistires de ter a mão de minha filha, poderás receber tanto ouro quanto quiseres.

— Perfeitamente, Majestade — disse o ex-soldado. — Dê-me tanto ouro quanto o meu criado puder levar, e desistirei da princesa.

O rei ficou muito satisfeito, e o ex-soldado acrescentou:

— Dentro de quatorze dias virei buscar o prometido.

Convocou, então, todos os alfaiates do reino, que, durante quatorze dias, se entregaram ao trabalho de fazer um enorme saco. E, quando ficou pronto o saco, o homem capaz de arrancar árvores como se fossem pés de couve pendurou-o nas costas e foi se apresentar ao rei, que se assustou, comentando:

— Quem será esse grandalhão que traz consigo um saco do tamanho de uma casa? Quanto de ouro ele é capaz de carregar?

Mandou, então, que trouxessem uma tonelada de ouro, que exigiu o esforço de dezesseis dos mais robustos servidores para carregarem, mas o emissário do ex-soldado, levantou a tonelada de ouro com uma das mãos, e meteu-a no saco, dizendo:

— Por que não trazem mais de cada vez? Isso mal dá para cobrir o fundo do saco!

Pouco a pouco, foi sendo trazido todo o tesouro real, e no fim, o ouro não enchera sequer a metade do saco.

— Mais! Mais! — exigia o grandalhão.

Foram trazidos carros e mais carros de bois carregados de ouro, mas o grandalhão não se dava por satisfeito.

— Mais! Mais! — gritava.

Afinal, quando tudo foi metido no saco, e não chegava mais, o homem resolveu:

— Vou pôr um fim nesta história. Às vezes, a gente costuma amarrar um saco mesmo quando ele ainda não esteja cheio.

E, pondo o saco nas costas, partiu com os companheiros para fora da cidade.

Quando o rei viu como um único homem estava levando consigo toda a riqueza do reino, ficou indignado e furioso, e ordenou à sua cavalaria que perseguisse os seis homens e tomassem o saco que o mais forte deles carregava.

Dois regimentos rapidamente alcançaram os seis, que foram intimados:
— Sois prisioneiros! Largai o saco com o ouro ou sereis despedaçados.
— O que estás dizendo? — replicou o soprador. — Estamos prisioneiros? Muito engraçado! Mais engraçada, porém, será a dança a que assistiremos agora!

E tampando uma das ventas, começou a soprar com a outra na direção dos soldados e dispersou os dois regimentos, fazendo os seus bravos guerreiros voarem em todas as direções, ora subindo, ora descendo, esbarrando uns nos outros.

Um sargento gritou, pedindo mercê. Era um soldado já citado nove vezes por atos de bravura e não merecia ser tão maltratado. O soprador parou um pouco o sopro, permitindo que ele descesse sem novidade, e disse-lhe então:

— Vai agora procurar teu rei, e conta-lhe o que aconteceu. Se ele quiser mandar mais alguns cavaleiros, prometo fazê-los dançar no ar, com os respectivos cavalos.

Ciente do que se passara, o rei decidiu:
— Deixai aqueles patifes irem embora. São mágicos, não adianta enfrentá-los.

E, assim, os seis companheiros levaram para casa as riquezas, dividiram-na entre si, e viveram ricos e felizes por muitos e muitos anos.

BRANCA DE NEVE

Era uma vez uma rainha que, certo dia, no meio do inverno, quando flocos de neve caíam do céu como se fossem penas, costurava sentada junto da janela, cujo caixilho era de ébano muito negro. E, enquanto costurava e olhava pela janela, espetou o dedo na agulha e três gotas de sangue caíram na neve. E ela pensou, então:

"Quem me dera ter uma filha branca como a neve, vermelha como o sangue e negra como o caixilho da janela!"

Pouco depois, deu à luz a uma filha que tinha a cútis tão alva como a neve e tão corada como o sangue, e cujos cabelos eram negros como o ébano, e ficou chamando Branca de Neve. E, quando deu à luz a criança, a rainha morreu.

Passado um ano, o rei casou-se de novo. Sua segunda mulher era bela, mas altiva e orgulhosa, não admitia que nenhuma outra mulher fosse mais formosa do que ela. Tinha um espelho encantado, diante do qual ficava se contemplando horas seguidas e perguntava:

Dize a pura verdade, dize, espelho meu:
Há no mundo mulher mais bela do que eu?

E certo dia, o espelho respondeu:

Aqui neste quarto sois vós, com certeza,
Mas Branca de Neve possui mais beleza.

A rainha ficou lívida de raiva e de inveja. E, desde aquele momento, odiou Branca de Neve.

O ódio foi crescendo em seu coração de tal maneira que ela não teve mais sossego: noite e dia invejava a beleza da princesinha, revoltava-se de ser menos formosa do que ela, não se resignava de modo algum.

Afinal, um dia chamou um caçador e disse-lhe:

— Leva a menina para a floresta, bem longe. Não suporto mais vê-la perto de mim. Mata-a e, como prova de que cumpriste a minha ordem, traze-me o seu pulmão e o seu fígado.

O caçador obedeceu e levou a menina para a parte mais espessa da floresta.

Quando, porém, ia atravessar com a faca o inocente coração da menina, Branca de Neve, chorando, implorou:

— Não me mates, caçador! Prometo entrar cada vez mais pela floresta e nunca mais voltar para casa!

Vendo-a, tão bela e tão jovem, o caçador teve pena e soltou-a, dizendo-lhe:

— Foge, foge, pobre criança!

E acrescentou, baixinho, sem que ela ouvisse:

— As feras não tardarão a devorar-te.

Sentia, no entanto, ter retirado um peso da consciência. E, como aparecesse um filhote de urso caminhando em sua direção, matou-o com uma facada e retirou o pulmão e o fígado, que apresentou à rainha, como prova de que a menina estava morta. O cozinheiro os salgou e a perversa madrasta de Branca de Neve os comeu, pensando que devorara o pulmão e o fígado da enteada.

Enquanto isso, a pobre menina vagava sozinha pela floresta, apavorada, sem saber o que fazer, até que saiu correndo loucamente, entre espinheiros e pedras aguçadas. Não se feriu, no entanto, e caminhou enquanto teve força nas pernas.

Quando parou, já estava anoitecendo. Olhou em torno e viu uma pequena cabana e lá entrou, para descansar um pouco. Tudo lá dentro era pequeno, mas tudo muito limpo e muito arrumado. Havia uma mesinha, coberta por uma toalha e sete pratinhos, tendo ao lado uma colherinha, além de sete faquinhas e sete garfinhos e sete copinhos. Encostadas na parede, estavam sete caminhas, cobertas por colchas brancas como a neve.

Branca de Neve estava com tanta fome e tanta sede, que não resistiu e tirou um pouquinho da comida de cada prato e um pouquinho de vinho em cada copo, pois não queria tomar tudo de um só. Depois, muito cansada como estava, deitou-se em uma das caminhas, mas todas eram pequenas demais para o seu corpo, com exceção da sétima, na qual, com algum esforço e muita boa vontade, conseguiu se acomodar. E lá ficou. Rezou, fechou os olhos, e não tardou a dormir.

Já era noite fechada quando os donos da cabana voltaram. Eram sete anões, que trabalhavam como mineiros, retirando minerais das montanhas. Eles acenderam sete velas, e, quando o interior da cabana ficou iluminado, notaram que alguém estivera ali, pois não encontraram as coisas como as haviam deixado.

— Quem andou sentando em minha cadeira? — perguntou o primeiro.

E o segundo:

— Quem andou comendo no prato?

O terceiro:

— Quem tirou um pedaço do meu pão?

O quarto:

— Quem andou comendo meus legumes?

O quinto:

— Quem andou usando meu garfo?

O sexto:

— Quem andou comendo com a minha faca?

O sétimo:

— Quem andou bebendo meu vinho?

Então, o primeiro dos anõezinhos olhou em torno e viu que o colchão de sua cama estava afundado no meio.

— Quem andou sentando em minha cama? — perguntou.

Os outros anões notaram que o mesmo acontecera em suas camas e fizeram a mesma pergunta, menos o último deles que, ao examinar a sua cama, viu Branca de Neve deitada e dormindo. Chamou, então, os outros, que vieram, cada um com uma vela acesa na mão, e, quando as velas iluminaram em cheio Branca de Neve, todos exclamaram ao mesmo tempo:

— Meu Deus do céu, que menina linda!

Ficaram muito alegres e não acordaram a menina. O sétimo anão passou a noite dormindo na cama dos companheiros, uma hora com cada um, a fim de que todos contribuíssem igualmente para ajudá-lo.

Quando amanheceu, Branca de Neve acordou, e ficou assustada, vendo os sete anões. Eles, porém, se mostraram muito amáveis e quiseram saber o seu nome.

— Eu me chamo Branca de Neve — ela respondeu.

— Por que vieste aqui para a nossa casa? — perguntaram também.

A menina contou, então, tudo que lhe acontecera. Como sua perversa madrasta mandou matá-la, mas o caçador encarregado de executar a sinistra missão tivera pena dela e a deixara fugir, e ela andara desorientada pela floresta, até encontrar aquela casa.

— Se quiseres cuidar da nossa casa, cozinhar, fazer as camas, lavar nossa roupa e costurá-las quando houver necessidade, trazendo tudo muito limpinho e asseado, poderás ficar conosco e nada te faltará — propuseram os anões.

— Quero muito — concordou a menina.

E ficou morando com os anões. Tomava conta da casa com a maior boa vontade, mantendo tudo limpo e bem arrumado. De manhã cedo, os anões iam às montanhas para mineirar, retirando cobre e ouro das galerias que abriam na terra. Voltavam no fim da tarde, e o seu jantar tinha de estar prontinho quando chegavam em casa.

Branca de Neve ficava sozinha o dia inteiro, e por isso os anões, que tinham se afeiçoado muito a ela, sempre recomendavam:

— Cuidado com tua madrasta. Ela vai acabar descobrindo onde estás. Toma cuidado para não a deixares entrar, se por acaso vier aqui.

A rainha, porém, acreditando que havia comido o pulmão e o fígado da enteada, estava convencida de que voltara a ser a mulher mais bonita do mundo. E um dia voltou a perguntar ao espelho encantado:

Dize a pura verdade, dize, espelho meu:
Há no mundo mulher mais bela do que eu?

E o espelho respondeu:

> *Entre as que vejo és a mais bela.*
> *Com sete anões, tua enteada*
> *Vive, porém, muito animada.*
> *Ninguém mais linda é do que ela.*

A rainha ficou estarrecida, pois sabia que o espelho jamais mentia, e viu que o caçador a traíra e que Branca de Neve ainda estava viva.

Dirigiu-se, então, a um aposento secreto, de aspecto sinistro, que mantinha no palácio real, e lá preparou uma maçã envenenada. Por fora tinha um aspecto perfeito, com toda a aparência de uma maçã bem madura e muito saborosa. Por dentro, porém, era o contrário, e um pedacinho dela era suficiente para matar de pronto quem o comesse.

E, quando a maçã ficou pronta, a malvada madrasta pintou o rosto e se vestiu como se fosse uma camponesa, e conhecendo, graças à sua arte diabólica onde a enteada se encontrava, atravessou a floresta, até chegar à casa dos sete anões. Bateu na porta. Branca de Neve enfiou a cabeça na janela e disse:

— Não posso deixar entrar pessoa alguma. Os sete anões me proibiram.

— Não preciso de entrar — replicou a madrasta. — Estou só querendo te dar uma das maçãs que me sobraram.

— Não — respondeu a enteada. — Não aceitarei coisa alguma.

— Estás com medo de veneno? — insistiu a rainha. — Olha. Vou cortar a maçã em dois pedaços. Ficas com a parte que tem a casca vermelha e eu como a que tem a casca clara.

A maçã fora preparada com tanta habilidade, que só a parte que tinha a casca vermelha foi que ficou envenenada. Branca de Neve olhou para a maçã e seu aspecto era tão apetitoso, que fazia realmente dar água na boca. A menina não resistiu muito: enfiou a mão pela janela e pegou o pedaço de maçã. Mal levou o pedaço à boca, caiu morta.

A rainha olhou-a com o ódio ainda refletido nos olhos e dobrou uma gargalhada satânica.

— Tens a cútis cor de neve, o colorido cor da rosa e os cabelos cor de ébano, mas aí estás, morta e bem morta!

E, tendo voltado para o seu quarto, consultou o espelho mágico:

> *Dize a pura verdade, dize, espelho meu:*
> *Há no mundo mulher mais bela do que eu?*

E ouviu a resposta:

> *Em verdade não há, no mundo, com certeza,*
> *Tão bela quanto vós ou rainha ou princesa.*

Seu invejoso coração ficou em paz diante disso, se é que um coração invejoso pode ficar em paz.

Quando voltaram para casa naquele dia, os sete anões encontraram Branca de Neve estendida no chão, imóvel, sem respirar: estava morta. Eles não se resignavam, porém, com aquela desgraça. Carregaram-na, procuraram por todos os modos animá-la, com massagens e sinapismos. Em vão, não adiantava esforço algum. Tiveram de colocá-la em um esquife e todos os sete sentaram ao redor, chorando sem parar durante três dias.

Era necessário enterrá-la, passados os três dias. Ela, porém, tinha toda a aparência de uma pessoa viva, com as faces coradas: como em vida, branca como a neve, vermelha como o sangue e os cabelos negros como o ébano. Então, em vez de enterrá-la, os anões levaram o esquife para o alto da montanha e um deles sempre ficava ao seu lado, protegendo-o. E as aves também vieram, e choraram com saudade de Branca de Neve. Primeiro uma coruja, depois um corvo e afinal uma pomba.

E Branca de Neve continuou por muito, muito tempo no esquife, tão bela como sempre, com uma expressão tranquila e angelical no rosto, como se estivesse apenas dormindo.

E aconteceu que um príncipe atravessou a floresta e chegou à casa dos anões, onde resolveu pernoitar. Viu o esquife na montanha e dentro dele a linda Branca de Neve e leu o que nele estava escrito com letras de ouro pelos anões, dizendo que se tratava de uma princesa.

E falou aos anões:

— Deixai-me levar o caixão, que vos darei em troca o que quiserdes.

Os anões, porém, responderam:

— Não nos separaremos dela nem em troca de todo o ouro que há no mundo!

— Dai-me, então, como um presente, pois não posso viver sem ver Branca de Neve — insistiu o príncipe. — Velarei por ela como o meu bem mais precioso.

Ouvindo aquelas palavras, os bondosos anões se apiedaram do príncipe e ofereceram-lhe o esquife de Branca de Neve como presente.

E o príncipe partiu levando o esquife, carregado nos ombros por seus servidores. E aconteceu que os servidores tropeçaram em um toco de árvore, e o esquife quase caiu, e balançou tanto que o pedaço envenenado de maçã que ela havia comido saltou para fora da garganta de Branca de Neve, onde estava atravessado. E logo em seguida ela abriu os olhos, levantou a tampa de vidro do esquife e sentou-se, viva e bem disposta.

— Onde estou, meu Deus do céu? — gritou.

— Estás comigo! — exclamou o príncipe, contando-lhe depois o que acontecera, e concluiu: — Amo-te mais do que qualquer coisa no mundo. Vem comigo ao palácio de meu pai. Serás minha esposa.

Branca de Neve aceitou o pedido sem relutância, e o casamento se realizou com a maior pompa e esplendor. A madrasta foi também convidada para a festa.

E quando se viu metida em suas ricas e belas vestes e coberta de jóias, perguntou ao espelho mágico:

Dize a pura verdade, dize, espelho meu:
Há no mundo mulher mais bela do que eu?

E, para sua grande surpresa e imenso desespero, a resposta foi esta:

Aqui neste quarto sois vós, vós sozinha
Mas muito mais bela é a jovem rainha.

O ódio da malvada mulher foi tanto, tão intenso, que ela ficou inteiramente desorientada, sem saber de todo o que fazer. A princípio, não queria, de modo algum, ir ao casamento. Não conseguia se acalmar, no entanto, teve que ir assim mesmo, transtornada como estava.

Foi. E, quando reconheceu Branca de Neve, teve tanta raiva e tanto medo, ao mesmo tempo, que ficou imóvel, paralisada, incapaz de dar um passo.

Já haviam sido levados ao fogo sapatos de ferro, que foram trazidos seguros por tenazes e colocados diante dela, que teve de calçá-los e dançar até cair exausta e se estorcendo de dor. Deu o último suspiro, junto com o qual saiu também a sua alma, em direção ao inferno.

A MESA MÁGICA, O ASNO DE OURO E O PORRETE ENSACADO

Era uma vez um alfaiate que tinha três filhos e uma só cabra. A cabra, porém, fornecia leite para todos eles, e era preciso, portanto, que ela se alimentasse bem e fosse levada diariamente para pastar. Os três filhos se encarregavam disso, sucessivamente.

Certo dia, o mais velho levou-a ao cemitério da igreja onde crescia um capim excelente, e deixou-a comer à vontade. Quando anoiteceu, era hora de voltar para casa. Ele, então, perguntou:

— Estás satisfeita, cabra?

E a cabra respondeu:

Comi bastante, demais até.
Já estou farta. Mé, mé, mé, mé.

— Então vamos embora — disse o moço.

E, puxando a cabra por uma corda, levou-a para o estábulo, onde a deixou presa com toda a segurança.

— A cabra comeu bem, como precisa? — perguntou o alfaiate ao filho.

— Ela comeu até se fartar. Não aguenta mais nem uma folha — ele respondeu.

O pai, porém, não se deu por satisfeito. Foi ao estábulo e, depois de passar a mão de leve nas costas da cabra, perguntou-lhe:

— Está satisfeita, cabra?

E ela respondeu:

Eu satisfeita podia estar
Se só nas pedras tive de andar?
Eu satisfeita? Tem graça, até!
Estou faminta! Mé, mé, mé, mé!

— O que estou ouvindo? — exclamou o alfaiate, indignado.

Voltou para casa e gritou para o filho:

— Mentiroso! Disseste que a cabra tinha comido bastante e deixou-a faminta!

Enfurecido, tirou o metro que estava pendurado na parede e expulsou o jovem com pancadas nas costas.

No dia seguinte, foi a vez do segundo filho, que levou a cabra para um lugar perto do muro do quintal, onde crescia um excelente capim com o qual a cabra se fartou. Ao anoitecer, o moço perguntou à cabra se estava satisfeita. E ela respondeu:

Comi bastante, demais até.
Já estou farta. Mé, mé, mé, mé.

— Então, vamos para casa — disse o jovem.

E lá chegando, levou a cabra para o estábulo, onde fechou-a, com toda a segurança.

— A cabra comeu bem, como precisa comer? — perguntou-lhe o pai.

— Comeu tanto, que não aguenta mais nada — informou o filho.

O alfaiate, porém, não se fiou na informação e foi ao estábulo perguntar à cabra se ficara satisfeita. E veio a resposta:

Eu satisfeita podia estar
Se só nas pedras tive de andar?
Eu satisfeita? Tem graça, até!
Estou faminta! Mé, mé, mé, mé!

— Cambada de mentirosos! — gritou o alfaiate. — Cada qual pior do que o outro! Não me obedecem, não cumprem o dever!

E, entrando em casa deu tantas e tão duras pancadas no segundo filho, que ele fugiu do lar paterno.

No terceiro dia tudo se repetiu com o terceiro filho, que levara a cabra a pastar em um belo capinzal que ficava à beira da floresta, e onde o animal comera até não aguentar mais abrir a boca. Desconfiado, por causa do que acontecera das outras vezes, o alfaiate foi outra vez perguntar à cabra e obteve a mesma resposta, que desta vez o enfureceu ainda mais. E a surra que aplicou no caçula fez o jovem fugir de casa ainda mais depressa que os irmãos.

O alfaiate ficou, assim, sozinho com a cabra. E, na manhã seguinte foi ele mesmo levá-la para pastar, com todo o cuidado, com carinho mesmo. E à noitinha perguntou:

— Estás satisfeita, cabra?

E veio a resposta:

Comi bastante, demais até.
Já estou farta. Mé, mé, mé, mé.

O alfaiate levou, então, o animal para o estábulo. E já ia saindo quando teve ideia de perguntar:

— Desta vez, afinal, tudo foi bem, não é mesmo, cabrinha? Não estás satisfeita?

E a resposta, para surpresa dele, foi a habitual:

Eu satisfeita podia estar
Se só nas pedras tive de andar?
Eu satisfeita? Tem graça, até!
Estou faminta! Mé, mé, mé, mé!

Dessa vez, naturalmente, a raiva do alfaiate, em vez de se voltar contra os filhos, voltou-se contra a cabra. Percebeu que castigara os filhos injustamente, e ficou cheio de remorso e cheio de raiva.

— Espera aí, bicho ingrato, sem-vergonha! — gritou. — Vais levar uma surra que te ensinará a nunca mais te meteres a besta com alfaiates honestos!

E, achando que uma surra com metro era pouco para ela, foi buscar o chicote usado para os burros de carroça e fez a pobre cabra dar pulos de muitos metros de altura e fugir mais depressa do que os filhos do alfaiate haviam fugido.

Cheio de arrependimento, o velho sentia muita saudade dos filhos, mas ninguém sabia para onde eles haviam ido. O mais velho tornara-se aprendiz de um marceneiro e se esforçava tão industriosa e infatigavelmente, que, quando terminou o aprendizado, o mestre o presenteou com uma mesinha que não era particularmente bonita e, além disso, feita de madeira comum, mas que tinha uma extraordinária propriedade: se alguém a pusesse de pé e dissesse: "Mesinha, serve-nos", ela imediatamente era coberta por uma toalha muito limpa, sobre a qual havia um prato e talheres, assim como comida farta e apetitosa e um bom copo de vinho, para alegrar o coração.

O jovem marceneiro pensou: "Com isto, terás o que precisas para o resto da vida". E saiu viajando, descuidado e feliz pelo mundo, sem jamais se preocupar em saber se a comida de uma estalagem era boa ou má, ou se iria encontrar isso ou aquilo. Quando lhe convinha sequer entrar em hospedaria, punha a mesa em pé diante de si e ordenava: "Serve-me", e logo aparecia tudo que ele queria que aparecesse.

Depois de ter viajado muito, o moço acabou resolvendo voltar para a casa do pai, cuja raiva já devia ter passado e naturalmente teria prazer em recebê-lo com sua mesinha mágica. No caminho, entrou certa noite em uma estalagem que estava repleta de hóspedes, que o acolheram muito bem, convidando-o para sentar-se à mesa com eles e comer em sua companhia, pois, de outro modo, teria muita dificuldade em se alimentar.

— Muito obrigada, mas não vou prejudicar-vos, já que a comida só é suficiente para vós — disse o jovem marceneiro. — Ao contrário, eu é que quero vos oferecer um jantar.

Os outros riram muito, pensando que ele estava brincando. Mas o jovem colocou a mesa no chão e ordenou-lhe:

— Mesinha, serve-nos.

Imediatamente, a mesa se cobriu de iguarias, tão boas que seria de todo impossível serem servidas outras iguais naquele lugar. O cheiro que se espalhava era tão gostoso, que os hóspedes, embora custando a acreditar no que estavam vendo, não hesitaram um segundo, quando o marceneiro os convidou a participarem do banquete. Comeram com tanta voracidade, que a comida teria desaparecido em um instante, se, milagrosamente, os pratos não fossem se enchendo de novo, à medida que eram esvaziados. E nem é preciso dizer que havia pratos e talheres suficientes para todo o mundo.

Todos se divertiram a valer, até que, quando a noite já ia bem adiantada, foram dormir. O jovem marceneiro, antes de se deitar, encostou a mesa mágica na parede.

O estalajadeiro, porém, é que não tinha sossego, morrendo de inveja do felizardo moço, capaz de fazer tais milagres. E teve uma ideia. Em seu quarto de badulaques havia uma velha mesinha muito parecida com a do jovem marceneiro. Quando todos os hóspedes estavam dormindo, ele se dirigiu sorrateiramente ao lugar onde se encontrava a mesa mágica e trocou-a pela mesa velha.

No dia seguinte, quando acordou, o jovem marceneiro pagou a pousada, pegou a mesa que encontrou, pô-la nas costas e partiu, rumo à casa de seu pai, lá chegando ao meio-dia. O pai o recebeu com alegria.

— Que profissão aprendeste, meu filho? — perguntou.

— Aprendi o ofício da marcenaria, meu pai — respondeu o jovem.

— É uma boa profissão — reconheceu o pai. — Mas o que trouxeste contigo produzido durante a aprendizagem?

— A melhor coisa que trouxe, meu pai, foi esta mesinha.

O alfaiate examinou a mesa, desconfiado, depois opinou:

— Não se trata de uma obra-prima. É uma mesa velha e feia.

— Mas é uma mesa que age sozinha — replicou o filho. — Quando a ponho de pé e lhe digo para servir, ela se cobre das iguarias mais deliciosas e de um bom vinho, próprio para alegrar o coração. Se queres ver, meu pai, convida todos os nossos parentes e amigos. Eles vão gostar muito, pois a mesa lhes oferecerá um ótimo jantar.

Quando chegaram os convidados, o jovem marceneiro pôs a mesa de pé e ordenou:

— Serve-nos, mesa!

A mesa, porém, continuou tão vazia como estava, igual a todas as mesas ordinárias, que não compreendem a linguagem humana. O pobre marceneiro quase morreu de vergonha, ao ver que a sua mesa encantada fora furtada. Os parentes e amigos zombaram muito dele e tiveram de voltar para casa de estômago vazio. O pai ficou furioso, vendo o filho ser apanhado como mentiroso. Continuou a costurar, enquanto o filho ia procurar trabalho como marceneiro.

O segundo filho tinha encontrado um moleiro que o aceitou como aprendiz. Passado o período de aprendizagem, disse-lhe o moleiro:

— Como te mostraste sempre diligente, eficiente e honesto, vou te dar um asno de um espécie peculiar, que nunca puxou uma carroça ou carregou um saco.

— O que é que ele faz, então? — perguntou o aprendiz.

— Vomita ouro — respondeu o moleiro. — Se o puseres em cima de uma toalha e disseres: "Briclebrit", o bom animal vomitará moedas de ouro de uma extremidade à outra da toalha.

— Uma grande coisa! — exclamou o aprendiz, entusiasmado.

Agradeceu muito ao mestre e partiu pelo mundo afora. Quando precisava de dinheiro, era só falar "Briclebrit", e o burro fazia chover moedas de ouro. O único trabalho era apanhá-las do chão. Em todas as partes aonde ia, hospedava-se nos mais confortáveis e luxuosos hotéis e comia do bom e do melhor.

Depois de ter viajado durante algum tempo, o jovem resolveu voltar à casa paterna, achando que, se lá aparecesse com o asno de ouro, o velho o acolheria muito bem, esquecendo-se da velha discordância.

E na véspera de chegar ao seu destino, pernoitou na mesma estalagem em que fora furtada a mesa mágica de seu irmão mais velho. Quando apeou e ainda segurava a rédea, o estalajadeiro ofereceu-se para levar o animal, mas ele recusou, dizendo:

— Obrigado, mas eu mesmo me encarregarei de levar meu corcel à estrebaria e alojá-lo, pois precisarei saber onde se encontra.

O estalajadeiro ficou um tanto intrigado com aquela atitude do hóspede, e achou que devia ter bem pouco dinheiro quem tomava conta ele próprio de seu burro. Quando, porém, o viajante meteu a mão no bolso e tirou duas moedas de ouro e mandou-o preparar uma refeição especial, ficou evidente que aquele não era o caso. E o estalajadeiro tratou de extorquir do hóspede o máximo que pudesse.

Depois do jantar, o jovem perguntou quanto devia. O estalajadeiro não viu motivos que o impedissem de cobrar o dobro do que deveria cobrar, e respondeu que o hóspede lhe devia mais duas moedas de ouro.

— Espera um minuto — disse aquele, depois de procurar no bolso e verificar que não tinha mais tal importância. — Vou buscar dinheiro.

E saiu, levando consigo a toalha de mesa. O hospedeiro achou muito estranho, e tratou de descobrir o que significava aquilo. Solerte, acompanhou o hóspede quando ele se afastou, e, ao vê-lo entrar na estrebaria, olhou escondido através de uma fenda da parede, e viu o viajante estender a toalha embaixo do asno e gritar:

— Briclebrit!

Imediatamente o animal começou a soltar moedas de ouro, pela boca e pela parte de trás, parecendo até uma chuva de ouro.

— Com um burro deste eu estava feito na vida! — murmurou o voraz e inescrupuloso homem.

E, depois que o hóspede havia pago as despesas e adormecido, foi à estrebaria e trocou o asno de ouro por outro muito parecido.

Na manhã seguinte, o jovem aprendiz partiu levando o asno que pensava ser o seu. Ao meio-dia, chegou à casa do pai, que o recebeu muito bem e perguntou-lhe:

— O que fizeste de ti mesmo, meu filho?

— Um moleiro — respondeu o jovem.

— E o que trouxeste contigo de tuas viagens, meu filho?

— Nada trouxe, meu pai, a não ser um asno.

— Já há asnos demais aqui, meu filho! Eu preferiria ter uma boa cabra.

— Está certo — disse o filho. — Mas não se trata de um asno comum, e sim de um asno de ouro. Basta eu dizer-lhe "Briclebrit" e ele elimina, pela boca e pela parte de trás, uma grande quantidade de ouro.

— Isso é uma grande coisa! — admitiu o alfaiate, entusiasmado. — Pode me livrar do meu estafante trabalho com a agulha e a tesoura.

— Pois assim é — disse o moleiro. — Podes chamar todos os nossos parentes e amigos e enriquecerei todos.

Os parentes e amigos foram convidados. E, logo que foram reunidos, o moleiro pediu-lhes que deixassem um espaço livre, estendeu a toalha no chão e pôs o burro em cima da toalha.

— Atenção agora! — gritou, dirigindo-se depois ao asno, em tom solene: — Briclebrit!

O que caiu do animal, porém, não foram moedas de ouro. Era evidente que dele não sairia outra coisa, pois não é todo asno que atinge tal perfeição em seu comportamento.

O pobre moleiro quase morreu de vergonha, vendo que fora furtado e voltara para casa tão pobre quanto partira. E o velho alfaiate, desolado, teve de continuar manejando a agulha e a tesoura.

O terceiro irmão aprendera o ofício de torneiro, e tanto se aperfeiçoou em tal ofício, que foi dos três o que teve o mais longo aprendizado. Os seus irmãos lhe contaram, em uma carta, como o estalajadeiro lhes furtara os valiosos presentes que haviam recebido, na última noite que passaram viajando antes de regressarem à casa paterna.

Quando terminou a aprendizagem, e teve de partir em viagem, o mestre, em recompensa do seu bom desempenho e de sua honradez, deu-lhe de presente um saco.

— Dentro dele há um porrete — explicou.

— Vou levar o saco, que sem dúvida me será útil — disse o jovem. — Mas para quê serve o porrete?

— Vou dizer-te para o que serve — explicou o mestre. — Se alguém te ameaçar ou importunar, basta dizeres: "Sai do saco, porrete!" e o porrete sairá distribuindo porretadas por todos os lados. E continuará distribuindo, enquanto não gritares: "Para o saco, porrete!"

O aprendiz agradeceu, pôs o saco nas costas, e, quando alguém se aproximava demais dele, em atitude ameaçadora, ou tentava mesmo agredi-lo, ele gritava: "Sai do saco, porrete!", e ficava livre da ameaça, à custa de muita porretada em quem o ameaçava.

E, depois de muitas andanças, o torneiro chegou à hospedaria onde seus irmãos tinham sido lesados pelo estalajadeiro ladrão. Ele pôs o saco em cima da mesa e começou a contar as coisas maravilhosas que vira em suas viagens.

— Pois é isso — disse. — As pessoas podem facilmente encontrar uma mesa que nos serve sozinha, um asno de ouro, e coisas desse tipo, mas nada semelhante ao tesouro que consegui conquistar e que trago sempre comigo, neste saco aqui.

O estalajadeiro apurou os ouvidos, pensando: "O saco deve estar repleto de pedras preciosas". E, quando pensou que o hóspede estivesse dormindo, o estalajadeiro aproximou-se dele, com o máximo cuidado, passo a passo, e pegou o saco, tentando arrastá-lo consigo, sem fazer o menor ruído.

O torneiro, porém, já estava esperando por isso, e gritou:

— Sai do saco, porrete!

Imediatamente o porrete obedeceu, e foram incontáveis e insuportáveis as porretadas que o salafrário levou. Ele gritava, pedindo misericórdia, mas quanto mais gritava, mais fortes e mais repetidas se tornavam as porretadas, até que ele caiu no chão, exausto e sempre apanhando. E o torneiro disse, então:

— Enquanto não devolveres a mesa que serve e o asno de ouro, não cessarás de apanhar.

— Pelo amor de Deus! — gritou o ladrão. — Devolverei tudo o que quiseres, contanto que este maldito porrete não me atormente mais!

— Permitirei que a misericórdia tome o lugar da justiça, mas trata de nunca mais agires como agiste — disse o torneiro.

E gritou:

— Para o saco, porrete!

Na manhã seguinte, ele partiu, levando a mesa mágica e o asno de ouro, e ao meio-dia chegou à casa do pai, que se regozijou ao vê-lo e, como de costume, perguntou-lhe que ofício aprendera em outras terras.

— Sou torneiro, meu pai — respondeu o moço.

— Uma boa profissão! — admitiu o alfaiate. — E o que trouxeste contigo de tuas viagens?

— Uma coisa muito valiosa, meu pai. Um porrete dentro de um saco.

— O quê? — espantou-se o pai. — Um porrete? Que ideia! Um porrete poderias arranjar com qualquer galho de árvore.

— Mas não semelhante ao meu — contestou o filho. — Quando digo: "Sai do saco, porrete", ele sai mesmo e dando terríveis porretadas em qualquer pessoa que estiver me ameaçando ou importunando. Vê, meu pai: com ele já recuperei a mesa mágica e o asno de ouro que o salafrário do estalajadeiro furtou de meus irmãos. Agora, manda convidar os nossos parentes para virem aqui, que eu os regalarei com iguarias e bebidas e encherei seus bolsos de dinheiro.

O alfaiate, embora desconfiado, mandou fazer o convite. E, quando os parentes chegaram, o torneiro estendeu uma toalha no chão, trouxe o asno, que ficou sobre a toalha, e chamou seu irmão moleiro, dizendo-lhe:

— Fala agora com o asno, meu mano.
— Briclebrit! — gritou o moleiro.

E imediatamente o burro começou a lançar, por todas as aberturas de seu corpo, moedas e mais moedas de ouro, até que cada um dos presentes recolheu tantas moedas quantas pôde carregar.

Em seguida, o torneiro trouxe a mesinha e pediu:

— Agora, caro mano, conversa com a mesa.

E, mal o carpinteiro dissera: "Serve-nos, mesa", ela se cobriu das mais deliciosas iguarias, que foram devida e prontamente saboreadas por todos os presentes, acompanhadas de fartos goles de vinho que alegra o coração.

Os parentes se divertiram à farta até altas horas da noite, e o alfaiate deixou de lado para sempre a tesoura, a agulha e o metro, e, junto com os três filhos, viveu de então para diante na opulência.

Mas o que aconteceu com a cabra, que levara o alfaiate a expulsar de casa os próprios filhos? Vou contar. Ela ficou tão envergonhada, que foi se esconder na toca de uma raposa. Quando a raposa voltou para casa, assustou-se com os olhos brilhantes da cabra no escuro e fugiu. Encontrou-se com um urso, que lhe perguntou por que estava tão apavorada.

— Há um bicho horrível em minha toca! — disse a raposa.

O urso resolveu ajudá-la, mas, quando chegou à toca da raposa, também ficou apavorado com os olhos da cabra e fugiu. Encontrou-se com uma abelha, que lhe disse:

— Amigo urso, tua cara não é de quem está muito feliz da vida. O que aconteceu?
— Estou realmente transtornado — admitiu o urso. — Uma fera terrível, de olhos de fogo, entrou na toca da raposa, ameaçando todo mundo.
— Amigo urso — replicou a abelha — sou uma criatura muito fraca, sei que fazes muito pouco de mim, mas acho que posso ajudar-te.

E, sem mais dizer, voou até a toca da raposa, deu uma ferroada daquelas na cabeça da cabra, que fugiu dando berros de dor, e ninguém sabe se ela ainda está correndo a uma hora destas.

O PESCADOR E SUA MULHER

Era uma vez um pescador que vivia com sua mulher em uma miserável cabana perto do mar e todas as manhãs saía para pescar, e pescava o dia inteiro. Certo dia, encontrava-se ele pescando, sentado em um rochedo, contemplando a água muito clara, quando, de repente, a linha foi puxada com muita força para baixo, e, quando o pescador conseguiu puxá-la, foi trazendo para fora do mar um grande linguado.

E o linguado disse-lhe então:

— Saúde, pescador! Imploro-te, pescador, deixa-me viver. Na verdade, não sou um linguado, mas um príncipe encantado. De que te valeria matar-me? Não tenho gosto bom, não sirvo para ser comido. Deixa-me ir embora!

— Não há precisão de tantas palavras — replicou o pescador. — É claro que não vou matar um peixe que tem o dom da palavra.

E soltou o linguado, que voltou para o fundo do mar, deixando atrás de si um comprido sulco de sangue. O pescador então levantou-se e foi para junto da esposa, na cabana miserável.

— Não trouxeste peixe algum, meu marido? — perguntou a mulher.

— Não — respondeu o pescador. — Peguei um linguado, que me disse que era um príncipe encantado, e, então, deixei-o voltar para a água.

— Antes não lhe pediste que te pagasse com alguma coisa? — quis saber a mulher.

— Não — respondeu o pescador. — O que iria pedir?

— Ah! — exclamou a mulher. — É horrível viver nesta pocilga suja e fedorenta! Podias ter pedido uma cabana melhor para nós. Volta e pede-lhe. Diga-lhe que estamos precisando de uma cabana melhor. Certamente ele te dará.

— Por que haveria de dar? — retrucou o pescador.

— Por quê? — redarguiu a esposa. — Tu o pescaste, e foste bom, deixando que ele fosse embora. Sem dúvida ele te dará uma recompensa. Vai sem demora procurá-lo.

O pescador não estava muito disposto a ir, mas não estava também muito disposto a enfrentar a resistência da mulher. Voltou à beira-mar.

Sentou-se junto do oceano, agora verde e amarelo e não tão calmo quanto estava antes. E disse o pescador olhando as águas:

Vem, eu te peço, caro Linguado,
Sai desta água, vem para o meu lado!
Vem, vem, Linguado, que assim quer
(E quer que eu queira) minha mulher.

O linguado realmente apareceu e perguntou:

— O que está querendo tua mulher?

— Eu te pesquei, não é verdade? — redarguiu o pescador. — A minha mulher acha que eu devo te pedir uma recompensa. Ela não quer continuar morando na pocilga em que moramos. Quer uma choupana melhor, que não seja suja e fedorenta.

— Podes ir — disse o linguado. — Ela já tem.

Quando o pescador voltou para junto de sua esposa, já não a encontrou na imunda pocilga, mas sentada em um banco, do lado de fora de uma cabana. Tendo levado o marido para dentro, ela perguntou:

— Não é, realmente, muito melhor?

De fato, nem havia comparação. Não passava de uma cabana, mas tinha sala de jantar, quarto de dormir e cozinha, e tudo muito arrumadinho e muito limpo, e, fora, um jardinzinho e um pequeno quintal, com flores e frutas.

— Não está ótimo? — disse a mulher.

— Sem dúvida — concordou o marido. — Aqui podemos viver muito felizes e satisfeitos.

Uns dez ou quinze dias mais tarde, a mulher já não se sentia tão entusiasmada com a nova residência.

— Não achas que esta cabana é muito pequena para nós? — disse ao marido. — O jardim e o quintal não passam, também, de uma nesguinha de terreno. O linguado bem que podia nos dar uma casa maior. Eu gostaria de morar em um castelo de pedra. Vai dizer-lhe que nos dê um castelo.

O marido não queria ir. "Já é um abuso" pensava, acabrunhado. Mas foi. Chegou junto do mar, que estava ainda mais agitado, e falou:

Vem, eu te peço, caro Linguado,
Sai desta água, vem para o meu lado!
Vem, vem, Linguado, que assim quer
(E quer que eu queira) minha mulher.

— O que é que ela está querendo agora? — perguntou o linguado, surgindo à superfície da água.

— Ah! — disse o pescador, meio assustado. — Ela está querendo morar em um castelo de pedra.

— Volta, que vais encontrá-la diante da porta — disse o linguado.

O homem voltou para junto da mulher, mas, em vez de encontrá-la na cabana, encontrou-a na escadaria de um grande palácio de pedra.

— Vem! — disse ela, segurando a mão do marido.

Ele a acompanhou. Havia, no castelo, um grande salão cujo chão era de mármore, e muitos criados, que abriam diante do casal as imponentes portas. Das paredes pendiam tapeçarias belíssimas. As mesas e cadeiras eram de ouro maciço, candelabros de cristal pendiam dos tetos, e em todas as salas e quartos de dormir, viam-se tapetes persas. Nas mesas, sobre toalhas do mais puro linho, ornado das rendas mais finas, viam-se peças da porcelana mais rara e do cristal mais puro, prontos a servirem as mais saborosas iguarias e as mais deliciosas bebidas. Próximo do palácio, ficavam um enorme pátio, rodeado de estrebarias, estábulos e abrigos para as carruagens. Seguiam-se um jardim de árvores frutíferas e um parque onde corriam antílopes, corças, lebres e tudo mais que se poderia desejar.

— Na verdade, nada se pode querer de melhor do que isto! — exclamou o pescador, entusiasmado.

Na manhã seguinte, a mulher acordou primeiro. Amanhecia, e mesmo do leito, através da janela ela podia ver a belíssima paisagem que rodeava o castelo. O marido ainda estava cochilando, mas ela o cutucou com o cotovelo e disse-lhe:

— Levanta e olha pela janela. Vê que beleza de paisagem. A gente podia bem ser rei de tudo isto aqui!

E decidindo de repente, acrescentou:

— Vai procurar o linguado e dize-lhe que eu quero ser rainha!

— O que é isso, mulher? — espantou-se o marido, já apavorado. — Eu não quero ser rei!

— Mas se não queres, eu quero!

E, quase gritando, ordenou:

— Vai procurar o linguado, pois eu quero ser rainha!

— É um absurdo! Um absurdo! — resmungou o pescador. — Como é que vou pedir uma coisa dessas?

Mas foi pedir. Parou junto do mar, cujas águas estavam muito agitadas e disse:

Vem, eu te peço, caro Linguado,
Sai desta água, vem para o meu lado!
Vem, vem, Linguado, que assim quer
(E quer que eu queira) minha mulher.

— Vamos a ver o que quer mais agora! — disse o linguado, aparecendo.

— Está querendo ser rainha — respondeu o pescador, morrendo de vergonha.

— Volta. Ela já é rainha — falou o linguado.

O pescador voltou e, quando chegou, viu que o palácio se tornara muito maior, com uma torre muito alta e ricos ornamentos, e sentinelas por toda a parte. Dentro, todo o chão e todas as paredes eram do mármore mais puro, e lá estava a corte com todo o seu esplendor, a mulher sentada no trono e segurando o cetro, e as suas damas de honra formando uma fila, rigorosamente por ordem de altura.

O pescador parando diante dela falou:

— E agora és rainha, minha mulher.

— Sim — disse ela. — Agora sou rainha.

Ele, pela primeira vez, encarou-a com firmeza, para replicar:

— E agora que és rainha, tudo está bem. Não desejemos mais coisa alguma.

— Não, meu marido — disse ela, com a voz entrecortada. — Não estou satisfeita, não posso me resignar. Sou rainha, mas devo ser imperatriz. Vai procurar o linguado e dize-lhe.

— Mas por que desejas ser Imperatriz, minha mulher? — insistiu o pescador.

— Eu já lhe disse! — falou a mulher, com energia. — Vai procurar o linguado, sem demora! Se ele pode fazer um rei, pode também fazer um imperador. Vai, imediatamente!

— Mas, mulher — protestou o marido — não posso pedir ao peixe um absurdo destes! Só há um imperador no mundo. Isso o linguado não pode fazer. Garanto que não pode.

— Escuta aqui, seu idiota! — gritou a mulher. — És apenas meu marido e eu sou a rainha! Vai imediatamente!

E o pobre coitado obedeceu, embora desesperado, com medo até de enlouquecer.

— Isso não vai acabar bem! — dizia, falando sozinho. — Isso não vai acabar bem! Querer ser imperatriz é um absurdo total! O linguado vai cansar-se afinal!

Chegou junto do mar, cujas águas estavam negras como a noite, e agitadas por ondas enormes. E, com muito esforço, falou:

Vem, eu te peço, caro Linguado,
Sai desta água, vem para o meu lado!
Vem, vem, Linguado, que assim quer
(E quer que eu queira) minha mulher.

— Eu já esperava — disse o linguado, aparecendo no meio das ondas furiosas. — O que é que ela está querendo?

— Ah, linguado! — disse o pescador, quase sem voz. — Minha mulher está querendo ser imperatriz.

— Volta para junto dela, que já é imperatriz — replicou o linguado.

E, de fato, quando o pescador chegou ao palácio, viu que ele se transformara em um outro muito maior, todo de mármore polido, com figuras de alabastro e ornamentos de ouro. Em sua frente marchavam soldados, tocando cornetas, címbalos e tambores, e, dentro do palácio, barões, condes e duques faziam o papel de criados. E ele então viu a mulher sentada em um trono, todo feito de ouro e com duas milhas de altura. Trazia na cabeça uma coroa com três jardas de altura, cravejada de brilhantes e esmeraldas, e segurava com uma das mãos o cetro e com a outra o globo imperial. Em ambos os lados do seu trono estavam em fila os guardas, por ordem de altura, começando em um gigante, que tinha duas milhas de altura, e terminando em um anão do tamanho de um dedo mindinho. Diante do trono havia muitos príncipes e duques. E, entrando no meio deles, o pescador perguntou:

— Então, minha esposa, és imperatriz agora?
— Sim — ela respondeu. — Sou imperatriz.
Ele a encarou durante algum tempo, depois disse:
— E estás contente, agora que és imperatriz?
— O que está fazendo aí, meu marido? — ela redarguiu. — Sou imperatriz agora, mas quero também ser papa. Vai procurar o linguado imediatamente. Quero ser papa hoje mesmo! O que ainda estás fazendo aqui! Vai!

O marido ficou apavorado, e foi. Mal podia andar, tanto tremiam as pernas. Mas, fazendo das tripas coração, conseguiu se arrastar até a praia. Um vendaval varria a terra, dobrando as árvores e empurrando as nuvens. Antes de anoitecer já estava escuro. E a chuva então desabou sobre a praia. Ao longe, o pescador avistou navios disparando suas peças de fogo, pedindo socorro. Contudo, no meio do céu ainda havia uma pequena mancha azulada, embora em todos os lados estivesse avermelhado, como fica nas grandes tempestades. Foi assim, desesperado, trêmulo, morrendo de medo, que o pescador falou:

Vem, eu te peço, caro Linguado,
Sai desta água, vem para o meu lado!
Vem, vem, Linguado, que assim quer
(E quer que eu queira) minha mulher.

— Muito bem! — disse o linguado, aparecendo no meio das ondas furiosas. — Vamos ver o que ela ainda está querendo desta vez!
— Quer ser papa — conseguiu falar o pescador, fazendo um esforço tremendo.
— Podes voltar para junto dela — disse o linguado. — Já virou papa.

O pescador voltou e o que encontrou chegando ao seu destino foi uma igreja enorme, rodeada de palácios. Abrindo caminho entre a multidão que enchia a praça em frente, o pescador entrou. A iluminação do interior era feérica, feita por mais de mil velas e mil candelabros. Sua mulher estava vestida de ouro dos pés à cabeça e sentada em um trono altíssimo, com três coroas de ouro na cabeça, e, de um lado e do outro do trono, estendiam-se duas fileiras de velas, por ordem de altura: as duas mais altas tinham a altura de uma torre e as mais baixas eram menores do que velas comuns. Diante da mulher, estavam ajoelhados imperadores e reis, beijando a sola de seus sapatos.

— Minha mulher — disse o pescador, encarando-a fixamente — quer dizer que agora és papa?
— Sim, sou o papa! — ela respondeu.
Ele continuou a encará-la, durante algum tempo, tendo a sensação de que fitava o Sol, depois falou:
— Bem. Agora que és o papa, vais ficar satisfeita. Nada mais poderás ser maior do que isso.

— Vou pensar sobre isso — limitou-se a dizer a mulher.

Depois, os dois foram se deitar, mas era visível a insatisfação da mulher, que não conseguia dormir, pois não cessava de imaginar o que ainda poderia ser para se tornar mais importante.

O pescador dormiu tranquilamente, pois tinha caminhado muito e feito muito esforço durante o dia.

Quando amanheceu e a luz avermelhada do sol nascente entrou no quarto, a mulher chegou à janela e murmurou:

— Por que não hei de poder também mandar o Sol e a Lua se moverem?

E, tomada por súbita resolução, sacudiu o marido, acordou-o, e ordenou:

— Vai imediatamente procurar o linguado e dize-lhe que eu quero ser igual a Deus!

Mesmo sem ter acordado direito, o pobre homem ficou apavorado, horrorizado com o que ouviu.

— O que é isso! — exclamou. — Enlouqueceste, mulher?

— Cala a boca e faze o que estou mandando! — retrucou a mulher. — Não posso admitir que o Sol nasça sem que eu ordene! Vai imediatamente!

Era tão ameaçador o olhar com que ela acompanhou estas palavras que o marido, mais do que apavorado, caiu de joelhos diante dela:

— Pelo amor de Deus, mulher! — implorou. — O linguado não pode fazer uma coisa dessas! Já fez o máximo que podia fazer. És o Papa, mulher! O que podes querer mais do que isso?

— Cala a boca! — gritou a mulher.

A raiva fê-la transformar-se em uma verdadeira Fúria, capaz de desafiar Alecto, Megera e Tisífone de uma vez. Os seus cabelos se arrepiaram, rangia os dentes, arranhava as faces, arregalava os olhos e, principalmente, cobria o desventurado esposo de pontapés, cada qual mais violento. E, parecendo ter surgido deliberadamente, para oferecer um cenário à altura da ação, o Sol desapareceu, o céu se cobriu de nuvens negras e desabou uma terrível tempestade.

Diante das ameaças e dos pontapés, que outro recurso restava ao pescador senão correr à praia, tomando chuva e se arriscando a ser fulminado por um raio, e, chegando à praia, chamar o linguado, morrendo de vergonha, reconhecendo plenamente o absurdo do pedido que iria fazer?

E, molhado como um pinto, tremendo de medo e de frio, chegou junto do mar, das ondas ameaçadoras e disse:

Vem, eu te peço, caro Linguado,
Sai desta água, vem para o meu lado!
Vem, vem, Linguado, que assim quer
(E quer que eu queira) minha mulher.

O linguado apareceu, desafiando as ondas.

— O que é mesmo que ela quer? — perguntou.

— Quer ser igual a Deus — conseguiu dizer o pescador.

— Vai para junto dela, que se encontra na pocilga em que moravas — disse o linguado.

E na pocilga estão os dois morando até hoje.

O JUNÍPERO

Era uma vez, há muito tempo, nada menos de dois mil anos, um homem muito rico, casado com uma mulher bela e virtuosa, que muito o amava, assim como ele muito a amava. Não tinham filhos, porém, apesar das preces que a mulher rezava diariamente, pedindo-os a Deus. Em frente de sua casa, havia o jardim, onde crescia uma bela árvore, um junípero, e, em um dia de inverno, a mulher estava perto dela, descascando uma maçã, quando cortou o dedo com a faca e algumas gotas de sangue caíram na neve.

— Ai! — gemeu a mulher, e depois deu um suspiro profundo e sentiu-se triste, vendo o sangue.

E, depois de meditar por alguns instantes, murmurou:

— Quem me dera ter um filho corado como o sangue e de cútis clara como a neve!

E, enquanto assim falava, ficou, em vez de triste, muito alegre, certa de que o seu desejo se realizaria. Então, entrou em casa, e se passou um mês e a neve foi-se embora, e se passaram dois meses, e tudo ficou verde, e depois três meses e as flores todas surgiram da terra, e depois mais quatro meses e todas as árvores do bosque se tornaram mais frondosas e os galhos, muito verdes, se entrelaçaram todos, e os pássaros neles pousados cantaram até que todo o bosque ressoou com os seus cantos e as flores caíram das árvores, depois o quinto mês chegou e passou, e a mulher se sentou embaixo do junípero, que desprendia um perfume tão suave que ela sentiu o coração exaltar-se, e, no sétimo mês, ela colheu as frutas do junípero e as comeu vorazmente e ficou triste e doente, e se passou o oitavo mês, e ela abraçou o marido e disse, chorando:

— Se eu morrer, enterra-me debaixo do junípero.

E se sentiu, então, alegre e feliz, até que terminou o mês seguinte, e então deu à luz um filho, que era branco como a neve e corado como o vermelho do sangue, e, ao vê-lo, ela se sentiu tão feliz, que morreu.

O marido enterrou-a debaixo do junípero e chorou amargamente a sua morte. Passado algum tempo, porém, ele se consolou, embora ainda fosse muito grande a saudade da esposa. E, passado algum tempo, casou-se com outra.

A segunda mulher deu-lhe uma filha. E ao vê-la, a mãe sentiu pela filha um grande amor no coração, mas, ao ver o menino, sentiu um aperto no coração, imaginando que ele sempre estaria em seu caminho, impedindo-a de alcançar o seu desejo de destinar à filha toda a fortuna. E então, o Maligno atormentou-a com aquele pensamento, até que ela tomou ódio mortal do menino e começou a persegui-lo cruelmente e maltratá-lo, até que a pobre criança passou a viver constantemente apavorada, pois desde que saía da escola e chegava em casa, não tinha mais um minuto de sossego durante o dia.

Aconteceu que, certa vez, quando a mulher se encontrava em seu quarto, no andar superior da casa, sua filha foi procurá-la e pediu-lhe:

— Dá-me uma maçã, minha mãe.

— Pois não, minha filha — disse a mãe.

E tirou a maçã de uma arca, que tinha uma tampa muito grande e muito pesada e uma fechadura de ferro muito afiada.

— Minha mãe — disse a menina. — Meu irmão não vai ganhar uma maçã também?

Essa pergunta irritou muito a mulher, mas, contendo-se, ela respondeu:

— Vai sim, quando voltar da escola.

E, quando viu, pela janela, que o menino estava voltando para casa, foi a mesma coisa que se o Diabo tivesse entrado dentro dela e, em vez de dar a maçã à filha, disse-lhe:

— Não vais ganhar a maçã antes de teu irmão.

E tornou a meter a fruta dentro da arca, que fechou. Nisso, o menino apareceu à porta, e o Diabo fez com que a madrasta lhe dissesse, carinhosamente:

— Queres uma maçã, meu filho?

E, ao mesmo tempo, fitou-o com uma expressão feroz nos olhos.

— Minha mãe — disse o menino. — Que olhar esquisito! Sim, quero uma maçã.

E a mulher teve a sensação de que alguém a obrigava a dizer:

— Chega aqui, então.

Abriu a tampa da arca e disse:

— Tira tu mesmo uma maçã.

E, quando o menino se curvou sobre a arca para tirar a fruta, o Diabo a instigou, e pum! Ela fechou a tampa, que, caindo com toda a força, decepou o pescoço do menino, e a cabeça rolou no meio das maçãs vermelhas.

Aterrorizada, a mulher pensou então: "Ah! Se eu pudesse fazer com que os outros achassem que não fui eu que fiz isso!" E, assim pensando subiu a escada e foi até ao seu quarto, de cuja cômoda tirou um lenço branco, depois voltou para junto da arca, de onde tirou a cabeça, que colocou no pescoço do menino, amarrando-a com o lenço que trouxera. Dobrou o lenço de maneira que nada pudesse ser visto, e sentou o menino diante da janela, com a maçã na mão.

Um pouco depois, a menina, Marlinchen, foi procurar a mãe, que se achava na cozinha, junto do fogão, onde fervia água em uma panela, e disse-lhe:

— Mamãe, meu irmão está sentado junto da porta, muito pálido, e segurando uma maçã. Pedi-lhe para me dar a maçã, mas ele não me respondeu.

— Volta para perto dele — disse a mãe — e, se ele não responder, dá-lhe um murro no pé do ouvido.

Marlinchen obedeceu. Pediu ao irmão a maçã, e, como ele continuasse mudo e imóvel, aplicou-lhe um murro no pé do ouvido, que fez a cabeça cair no chão.

Apavorada, a menina saiu gritando e chorando e foi procurar a mãe, anunciando-lhe entre os soluços e as exclamações de angústia:

— Arranquei a cabeça de meu irmão, mamãe!

E chorou convulsivamente, sem conseguir articular mais uma só palavra.

— O que fizeste, Marlinchen? — exclamou a perversa mulher, fingindo-se surpresa. — Mas agora fica quietinha. Não conta a ninguém. Não adianta outra pessoa saber. Agora, não tem mais jeito, não se pode fazer teu irmão viver de novo. Vamos fazê-lo virar chouriço, que assim ninguém fica sabendo do que fizeste.

E a mulher cortou o menino em muitos pedacinhos, meteu-o na panela com água fervendo e transformou-o em chouriço, fazendo ainda com que Marlinchen a ajudasse. A menina, coitadinha, não parava de chorar, e as lágrimas caíam dentro da panela, de modo que nem houve necessidade de se salgar o chouriço.

Mal havia a perversa mulher terminado o seu sinistro trabalho, o marido chegou em casa e perguntou pelo filho, quando jantavam.

— Ele saiu, disse que ia para a casa de sua tia-avó — disse a mulher. — Deve demorar para voltar.

— E o que é que ele foi fazer lá? — insistiu o pai. — Nem ao menos se despediu de mim.

— Pois ele disse que ia demorar umas seis semanas lá — mentiu a mulher.

— Não devia ter feito isso — queixou-se o pai. — Devia ter se despedido de mim.

Começou a comer, então, mas viu a menina chorando e perguntou-lhe:

— Por que estás chorando, Marlinchen? Teu irmão vai voltar.

E, ao mesmo tempo, continuava comendo. E elogiou a comida:

— Este chouriço está uma delícia! Quero um pouco mais.

E quanto mais comia, mais queria. E acabou comendo o chouriço todo e jogou os ossos debaixo da mesa. Marlinchen, porém, foi ao seu quarto e tirou da cômoda um lenço branco, no qual enrolou todos os ossos que estavam debaixo da mesa, e levou-o, bem amarradinho, para fora de casa, chorando sem parar.

Sentou-se, então, debaixo do junípero, e deitou-se depois na relva muito verde, e, de repente, sentiu um grande alívio em seu coração angustiado e parou de chorar. As folhas da árvore se agitaram, os galhos se abriram e tornaram a fechar, à semelhança de alguém que batesse palmas, em regozijo. Ao mesmo tempo, a menina viu uma névoa levantar-se do junípero, e, no centro dessa névoa, pareceu-lhe crepitar uma fogueira, e um lindo pássaro saiu voando da fogueira, entoando um canto lindo, e foi voando, voando, até desaparecer nas alturas. E, então, a árvore voltou a ser uma árvore comum, sem névoa e sem frêmitos, e o embrulho do lenço com os ossos já lá não se encontravam. E o mais estranho é que Marlinchen continuava despreocupada, alegre, como se seu irmão ainda estivesse vivo. E, alegre e despreocupada, ela voltou para casa, sentou-se à mesa e jantou.

Enquanto isso, o pássaro voara até a casa de um ourives e cantou:

> *Mamãe me matou, papai me comeu*
> *E minha irmãzinha os ossos colheu.*
> *Num lenço de seda, piedosa, os guardou*
> *E embaixo do zambro o lenço deixou.*
> *E ave canora agora sou eu!*

O ourives estava então entregue ao seu trabalho, fazendo uma corrente de ouro. Prestou atenção ao canto do pássaro que estava pousado no telhado da casa, e achou-o muito bonito e melodioso. Curioso, querendo ver como era o pássaro, levantou-se e saiu de casa, mas, ao passar pela porta de entrada, perdeu um dos chinelos. Continuava a andar, porém, e chegou ao meio da rua com um pé calçado e outro descalço. Estava com um avental e segurava com uma das mãos a corrente de ouro e com a outra a tenaz. O sol brilhante iluminava intensamente a rua. E parando, o ourives disse à ave:

— Que beleza o teu canto! Canta de novo para mim!

— Não — respondeu a ave. — Não repito o canto senão em troca de algo. Dá-me a tua corrente de ouro e cantarei de novo para ti.

— Aqui está! — exclamou o ourives. — Leva a corrente de ouro, mas repete o canto para mim.

A ave voou, então, chegou até junto dele e agarrou com a pata direita a corrente de ouro. Depois cantou:

> *Mamãe me matou, papai me comeu*
> *E minha irmãzinha os ossos colheu.*
> *Num lenço de seda, piedosa, os guardou*
> *E embaixo do zambro o lenço deixou.*
> *E ave canora agora sou eu!*

E o pássaro voou, depois, para a casa de um sapateiro, em cujo telhado pousou, entoando o seu canto em seguida:

> *Mamãe me matou, papai me comeu*
> *E minha irmãzinha os ossos colheu.*
> *Num lenço de seda, piedosa, os guardou*
> *E embaixo do zambro o lenço deixou.*
> *E ave canora agora sou eu!*

O sapateiro ouviu o canto e saiu de casa em mangas de camisa, e teve de proteger os olhos com a mão, para que o fortíssimo sol não o cegasse.

— Pássaro! — gritou. — Que lindo canto o teu!

Depois voltou até à porta da casa e gritou para dentro:

— Vem cá, minha mulher! Está aqui um pássaro que sabe cantar de verdade.

E chamou depois a filha, e outras crianças, moços e moças, e os aprendizes:

— Vinde ver que linda ave, que belas penas verdes e vermelhas e olhos que brilham como estrelas!

E tornou a falar com o pássaro:

— Entoa de novo o teu canto, pássaro!

— Não! — replicou o pássaro. — Não repito o meu canto senão em troca de algo!

O sapateiro disse então à esposa:

— Vai no sótão e tira da prateleira de cima um par de sapatinhos vermelhos e traze-os aqui.

A mulher trouxe os sapatos.

— Toma, ave — gritou o sapateiro, oferecendo-os. — E agora repete o teu canto.

A ave, então, voou até junto do sapateiro, agarrou o par de sapatos com a pata esquerda e voltou para o telhado da casa, onde cantou:

Mamãe me matou, papai me comeu
E minha irmãzinha os ossos colheu.
Num lenço de seda, piedosa, os guardou
E embaixo do zambro o lenço deixou.
E ave canora agora sou eu!

E mal terminou o canto, voou para longe. Levando a corrente de ouro no pé direito e o par de sapatos no esquerdo, voou até um moinho, que rodava sem parar: "clip clap, clip, clap, clip clap", e no moinho trabalhavam vinte homens talhando uma pedra: "ric rac, ric rac, ric rac", e o moinho continuava "clip clap, clip, clap, clip clap". O pássaro pousou em uma limeira que crescia em frente do moinho e cantou:

Mamãe me matou

Então um dos homens parou de trabalhar.

Papai me comeu,

Outros dois homens pararam de trabalhar, para ouvirem o canto.

E minha irmãzinha

Outros quatro homens pararam de trabalhar.

Os ossos colheu.
Num lenço de seda, piedosa, os guardou.

Agora apenas oito homens estavam talhando a pedra.

E embaixo do zambro

Agora só cinco

O lenço deixou.

Agora um homem somente.

E ave canora agora sou eu!

O último homem parou de trabalhar então e exclamou:
— Que beleza de canto, ave! Canta mais para mim!
— Não — respondeu a ave. — Não repito o canto senão em troca de algo. Dá-me a pedra de moinho, que tornarei a cantar.
— Se ela fosse só minha, eu te daria — replicou o homem.
— Se ele cantar de novo, poderá levar a pedra! — concordaram todos os outros dezenove homens.

A ave enfiou a cabeça no buraco da pedra e levantou voo com a mó em torno do pescoço, como se fosse um colar. Pousou de novo na árvore e cantou:

Mamãe me matou, papai me comeu
E minha irmãzinha os ossos colheu.
Num lenço de seda, piedosa, os guardou
E embaixo do zambro o lenço deixou.
E ave canora agora sou eu!

E, tendo cantado, alçou voo para longe, levando a corrente de ouro no pé direito, o par de sapatos no pé esquerdo e a mó em torno do pescoço. E voou para bem longe, até a casa de seu pai.

O pai, sua esposa e Marlinchen estavam jantando, e o pai disse, então:
— Como me sinto feliz, livre de preocupações!
— Pois eu me sinto tão inquieta, como se estivesse se aproximando uma terrível tempestade — disse a mulher.

Marlinchen, por seu lado, chorava sem parar.

E, então, a ave veio voando e pousou no telhado da casa.
— Sinto-me verdadeiramente feliz! — exclamou o pai. — Está um dia tão bonito lá fora! Tenho a impressão de que vou rever um velho amigo.

— Eu estou aflitíssima! — exclamou a mulher. — Estou batendo os dentes, tenho a impressão que o fogo está correndo em minhas veias!

Arregalou os olhos, enquanto Marlinchen escondia os seus com as mãos, que logo ficaram molhadas, tantas eram as lágrimas. Enquanto isso, a ave pousava no junípero e cantava:

Mamãe me matou

Desesperada, a mulher tampou os ouvidos e fechou os olhos, para não ver nem ouvir, mas parecia-lhe que trovões terríveis ribombavam em seus ouvidos e relâmpagos constantes ofuscavam e queimavam-lhe os olhos.

Papai me comeu,

— Que linda ave! — exclamou o homem. — E canta maravilhosamente bem. E espalha um cheiro semelhante ao da canela.

E minha irmãzinha

Marlinchen não parava de chorar, mas seu pai, ao contrário, continuava a se mostrar muito satisfeito, e disse:

— Vou lá fora, para ver de perto essa ave.

— Não vás! — protestou a mulher, quase gritando. — Tenho a impressão de que a casa está balançando e pegando fogo!

O homem, porém, não atendeu ao seu pedido e saiu e olhou para o pássaro, e este cantou:

Mamãe me matou, papai me comeu
E minha irmãzinha os ossos colheu.
Num lenço de seda, piedosa, os guardou
E embaixo do zambro o lenço deixou.
E ave canora agora sou eu!

E, assim tendo cantado, a ave largou a corrente de ouro, que caiu exatamente em torno do pescoço do homem, que correu para dentro de casa, entusiasmado:

— Que linda ave! — exclamou. — E, ainda por cima, muito amável! Vede a corrente de ouro que me ofereceu!

A mulher, porém, ficou horrorizada. As pernas bambearam e ela caiu no chão e a touca caiu de sua cabeça.

Papai me comeu,

A mulher tornou a cair, parecendo morta.

E minha irmãzinha

— Ah! — exclamou Marlinchen. — Eu também vou lá fora, para ver se a ave me dá alguma coisa,

Os ossos colheu.
Num lenço de seda, piedosa, os guardou.

E a ave jogou o par de sapatos para Marlinchen.

E embaixo do zambro
O lenço deixou.

E a menina, alegre, de coração leve, calçou os sapatinhos vermelhos e saiu dançando e pulando até dentro de casa.

— Eu estava muito triste, mas agora estou muito alegre — disse. — É uma ave maravilhosa. Deu-me um par de sapatinhos vermelhos.

— Muito bem! — exclamou a mulher, decidida, de repente, e levantando-se do chão, com os cabelos arrepiados como se fossem chamas. — Tenho a impressão de que o mundo vai acabar. Vou lá para fora, a fim de ver se me sinto melhor.

E, mal atravessara a porta, pum! A ave soltou a pedra de moinho bem em cima de sua cabeça, esmagando-a.

Marlinchen e seu pai ouviram o barulho e saíram para ver o que acontecera. E viram fogo, chamas, fumaça saindo de junto do junípero, e quando o fogo se apagou e a fumaça se dispersou, quem apareceu foi o menino que a madrasta matara. E que apertou a mão do pai com uma das mãos e a mão da irmã com a outra, e os três, alegres e felizes, entraram em casa e sentaram-se à mesa e jantaram, com muito apetite.

OS DOZE CRIADOS PREGUIÇOSOS

Doze criados que nada tinham feito durante o dia todo também não tinham se cansado à noite: ao contrário, estavam estendidos na relva, vangloriando-se de sua preguiça.

— Não me interesso por seu ócio — dizia o primeiro. — Só me preocupo com o que me diz respeito. Meu trabalho principal é cuidar do meu corpo. Não como pouco e bebo ainda mais. Depois de fazer quatro refeições, eu jejuo um pouco, até sentir fome outra vez, e me dou muito bem com isso. Levantar cedo não é comigo. Ao meio-dia, já estou procurando um lugar de repouso. Se o patrão me chama, finjo que não ouvi e, se ele me chama pela segunda vez, ainda deixo passar algum tempo antes de me levantar, e, depois, levanto-me bem devagarinho. Acho muito razoável esse meu modo de vida.

— Eu tenho de tomar conta de um cavalo — disse o segundo criado. — Deixo o freio em sua boca e, quando não quero, não lhe dou comida e digo que já dei. E aproveito para me deitar e dormir durante quatro horas. Depois disso, levanto o pé e o passo duas vezes no corpo do cavalo, deixando-o, desse modo, perfeitamente alisado e limpo. Para que fazer melhor do que isso? Já é demais fazer o que faço.

— É uma idiotice a gente se matar de trabalho — disse o terceiro. — Nada disso! Eu gosto de me deitar na relva, mesmo tomando sol, e tirar uma boa soneca. Pode até chover, se Deus quiser. Já tomei uma chuva tão forte que arrancou meus cabelos e fez um buraco no crânio. Tampei o buraco com uma pasta, e tudo ficou bem. Já tenho sofrido vários machucões desse tipo.

— Quando tenho de fazer algum trabalho — disse o quarto — primeiro descanso durante uma hora, para ficar em boas condições. Depois pego o serviço, bem devagarinho para não me cansar demais, e pergunto se não há alguém que queira me ajudar. Se há, naturalmente deixo para ele a maior parte do trabalho, ou para falar com mais exatidão, cem por cento. Mesmo isso, porém, me é bastante penoso. Tenho de ficar o tempo todo no local do trabalho.

— Isso não é nada! — exclamou o quinto criado. — Vê o meu caso. Tenho de tirar o esterco de cavalo da estrebaria e encher com ele uma carroça. Começo bem devagarinho. E, se tiro alguma coisa com a pá, e levantei-me, espero um quarto de hora para descarregar a pá na carroça. Não é preciso fazer um esforço maior, para se despachar uma carroça de esterco por dia. O que não quero é estragar minha saúde por excesso de trabalho.

— Pois eu acho que a gente tem de trabalhar — opinou o sexto criado.

— O menos possível, naturalmente, e a gente pode, também, fora do serviço, deixar de lado muito esforço inútil, para não desgastar muito as nossas forças. Eu, por exemplo, fico quase um mês sem mudar de roupa nem tirar os sapatos, nem para dormir. Procuro, também, poupar a força em tudo quanto tenho de fazer. Assim, quando tenho de subir uma escada, ponho o pé direito, depois o esquerdo no primeiro degrau. Trato, então, de contar quantos degraus tem a escada, para saber onde devo descansar durante a subida.

O sétimo tomou então a palavra:

— Eu não me preocupo muito com essas coisas. O patrão fiscaliza o meu trabalho, mas não fica em casa durante todo o dia. Eu, porém não me descuido de coisa alguma. Para que eu me mova, tenho de ser empurrado por quatro homens muito robustos.

— Estou vendo que sou o único sujeito diligente aqui! — vangloriou-se o oitavo criado. — Se encontro uma pedra no meio do caminho, evito fazer o esforço de levantar as pernas para passar por cima dela. Deito-me no chão, e, se fico coberto de poeira ou de lama, espero até que o sol tenha me secado. Às vezes, porém, sou tão diligente que chego a mudar de posição, para expor melhor o corpo ao sol.

— Confesso que, realmente, sou um pouco preguiçoso. Hoje, por exemplo, fiquei com tanta preguiça de pegar um pedaço de pão e levá-lo à boca, que preferi passar fome, assim como preferi passar sede do que levar à boca um copo de água, ainda mais que tenho de enchê-lo antes — disse o nono.

— A preguiça já me prejudicou, mas por culpa de outra pessoa — revelou o décimo criado. — Eu e mais dois colegas estávamos deitados no caminho, com as pernas estendidas e um idiota veio empurrando um carrinho de mão e passou por cima, quebrando minha perna e machucando muito o pé. Não ouvi o barulho do carrinho se aproximando, pois estava coberto de mosquitos que, além de sugar o meu sangue, faziam uma zoeira horrível com seus zumbidos. É claro que eu não podia ficar o tempo todo espantando os mosquitos. Mesmo se não tivesse mosquito, porém, seria um desaforo eu ter de fazer o esforço de encolher as pernas porque um idiota cismou de passar por ali empurrando o carro, quando, muito provavelmente, devia ter outros caminhos que poderia seguir, já que era tão imbecil a ponto de empurrar carrinho de mão, em vez de descansar ele próprio e dar sossego aos outros que precisavam descansar.

Chegou a vez do décimo-primeiro criado:

— Deixei o meu emprego ontem. Não era brincadeira carregar livros pesados para meu patrão, ou levá-los de volta para a estante. Para falar a verdade, não foi propriamente eu que larguei o emprego, mas meu patrão que me despediu, porque as suas roupas, que eu tinha deixado sem guardar, estavam todas roídas pelas traças, o que, aliás, foi muito bom, pois ele não merecia coisa melhor.

E disse o décimo-segundo:

— Hoje, guiei a carroça até o campo e fiz uma cama de palha, para tirar uma boa soneca. As rédeas escaparam de minhas mãos, o cavalo tinha quase se livrado, os arreios tinham sumido, as correias que prendem o cavalo ao varal tinham sumido e o mesmo acontecera com o bocado e o freio. Alguém passara por ali e levara aquilo tudo. Além disso, a carroça estava atolada em um brejo. Afinal, o próprio patrão apareceu e se encarregou de tirar a carroça de lá. Só por isso é que não estou dormindo lá, em cima da palha, até agora, com toda a tranquilidade.

O NOIVO SALTEADOR

Era uma vez um moleiro, que tinha uma filha muito bonita, e, quando a filha se tornou moça, ele quis que ela se casasse.

"Se aparecer algum pretendente que a peça em casamento, eu lhe darei a mão de minha filha", pensou ele.

Pouco tempo depois, apareceu um pretendente, que parecia ser muito rico. E, não vendo defeitos nele, o moleiro prometeu-lhe a mão de sua filha.

A jovem, contudo, não gostou do pretendente como deve gostar uma mulher do homem com quem vai se casar, e não tinha confiança nele. Sempre que o via ou que simplesmente se lembrava dele, sentia um horror secreto.

Certa vez, o noivo disse-lhe:

— És minha noiva e, no entanto, nunca me fizeste uma visita.

— Não sei onde fica a tua casa — desculpou-se a donzela.

— Minha casa fica na floresta escura — disse o noivo.

A moça tentou desvencilhar-se, alegando que não sabia o caminho.

— No próximo domingo deves ir à minha casa — insistiu o noivo. — Já convidei os amigos, e vou espalhar cinza pelo chão, a fim de que encontres o caminho através da floresta.

Quando chegou o domingo, a jovem partiu procurando o caminho, sentindo-se muito nervosa, sem saber exatamente porque, e, para marcar o caminho, encheu os bolsos de lentilhas e ervas. Desde a entrada da floresta, havia uma linha de cinza pelo chão, e a moça a acompanhou, mas, a cada passo, deixava cair duas ervilhas. Caminhou quase que durante todo o dia, até chegar ao ponto mais espesso da floresta, e onde havia uma casa, solitária, cujo aspecto sombrio e ameaçador aumentou o mal-estar da jovem. Entrou, mas a casa estava deserta e silenciosa. De repente, porém, ela ouviu uma voz:

Volta, volta pra trás, linda donzela.
Esta casa é fatal. Não entres nela.

A jovem levantou a cabeça, e viu que a voz partira de uma ave, que se achava em uma gaiola pendurada na parede. E a ave repetiu:

Volta, volta pra trás, linda donzela.
Esta casa é fatal. Não entres nela.

A jovem percorreu todos os aposentos da casa, sem encontrar pessoa alguma: todos estavam vazios e silenciosos. Afinal, desceu ao porão, e lá encontrou uma velha, que sacudia constantemente a cabeça.

— Podes me dizer se meu noivo mora aqui? — perguntou a donzela.

— Ah! Pobre criança! — exclamou a velha, em vez de responder. — Para onde vieste? Estás no covil de um fascínora. Julgas ser uma noiva que se casará em breve, mas irás celebrar teu casamento com a morte. Vê: fui obrigada a pôr aqui um caldeirão cheio de água, e, quando eles se apossarem de ti, vão te despedaçar sem piedade, cozinhar-te e devorar-te, pois são comedores de carne humana. Se eu não tiver compaixão de ti e salvar-te, estarás perdida.

Então a velha a levou para trás de uma grande pipa, onde ela não podia ser vista.

— Fica aí inteiramente quieta — recomendou. — Não faças o menor movimento nem o menor rumor, pois, do contrário, estarás perdida. À noite, quando os salteadores estiverem dormindo, fugiremos. Esperei por muito tempo essa oportunidade.

Mal a donzela se escondeu, o bando de fascínoras chegou. Eram homens de aspecto sinistro, embriagados, que traziam consigo outra jovem e não se compadeciam de seus gritos e de seu pranto. Obrigaram-na a beber vinho, três copos bem cheios: um copo de vinho branco, um copo de vinho tinto e um copo de vinho amarelo, e, com isso, a jovem morreu. Os bandidos então rasgaram e arrancaram as suas vestes, despedaçaram seu lindo corpo e o salgaram.

Em seu esconderijo, a jovem noiva tremia dos pés à cabeça, vendo o destino que lhe aguardava, não fosse a proteção da velha. Enquanto isso, um dos salteadores notou que havia um anel em um dos dedos da morta, que não queria sair. Pegou, então, um machado e cortou o dedo, mas, atingido pela machadada, o dedo e o anel deram um pulo e foram cair no seio da noiva. O ladrão acendeu uma vela e foi procurar o anel pelos cantos do porão.

— Já procurou atrás daquela pipa? — perguntou outro bandido, fazendo com que a coitada da noiva ficasse ainda mais apavorada.

A velha, porém, tratou de intervir:

— Ninguém precisa se preocupar. Todos podem comer à vontade que amanhã, de dia, será muito mais fácil procurar. O anel não vai sair daqui sozinho.

— A velha tem razão — disse um dos salteadores. — Vamos tratar de encher a pança.

Comeram vorazmente e beberam à vontade, o vinho no qual a velha havia colocado um poderoso soporífero, de sorte que não demorou muito para que todos estivessem dormindo e roncando.

A jovem noiva pôde, então, sair do seu esconderijo, morrendo de medo, pois teve de caminhar entre os fascínoras que dormiam por toda a parte, atravancando a passagem, e não era fácil evitar pisá-los, ainda mais com aquela tremedeira que se apossara de seu corpo.

Felizmente, Deus ajudou-a e ela afinal se viu fora do sinistro porão, em companhia da velha, que a guiou, abrindo as portas e indicando o rumo, e, afinal, as duas se afastaram à toda pressa do antro dos assassinos. Trataram, então, de procurar o caminho. O vento levara as cinzas, mas as lentilhas e ervilhas tinham ficado e não era difícil vê-las, graças ao luar. A velha e a jovem caminharam a noite inteira, e ao amanhecer chegaram ao moinho. A donzela contou, então, ao pai tudo o que lhe havia acontecido.

Quando chegou o dia marcado para o casamento, o noivo apareceu, e o moleiro tinha convidado todos os seus parentes e amigos. Quando se sentaram à mesa, cada um teve de contar um caso. Como a noiva permanecesse calada, o noivo lhe disse:

— Não tens também um caso para contar, minha querida? Vamos, conta, como os outros fizeram.

— Então vou contar um sonho que tive — disse a moça. — Eu estava caminhando sozinha em uma floresta e afinal cheguei a uma casa, onde não havia ninguém, mas na parede havia uma ave dentro de uma gaiola, que gritou:

Volta, volta pra trás, linda donzela.
Esta casa é fatal. Não entres nela.

E repetiu o canto. Mas foi só um sonho, querido. Depois eu andei pela casa e estava vazia, mas metia medo. Desci, então, para o porão, e lá encontrei uma velha, a quem perguntei: "Podes me dizer se meu noivo mora aqui?" E ela respondeu: "Ah! Pobre criança! Vieste para o antro de fascínoras. Teu noivo mora aqui, mas, em vez de casar-te contigo, ele vai te matar, te despedaçar, te cozinhar e te devorar!" Foi só um sonho, querido. Mas a velha me escondeu atrás de uma pipa, depois os salteadores chegaram e mataram uma moça, despedaçaram-na, cozinharam-na e a devoraram. Mas foi só um sonho, querido. E um dos bandidos viu que ainda havia um anel no dedo da moça e cortou o dedo, mas o dedo saltou longe e foi cair no meu seio. E aqui está ele!

E, com estas palavras, tirou o dedo com o anel e mostrou-o aos presentes.

O noivo, que, durante a narrativa, fora empalidecendo até tornar-se cor de cinza, levantou-se e tentou fugir, mas os presentes o seguraram e o entregaram à justiça. E ele e todos os seus cúmplices foram executados como castigo por seus horríveis crimes.

O POLEGAR

Era uma vez um pobre campônio, que tinha o costume de, à noite, sentar-se à beira do fogão e atiçar o fogo, enquanto sua mulher fiava ao seu lado. E, certo dia ele disse:

— Como é triste não ter filhos! Como nossa casa é silenciosa, enquanto as outras são barulhentas e alegres!

— É mesmo — concordou a mulher. — Eu queria ter um filho, mesmo se fosse o único e tão pequeno que não fosse maior que o dedo polegar. Mesmo assim, nós o amaríamos com todo o coração.

E aconteceu que a mulher adoeceu e, sete meses depois, deu à luz um menino bonito e bem conformado, mas do tamanho de um dedo polegar.

E os pais disseram:

— Foi como nós desejamos e será o nosso filho muito amado.

Por causa do seu tamanho, deram-lhe o nome de Polegar. Embora o tratassem bem, alimentando-o às horas certas, o menino não se desenvolveu, continuando sempre com o tamanho que tinha ao nascer. Era, no entanto, muito inteligente e sensato, e tinha bom coração.

Certo dia, quando estava saindo para ir à floresta cortar lenha, o camponês exclamou:

— Como seria bom se houvesse alguém que levasse a carroça para buscar a madeira na floresta!

— Fica tranquilo, meu pai, que levarei a carroça — disse o menino.

O camponês não pôde deixar de rir.

— Como poderias levar a carroça, meu filho? — perguntou. — Como irias pegar a rédea e dirigir o cavalo?

— Se minha mãe arriar e atrelar o cavalo, poderei perfeitamente, meu pai — replicou o menino. — Ficarei sentado na orelha do cavalo, falando com ele o que deve fazer.

— Está bem — admitiu o camponês. — Vamos tentar, por esta vez.

Quando chegou a hora, a mãe de Polegar arreiou e atrelou o cavalo e colocou o filho na orelha do animal.

— Vamos, vamos! — ordenou o menino.

E continuou dando as ordens, como um perfeito carroceiro, e a carroça entrou pela floresta adentro.

Aconteceu que, justamente quando ela estava fazendo uma curva, dois caminhantes estavam indo em sua direção e, ao ouvir os gritos do menino, um deles exclamou:

— Meu Deus do céu! Eis uma carroça andando, o carroceiro gritando, e a gente não vê o carroceiro!

— Está muito estranho! — concordou o outro homem. — Vamos acompanhar esta carroça, a fim de vermos onde ela vai parar.

A carroça entrou na floresta e chegou exatamente ao lugar onde o pai do menino trabalhou. Ao avistar o pai, Polegar gritou:

— Está vendo, meu pai! Aqui está a carroça, como prometi. Agora, ajuda-me a descer daqui.

O camponês segurou a rédea, imobilizando o cavalo, com a mão esquerda e com a direita tirou o filho da orelha do animal. Polegar sentou-se, muito bem disposto, em uma palha. Ao vê-lo, os dois viajantes, que acabavam de chegar, ficaram estarrecidos. Um cochichou para o outro:

— Não achas que aquele miudinho faria a nossa fortuna se o exibíssemos em uma grande cidade? Vamos comprá-lo.

Aproximaram-se do camponês e propuseram:

— Quer vender esse homenzinho para nós? Nós o trataremos muito bem.

— De modo algum! — exclamou o pai. — Ele é a menina de meus olhos e não há dinheiro no mundo capaz de comprá-lo.

Polegar, no entanto, ao ouvir a conversa, subira pelas dobras do casaco de seu pai, chegara até a gola e sussurrou-lhe no ouvido:

— Vende-me, meu pai. Voltarei dentro de muito pouco tempo.

O pai, então, vendeu-o aos dois homens por uma boa soma de dinheiro.

— Onde vais ficar? — perguntaram os homens.

— Na aba de teu chapéu — respondeu Polegar. — Assim, poderei andar de um lado para o outro e admirar a paisagem, sem perigo de cair.

Assim ficou combinado, e, depois de Polegar ter se despedido de seu pai, os homens o levaram consigo. Caminharam até o anoitecer, e, então, o homem em miniatura disse:

— Tira-me daqui por favor. Estou precisando.

— Podes ficar aí, não faz mal — respondeu o homem que tinha o chapéu na cabeça. — Estou acostumado. Os pássaros costumam fazer suas necessidades aí por cima e eu não me incomodo.

— Comigo é diferente — contestou Polegar. — É uma questão de educação. Faze o favor de abaixar o teu chapéu.

Diante da insistência, o homem cedeu. Tirou o chapéu e deixou Polegar ir para o chão, onde ele correu para o meio da relva e, escondido como estava, não teve dificuldade de desaparecer na primeira toca de camundongo que encontrou.

— Boa noite, meus senhores! — gritou para os dois homens. — Podem voltar para casa sem mim.

Os dois homens correram para junto da toca e socaram-na com a ponta de suas bengalas, mas em vão. Polegar afundou-se cada vez mais no buraco e, como a noite já havia caído, e estava muito escuro, os dois sujeitos tiveram de desistir de suas tentativas e voltar para casa.

Quando Polegar viu que os seus perseguidores tinham ido embora, resolveu sair de seu subterrâneo.

— É muito perigoso andar no escuro — falou sozinho. — Muito arriscado de se quebrar uma perna ou o pescoço.

Felizmente, tropeçou em uma concha vazia.

— Graças a Deus! — murmurou. — Nela posso passar a noite em segurança.

E entrou na concha.

Não muito tempo depois, quando estava começando a adormecer, ouviu a conversa de dois homens.

— O que vamos fazer para tomarmos o ouro e a prata daquele rico pastor? — perguntou um deles.

— Posso ensinar-te como agir — gritou Polegar, interrompendo a conversa dos dois.

— O que é isso? — exclamou um dos ladrões, amedrontado. — Ouvi uma pessoa falando!

Os dois ficaram em silêncio, atentos. E Polegar tornou a falar:

— Leva-me contigo e eu te ajudarei.

— Mas quem és? — perguntou o homem.

— Olha para o chão e observa de onde vem a minha voz — disse Polegar.

Os ladrões afinal o encontraram e o carregaram.

— Como é que podes nos ajudar, seu pigmeu? — perguntaram.

— Entro no quarto do pastor através das barras de ferro e levarei para ti tudo o que queres — explicou o homem em miniatura.

— Então, vem conosco, e vamos ver o que se pode fazer.

Foram para a casa do pastor, Polegar penetrou em seu quarto, de onde gritou, o mais alto que pôde:

— É para levar tudo que está aqui?

Os ladrões ficaram alarmados, e disseram:

— Fala baixo, para não acordar ninguém!

Polegar, porém, fingiu que não ouvira a recomendação e insistiu:

— Estou perguntando se é para levar tudo que está aqui.

A cozinheira, que dormia no quarto vizinho, acordou, sentou-se na cama e ficou ouvindo. Os ladrões, amedrontados, tinham se afastado correndo, como se um fantasma os perseguisse. A criada acendeu um candeeiro e, quando apareceu com ele, Polegar escapuliu para o celeiro, e a criada, nada encontrando, pensou que, afinal de contas, tudo não passara de um sonho, embora com os olhos abertos e os ouvidos atentos.

Polegar tinha se acomodado entre o feno, e encontrara um lugar onde poderia dormir. Tencionava descansar até o dia seguinte e, então, voltar à casa de seus pais.

O homem põe e Deus dispõe, contudo. Ainda havia muita confusão destinada a afetar o homenzinho. São tantas as aflições e preocupações deste mundo!

Quando amanheceu, a criada levantou-se e foi ordenhar as vacas. Antes, entrou no celeiro e pegou um molho de feno, justamente aquele em que o coitado do Polegar se encontrava, ainda dormindo. E dormindo tão profundamente, que não tomou conhecimento de coisa alguma, até que acordou na boca da vaca, que se regalava comendo justamente o feno onde ele se encontrava.

— Como é que fui cair neste moinho, meu Deus do céu? — ele exclamou.

Logo descobriu, porém, qual era realmente o caso. E teve, então, de tomar o máximo cuidado para não ter de passar entre os dentes da vaca. Conseguiu sair-se bem quanto a isso, mas não teve outro recurso senão cair, misturado com o feno, em um dos quatro estômagos da vaca.

— Esqueceram de colocar janelas neste quartinho, que, além disso, é pequeno demais — murmurou. — Não entra um raio de sol e, também, não se encontra sequer uma vela que se pudesse acender.

O pior é que o feno continuava a entrar naquele espaço diminuto. A situação foi se agravando tanto, que ele começou a gritar:

— Não me mandem mais feno! Não me mandem mais feno!

A criada estava então ordenhando a vaca e, quando ouviu aquela voz e não viu ninguém, ficou intrigada, e se lembrou que aquela voz era a mesma que ouvira durante a noite. Ficou tão aterrorizada, que caiu do tamborete e entornou o leite. Correu à toda pressa para procurar seu patrão e disse-lhe:

— Por Deus do céu, pastor, a vaca está falando!

— Estás louca? — reagiu o pastor.

Para tranquilizar a criada, porém, foi ele mesmo ver o que estaria realmente ocorrendo. Mal pusera os pés no estábulo, ouviu os gritos de Polegar:

— Não me mandem mais feno! Não me mandem mais feno!

O próprio pastor ficou, então, alarmado. Achou que um espírito maligno se apossara da vaca e ordenou que ela fosse morta. Assim foi feito, mas o estômago, onde Polegar se encontrava, foi jogado no monturo. Com muito esforço, o homem em miniatura conseguiu abrir caminho para escapar dali, porém mal enfiou a cabeça para fora, uma nova desgraça aconteceu. Um lobo faminto apareceu e engoliu todo o estômago com uma bocada só.

O corajoso e artificioso Polegar não perdeu a esperança, contudo.

"Talvez o lobo ouça o que lhe vou dizer", pensou.

E disse, em voz bem alta:

— Meu caro lobo, conheço um lugar onde poderias regalar-te com um magnífico banquete. Encontrarias salsichas, chouriços e toucinho defumado em tal quantidade que mais nem poderias devorar.

— Onde fica isso? — perguntou o lobo interessado.

Polegar deu as indicações, que se referiam à casa de seus pais, e recomendou ao lobo que entrasse na casa pelo esgoto da cozinha, onde acharia comida à farta.

O lobo, voraz como era, aceitou o conselho, mais do que depressa. Correu para a casa indicada, entrou na cozinha pelo modo indicado e devorou tudo que encontrou. Quando já não aguentava mais comer, quis sair, mas a barriga crescera tanto que não conseguiu sair por onde entrara.

Polegar contara com isso e começou a fazer uma gritaria tremenda.

— Cala a boca, senão vais acordar os moradores! — exigiu o lobo.

— Que me importa? — replicou o homenzinho. — Regalaste, enchendo a tua pança, e eu tenho direito de ficar alegre.

E voltou a gritar, com todas as suas forças. Afinal, seus pais acordaram e olharam por uma abertura da porta. Quando viram que havia um lobo na cozinha, o marido foi buscar um machado e a mulher uma foice.

— Fica atrás de mim — recomendou o homem à mulher, quando entraram na cozinha. — Quando eu der uma machadada, deverás entrar em ação e despedaçar-lhe o corpo.

Ouvindo as vozes dos pais, Polegar gritou:

— Estou aqui, meu pai! Estou dentro da barriga do lobo!

— Graças a Deus, meu filho, voltaste para casa! — exclamou o pai.

E mandou a mulher largar a foice, para que o filho não fosse atingido pelas foiçadas. Desfechou, então, uma machadada tão certeira que a cabeça do lobo rolou no chão. O corpo da fera, foi, então, aberto, com o maior cuidado, usando-se facas e tesouras, e o filho retirado incólume.

— Ah, meu filho! — disse o pai. — Quanto sofremos por tua causa!

— Sim, meu pai — concordou o filho. — Minha vida tem sido complicada. Mas que alívio, como é gostoso respirar um ar puro outra vez!

— Por onde andaste, meu filho?

— Andei em uma toca de camundongo, na pança de uma vaca e na barriga do lobo. Mas agora estou junto de meus pais, em meu lar, novamente.

— E não te venderemos de novo, nem por todas as riquezas do mundo! — exclamou o pai, abraçando e beijando o filho. Depois, deram-lhe de comer e de beber, e providenciaram roupa nova para ele, pois a sua se inutilizara em sua acidentada viagem.

O MANGUAL DO CÉU

Certo dia, um certo camponês estava arando a terra com uma junta de bois, quando começaram a crescer os chifres dos dois animais, e continuaram a crescer, tornando-se tão grandes que, quando o camponês voltou para casa, os bois não puderam passar pelo portão. Por sorte, apareceu um carniceiro justamente naquele momento e o livrou da situação embaraçosa, e a barganha foi feita desse modo: o camponês entregou os bois e o carniceiro deu-lhe em troca uma réstia de sementes de colza e, depois, o carniceiro lhe pagaria um táler por cada semente.

"Um bom negócio!" pensou o camponês.

E foi para casa, com a réstia de sementes nas costas. No caminho, porém, perdeu uma das sementes. O carniceiro fez o pagamento exatamente como fora combinado e, se não tivesse perdido a semente, o camponês ganharia ainda mais um táler.

Quando voltou para casa, a semente germinara, e crescera uma árvore tão alta que chegava ao céu. E o camponês pensou:

"Já que se tem esta oportunidade, convém ver o que os anjos estão fazendo lá em cima."

Trepou na árvore e constatou que os anjos estavam debulhando aveia, e ficou olhando. Enquanto estava contemplando o trabalho dos anjos, notou que a árvore estava começando a se inclinar para um lado. Olhou para baixo, e viu que alguém estava começando a cortá-la.

"Se eu cair daqui, vai ser um desastre!" pensou.

E, em tal situação, não viu possibilidade melhor de se proteger do que pegar uma réstia de aveia, das muitas que ali se achavam, e fazer uma corda com ela. Pegou também uma enxada e um mangual que estavam ao lado das réstias de aveia, e, com eles, desceu pela corda que fizera.

Foi cair, porém, em um buraco muito fundo. Assim, teve muita sorte levando a enxada, pois, com ela, pôde abrir degraus no barranco e, por aquela escada, alcançar a superfície.

E, quando tomou o rumo de casa, levou consigo o mangual, que iria constituir o penhor de sua palavra. Mostrando o mangual do céu, ninguém poderia duvidar da veracidade de sua história.

O DIABO E SUA AVÓ

Houve uma grande guerra, e o rei tinha muitos soldados, mas os pagava mal, tão mal que eles não podiam viver com o que ganhavam. Três deles combinaram, então, desertar. E um deles disse aos outros:

— Se formos apanhados, seremos enforcados. Como poderemos evitar que isso aconteça?

— Olha para aquele trigal — disse o segundo. — Se nos escondermos lá, ninguém conseguirá nos encontrar. As tropas não têm permissão de entrar ali, e amanhã já terão ido embora.

Os três se esconderam, então, no trigal, mas as tropas não se retiraram, continuando junto do trigal. E lá ficaram os desertores durante dois dias e duas noites. Estavam tão famintos, que até corriam o risco de morrer de fome, mas se saíssem do trigal, a morte seria certa.

E disseram então:

— O que nos adiantou desertar, para morrermos aqui miseravelmente?

Quando assim falavam, porém, um feroz dragão passou voando e, ao vê-los, pousou e perguntou-lhes o que estavam fazendo escondidos ali.

E um dos desertores explicou:

— Somos três soldados, que desertamos porque o soldo que recebíamos era muito pouco, e agora iremos morrer de fome, se continuarmos aqui, ou morreremos na forca, se sairmos daqui.

— Se me servirem durante sete anos — disse o dragão — eu os conduzirei através do exército e ninguém poderá detê-los.

— Não temos escolha — responderam os três. — Aceitamos.

O dragão agarrou-os com as patas, atravessou voando o acampamento militar e levou-os de novo para a terra, mas em um lugar muito distante. Acontece, porém, que o dragão era nada mais nada menos que o Diabo. Ele deu aos desertores um chicotinho, explicando que, quando dessem chicotadas e fizessem estalar o chicote, poderiam fazer chover a quantidade de ouro que desejassem, pelo que poderiam viver como nababos, comendo e bebendo do melhor, com cavalos e carruagens. Passados porém, sete anos, seriam escravos do Diabo.

E os três foram, em seguida, obrigados a assinar um livro em termo de compromisso, aceitando as condições impostas pelo Maldito.

Havia, no entanto, uma possibilidade de se livrarem de tão abominável destino: o Demônio iria lhes apresentar um enigma e, se conseguissem decifrá-lo, ficariam livres do domínio infernal.

Tendo assim exposto a situação, o dragão levantou voo e foi-se embora.

E os três camaradas saíram pelo mundo, viajando, conhecendo cidades e países e vivendo à tripa forra, graças ao chicotinho mágico que lhes fornecia o dinheiro necessário. O tempo, porém, passou bem depressa, como costuma passar quanto tudo são flores, e o fim dos sete anos se aproximava cada vez mais.

Dois dos amigos perderam, então, a alegria e se mostravam cada dia mais amedrontados. O terceiro, porém, continuava calmo.

— Meus amigos — disse — não há motivo para pânico. Modéstia à parte, acho que serei capaz de decifrar o enigma.

Estavam um dia sentados em um campo, os dois pessimistas com uma cara de fazer dó, quando uma velha se aproximou deles e perguntou-lhes porque estavam tão tristes.

— Por que te interessas em saber? — disse um deles. — Afinal de contas, não poderás ajudar-nos.

— Quem sabe? — replicou a velha. — Confiai em mim. Contai-me o motivo de vossa preocupação.

Eles contaram, então, que se encontravam sob o poder do Diabo havia quase sete anos, e recebiam do Diabo ouro à vontade. No fim de sete anos, todavia, passariam a ser escravos, fazendo tudo o que o Diabo quisesse, indo para o inferno, a não ser que conseguissem decifrar um enigma que lhes seria proposto.

— Se quereis ser salvos — disse a velha — um de vós terá de entrar na floresta, onde encontrará um rochedo que se parece com uma casinha, e entrar nessa casinha, onde receberá ajuda.

"Isso não vai adiantar!", pensaram os dois pessimistas e ficaram onde estavam, mas o outro, otimista como sempre, entrou na floresta e encontrou o tal rochedo em forma de casa. Lá se encontrava uma mulher muito velha, que não era outra senão a avó do Diabo, a qual perguntou ao ex-soldado de onde viera e o que desejava ali.

Ele contou tudo que havia acontecido, e causou tão boa impressão à velha, que ela se compadeceu dele e disse que iria ajudá-lo. Levantou, então, uma grande pedra, que ficava por cima de um aposento subterrâneo e disse ao soldado:

— Esconde aí, que poderás saber tudo que for falado aqui. Quando o dragão chegar, vou conversar com ele sobre o enigma. Ele me explicará tudo. Presta toda a atenção ao que ele disser.

À meia-noite, o dragão chegou voando e pediu o jantar. A avó pôs a mesa e serviu comidas e bebidas, que os dois saborearam juntos, e o dragão parecia muito alegre. No decorrer da conversa, a velha perguntou-lhe se o dia fora propício e quantas almas ele havia conquistado.

— O dia não foi muito bom — disse o Diabo. — De qualquer maneira, estou muito satisfeito, porque dentro de muito pouco tempo três soldados vão cair totalmente sob o meu domínio.

— É mesmo? — perguntou a velha. — Três soldados? Mas olha que os soldados em geral são muito espertos. É capaz de arranjarem algum meio de escaparem.

— Que ideia! — retrucou o dragão. — Para se livrarem, teriam de decifrar um enigma, o que jamais conseguirão!

— E qual é o enigma? — perguntou a velha.

E o Diabo respondeu:

— É este: no Mar do Norte há um cação morto, que será vossa carne assada e a costela de uma baleia será vossa colher de prata e o buraco de um velho casco de cavalo será vosso copo de vinho.

Quando o Diabo adormeceu, a velha levantou a pedra do subterrâneo e fez o soldado sair.

— Prestaste bem atenção? — perguntou-lhe.

— Sim — ele respondeu. — Já sei bastante e vou me salvar.

Teve de sair por outro caminho, pulando uma janela secreta, e voltou a toda pressa para junto dos companheiros. Contou-lhes como o Diabo fora enganado por sua avó e como ficara sabendo a resposta do enigma. Todos ficaram alegríssimos e manobraram o chicotinho com tanto entusiasmo, que foi difícil guardar todo o ouro que arrecadaram.

No momento exato em que terminou o prazo de sete anos, o Diabo apareceu com o livro onde estava o termo de compromisso, mostrou as assinaturas dos três, e disse:

— Vou levá-los comigo para o inferno, onde irão jantar. Se adivinhares — acrescentou, dirigindo-se ao primeiro soldado — que espécie de carne assada será servida, ficarás livre do compromisso assumido.

E o primeiro soldado respondeu:

— No Mar do Norte há um cação morto que sem dúvida é a carne assada.

O Diabo ficou furioso e resmungou:

— Hum! Hum!

E perguntou ao segundo:

— Mas qual será a tua colher?

— A costela de uma baleia será nosso talher de prata.

— Hum! Hum! — resmungou o Diabo, cada vez mais furioso.

E foi quase babando de ódio que perguntou ao último:

— E tu sabes também qual vai ser o copo de vinho?

— Nosso copo de vinho vai ser o buraco do casco de um cavalo velho — respondeu prontamente o soldado.

Então, o Diabo fugiu, dando um grito horrível e perdeu todo o poder sobre os três desertores, que continuaram, porém, na posse do chicote e a viver como nababos pelo mundo afora.

A NOIVA DE VERDADE

Era uma vez uma jovem muito bela, mas que perdera a mãe quando ainda era criança e era muito maltratada pela madrasta, que não poupava esforços para tornar a vida da enteada a mais infeliz possível.

Sempre que a madrasta lhe dava um serviço para fazer, ela trabalhava com a maior diligência e capricho. Mas isso de nada adiantava. A madrasta era implacável: jamais se dava por satisfeita, sempre exigindo mais e fazendo pouco caso do que fora feito.

Certo dia, a madrasta disse à jovem:

— Aqui estão doze libras de penas que tens de preparar e, se o serviço não for executado esta noite, podes contar com uma boa surra. Por acaso achas que podes ficar à-toa o dia inteiro?

A pobre jovem começou a trabalhar, mas as lágrimas começaram a escorrer-lhe pelas faces, pois sabia que era de todo impossível executar tal trabalho naquele espaço de tempo. Sempre que tinha diante de si um punhado de penas, e antes que o pegasse, o tremor de suas mãos ou um suspiro que desse fazia todas as penas voarem e era muito difícil, quando não de todo impossível, recolhê-las.

Desanimada, ela apoiou os cotovelos na mesa, escondeu o rosto entre as mãos, começou a chorar, e disse, em voz alta, entre os soluços:

— Não haverá em todo este mundo de Deus uma só alma compassiva que tenha pena do meu sofrimento?

Ouviu então uma voz muito baixa que lhe dizia:

— Sossega, minha filha. Vim para ajudar-te.

A jovem olhou em torno e viu a seu lado uma velha, que segurou-lhe na mão, com todo o carinho, e disse-lhe:

— Conta agora o que está te atormentando.

Comovida com a sua bondade, a jovem lhe falou sobre a sua vida infeliz e as perseguições da madrasta, que a obrigava a fazer os serviços mais pesados e nunca se mostrava satisfeita, mas, ao contrário, frequentemente a castigava.

As lágrimas recomeçaram a correr.

— Se eu não acabar esta noite o trabalho com as penas, ela vai me espancar — disse a jovem, entre os soluços. — Ela me ameaçou, e sei que cumprirá a ameaça.

— Não tenhas medo, minha filha — disse a velha. — Descansa um pouco e, enquanto isso, vou cuidar do teu trabalho.

A jovem deitou-se em sua cama, e não tardou a adormecer. A velha sentou-se à mesa onde estavam as penas, que saíram voando de seus cálamos. A velha mal precisava tocá-las com suas mãos milagrosas. Dentro de pouco tempo as doze libras ficaram prontas, e, quando a jovem acordou, viam-se, bem arrumadinhas, várias pilhas brancas como a neve e tudo no quarto estava limpo e bem arrumado.

A donzela agradeceu a Deus e ficou tranquila até que a madrasta apareceu e ficou maravilhada ao ver o trabalho concluído.

— Estás vendo, idiota — disse — o que se pode fazer quando as pessoas se mostram diligentes? E por que não trataste logo de fazer outra coisa, em vez de ficar sentada, de braços cruzados?

E saiu pensando: "Ela deu conta da incumbência, e tenho de lhe dar um serviço ainda mais pesado".

E, na manhã seguinte, foi procurar a enteada e disse-lhe:

— Aqui está uma colher. Com ela, tens de esvaziar a piscina do jardim e, se não executares esse trabalho até o anoitecer, vais ver o que te acontece.

A jovem pegou a colher e viu que ela estava cheia de buracos. Ainda mesmo, porém, se estivesse perfeita, era evidente que a execução de tal trabalho seria de todo impossível.

Sentou-se, contudo, à beira da piscina e pôs mãos à obra, embora sabendo que seria um esforço inútil. E o pouquinho de água que conseguia retirar era menor do que a quantidade de lágrimas que caíam na piscina.

Então, a boa velha apareceu de novo e disse-lhe:

— Vai lá fora, deita-te na relva e dorme, e deixa o trabalho por minha conta.

A sugestão foi logo seguida, e, mal a velha se aproximou da água, um vapor espesso subiu para os ares, perdendo-se entre as nuvens, e a piscina foi se esvaziando aos poucos. Quando a jovem acordou, ao anoitecer, a piscina já estava inteiramente vazia e os peixes agonizavam na lama do fundo.

A moça foi procurar a madrasta e mostrou-lhe o trabalho.

A madrasta, lívida de raiva, só conseguiu dizer:

— Já podias ter feito isso muito antes.

E ficou pensando em outra coisa. E, no terceiro dia, pela manhã, disse à enteada:

— Terás de construir um castelo ali na planície, e ele terá de estar pronto quando anoitecer.

— Como poderei construir um castelo? — replicou a donzela, tremendo, quase sem voz.

— Não admito objeções! — exclamou a madrasta, quase gritando. — Se pudeste esvaziar a piscina com uma colher furada, podes construir um castelo! Ele tem de estar pronto, completamente pronto, até o anoitecer. Se faltar qualquer coisa, por menor que seja, bem deves saber o que te espera!

Arrastou a enteada até a planície, onde as pedras estavam amontoadas umas em cima das outras, e a jovem não teria força suficiente para levantar a menor de todas.

Nada mais, portanto, pôde fazer senão ficar sentada, chorando, quando a malvada madrasta se retirou. A boa velhinha, porém, não tardou a surgir.

— Vai dormir na sombra, minha filha — disse ela. — Deixa o castelo por minha conta.

E, quando a donzela se afastou, a velha encostou a mão nas pedras, que imediatamente se moveram sozinhas e se arrumaram, uma ao lado da outra, ou em cima da outra. Parecia que gigantes invisíveis estivessem construindo o castelo, que, afinal, ficou pronto e perfeito, desde os subterrâneos até a torre. O seu interior estava ainda sendo decorado quando o fim do dia se aproximava. Como a velha benfazeja fez aquilo, ninguém sabe. Mas as paredes estavam cobertas por tapeçarias riquíssimas e todos os aposentos magnificamente mobiliados. Candelabros de cristal pendiam dos tetos e se refletiam no chão, que parecia um espelho. Viam-se papagaios verdes em gaiolas de ouro e pássaros exóticos cantavam melodiosamente. Em suma: tudo era tão magnífico que parecia que um rei iria morar ali.

O sol acabara de se pôr quando a donzela acordou e foi ofuscada pelo clarão de milhares de luzes. Correu até o castelo, e entrou pela porta, que estava aberta. Subiu uma escadaria de mármore e, quando viu o esplendor dos aposentos, ficou deslumbrada. E ali teria ficado por muito tempo, se, de repente, não tivesse se lembrado da madrasta.

"Ah! Se ela afinal ficasse satisfeita e me deixasse em paz, como seria bom!" pensou.

E foi contar à madrasta que o castelo estava pronto.

— Vou lá ver — disse ela, secamente.

E, quando entrou no castelo, foi forçada a levar a mão aos olhos para protegê-los, tão brilhante era a iluminação.

— Está vendo como fica fácil fazer isto? — perguntou à enteada. — Eu deveria ter te dado uma tarefa mais pesada.

Examinou todos os cantos do castelo, procurando um defeito, porém, por mais que procurasse, não conseguiu encontrar um só que fosse.

— Agora, vamos ver lá embaixo — disse, encarando a enteada, com um olhar zombeteiro, certa de que iria encontrar algum defeito. — A cozinha e a adega ainda não foram examinadas e, se tiveres esquecido alguma coisa, não escaparás do castigo.

Na cozinha, porém, tudo estava irrepreensível. Visivelmente desapontada, a megera agarrou-se à sua última esperança:

— Vamos ver a adega. Se estiver faltando uma garrafa de vinho, não escaparás do merecido castigo!

Ela mesma levantou a tampa do alçapão que dava para a adega e desceu. Mal, porém, descera dois degraus, a tampa caiu. A enteada ouviu um grito e correu para socorrer a perversa madrasta, mas ela já caíra no fundo, e a jovem, ao alcançá-la, verificou que ela morrera devido a queda.

E agora o esplêndido castelo pertencia apenas à jovem. A princípio, ela nem sabia como adaptar-se à sua nova e propícia sorte. Nos armários, havia lindos vestidos, as gavetas estavam repletas de joias de ouro e de prata, cravejadas de pérolas e pedras preciosas, e ela jamais sentia um desejo que não pudesse ser satisfeito.

A fama de sua beleza e de sua riqueza se espalhou pelo mundo. Pretendentes se apresentavam diariamente, mas nenhum lhe agradava. Afinal apareceu um príncipe, e ela mal o viu, por ele se apaixonou.

No jardim do castelo havia uma limeira debaixo da qual os dois namorados estavam sentados, quando o príncipe disse à donzela:

— Vou à minha casa, a fim de obter de meu pai o consentimento para que eu me case contigo. Peço-te que me esperes, aqui embaixo desta árvore, pois voltarei dentro de poucas horas.

A jovem o beijou na face esquerda e disse-lhe:

— Peço-te que me sejas sempre fiel e jamais deixes outra beijar tua face.

A donzela ficou debaixo da árvore até o anoitecer, mas o príncipe não voltou. Ficou três dias, esperando por ele, de manhã até a noite, mas em vão. Como no quarto dia ele ainda não voltara, ela pensou:

"Sem dúvida aconteceu algum acidente que o impediu de voltar. Vou procurá-lo, e não voltarei enquanto não encontrá-lo."

Pôs em uma mala três dos seus mais belos vestidos — um tendo bordadas estrelas brilhantes, o segundo com luas de prata, o terceiro com sóis de ouro — e amarrou um punhado de joias de pedras preciosas no lenço, e partiu.

Perguntou pelo noivo em toda a parte aonde ia, mas ninguém o vira, ninguém sabia coisa alguma a seu respeito. E a jovem andou sem descanso pelo mundo, mas não o encontrou. Afinal, foi trabalhar em uma herdade como vaqueira e enterrou os vestidos e as joias embaixo de uma pedra.

E, enquanto vivia como vaqueira e guardava o rebanho, sentia-se triste, morta de saudade de seu amado. No rebanho havia uma novilha que ela amansara e que comia em suas mãos e se ajoelhava junto dela, que então lhe acariciava a cabeça, quando a jovem dizia:

Minha novilha, fica ao meu lado,
Sem esquecer tua vaqueira,
Como esqueceu o príncipe amado,
Fiquei sozinha a vida inteira.

E, depois que ela atravessara dois anos sozinha e cheia de tristeza, correu a notícia no país que a filha do rei ia se casar. A estrada que levava à cidade atravessava a aldeia onde a jovem estava morando, e aconteceu que, um dia em que ela estava trazendo um rebanho da pastagem, o noivo passou indo para a cidade. Cavalgava orgulhosamente um fogoso corcel, sem olhar em torno, mas, ao vê-lo, a jovem reconheceu o seu amado e sentiu como se um punhal tivesse sido cravado em seu coração.

— Acreditei que ele era fiel, mas se esqueceu de mim! — murmurou.

No dia seguinte, quando a jovem levava o rebanho para pastar, o príncipe passou de novo pela estrada. Quando se achava bem perto, ela disse à novilha:

*Minha novilha, fica ao meu lado,
Sem esquecer tua vaqueira,
Como esqueceu o príncipe amado,
Fiquei sozinha a vida inteira.*

Ao ouvir aquela voz, o príncipe baixou os olhos e freou o cavalo. Olhou para o rosto da jovem e levou as mãos aos olhos, como se estivesse tentando lembrar-se de algo, mas logo prosseguiu a cavalgada e desapareceu na curva da estrada.

— Ah! Ele nem me conhece mais! — murmurou a donzela.

E tornou-se ainda mais triste.

Pouco depois foi anunciado que se realizaria na corte uma festa com a duração de três dias e para a qual todo o país estava convidado.

"Será a minha última oportunidade" pensou a jovem. E, quando anoiteceu, procurou a pedra onde enterrara os seus tesouros. Tirou o vestido com o sol de ouro, vestiu-o e enfeitou-se com as joias de pedras preciosas. Soltou o cabelo, que até então mantivera escondido sob um lenço, e assim entrou na cidade, onde, na escuridão, ninguém a notou.

O príncipe foi ao seu encontro, mas não a reconheceu. Convidou-a para dançar, e ficou tão encantado com a sua beleza, que nem pensou mais na outra noiva. Quando terminou a festa, a jovem sumiu no meio da multidão e correu à aldeia antes que o dia amanhecesse, e, lá chegando, meteu-se de novo em suas vestes de camponesa.

Na noite seguinte, ela vestiu o vestido com as luas de prata e pôs no cabelo uma meia-lua feita de pedras preciosas. Quando chegou à festa, todos os olhares se voltaram para ela, e o príncipe correu ao seu encontro, só dançou com ela e não olhou para mais ninguém. Antes de sair, ela teve de prometer que viria à festa da última noite.

Quando apareceu pela terceira vez, estava com o vestido cheio de estrelas brilhantes e trazia na cabeça um ornamento constelado de estrelas. O príncipe já estava à sua espera há muito tempo, e correu ao seu encontro.

— Tens de me dizer quem és — disse ele. — Tenho a impressão de que te conheço há muito tempo.

— Não sabes o que fiz quando me deixaste? — replicou a jovem.

E beijou-o na face esquerda. Naquele instante, o príncipe teve a sensação de que uma venda fora arrancada de seus olhos, e ele reconheceu a noiva, a noiva de verdade.

— Vamos! — exclamou. — Não posso ficar aqui nem mais um minuto!

Levou a jovem para a sua carruagem, e os cavalos correram em direção ao castelo encantado, como se estivessem sendo levados pelo vento.

Todas as janelas do castelo estavam iluminadas. E quando o jovem casal passou pela limeira, toda a sua copa estava repleta de vagalumes. E a árvore diante dele sacudiu os seus galhos, espalhando um cheiro delicioso. Junto à escadaria, todas as flores estavam abertas, perfumando o ar. Dentro, ouviam-se os cantos melodiosos de pássaros exóticos. Mas no grande salão, toda a corte estava reunida e o padre achava-se à espera do noivo, para casá-lo com a noiva de verdade.

FERNANDO FIEL E FERNANDO INFIEL

Era uma vez um casal que, enquanto foi rico, não teve filhos, mas, quando ficou pobre, teve um menino. Ninguém, onde moravam, quis ser padrinho do menino, de modo que o marido foi à outra aldeia, para ver se encontrava alguém.

No caminho, encontrou-se com um mendigo, que lhe perguntou onde estava indo. E ele respondeu que estava indo procurar um padrinho para o filho, pois era tão pobre, que ninguém quisera ser.

— Ora! — disse o outro. — És pobre e eu sou pobre. Posso ser o padrinho de teu filho, embora nada lhe possa dar, devido à minha miséria. Volta para tua casa e dize à parteira para levar a criança à igreja.

Quando chegou à igreja, junto com a parteira, que levava a criança, o mendigo já lá se encontrava, e deu ao menino o nome de Fernando Fiel. E, ao sair da igreja disse ele ao pai:

— Agora, volta para casa. Nada te dei e nada me deves.

Deu, porém, uma chave à parteira e disse-lhe que, quando chegassem em casa, a entregasse ao pai, que deveria tomar conta dela até que o menino fizesse quatorze anos, quando ele deveria ir à charneca onde havia um castelo que poderia ser aberto com a chave, e que tudo que ali estivesse lhe pertenceria.

O menino cresceu, forte e robusto, e, quando tinha sete anos, foi brincar com outros meninos e cada qual contava prosa, dizendo o que ganhara como presente do padrinho. Ele, porém, nada pôde contar e, muito triste, voltou para casa e perguntou ao pai:

— Meu padrinho não me deu presente algum?

— Deu, sim — responde o pai. — Deu uma chave. Se houver um castelo na charneca, basta ires lá e abrires o castelo.

O menino foi, mas não viu castelo algum e ninguém sabia da existência de algum castelo.

Sete anos mais tarde, quando o menino já se tornara um rapazinho de quatorze anos, ele voltou ao lugar, e lá estava o castelo. Quando o abriu, só encontrou um cavalo, um cavalo branco.

O jovem ficou muito alegre porque era dono de um cavalo. Cavalgou-o e galopou até à casa paterna.

— Agora, sou dono de um cavalo branco e vou viajar! — anunciou.

Partiu, então e, depois de percorrer uma certa distância, viu uma pena de escrever caída na estrada. Pensou em apanhá-la, mas depois desistiu, achando que não valia a pena, que em qualquer lugar aonde fosse seria fácil encontrar uma pena, mas logo ouviu uma voz:

— Fernando Fiel, leve-a contigo.

O jovem olhou em torno e não havia ninguém. Voltou atrás e apanhou a pena.

Mais adiante passou por um lago, em cuja margem estava um peixe, estrebuchando, quase morrendo. Fernando Fiel teve dó do peixe. Apeou, segurou-o pelo rabo e o jogou dentro da água. O peixe pôs a cabeça para fora e gritou:

— Como foste bom para comigo, tirando-me da lama, vou te dar uma flauta. Quando estiveres precisando de ajuda, toca-a e eu te ajudarei. E se deixares alguma coisa cair dentro da água, toca também, e eu a restituirei.

Fernando Fiel continuou a viagem e, depois de algum tempo, dele aproximou-se um homem, que lhe perguntou aonde ia.

— Ao próximo lugar — ele respondeu.
— Como te chamas?
— Fernando Fiel.
— Ah! — exclamou o outro. — Então, temos quase o mesmo nome. Eu me chamo Fernando Infiel.

Os dois, então, cavalgaram juntos até a estalagem mais próxima.

Um fato desagradável era o de Fernando Infiel saber tudo que o outro pensava e tudo que iria fazer. Conseguia tal coisa se valendo de todas as espécies de magia negra.

Havia na estalagem uma jovem muito honesta, bonita e simpática, que se apaixonou por Fernando Fiel, que era um belo rapaz, e perguntou-lhe para onde ele estava indo.

— Estou só viajando — respondeu o jovem. — Não estou indo para qualquer lugar determinado.

A jovem, então, aconselhou-o a ficar ali, pois o rei daquele país estava precisando de um servidor ou um batedor e ele poderia, portanto, ingressar no serviço real. Ele, porém, respondeu que não se sentia capaz de pedir tal coisa ao rei.

— Não seja essa a dúvida — replicou a jovem. — Eu mesma farei isso para ti.

E foi logo procurar o rei e disse-lhe que conhecia um homem que lhe seria um ótimo serviçal. O rei determinou, então, que Fernando Fiel lhe fosse apresentado e quis fazer dele um servidor no palácio. Fernando, porém, preferiu ser um batedor, pois gostaria de ficar onde estivesse o seu cavalo branco. O rei nomeou-o batedor.

Quando soube disso, Fernando Infiel disse à jovem:

— Então, estás ajudando a ele e não me ajudas?

— Eu te ajudarei também — prometeu a jovem, que pensou: "Não convém brigar com ele, pois é um sujeito perigoso".

Foi de novo procurar o rei, que admitiu Fernando Infiel como servidor do palácio.

Ora, quando o rei reuniu os seus conselheiros, na manhã seguinte, lamentou-se:
— Ah! Se minha amada estivesse comigo!

E Fernando Infiel, que tinha ódio de Fernando Fiel, ouvindo, certo dia, o rei lamentar-se daquele modo, disse-lhe:

— Vossa Majestade tem o batedor. Mande-o procurá-la e, se ele não a trouxer, mande decapitá-lo.

Então, o rei mandou chamar Fernando Fiel e disse-lhe que havia em algum lugar uma mulher que amava e que ele tinha de trazê-la, pois, se não a trouxesse, seria morto.

Fernando Fiel foi buscar o cavalo branco na estrebaria, queixando-se e lamentando-se.

— Como sou infeliz! — exclamou.

E alguém, atrás dele, perguntou:

— Por que choras, Fernando Fiel?

Fernando olhou em torno, mas não viu pessoa alguma. E voltou a lamentar-se:

— Meu querido cavalinho branco, tenho de deixar-te, tenho de morrer.

E a voz misteriosa repetiu, atrás dele:

— Fernando Fiel, por que choras?

Então, pela primeira vez, ele percebeu que era o próprio cavalo que estava falando.

— Estás falando, meu cavalinho branco? Sabes falar? — perguntou, acrescentando: — Tenho de sair pelo mundo procurando a noiva do rei e trazê-la para cá. Poderias me dizer como conseguirei tal coisa?

E o cavalo branco respondeu:

— Vai procurar o rei e lhe digas que, se ele te der o que precisas, trarás sua noiva. Se ele te der um navio cheio de carne e um outro navio cheio de pão, serás bem sucedido. No lago moram enormes gigantes e, se não levares carne para eles, os gigantes te despedaçarão. E há também aves enormes, que te arrancarão os olhos, se não levares pão para lhes dar.

O rei, então, fez com que trabalhassem todos os carniceiros e todos os padeiros do reino, até que os dois navios ficassem repletos. Quando isso foi feito, o cavalo branco disse a Fernando Fiel:

— Agora cavalga-me e vai comigo para o navio. E, quando aparecerem os gigantes, dize-lhes:

Eu sou de paz, caros gigantes,
Pensei em vós já muito antes
E trouxe o que será bastante.

E quando as aves aparecerem, dize-lhes:

Eu sou de paz, aves queridas,
Pensei em vós, nas vossas vidas:
Aqui está farta comida.

Então, nada te acontecerá de mau e, quando chegares ao castelo, os gigantes te ajudarão. Sobe, então, ao alto do castelo, levando dois gigantes contigo. Ali está a princesa dormindo. Não a acordes, porém. Deverá ser levada na cama, pelos dois gigantes, para o navio.

E tudo foi assim feito, e Fernando Fiel levou a princesa, em sua cama, e entregou-a ao rei. A princesa, porém, disse que morreria se não recuperasse os seus escritos, que tinham sido deixados no castelo.

E, por instigação de Fernando Infiel, Fernando Fiel foi chamado, e o rei lhe ordenou que fosse buscar os escritos no castelo, pois do contrário, morreria.

Novamente, Fernando foi lamentar-se junto ao cavalo branco, que lhe disse de novo o que teria de fazer. O rei teve de providenciar pão e carne para encher os dois navios, e tudo mais transcorreu como da outra vez. Os gigantes e as aves ficaram satisfeitos com a carne e o pão, e o cavalo branco disse a Fernando Fiel que procurasse os escritos no quarto da princesa, onde, de fato foram encontrados. Quando chegaram ao lago, porém, a pena de Fernando caiu na água.

— Nisso, eu não posso ajudar-te — disse o cavalo branco.

Fernando Fiel, porém, lembrou-se da flauta, tocou-a, e o peixe pôs fora da água a boca, com a pena presa nos dentes. E, assim, ele levou os escritos para o castelo, onde o casamento foi celebrado.

A rainha, porém, não amava o rei, porque ele não tinha nariz, mas gostaria muito de amar Fernando Fiel. E uma vez, quando todos os nobres da corte estavam reunidos, ela disse que, graças aos seus poderes mágicos, era capaz de cortar a cabeça de qualquer pessoa e tornar a pô-la no lugar, e quem quisesse poderia experimentar. Ninguém, contudo, quis ser o primeiro, até que Fernando Fiel, sempre por instigação de Fernando Infiel, se ofereceu à experiência, e a rainha cortou-lhe a cabeça e tornou a pô-la no mesmo lugar, onde a cabeça ficou, como se nunca de lá houvesse saído.

— Onde aprendeste isso, querida? — perguntou o rei.

— Sou perita nessa arte — respondeu a rainha, sem responder diretamente à pergunta. — Não queres experimentar também?

— Quero, sim.

E a rainha cortou-lhe a cabeça, mas não a pôs de novo no lugar, com a desculpa de que a cabeça era mal feita e não se ajustava bem. O rei foi enterrado, e a rainha se casou com Fernando Fiel.

Fernando continuou a cavalgar o cavalo branco, e um dia em que o cavalgava, o cavalo lhe disse que iria levá-lo à charneca do castelo encantado e dar três voltas em redor. E, depois de ter dado as três voltas, o cavalo se ergueu firmando nas patas traseiras e se transformou em um príncipe.

OS SETE CORVOS

Era uma vez um homem que tinha sete filhos, mas nenhuma filha, embora desejasse muito. Afinal, sua mulher lhe anunciou que iria ter mais um filho, e, dessa vez, nasceu uma menina. A alegria foi grande, mas a criança era muito miúda e não tinha boa saúde, e teve de ser batizada sem cerimônia, devido à sua condição física.

Tudo teve de ser feito às pressas, e o pai mandou um dos filhos à fonte buscar água para o batismo. Os outros seis foram com ele e cada um procurava encher mais depressa o cântaro. Tanto fizeram, que o cântaro caiu dentro do poço.

Os meninos ficaram sem saber o que fazer, não tinham coragem de voltar para casa. Como estivessem demorando tanto, o pai se impacientou, achando que eles deviam ter ficado brincando, em vez de executarem a tarefa. Teve medo de que a menina morresse sem ser batizada, e, levado pela irritação, exclamou:

— Tomara que eles virassem corvos!

Mal acabara de pronunciar essas palavras, ouviu o ruído de um ruflar de asas sobre sua cabeça. Levantou os olhos, e viu sete corvos, negros como carvão, que voavam afastando-se da casa.

Os pais não podiam retirar a maldição e, embora muito tristes com a perda dos sete filhos, consolavam-se, de certo modo, com a filha, que, superando os seus problemas de saúde, cresceu forte e sadia e se tornava de dia para dia mais bela. Durante muito tempo, ela ficou sem saber o que acontecera com os irmãos, pois os pais tinham o cuidado de nada falar a respeito, mas certo dia ouviu, acidentalmente, algumas pessoas comentando que a menina era realmente linda, mas na realidade era culpada pela desgraça que acontecera com os irmãos.

Muito preocupada, a jovem foi procurar os pais e perguntou-lhes se era verdade que tivera irmãos, e quis saber o que acontecera com eles. Os pais não se atreveram a guardar o segredo por mais tempo, mas explicaram que o que acontecera com os irmãos fora devido à vontade de Deus, e que o seu nascimento fora apenas uma causa indireta. A jovem, porém, não se conformou e achou que devia salvar os irmãos.

Não teve sossego enquanto não saiu de casa escondida e foi pelo vasto mundo em procura dos irmãos, para livrá-los da maldição, custasse o que custasse. Não levou coisa alguma consigo, a não ser um anelzinho que pertencia aos pais, como lembrança, um pão para matar a fome, uma garrafa de água para matar a sede e uma cadeirinha a que poderia recorrer contra o cansaço.

E assim saiu caminhando constantemente, cada vez para mais longe, até o fim do mundo. Afinal chegou ao Sol, mas lá era terrível, um calor insuportável, que matava as crianças. Fugiu o mais depressa que pôde e acabou chegando à Lua, mas lá fazia muito frio, e a Lua era má, e quando viu a menina, exclamou:

— Estou sentindo cheiro de carne humana!

A menina tratou de fugir mais uma vez, e chegou às estrelas, que foram acolhedoras e bondosas para com ela. A Estrela d'Alva lhe deu, então, uma perna de galinha, explicando:

— Sem isto, não poderás abrir a porta da Montanha de Gelo e é na Montanha de Gelo que estão os teus irmãos.

A menina pegou a perna de galinha, enrolou-a cuidadosamente em um pano e partiu rumo à Montanha de Gelo, e caminhou sem descanso até lá chegar. A porta estava fechada, mas, quando ela procurou, no pano, a perna da galinha, a fim de abri-la, nada encontrou.

O que fazer agora? Queria salvar os irmãos, mas não tinha a chave que poderia abrir a entrada da Montanha de Gelo. Mas a boa irmã não hesitou em cortar um de seus dedos mínimos, que enfiou na fechadura da porta, e esta se abriu.

Quando entrou, apareceu um anão, que lhe perguntou:

— O que estás procurando, minha filha?

— Estou procurando meus irmãos, os sete corvos — ela respondeu.

— Os senhores corvos não estão em casa, mas entra, se queres esperá-los — disse o anão.

Em seguida, o anão trouxe o jantar dos sete corvos, em sete pratinhos e sete copinhos, e a irmã tirou uma garfada de cada prato e um gole de cada copo e, no último copo, deixou cair o anel que trouxera consigo.

Pouco depois, ela ouviu o barulho de ruflar de asas, e o anão anunciou:

— Os senhores corvos estão voltando para casa.

E os corvos entraram e procuraram os pratos e copos.

E um depois do outro, todos eles disseram:

— Quem comeu do meu prato? Quem bebeu do meu copo? Foi uma boca humana.

E, quando o sétimo bebeu até o fundo do copo, o anel entrou na sua boca. Ele o examinou e viu que era um anel que pertencia a seus pais, e exclamou:

— Meu Deus! Nossa irmã pode estar aqui e, então, nós ficaremos livres.

Ao ouvir essas palavras, a irmã, que estava escondida atrás da porta, apareceu e imediatamente os sete corvos recuperaram a forma humana. E todos abraçaram e beijaram a irmãzinha, e foram para a casa paterna, alegres e felizes.

A RAPOSA E OS GANSOS

Era uma vez uma raposa que chegou a um prado, onde encontrou um bando de gansos bem gordos. E ela lhes disse, sorridente:

— Que beleza! Todos juntos, assim posso comer todos, de um a um!

Horrorizados, os gansos imploraram piedade. A raposa, porém, mostrou-se implacável:

— Nada de piedade! — disse. — Todos terão que morrer!

Afinal, um dos gansos tomou coragem e disse:

— Se nós, pobres gansos, teremos de ser sacrificados ao teu apetite, permite ao menos que rezemos uma última prece, confessando os nossos pecados, e, para isso, faremos uma fila, e todos irão rezando.

— Teu pedido é razoável — admitiu a raposa.

Os gansos fizeram uma fila, e o primeiro da fila — o que tivera a ideia — começou uma longa prece, repetindo sem parar:

— Quá! Quá! Quá!

O segundo da fila não esperou que ele terminasse a prece, e tratou de gritar também:

— Quá! Quá! Quá!

O terceiro, o quarto, o quinto e todos os outros seguiram o exemplo, e a gritaria se generalizou.

Enquanto eles estiverem rezando, a história não pode acabar. E, por enquanto, continuam a rezar.

A LUZ AZUL

Era uma vez um soldado, que servira durante muito tempo ao Rei, com toda a lealdade, mas que, quando terminou a guerra, resolveu dar baixa, por causa dos muitos ferimentos que recebera.

O rei lhe disse, então:

— Podes voltar para tua casa. Não preciso mais de ti, e não receberás mais dinheiro algum, pois só recebe o soldo quem me presta serviço.

Então, o soldado, sem saber como iria ganhar a vida, saiu, muitíssimo preocupado, e caminhou durante todo o dia, até que, ao anoitecer, entrou em uma floresta. Quando a noite caiu de todo, e a escuridão reinou em torno, ele avistou uma luz e, caminhando em sua direção, chegou a uma casa, onde morava uma feiticeira.

— Dá-me pousada por uma noite e um pouco de comer e de beber, pois, do contrário, morrerei de fome — disse ele à dona da casa.

— Ora! — exclamou a bruxa. — Quem dá alguma coisa a um soldado fugitivo? Contudo, tenho pena de ti e te acolherei se fizeres o que quero.

— E o que queres? — replicou o soldado.

— Que caves todo o meu jardim amanhã.

O soldado concordou sem relutância e trabalhou o dia seguinte inteiro, até o anoitecer, mas não conseguiu completar o serviço.

— Vejo que, realmente, não podes trabalhar mais hoje, mas poderás ficar aqui ainda esta noite, e, em pagamento, amanhã terás que rachar uma carga de lenha e quero que a raches bem miúdas — disse a velha.

O soldado passou o dia seguinte inteiro rachando lenha e, por mais que se esforçasse, não conseguiu acabar o serviço. A feiticeira sugeriu que ele pernoitasse mais uma vez em sua casa, e, no dia seguinte, como fizera antes, pagasse a hospedagem com o seu trabalho.

— Resta só um pouquinho de lenha para rachares — disse ela. — Mas há outro servicinho para fazeres. Atrás da minha casa, há um poço velho, já seco, dentro do qual caiu a minha luz. É uma luz azul que jamais se apaga e irás tirá-la do poço e trazê-la para cima.

No dia seguinte, a velha bruxa levou o soldado à beira do poço e fê-lo descer para o fundo em um cesto. Ele encontrou a luz azul, pegou-a e fez sinal à velha para puxá-lo para cima. Ela o levantou, mas, tendo debruçado à beira do poço, estendeu o braço, para que ele entregasse a luz azul, antes de sair.

— Não! — disse o soldado, percebendo a má intenção da bruxa. — Só te dou a luz quando estiver com os meus dois pés firmados na terra.

A feiticeira ficou furiosa, largou o cesto, que foi cair no fundo do poço, e foi-se embora.

O soldado não se machucou muito na queda, mas ficou desesperado, no fundo lamacento do poço, sem saber como agir. A luz azul continuava lá, mas de que valia? Ele sabia muito bem que não poderia escapar da morte. Sentou-se, triste, pensativo, quando, de repente, sentiu em seu bolso o cachimbo, que ainda estava cheio pela metade.

— Vai ser o meu último prazer — murmurou.

Quando, porém, a fumaça do cachimbo circulou pela caverna, surgiu um anãozinho preto, que lhe disse:

— O que ordenas, senhor?

— O que ordeno? — redarguiu o soldado, espantadíssimo.

— Farei tudo que mandares — replicou o anão.

— Muito bem! — exclamou o soldado. — Então, antes de mais nada, ajuda-me a sair daqui deste poço.

O anão deu-lhe a mão e o levou através de uma passagem subterrânea, mas o soldado não se esqueceu de levar a luz azul. No caminho, o anão mostrou-lhe os tesouros que a bruxa havia escondido ali, e o soldado aproveitou para levar tanto ouro quanto foi possível.

Quando chegaram ao nível da terra, ele ordenou ao anão:

— Agora, amarra a velha bruxa e a entregue ao juiz.

E, pouco depois, a bruxa passou, veloz como o vento, montada em um gato macho e dando gritos horríveis. E o anão reapareceu dali a pouco, anunciando:

— Tudo está pronto. A bruxa já está pendurada na forca. O que mais ordenas, senhor?

— Por ora, nada — respondeu o soldado. — Podes voltar para casa, mas fica atento, para compareceres imediatamente se eu te convocar.

— Nada mais será preciso, a não ser acenderes o teu cachimbo na luz azul e imediatamente aparecerei diante de ti — disse o anão, desaparecendo logo em seguida.

O soldado voltou à cidade de onde viera, hospedou-se na melhor estalagem, onde fez questão de se instalar no melhor quarto que havia, e também comprou as roupas mais elegantes que encontrou. Depois de bem instalado e bem vestido, convocou o anãozinho negro e disse-lhe:

— Servi lealmente ao rei, mas ele me deu baixa e deixou-me passar fome. Agora, quero vingar-me.

— O que devo fazer? — perguntou o anão.

— Quando for altas horas da noite e a filha do rei estiver dormindo, traze-a, sem que ela acorde, até aqui, e ela vai trabalhar para mim como criada.

— Para mim — disse o anão — isso será muito fácil, mas é muito perigoso para ti, pois, se fores descoberto, não invejo tua sorte.

Quando soaram as badaladas da meia-noite, a porta se abriu, e o anão apareceu, trazendo a princesa.

— Ah! — exclamou o soldado. — Já chegaste? Trata de trabalhar imediatamente! Pega a vassoura e varre este quarto.

Quando ela executou esse trabalho, o soldado sentou-se, estendeu as pernas e ordenou:

— Tira os meus sapatos!

Ela obedeceu, o soldado atirou os sapatos em seu rosto, depois mandou que ela os apanhasse e os limpasse e engraxasse.

Ela obedeceu, sem oposição, às ordens do soldado, sem dizer uma palavra, e com os olhos semicerrados.

Quando o galo cantou pela primeira vez, o anão levou de volta a princesa para o palácio e lá a deixou, dormindo a sono solto.

Na manhã seguinte, logo que se levantou, a princesa foi procurar o pai e contou-lhe que tivera um sonho muito esquisito:

— Fui levada através das ruas, com a rapidez de um raio e conduzida até o quarto de um soldado, onde tive de trabalhar como se fosse uma criada, varrendo o chão e arrumando o quarto. E depois ele me mandou tirar os seus sapatos, jogou-os em minha cara e me fez apanhá-los, limpá-los e engraxá-los. Foi só um sonho, e, no entanto, fiquei tão cansada como se realmente tudo aquilo tivesse acontecido.

— Talvez não tenha sido sonho — disse o rei. — Vou te dar um conselho. Enche teu bolso de ervilhas, e faze no bolso um buraquinho. Se fores levada outra vez, as ervilhas cairão e marcarão o caminho que seguiste nas ruas.

O anãozinho, porém, estava de pé ao lado do rei, embora este não o visse, ouviu tudo. À noite, quando a princesa foi levada dormindo para a casa do soldado, naturalmente caíram no chão algumas ervilhas, mas não marcaram o caminho, pois o esperto do anão espalhara ervilhas em todas as outras ruas. E, mais uma vez, a princesa foi obrigada a fazer o papel de criada.

Na manhã seguinte, o rei mandou os seus homens procurarem a pista, mas foi em vão, pois em todas as ruas havia crianças pobres apanhando ervilhas e comentando:

— Deve ter chovido ervilhas à noite passada.

— Vamos lançar mão de outra coisa — disse o rei à filha. — Dorme calçada, e, antes de voltares do lugar onde fores levada, esconde lá um dos pés dos sapatos, e eu tratarei de encontrá-lo.

O anãozinho estava, como antes, invisível junto do rei, e ouviu tudo. E à noite, quando o soldado ordenou-lhe que trouxesse mais uma vez a princesa ao seu quarto, revelou-lhe o que ouvira, acrescentando que ele não tinha poderes para contrabalançar aquele estratagema. O soldado, porém, não quis seguir o seu conselho de desistir da ideia.

— Faze o que estou mandando! — limitou-se a dizer.

E a princesa mais uma vez fez o papel de criada.

No dia seguinte, o rei fez com que todos os habitantes da cidade procurassem o sapato da princesa, e o soldado, que fugira aconselhado pelo anão, foi perseguido, preso e atirado a um calabouço. Na precipitação da fuga, esquecera de levar as coisas mais preciosas que possuía a luz azul e o ouro. E agora, carregado de cadeias, olhava através da janela da prisão, quando viu passar um de seus antigos camaradas. Conseguiu chamar a sua atenção e pediu-lhe:

— Faze o favor de trazer-me um embrulho que deixei na hospedaria e eu te darei um ducado.

O antigo camarada concordou prontamente e não tardou a lhe entregar o volume e receber o ducado. Logo que ficou sozinho, o soldado acendeu o cachimbo na luz azul, convocando assim o prestimoso anão.

— Não tenhas medo — disse-lhe o anão aparecendo. — Vai aonde te levarem, deixai fazer contigo o que quiserem. Tem apenas o cuidado de levares contigo a luz azul.

No dia seguinte, o soldado foi julgado e condenado à morte. Quando o levaram para ser enforcado, ele pediu um último favor ao rei.

— O que queres? — perguntou o rei.

— Queria fumar o meu cachimbo pela última vez — respondeu o soldado.

— Podes fumar quantas vezes quiseres — disse o rei, e acrescentou, com um sorriso zombeteiro: — Se tiveres tempo!

O soldado então, tirou o cachimbo e acendeu-o com a luz azul. Imediatamente apareceu o diligente anão.

— O que mandas, meu senhor? — perguntou.

— Dá uma surra neste falso juiz, nestes guardas e não poupes também Sua Majestade o rei! — ordenou o soldado.

O anão não perdeu tempo. Já previamente munido de um porrete de todo o tamanho, esbordoou sem dó nem piedade guardas, juiz e rei, até que Sua Majestade se colocou à mercê do soldado e, para que cessasse o castigo antes que acabasse morrendo, renunciou ao trono, entregou o reino ao soldado e deu-lhe sua filha em casamento.

O PRÍNCIPE E A PRINCESA

Era uma vez um rei que tinha um filho que, de acordo com o seu horóscopo, deveria ser morto por um veado quando tivesse dezesseis anos. E, quando tinha aquela idade, foi certo dia caçar, acompanhado por muitos caçadores, dos quais, porém, acabou se separando, no meio da floresta. Sozinho, ele viu um grande veado, no qual atirou, mas errou o tiro. O veado fugiu e o príncipe o perseguiu, até o fim da floresta. De repente, o jovem príncipe viu à sua frente, em vez do veado, um homem muito alto e forte, que exclamou:

— Folgo muito em ver-te! Já gastei seis pares de patins de vidro correndo atrás de ti, sem conseguir apanhar-te.

Levou, então, o príncipe consigo e arrastou-o, através de um grande lago, até um grande palácio e fê-lo sentar-se em uma mesa ao seu lado e comer alguma coisa.

Depois de terem os dois comido juntos, disse o homenzarrão ao príncipe:
— Tenho três filhas e terás de tomar conta da mais velha durante uma noite, desde às nove da noite até às seis da manhã, e todas as vezes que o relógio bater horas eu irei te chamar e, se não me deres resposta, serás morto amanhã, mas, se me responderes, dar-te-ei minha filha em casamento.

Quando chegou ao quarto com a princesa, o príncipe viu que lá havia uma imagem de São Cristóvão à qual disse a princesa:

— Meu pai virá aqui às nove horas e depois a todas as horas certas, até às três da madrugada. Quando ele chamar, dá-lhe uma resposta, em vez do príncipe.

Então, a imagem de pedra de São Cristóvão inclinou a cabeça muito depressa, depois a foi inclinando cada vez mais devagar, até ficar imóvel de novo.

Na manhã seguinte, o rei disse:
— Fizeste tudo corretamente, mas não posso entregar-te minha filha. Terás agora de tomar conta de minha segunda filha, e depois verei se poderei dar-te a mão de minha filha mais velha, mas irei chamar-te todas as horas e, se não responderes, teu sangue vai correr.

No quarto da segunda filha do rei havia uma imagem de São Cristóvão maior do que a outra, e a segunda filha lhe disse:

— Responde, quando meu pai chamar.

A imagem inclinou a cabeça muito depressa, depois foi inclinando cada vez mais devagar, até ficar de novo imóvel.

E o príncipe deitou-se na soleira da porta, apoiou a cabeça na mão e dormiu.

Na manhã seguinte, o rei lhe disse:

— Fizeste tudo muito corretamente, mas não posso entregar-te minha filha. Terás de tomar conta da princesa mais moça durante a noite e verei então se podes casar com minha segunda filha. Irei, porém, chamar-te de hora em hora e, se não responderes, teu sangue correrá.

No quarto da filha mais nova havia uma imagem de São Cristóvão muito maior e mais alta do que as duas outras. E a princesa lhe disse:

— Responde, quando meu pai chamar.

A imagem inclinou a cabeça durante meia hora, até que afinal a cabeça ficou imóvel de novo.

E o príncipe deitou-se na soleira da porta e dormiu.

Na manhã seguinte, disse-lhe o rei:

— Na verdade, vigiaste bem, mas não posso dar-te agora minha filha em casamento. Tenho uma grande floresta e, se a derrubares, entre as seis da manhã e as seis da tarde, vou pensar sobre o caso.

E deu ao príncipe um machado de vidro, uma cunha de vidro e um malho de vidro para executar o trabalho.

O príncipe foi para a floresta na hora marcada, mas o machado, a cunha e o malho de vidro se quebraram quando tentou utilizá-los. Desalentado, certo de que seria morto, o príncipe sentou-se e começou a chorar.

O rei lhe dissera que, ao meio-dia, uma de suas filhas lhe traria alguma coisa para comer. As duas princesas mais velhas, porém, não quiseram ir e a mais nova teve de executar a incumbência.

Quando chegou à floresta, ela perguntou ao príncipe como estava se sentindo e ele respondeu que pessimamente. E não queria comer coisa alguma:

— Se tenho de morrer, para que me alimentar?

A princesa, porém, insistiu com ele, com tanta delicadeza, tanto carinho, que ele acabou comendo um pouco.

— Agora — disse ela — vais dormir um pouco e vais te sentir melhor.

O príncipe cochilou um pouco, e a princesa tirou seu lenço, deu nele três nós e bateu com ele no chão, dizendo:

— Vinde, trabalhadores da terra!

No mesmo momento apareceram inúmeros minúsculos trabalhadores da terra que perguntaram à princesa o que ordenava.

— Dentro de três horas — disse ela — todas as árvores da floresta devem ser cortadas e a madeira devidamente empilhada.

Imediatamente os anõezinhos começaram a trabalhar, e três horas mais tarde todo o serviço estava feito, e todos eles desapareceram.

Quando acordou, o príncipe ficou alegríssimo.

— Volta para o palácio quando for seis horas — recomendou a princesa.

O príncipe assim fez, e anunciou ao rei que executara a tarefa que lhe fora determinada. E o rei lhe disse:

— Não posso te dar a mão de minha filha. Ainda terás de executar uma tarefa para merecê-la. Tenho um grande lago cheio de peixes. Amanhã, terás de limpá-lo, retirar toda a lama, até deixá-lo reluzente como um espelho, depois enchê-lo com todas as espécies de peixe.

Na manhã seguinte, o rei lhe entregou uma pá de vidro e advertiu:

— A lagoa tem de estar pronta até as seis horas.

O príncipe dirigiu-se à lagoa, mas ao tentar retirar a lama de seu fundo, a pá de vidro quebrou-se. Ele ficou desesperado. E quando, ao meio-dia, a princesa mais moça foi lhe levar alguma coisa para comer, e vendo como o príncipe se mostrava abatido e desanimado, fê-lo adormecer e chamou então os trabalhadores da terra para executarem a tarefa dentro do prazo, o que foi feito.

Mais uma vez, porém, o rei exigiu a execução de novo trabalho: o príncipe tinha de construir um castelo. E, para isso, lhe entregou um machado de vidro e uma verruma de vidro, que se quebraram na primeira tentativa que o príncipe fez de utilizá-los. E mais uma vez, a princesa caçula socorreu o príncipe, fazendo-o adormecer e convocando os anõezinhos, que em três horas construíram um esplêndido castelo.

Às seis horas, o príncipe e a princesa voltaram juntos ao palácio real.

— Construíste o castelo? — perguntou o rei.

— Construí, completo, com todos os pormenores — informou o príncipe.

— Não posso, porém, te dar minha filha mais moça em casamento antes de se casarem as mais velhas — disse o Rei.

O príncipe e a princesa ficaram muito decepcionados, mas o príncipe não tardou a tomar uma resolução: naquela mesma noite fugiu com a princesa.

Não tinha, porém, ido muito longe, quando a princesa viu que seu pai os perseguia. O jeito foi transformar o príncipe em uma roseira e ela própria em uma rosa. E, quando o rei chegou ao lugar, só viu uma roseira com uma única rosa, que tentou apanhar. Espetou o dedo nos espinhos da roseira e voltou para o palácio.

A rainha perguntou-lhe porque não trouxera a filha.

— Eu a vi em certo lugar, mas, quando lá cheguei, só encontrei uma roseira com uma rosa, e tive de voltar.

— Se tivesses colhido a rosa, a roseira também teria sido forçada a voltar.

O rei voltou a perseguir os fugitivos. A filha, mais uma vez, notou a sua aproximação, e transformou o príncipe em uma igreja e ela em um padre. E, quando o rei chegou ao lugar, só encontrou uma igreja, dentro da qual um padre se encontrava no púlpito, pregando.

O rei regressou ao palácio, desconsolado, e mais desconsolado ficou quando a rainha lhe disse:

— Se tivesses trazido o padre, a igreja teria também vindo. Não adianta mais os perseguires. Desta vez sou eu quem vou! — decidiu a Rainha.

Foi. E, quando a filha a viu, disse ao príncipe:

— Agora é que temos de nos precaver, pois é minha mãe que vem atrás de nós. Vou te transformar em um lago e me transformar em um peixe.

Quando a rainha chegou ao local, só viu uma grande lagoa e, dentro dela um peixe, muito buliçoso, que pulava fora da água e executava engraçados rodopios. A rainha tentou pegá-lo, mas não conseguiu. Furiosa, então, resolveu secar a lagoa para apanhá-lo e, para isso, bebeu toda a sua água, mas acabou vomitando toda a água que bebera, e gritou:

— Estou vendo que nada mais se pode fazer.

E pediu aos dois que voltassem. Então, a princesa voltou e a rainha deu à sua filha três nozes, dizendo-lhe:

— Estas nozes podem ajudar-te, quando te vires em dificuldade.

Os dois jovens continuaram, então, a viagem e, dez milhas mais adiante, chegaram ao castelo de onde partira o príncipe, perto do qual ficava uma aldeia. O príncipe deixou ali a princesa, dizendo-lhe:

— Fica aqui, querida, que vou ao castelo, buscar uma carruagem e lacaios para te conduzirem.

Quando ele entrou no castelo, houve um grande regozijo e ele contou que deixara a sua noiva na aldeia e que teria de ir buscá-la com uma carruagem. Os cavalos foram atrelados à carruagem e os lacaios a guarneceram, mas, quando o príncipe ia nela entrar, sua mãe lhe deu um beijo e ele se esqueceu de tudo que lhe havia acontecido e do que iria fazer. E a rainha ordenou que os cavalos fossem desatrelados e todos os lacaios voltassem para dentro do palácio.

A jovem princesa, enquanto isso, esperava em vão na aldeia e, desesperada, teve de trabalhar no moinho que pertencia ao castelo. E ali ficou, sem ser reconhecida.

Ao mesmo tempo, a rainha teve de arranjar para o filho uma noiva, que veio de um país muito distante. O casamento se realizou logo, e grande foi o número de pessoas que quiseram participar da festa.

A jovem princesa pediu ao moleiro que lhe desse licença para ir também, e ele não negou, pois a jovem conquistara a sua simpatia, graças ao seu comportamento exemplar.

Antes de sair, a princesa abriu uma das nozes e dentro dela encontrou um magnífico vestido e, com ele, ela entrou na igreja e ficou de pé junto do altar. A noiva olhou em torno e vendo a outra perto do altar, saiu, dizendo que só voltaria quando tivesse um vestido tão lindo quanto o da jovem que ali se encontrava.

Os noivos voltaram, então, para casa e mandaram buscar a jovem que estava perto do altar, propondo-lhe que vendesse o seu vestido. Ela disse que não o venderia. A noiva poderia usá-lo, mas, para isso, era preciso que ela, a dona do vestido, dormisse uma noite na soleira do quarto do príncipe. A noiva concordou.

O criado teve ordem de dar ao príncipe um poderoso soporífero. Depois, a princesa deitou-se na soleira da porta do seu quarto e lamentou-se durante a noite inteira: ela derrubara a floresta para ele, limpara a lagoa, construíra o castelo, transformara-o em uma roseira, depois em uma igreja e afinal em uma lagoa e, no entanto, a esquecera tão depressa. O príncipe, dormindo profundamente, não ouviu, mas o criado ouvira e ficara intrigado.

Na manhã seguinte, a noiva, metida no vestido que desejara, foi para a igreja com o noivo. Enquanto isso, a princesa abriu a segunda noz e encontrou um vestido mais belo ainda do que o primeiro. Vestiu-se, foi para a igreja e tudo aconteceu como acontecera na véspera. A princesa passou outra noite na soleira da porta do quarto do príncipe, mas o criado, em vez de lhe dar o soporífero, deu-lhe um preparado para mantê-lo acordado. E o príncipe ouviu tudo que a princesa disse à porta do seu quarto. Lembrou-se, então, de tudo e quis procurar a princesa sem demora, mas sua mãe trancara a porta do quarto. De manhã, contudo, ele foi procurar a princesa, contou o que acontecera, como perdera a memória, e pediu-lhe perdão.

A princesa abriu então a terceira noz e tirou um vestido ainda mais rico e mais belo do que os dois outros e, usando-o, foi com o noivo para a igreja, e surgiram muitas crianças que os cobriram com flores, e foram abençoados pelo padre, que fez um lindo e alegre casamento. E a falsa mãe e a falsa noiva tiveram de mudar de terra e de vida.

O GATO DE BOTAS

Era uma vez um moleiro que, ao morrer, deixou como herança para os seus três filhos todos os seus bens, que consistiam em um moinho, um burro e um gato. A divisão foi logo feita. Não foram chamados para fazê-la notários ou advogados, que acabariam fazendo desaparecer em pouco tempo o pequeno patrimônio. O filho mais velho ficou com o moinho, o segundo ficou com o burro e o pobre do caçula teve de se contentar com o gato, naturalmente muito aborrecido por ter de se contentar com um quinhão tão pequeno.

— Os meus irmãos — disse ele — vão poder ganhar a vida honestamente, trabalhando em conjunto. Eu, porém, depois de comer meu gato e fazer um chinelo com a sua pele, vou ter de morrer de fome.

O gato, que ouvira a lamúria do dono, embora sem parecer que estivesse ouvindo, disse-lhe, com ar muito sério, muito compenetrado:

— Não te preocupes, meu dono. Nada mais precisarás fazer do que me dar um saco e um par de botas, e verás que não foste prejudicado na partilha.

Embora sem acreditar muito nessa promessa, o jovem herdeiro não a rejeitou de todo, lembrando-se de como aquele gato era esperto em suas manobras para pegar ratos, ora se pendurando com o corpo muito reto, ora estendendo-se no chão, fingindo-se de morto. Resolveu experimentar.

Logo que recebeu o que pedira, o gato calçou as botas, pôs o saco nas costas e foi para uma clareira do bosque onde sempre havia muitos coelhos. Lá chegando, deitou-se, fingindo que estava morto e havendo antes deixado o saco aberto ao seu lado, tendo dentro muito farelo e algumas cenouras. E lá ficou esperando que algum coelhinho mais inocente, pouco familiarizado com as maldades do mundo, se sentisse atraído pelas iguarias e entrasse dentro do saco. E, de fato, não demorou muito que um coelhinho bem gordinho caísse na armadilha, e mais do que depressa o Gato fechou o saco, pegou o coelho, matou-o sem dó nem piedade.

Muito orgulhoso com o seu feito, Mestre Gato foi ao palácio do rei e pediu uma audiência. Conduzido aos aposentos reais, fez uma profunda reverência ao rei.

— Majestade — disse — aqui está um coelho selvagem que meu senhor, o Marquês de Carabás (um nome que ele inventou na hora) me ordenou que oferecesse, respeitosamente, como homenagem, a Vossa Majestade.

— Dize ao teu senhor que agradeço e que fiquei muito satisfeito com o presente — disse o rei.

No dia seguinte, o gato escondeu-se em um trigal, onde, usando o mesmo truque da véspera, pegou duas perdizes, que tratou de oferecer ao rei, como fizera com o coelho. O rei recebeu o presente com tanta satisfação como na véspera, e convidou o portador a beber à sua saúde.

Nos dois ou três meses seguintes, o gato continuou a levar ao rei, como presentes, peças de caça supostamente abatidas pelo suposto Marquês de Carabás. E, certo dia, sabendo que o rei ia passear na margem do rio, em companhia da filha, a princesa mais bela do mundo, o gato disse ao seu dono:

— Se seguires o meu conselho, a fortuna estará feita. Vai tomar banho no rio, no ponto que eu indicar, e deixa o resto por minha conta.

O Marquês de Carabás seguiu o conselho do Gato de Botas, embora sem saber o que ele realmente pretendia fazer. Enquanto estava se banhando, o rei passou, e o Gato se pôs a gritar com toda a força de que dispunha:

— Socorro! Socorro! Meu senhor, o Marquês de Carabás está se afogando!

Ouvindo os gritos, o rei olhou pela janela e, reconhecendo o gato, que já tantas vezes lhe oferecera peças de caça, mandou a carruagem parar e ordenou aos homens de sua escolta que fossem imediatamente socorrer o Marquês de Carabás. Enquanto os guardas tiravam do rio o pobre marquês, o gato aproximou-se do coche real e contou ao rei que, enquanto o marquês de Carabás se encontrava no rio, surgiram alguns ladrões que furtaram as suas roupas, e fugiram sem serem apanhados. (Na verdade, o próprio Gato de Botas escondera a roupa de seu dono no meio de umas pedras).

O rei, imediatamente, mandou um de seus homens ao palácio, a fim de buscar as melhores roupas para o senhor Marquês de Carabás. E quando o marquês se apresentou, metido nos ricos trajes que haviam sido trazidos, e, sendo ele próprio, um jovem robusto e bonito, estava realmente muito mais parecido com um nobre do que com um simples filho de moleiro. Causou ótima impressão ao rei, e principalmente, à filha do rei. E, na verdade, bastou o jovem marquês dirigir-lhe uns dois ou três olhares muito respeitosos, mas também bastante ternos, para que a princesa ficasse loucamente apaixonada por ele.

O rei fez questão que ele entrasse no coche e os acompanhasse no passeio. O Gato de Botas, satisfeitíssimo, vendo que os seus planos estavam sendo coroados de pleno êxito, saiu correndo, a toda velocidade, na frente do coche, e, vendo mais adiante, um grupo de camponeses ceifando um trigal, gritou-lhes:

— Se não disserdes ao rei que todas estas terras pertencem ao Marquês de Carabás, sereis todos despedaçados, transformados em carne picadinha!

Ao passar por ali, o rei não deixou de perguntar aos ceifeiros quem era o dono daquelas terras.

— Pertencem ao senhor Marquês de Carabás! — responderam todos, em uníssono, pois o Gato de Botas os amedrontara.

E assim foi o gato sempre correndo à frente do coche, e sempre obrigando os ceifeiros que encontrava a dizer ao rei que a terra pertencia ao Marquês de Carabás. O rei ficou admiradíssimo diante da grande riqueza do Marquês de Carabás.

Sempre bem antes do coche, o Gato de Botas afinal chegou a um castelo cujo proprietário era um poderoso feiticeiro, o feiticeiro mais rico que já existira, pois todas as terras que o rei atravessara antes lhe pertenciam. O gato teve o cuidado de indagar quem era o feiticeiro e qual eram os seus poderes. Depois, pediu permissão para vê-lo, e, sendo admitido, disse-lhe que não poderia, tendo passado à frente de seu castelo, de apresentar-lhe os seus respeitos. O feiticeiro o recebeu civilmente.

— Informaram-me — disse o gato — que sois capaz de vos transformar em qualquer espécie de animal, como, por exemplo, um leão ou um elefante.

— E sou mesmo! — replicou o feiticeiro, cheio de vaidade. — Quer ver?

E virou um leão, passando um susto tremendo no gato, que fugiu e escondeu-se em um armário, embora as botas o atrapalhassem muito, e só saiu de lá quando o leão tornou a virar o feiticeiro.

— Realmente, é admirável — elogiou o gato, ainda trêmulo. — Mas me disseram também que sois capaz de vos transformar em um bicho pequeno, como um camundongo, por exemplo. Nisso, para falar a verdade, não acreditei.

— Pois vais ver se não é verdade! — exclamou o feiticeiro, ferido em sua vaidade.

E virou um camundongo, que o gato tratou de devorar imediatamente.

Logo depois, o rei, chegando diante do imponente castelo do feiticeiro, quis visitá-lo. O gato, ouvindo o barulho do coche, correu a receber o rei.

— Seja Vossa Majestade bem-vindo ao castelo do meu senhor Marquês de Carabás! — disse, fazendo uma reverência.

— O quê, senhor Marquês! — exclamou o rei. — Este magnífico castelo também lhe pertence? É esplêndido! Deixa-me ver o seu interior.

O marquês ajudou a princesa a descer da carruagem e acompanhou o rei, que subiu a esplêndida escadaria e chegou ao salão, onde estava servido um magnífico banquete que o feiticeiro iria oferecer a alguns amigos, os quais, vendo que o rei se encontrava dentro do castelo, desistiram de entrar.

O rei ficou entusiasmadíssimo com a magnificência do castelo e a riqueza do marquês, e percebendo que o marquês estava apaixonado pela princesa e a princesa por ele, não hesitou em dizer-lhe, durante o banquete, depois de já ter bebido uns cinco ou seis copos bem cheios:

— Depende inteiramente de vós, senhor Marquês de Carabás, tornar-vos, ou não, meu genro.

Nem é preciso dizer que o marquês aceitou, com a devida reverência, a elevada honra que lhe oferecia o soberano. E o casamento logo se realizou.

O Gato de Botas tornou-se um ilustre fidalgo e nunca mais caçou camundongos, a não ser de vez em quando, para se distrair um pouco.

O BOM NEGÓCIO

Era uma vez um camponês que levou sua vaca à feira e a vendeu por sete táleres. No caminho de volta para casa, passou por uma lagoa e já de longe ouvia os sapos gritando:

— Oiiito! Oiiito! Oiiito!

"Estão erradíssimos!", pensou o camponês. "Recebi sete, e não oito."

Chegou até a margem da lagoa e gritou:

— Sapos idiotas! Estão pensando que não sei melhor do que vocês?

Os sapos, porém, não deram a menor atenção ao seu protesto e continuaram a berrar:

— Oiiito! Oiiito! Oiiito!

— Cretinos! — gritou o camponês, irritado. — Se estão pensando que sabem mais do que eu, contem vocês mesmos!

E jogou dentro da água os sete táleres que ganhara com a venda da vaca.

Esperou um pouco, até que os sapos devolvessem o que era seu, mas os sapos ainda teimavam e voltaram a gritar:

— Oiiito! Oiiito! Oiiito!

Além disso não devolveram o dinheiro, como era de seu dever. E gritavam sem parar.

O camponês continuou a esperar, mas se tornou evidente que os sapos não iriam devolver coisa alguma. Ele foi forçado a voltar para casa, não sem passar uma descompostura nos batráquios:

— Não foi à toa que Deus os marcou com tanta feiura! Além de tudo, são ladrões! Fazendo essa barulhada toda, mas contar dinheiro, vocês não sabem!

Algum tempo depois, o camponês comprou outra vaca, matou-a e fez o cálculo que, vendendo a carne, poderia ganhar tanto como se vendesse duas vacas vivas e, além disso, havia também o couro. Quando foi vender a carne na cidade, havia um bando de cães na porta do açougue, tendo à frente um grande galgo, que pulou para atingir a carne, farejou-a e latiu:

— Au! Au! Au!

— Está bem — disse o camponês. — Sei que você está falando "Au, au" porque está querendo uma parte da carne. Mas como é que eu ia ficar se lhe desse a carne?

O cachorro, porém, não deu outra resposta senão repetir o "au, au".

O camponês resolveu ceder, em parte.

— Promete não devorar tudo e deixar uma parte para os seus companheiros? — perguntou.

— Au! Au! — disse o cão.

— Está bem — replicou o camponês. — Já que insiste vou deixá-la com você. Eu o conheço muito bem e sei para quem você trabalha. Tenho de receber o dinheiro dentro de três dias. Do contrário, irá se arrepender. Pode levar o dinheiro para a minha casa.

Tirou então a carne da mochila e entregou-a. Os cães latiram, jubilosos.

O camponês afastou-se a passos largos e comentou, ouvindo os latidos:

— Eles todos estão comendo, mas o galgo é o responsável. Foi com ele que combinei tudo.

Passaram-se três dias, e o camponês, muito satisfeito, pensava: "Esta noite estarei com muito dinheiro no bolso".

Mas o dia passou, e não apareceu dinheiro algum.

Ele foi, então, cobrar do açougueiro.

O açougueiro pensou que ele estava brincando.

— Não estou brincando! Quero o meu dinheiro! — gritou o camponês. — O galgo grande não lhe entregou toda a carne da vaca que matei há três dias?

Dessa vez foi o açougueiro que perdeu a paciência: passou a mão em uma vassoura e expulsou o camponês.

— Ainda há justiça nesta terra! — gritou o camponês.

E foi ao palácio real, pedir uma audiência. Foi levado à presença do rei, que estava sentado no trono, tendo ao lado a filha, e perguntou ao suplicante que injúria sofrera.

— Os sapos e os cachorros tomaram o que é meu e o açougueiro me pagou com porretadas.

E contou tudo que lhe acontecera. Ao ouvir a narrativa, a princesa teve um frouxo de riso, e foi uma gargalhada atrás da outra.

— Não te posso dar justiça — disse o rei. — Mas terás a mão de minha filha. Em toda a sua vida, ela nunca foi capaz de rir, e eu prometi que ela se casaria com o homem que a fizesse rir.

— Não — disse o camponês. — Não quero me casar com ela. Já tenho uma mulher e ela é demais para mim. Quando chego em casa, é como se tivesse uma mulher em cada canto.

— És um boçal — disse o rei. — Mas terás uma recompensa. Vai embora, mas volta daqui a três dias e receberás quinhentos táleres.

Quando o camponês estava saindo, o sentinela disse-lhe:

— Fizeste a princesa rir, e irás ganhar, sem dúvida, uma boa recompensa.

— Com efeito, o rei vai me pagar quinhentos táleres.

— Escuta — disse o soldado. — Dá-me uma parte do prêmio. O que irias fazer com tanto dinheiro?

— Está bem — disse o camponês. — Apresenta-te daqui a três dias ao rei e a quantia te será paga.

Um judeu, que se encontrava perto, ouviu toda a conversa, e, quando o camponês passou junto dele, puxou-o pela aba do casaco e exclamou:

— Ó maravilha de Deus! És um escolhido pelo destino! Quanta sorte! Posso trocar o dinheiro para ti, em moedas menores, o que irias fazer com moedas de tal valor como táler?

— Poderás ter trezentos táleres. Dá-me agora mesmo em pequenas moedas e daqui a três dias o rei te pagará.

O judeu ficou muito satisfeito com o pequeno lucro e entregou a importância em moedas desvalorizadas, três das quais valiam tanto quanto duas moedas valorizadas.

Passados os três dias, o camponês foi se apresentar ao rei.

— Tirem o seu casaco — ordenou o rei — e ele terá quinhentos táleres.

— Eles já não me pertencem, Majestade — disse o camponês. — Dei duzentos táleres ao soldado que estava de sentinela e trezentos ao judeu que os trocou.

Nisso, apareceram o soldado e o judeu, reclamando as suas partes, e ambos receberam, devidamente divididas, as pancadas que estavam destinadas ao camponês. O soldado se mostrou resignado, mas o judeu não parou de lamuriar.

O rei riu muito e, tendo passado a sua raiva, disse ao camponês:

— Vou dar-te uma compensação. Vai ao meu tesouro e enche os teus bolsos com tudo que puderes levar.

Não precisou dizer duas vezes. O camponês correu ao tesouro e encheu os bolsos até nada mais caber. Depois, foi para um botequim contar o dinheiro. O judeu o seguiu e o ouviu falando sozinho:

— O salafrário daquele rei acabou me prejudicando. Por que ele próprio não me deu o dinheiro, para eu ficar sabendo quanto era? Como posso dizer agora se o que tenho nos bolsos está correto ou não?

— Justo Deus! — disse o judeu consigo mesmo. — Este homem está se referindo desrespeitosamente ao rei! Vou denunciá-lo e receberei uma recompensa e ele será castigado.

Quando soube do que dissera o camponês, o rei ficou indignado, e ordenou ao judeu que trouxesse o culpado à sua presença.

O judeu foi procurar o camponês e disse-lhe:

— Tens de te apresentares ao rei, com a mesma roupa que estás vestindo.

— Sei melhor o que convém — retrucou o camponês. — Vou antes mandar fazer um casaco novo. Achas que um homem com tanto dinheiro no bolso iria sair com este casaco velho, já todo roto?

Vendo que o camponês não estava mesmo disposto a ir com o casaco velho, e temendo que a raiva do rei passasse, e ele perdesse a recompensa pela delação, e o camponês não fosse castigado, sugeriu:

— Como sou muito teu amigo, posso te emprestar o meu casaco, desde que seja devolvido logo depois.

O camponês aceitou a sugestão. Vestiu o casaco do judeu e foi se apresentar ao Rei, que o censurou asperamente pelo que dissera, segundo informara o judeu.

— Ah! — exclamou o camponês. — O que este judeu diz é sempre falso. De sua boca imunda só saem mentiras! Esse salafrário é capaz de dizer até que eu tomei seu casaco.

— O quê? — gritou o judeu. — Esse casaco não é meu? Não o emprestei, por pura amizade, sem lucro algum, para que pudesses te apresentar a Sua Majestade?

Ouvindo isso, o rei decidiu:

— Este judeu está enganando um de nós: ou eu ou o camponês.

E mais uma vez ordenou que lhe fosse feito o pagamento: em boas pauladas.

O camponês, por seu lado, voltou para casa com um casaco bom, com dinheiro bom no bolso e pensando:

— Até que enfim acertei!

A DURAÇÃO DA VIDA

Quando Deus criou o mundo e ia fixar a duração da vida de cada criatura, o asno perguntou-lhe:

— Qual será a duração da minha vida, Senhor?

— Trinta anos — respondeu o Padre Eterno. — Estás contente?

— É muito tempo, Senhor — respondeu o asno. Lembra-te de quanto é penosa a minha vida! Transportar cargas pesadas de manhã à noite, levar sacos de trigo ao moinho para que outros possam comer pão, não receber outras carícias senão as do freio e do chicote. Por piedade, Senhor, poupa-me de uma parte ao menos dessa vida tão cruel!

Então, o Senhor teve piedade do asno e cortou dezoito anos em sua vida.

O asno se retirou, agradecido a Deus, e o cão apareceu então.

— Quantos anos gostarias de viver? — perguntou-lhe o Onipotente. — Trinta anos são demais para o asno, mas, para ti devem ser satisfatórios.

— É esse o teu desejo, Senhor? — replicou o cão. — Lembra-te que tenho de correr, mas as minhas pernas não resistem tanto tempo, perco a minha voz para latir e os meus dentes para morder. Só me resta ficar deitado em um canto, rosnando.

Deus achou que o cachorro tinha razão e cortou doze anos de sua vida.

Chegou a vez do macaco.

— Sem dúvida — disse Deus — estás muito satisfeito em viver trinta anos. Não é mesmo? Não precisas trabalhar, vives te divertindo...

— Pode parecer que assim seja, Senhor, mas, na verdade, é bem diferente. Os homens acham graça em mim, é verdade. Mas isso não quer dizer que tal coisa me seja agradável. Sinto-me ridículo, desprezado. A minha vida parece muito longa.

— Está bem — condescendeu o Padre Eterno. — Não seja essa a dúvida. Vou tirar dez anos da tua vida.

Afinal, apareceu o homem, alegre, saudável e vigoroso, e pediu a Deus que fixasse a duração de sua vida.

— Viverás trinta anos — disse o Senhor. — Estás satisfeito?

— É muito pouco tempo! — retrucou o homem. — Vou morrer logo que tenha construído a minha casa, estabelecido o meu lar, plantado as minhas árvores e esteja em condições de gozar a vida? Por piedade, Senhor, aumenta a duração da minha vida!

Está bem — disse Deus. — Vou te dar os dezoito anos que tirei do asno.

— É pouco, Senhor — replicou o homem.

— Então terás mais os doze anos do cachorro.

— Ainda é pouco, Senhor.

— Pois então eu te darei ainda os dez anos que tirei do macaco, e só. Nem um ano mais!

Assim, o homem passou a viver setenta anos. Os trinta primeiros correspondem à vida humana, e passam bem depressa. Então, ele é saudável, alegre, trabalha com prazer e vive satisfeito. Seguem-se então os dezoito anos de vida asinina, quando tem de enfrentar encargo após encargo, carregar trigo para os outros comerem o pão, receber censuras e grosserias como paga de seus esforços e de seu trabalho. Depois, vêm os anos caninos, quando ele se encosta, cansado, a um canto, resmunga, sem forças para agir, sem dentes para mastigar. E, finalmente, vem a fase simiesca. Abatido, fraco, perdendo a memória, perdendo a inteligência, o homem se torna a chacota dos jovens.

O JOVEM GIGANTE

Era uma vez um camponês que tinha um filho do tamanho de um dedo polegar, e não ficou maior do que isso com a passagem do tempo: não cresceu sequer o equivalente à grossura de um fio de cabelo.

Certa vez, o pai do pigmeu se preparava para ir arar a terra, quando o filho lhe disse:

— Meu pai, irei contigo.

— Irás comigo? — replicou o pai, surpreso. — Que ideia é essa? Fica em casa, que lá não terás utilidade alguma, e, além do mais, é bem capaz de te perderes.

O pigmeu começou, então, a chorar, e chorou tanto, que o pai acabou concordando em levá-lo. Meteu-o no bolso e foi para o campo. Lá chegando, tirou-o e colocou-o em um sulco recém-aberto na terra.

Inesperadamente, apareceu um gigante, descendo de uma colina próxima.

— Estás vendo aquele gigante? — disse o pai ao filho, para amedrontá-lo e fazê-lo comportar-se melhor. — Vem te pegar.

Mal deu dois passos, o gigante alcançou o sulco onde o menino se encontrava. Segurou-o, cuidadosamente, com dois dedos, examinou-o e, sem dizer uma palavra, foi-se embora levando-o.

O pai assistiu à cena estarrecido, sem conseguir sequer dar um grito, certo de que seu filho estava perdido e que jamais o veria de novo.

O gigante, porém, de modo algum maltratou o menino. Ao contrário, levou-o para a sua casa, com todo o cuidado, deu-lhe de mamar, e o menino foi crescendo e se tornando alto e forte, à maneira dos gigantes. Dois anos mais tarde, o gigante levou-o à floresta, a fim de experimentá-lo e disse-lhe:

— Arranca um bastão para ti.

O jovem já estava tão forte, que arrancou um arbusto com as raízes. O gigante, porém, não se deu por satisfeito, e amamentou-o durante mais dois anos. Quando o experimentou de novo, ele estava tão forte, que, com toda a facilidade, arrancou uma frondosa árvore, com suas raízes.

— Agora, estás bom — disse o gigante. E levou-o ao campo onde o havia recolhido. Seu pai estava lá arando a terra, e o jovem gigante aproximou-se dele e perguntou-lhe:

— Estás vendo como teu filho cresceu, meu pai?

O lavrador assustou-se e protestou:

— Não! Não és meu filho! Não é possível!

E, como o jovem gigante insistisse, o velho o repeliu:
— Não és meu filho! Vai-te embora!
— Sou teu filho, sim! Deixa-me fazer o teu trabalho. Posso arar a terra tão bem quanto aras, talvez melhor.

O velho lavrador continuava incrédulo, mas, como teve medo daquele grandalhão, deixou-o arar a terra e ficou sentado perto dele, à margem do campo de cultura. O jovem pegou, então, o arado com uma das mãos, mas apertou-o com tanta força sobre o chão que arou a terra até uma grande profundidade.

— Se queres continuar a arar — advertiu o lavrador — não deves apertar com tanta força, pois isso é prejudicial.

O jovem, porém, desatrelou os cavalos e puxou ele próprio o arado, e disse ao outro:

— Volta para casa, meu pai, e dize à minha mãe para preparar muita comida.

O jovem continuou a arar sozinho o campo, que tinha uma área de dois acres, e, em seguida, atrelou-se à grade e rasgou e destorrou todo o terreno, usando duas grades ao mesmo tempo. Terminado esse serviço, entrou na floresta, arrancou dois carvalhos, e pô-los no ombro, um de cada lado, carregou as grades, uma atrás e outra na frente, e os dois cavalos também, um pendurado nas costas e o outro no peito. E assim se dirigiu à casa paterna, como se estivesse carregando apenas um saco de palha.

Quando atravessou o pátio, sua mãe não o reconheceu e exclamou:
— Quem é aquele horrível homenzarrão?
— É nosso filho — disse o lavrador.
— Não pode ser nosso filho! — protestou a mulher. — Este é um gigante, e o nosso filho era tão miudinho, coitadinho!...

E gritou para o recém-chegado:
— Vai-te embora! Não te quero mais aqui!

O jovem ficou em silêncio. Levou os cavalos para a estrebaria, e deu a cada um uma ração de feno e de aveia, depois entrou em casa, sentou-se em um banco e disse:

— Minha mãe, estou com vontade de comer alguma coisa. Já está pronta a comida?

— Já — respondeu a mãe.

E trouxe duas vasilhas enormes, cheias de comida, que dariam para alimentar o casal durante uma semana. O jovem, porém, devorou tudo e perguntou se não havia mais.

— Não — disse ela. — É tudo que temos.
— Mas foi apenas um aperitivo! — protestou o jovem gigante. — Estou com muita fome.

A mulher não se atreveu a contrariá-lo e levou ao fogo uma panela enorme cheia de carne de porco, que serviu ao jovem gigante.

— Afinal, uma coisinha! — disse ele.

Limpou a panela em dois tempos, mas ainda assim não conseguiu matar a fome.

— Meu pai — disse ele, então. — Estou vendo que, ficando contigo, jamais poderei me alimentar suficientemente. Se me deres uma bengala de ferro tão forte que eu não possa quebrá-la em meu joelho, vou sair viajando pelo mundo.

O lavrador ficou muito satisfeito ante a perspectiva de livrar-se de tal problema. Atrelou dois cavalos à carroça, foi procurar o ferreiro e trouxe uma haste de ferro tão grossa que os cavalos mal conseguiram transportá-la. O jovem gigante apoiou-a no joelho e partiu-a ao meio, como se fosse uma varinha qualquer.

O pai atrelou quatro cavalos à carroça e trouxe uma haste de ferro muito mais grossa, mas que foi quebrada pelo filho com a mesma facilidade. E o mesmo aconteceu quando o pai teve de atrelar oito cavalos à carroça para trazer uma barra de ferro que mal conseguiam carregar e que o gigante quebrou facilmente.

— Estou vendo, meu pai — disse ele, então — que não conseguirás trazer-me um bastão que me sirva. Não posso continuar aqui por mais tempo.

Foi-se embora então, e anunciou que era um aprendiz de ferreiro. Chegou a uma aldeia onde vivia um ferreiro, que era um desalmado, incapaz de fazer o bem a quem quer que fosse, e querendo tudo para si mesmo. O jovem gigante foi procurá-lo e perguntou-lhe se ele não estava precisando de um ajudante.

— Estou sim — disse o ferreiro, pensando: "Este sujeito é muito forte e portanto pode trabalhar bem".

E perguntou-lhe:

— Quanto queres ganhar?

— Não precisas me pagares coisa alguma — respondeu o jovem. — Apenas, todas as quinzenas, quando os outros trabalhadores receberem os seus salários, terei o direito de te dar dois murros e terás de suportá-los.

O ferreiro, avarento como era, ficou satisfeito por poder economizar seu dinheiro, tendo quem trabalhasse de graça para ele.

No dia seguinte, o jovem começou a trabalhar, mas, quando o mestre ferreiro trouxe a barra de ferro incandescente, e o aprendiz nela aplicou a primeira pancada com o malho, o ferro se espatifou e a bigorna se afundou no chão, até quase desaparecer.

O ferreiro ficou furioso.

— Não posso utilizar seu trabalho — decidiu. — Bates com força demais. Quanto queres por essa única martelada?

— Vou lhe aplicar apenas uma ligeira pancada — prometeu o gigante.

E atingiu o ferreiro com um soco que o atirou longe. Depois escolheu a haste de ferro mais forte que encontrou na ferraria, para servir-lhe de bastão, e saiu pelo mundo afora.

Depois de caminhar durante algum tempo, chegou a uma fazenda e perguntou ao dono se não estava precisando de um feitor.

— Estou, sim — disse o dono. — Pareces capaz. Quanto queres ganhar por ano?

Mais uma vez, o jovem gigante disse que não queria salário algum, mas apenas o direito de, no fim de um ano, aplicar ao dono da fazenda três pancadas, que ele teria de suportar. O outro achou a proposta bem interessante, pois, como o ferreiro, era muito avarento.

No dia seguinte, todos os trabalhadores tinham de ir para o campo e todos os outros já estavam acordados, mas o feitor ainda não se levantara. Um dos trabalhadores foi chamá-lo:

— Está na hora. Já estamos indo para o trabalho e tens de vir conosco.

— Podem ir todos — disse o gigante, mal-humorado. — Voltarei antes de todos.

Os outros trabalhadores foram então procurar o dono da fazenda e lhe disseram que o feitor ainda estava na cama. O dono mandou que o chamassem de novo e lhe dissessem para atrelar os cavalos. O feitor, porém, repetiu:

— Podem ir todos. Chegarei antes de todos.

E ficou deitado por mais duas horas. Afinal levantou-se, mas antes de sair tirou da despensa dois sacos de ervilhas, fez um mingau, comeu-o e só depois é que atrelou os cavalos e tocou a carroça para o mato. Antes do bosque, encontrou uma ravina que teve de ser atravessada com certa dificuldade. Depois, ele pegou algumas árvores e arbustos e montou sobre a ravina uma barreira que cavalo algum conseguiria atravessar. Quando chegou ao bosque, os outros trabalhadores já estavam voltando, com as carroças cheias de madeira.

Não precisou entrar no fundo do bosque. Ali mesmo derrubou duas árvores enormes e carregou a carroça. Quando chegou à barreira enorme que ele mesmo armara, encontrou os outros trabalhadores, que não haviam conseguido passar.

— Eu não disse que ia chegar antes de todo mundo? — disse o jovem gigante. — Todos podiam ter dormido mais duas horas, como dormi.

Quis atravessar a ravina, mas os cavalos não aguentaram. Ele então desatrelou-os, colocou-os em cima da carroça e puxou a carroça por cima da barreira, tão facilmente como se estivesse puxando um saco de penas.

Chegando ao outro lado, dirigiu-se aos outros:

— Eu não disse que ia chegar primeiro?

E, quando chegou à casa da fazenda, e mostrou a madeira que trazia, o dono comentou com sua mulher:

— Esse sujeito é um trabalhador: mesmo dormindo muito, conseguiu chegar antes dos outros.

E assim, o jovem gigante trabalhou ali durante um ano, e, quando chegou a ocasião de ser pago o salário aos outros trabalhadores, ele pediu que a dívida a seu favor fosse quitada da maneira que se combinara. O dono, porém, estava com medo de receber uma pancada daquele latagão, e tentou livrar-se do encargo. Propôs-lhe, então, que, em vez de feitor, ficaria como administrador, com todas as regalias inerentes ao cargo.

O jovem gigante não aceitou a proposta, contudo. Não houve meio de fazê-lo desistir da ideia de cobrar o que lhe era devido da maneira que ele escolhera. O dono pediu-lhe, então, como último recurso, que esperasse mais quinze dias, na esperança de que, nesse meio tempo, surgisse algo que o livrasse. O gigante concordou, e o outro convocou todos os seus auxiliares, para que o aconselhassem, sugerindo algum estratagema que solucionasse o caso.

E o conselho que acabaram dando foi este: mandar o jovem entrar no poço para limpá-lo e, quando ele estivesse lá dentro, jogar em sua cabeça a pedra de moinho que se encontrava lá perto. E, realmente, o jovem gigante entrou no poço e foi atirada a enorme pedra de moinho em sua cabeça, e todos pensaram que ele morrera na mesma hora, quando o ouviram gritar:

— Espantem essas galinhas que estão aí na beira do poço, pois elas estão ciscando a areia, que está caindo nos meus olhos, e assim não posso enxergar direito.

— Chô! Chô! — gritou então o dono, fingindo que estava espantando as galinhas.

Quando terminou o serviço, o jovem gigante saiu do poço e disse ao fazendeiro:

— Vê que lindo colar eu arranjei!

Realmente, tinha em torno do pescoço a pedra de moinho, na qual fora aberto um rombo, quando se chocou com a sua cabeça.

Ele, então, tornou reclamar a recompensa a que tinha direito, mas o fazendeiro, mais uma vez, pediu que lhe fosse concedido o prazo de quinze dias. Seus auxiliares o aconselharam, então, que mandasse o feitor moer trigo, durante a noite, no moinho mal-assombrado, de onde ninguém saíra vivo depois de ali pernoitar. A proposta foi muito bem recebida pelo fazendeiro, que ordenou sem demora ao feitor que levasse para o moinho oito alqueires de trigo e os moesse durante a noite. O jovem gigante não relutou: meteu dois alqueires no bolso direito, dois no bolso esquerdo e os outros quatro em dois sacos, um dos quais pendurou nas costas e outro pendurou no peito.

O moleiro lhe disse que não deveria trabalhar ali durante a noite, pois o moinho era mal-assombrado, e ninguém amanhecera vivo quando tentara pernoitar ali.

— Eu me arranjarei — limitou-se a dizer o gigante.

Entrou no moinho e pôs mãos à obra. Às onze horas, entrou no quarto do moleiro e sentou-se em um banco. Algum tempo depois, a porta se abriu e, sem ser empurrada, uma mesa entrou, repleta de comida e de vinho. Como estava com muita fome, o feitor sentou-se à mesa sem se importar com a estranheza da situação, e comeu e bebeu à vontade. Ao mesmo tempo, várias cadeiras tinham se colocado, sozinhas também, ao lado da mesa, e diante delas surgiram pratos e talheres como acontecera no lugar ocupado pelo feitor.

De repente, porém, todas as velas que tinham se acendido na mesa se apagaram, e no meio da escuridão que se fez, o nosso herói teve a impressão que lhe haviam dado um soco no pé do ouvido, e ele gritou:

— Se tornarem a fazer isso comigo, eu vou revidar!

E revidou mesmo, quando o fato se repetiu. E a noite toda se passou assim: ele recebia um soco — que mais lhe parecia um tapinha — e revidava com um murro capaz de quebrar qualquer queixo. Quando amanheceu, tudo cessou.

Ao aparecer, para ver o que acontecera, o moleiro ficou maravilhado por vê-lo vivo, e alegríssimo compreendendo que o moinho ficara livre do encantamento.

Levando a farinha de trigo, o feitor foi procurar o fazendeiro e lhe disse que já executara a tarefa de que fora incumbido e queria agora o pagamento.

O fazendeiro ficou horrorizado. Caminhava de um lado para o outro, sem saber o que fazer, enquanto o suor lhe escorria pela testa. Para tomar um pouco de ar, abriu uma janela, mas na mesma hora recebeu um pontapé tão violento que foi atirado através da janela com tanta força, que ninguém viu onde ele foi parar.

E o gigante disse então à mulher do fazendeiro:

— Se ele não aparecer, terás de receber o segundo pontapé!

— Pelo amor de Deus, não faças isso! — implorou a mulher, que se pôs a tremer dos pés à cabeça, enquanto o suor lhe escorria da testa.

Sentiu falta de ar e abriu outra janela para respirar melhor, mas, como o marido, saiu logo voando para fora da janela, pois o prometido segundo pontapé fora aplicado. E, como era mais leve do que o marido, saiu voando muito mais alto do que ele.

— Vem ficar comigo! — gritou-lhe o marido.

E ela respondeu:

— Não consigo chegar. Vem tu ficar comigo!

E os dois continuaram voando, sem conseguirem se aproximar um do outro. Se ainda estão voando daquele jeito é coisa que não sei. Só sei que o jovem gigante passou a mão na sua barra de ferro e foi-se embora.

O PEQUENO CAMPONÊS

Era uma vez uma aldeia onde vivia um camponês muito pobre, que todos chamavam de Pequeno Camponês, e que não tinha sequer uma vaca e muito menos dinheiro para comprar, embora ele e sua mulher desejassem muito ter uma vaca.

— Escuta. Tive uma boa ideia — disse ele um dia à mulher. — Nosso amigo carpinteiro pode fazer uma vaca de madeira e pintá-la de marrom, ficando bem parecida com uma vaca de verdade e ela vai acabar crescendo e virando mesmo uma vaca.

A mulher gostou da ideia, e o amigo carpinteiro preparou a vaquinha com todo o cuidado, com a cabeça baixa, como se estivesse comendo.

Na manhã seguinte, quando as vacas estavam sendo levadas para pastar, o Pequeno Camponês foi procurar o vaqueiro e disse-lhe:

— Escuta, tenho uma novilha, mas ela é muito pequena e precisa ser carregada.

— Está bem — disse o vaqueiro.

E carregou a vaquinha e colocou-a perto das outras, no capinzal. Ela ficou parada, parecendo que estava pastando e o vaqueiro comentou:

— Ela não pára de comer. Dentro de pouco tempo vai poder andar sozinha.

Ao anoitecer, disse à vaquinha:

— Se podes ficar em pé e comer como comes, podes também caminhar com as tuas quatro patas. Não vou mais te carregar.

O Pequeno Camponês ficou à porta de sua casa, esperando a vaquinha, quando o vaqueiro atravessou a aldeia com o seu rebanho e não a trouxe, ele reclamou.

— Ela continuou lá, comendo sem parar — explicou o vaqueiro. — Não quis nos acompanhar.

— Devias tê-la trazido carregada — protestou o camponês.

O vaqueiro concordou em levar o camponês à pastagem, mas a vaquinha lá não se encontrava mais. Naturalmente alguém a furtara.

— Ela deve ter fugido — disse o vaqueiro.

— Não é possível! — exclamou o camponês.

E denunciou o vaqueiro ao prefeito, que, devido à sua negligência, o obrigou a pagar ao camponês uma vaca pela novilha que tinha fugido.

E agora o Pequeno Camponês e sua mulher eram donos de uma vaca, que tanto haviam desejado, mas, como não podiam alimentá-la, devido à sua pobreza, tiveram de matá-la. Salgaram a carne e procuraram vender o couro, a fim de arranjarem dinheiro com o qual pudessem comprar outra vaca.

Certo dia, passando em frente de um moinho o Pequeno Camponês viu um corvo com as asas quebradas e, penalizado, pegou a ave e a enrolou no couro da vaca. Como porém, começou a chover e ventar muito, ele pediu licença para se abrigar no moinho. A mulher do moleiro mostrou-lhe um montão de palha onde poderia deitar-se para descansar e ofereceu-lhe pão e queijo. O camponês comeu, depois deitou-se na palha, tendo ao seu lado o couro da vaca.

"Ele está cansado e dormiu" pensou a mulher.

Pouco depois, apareceu o padre.

— Meu marido não está, de modo que vamos ter um banquete — disse a mulher.

O Pequeno Camponês ouviu, e ficou aborrecido por ter tido de contentar-se com um pedaço de pão e queijo. Ao padre, a mulher serviu quatro coisas diferentes: carne assada, salada, bolo e vinho.

Justamente quando os dois sentaram à mesa, bateram na porta.

— Meu Deus do céu! — exclamou a mulher, apavorada. — É meu marido!

Rapidamente, escondeu a carne assada no forno, o vinho debaixo do travesseiro, a salada na cama, o bolo debaixo da cama e o padre no armário. Depois abriu a porta para o marido e disse:

— Graças a Deus voltaste! Que tempestade, hein?

O moleiro viu o camponês dormindo em cima da palha e perguntou:

— Quem é aquele sujeito?

— Um pobre coitado, que pediu abrigo por causa da tempestade — respondeu a mulher. — Dei-lhe um pouco de pão com queijo e deixei que ele se deitasse ali.

— Está bem — disse o moleiro. — Mas agora, dá-me alguma coisa para comer, porque estou com muita fome.

— Só tem pão e queijo — informou a mulher.

— Não faz mal — replicou o marido. — Eu me contento com qualquer coisa.

E convidou o camponês para fazer-lhe companhia. O camponês aceitou mais que depressa. E, ao levantar-se, o moleiro viu o couro da vaca com o corvo e perguntou:

— O que tens aí?

— Tenho um adivinho enrolado no couro — respondeu o Pequeno Camponês.

— Ele pode adivinhar alguma coisa para mim? — indagou o moleiro.

— Por que não? — redarguiu o camponês. — mas ele só faz quatro adivinhações. A quinta guarda consigo mesmo.

O moleiro teve curiosidade e pediu:

— Faze-o adivinhar alguma coisa para mim.

O camponês cutucou a cabeça do corvo, que grasnou:

— O que foi que ele disse? — perguntou o moleiro.

— Em primeiro lugar, ele disse que há uma garrafa de vinho escondida debaixo do travesseiro.

— Será possível? — exclamou o moleiro.

Procurou debaixo do travesseiro e encontrou mesmo o vinho.

— Continua! — mandou.

O camponês fez o corvo grasnar de novo e anunciou:

— Em segundo lugar, ele diz que há carne assada dentro do forno.

— Deveras? — reagiu o moleiro.

E encontrou a carne assada.

O camponês fez o corvo adivinhar mais uma vez e revelou:

— Em terceiro lugar, ele diz que há uma travessa de salada na cama.

— Ótimo! — exclamou o moleiro.

E achou a salada.

Afinal, o camponês cutucou o corvo pela quarta vez e comunicou o resultado:

— Em quarto lugar, ele diz que há um bolo debaixo da cama.

— Gosto muito de bolo! — declarou o moleiro.

Olhou debaixo da cama e encontrou o bolo.

O moleiro e o camponês sentaram-se, então, à mesa e saborearam a salada e a carne assada e a sobremesa, acompanhadas por fartos goles de vinho.

Enquanto isso, a mulher estava apavorada, e recolheu todas as chaves. O moleiro estava muito interessado em saber qual era a quinta adivinhação, mas o outro replicou:

— Vamos tratar de comer estas coisas tão gostosas, aproveitar as quatro adivinhações, porém, a quinta não vai ser agradável.

O moleiro insistia, porém, e quando terminou o jantar, entraram em um acordo, o camponês prometeu fazer com que o corvo fizesse a quinta adivinhação, se lhe fossem pagos trezentos táleres.

Mais uma vez, então, o Pequeno Camponês cutucou a cabeça do corvo, que grasnou, furioso ou amedrontado.

— O que foi que ele disse? — perguntou o moleiro.

— Disse que o Diabo está escondido no armário — foi a resposta.

A mulher foi forçada a entregar as chaves, e o camponês abriu a porta do armário. O padre pulou para fora e fugiu correndo em disparada.

— Era mesmo verdade! — exclamou o moleiro. — Eu vi o amaldiçoado, todo de preto, da cabeça aos pés.

No dia seguinte, logo que amanheceu, o Pequeno Camponês voltou para casa com os trezentos táleres. E a sua vida começou a prosperar. Construiu uma bela casa. E os vizinhos começaram a comentar:

— Sem dúvida, o Pequeno Camponês esteve em um lugar onde chove ouro.

E ele teve de se apresentar ao prefeito, a fim de explicar de onde viera a sua riqueza.

— Vendi o couro de minha vaca na cidade por trezentos táleres — disse.

Ouvindo isso, todos os moradores dos arredores mataram as suas vacas e foram vender o couro na cidade. O prefeito, porém, determinou:

— A minha empregada tem de ir na frente.

Quando, porém, a empregada do prefeito foi vender o couro, o comprador não lhe pagou mais de dois táleres, e, quando apareceram as outras pessoas oferecendo couros de vaca, o negociante não comprou um só.

— O que é que vou fazer com tanto couro? — perguntou.

Os moradores ficaram furiosos com o Pequeno Camponês, que os prejudicara com sua mentira, acusaram-no de traição e ele acabou sendo condenado à morte: seria atirado à água, dentro de um barril cheio de buracos. Foi levado para a beira do rio, onde um padre rezaria uma missa por sua alma, e todas as outras pessoas ficaram à distância.

Quando viu o sacerdote que ia dizer a missa, o Pequeno Camponês reconheceu o padre da casa do moleiro.

— Escuta aqui — disse-lhe então. — Eu te tirei do armário. Agora, tira-me deste barril.

Nesse momento, apareceu um rebanho de carneiros, conduzido pelo pastor que o Pequeno Camponês sabia que tinha muita vontade de ser prefeito.

E, então, o camponês começou a gritar com toda a força:

— Não quero! Pode todo o mundo insistir, mas não quero!

Ouvindo-o, o pastor aproximou-se dele e perguntou-lhe:

— O que não queres ser, para protestares com tanta veemência?

— Não quero ser prefeito — respondeu o camponês. — Se eu quisesse, bastaria entrar no barril, mas eu não quero.

— Se basta isso para ser prefeito, eu entrarei no barril — disse o pastor.

— Pois então, aproveita! — convidou o camponês.

E ajudou o outro a entrar, tampou o barril e foi-se embora, levando o rebanho do pastor. O padre caminhou até a multidão que ficara afastada e comunicou que a missa já fora rezada. Todos correram então para a margem do rio, a fim de jogarem o barril dentro da água. E, quando o barril começou a rolar pelo barranco que ia dar no rio, o pastor pôs-se a gritar:

— Quero ser prefeito! Quero muito ser prefeito!

Todos acreditaram que era o Pequeno Camponês que estava gritando e replicaram:

— Isto é o que estás querendo, mas antes vais dar um mergulho!

E quando os aldeões voltaram para as suas casas, o Pequeno Camponês seguia também para a sua, levando o rebanho, muito satisfeito da vida.

Todos se espantaram.

— De onde estás vindo? — perguntaram. — Como saíste de dentro da água?

— Ah! — respondeu o Pequeno Camponês. — Fui parar no fundo do rio, mas, lá chegando, empurrei o fundo do barril e saí. Depois, cheguei a um campo onde estes carneiros estavam pastando, sem ninguém tomando conta deles. Vi que não tinham dono e trouxe-os para mim.

— E ainda há carneiros lá? — perguntaram os aldeões.

— Há sim, muitos. Eu só fiquei com estes, porque não me convinha trazer mais. Mas deve haver mais de mil carneiros ainda lá.

Os aldeões pensaram, então, que, se havia lá tantos carneiros sem dono, eles também poderiam arranjar alguns. E resolveram ir buscá-los. Correram para a margem do rio e o prefeito tomou a frente de todos, pois o seu cargo lhe dava esse privilégio. O céu estava, então, coberto de pequenas nuvens, que se parecem com carneirinhos, e o seu reflexo na água do rio animou ainda mais os aldeões.

— O rio está mesmo cheio de carneiros! — exclamaram.

— Eu vou na frente, e, se a coisa estiver mesmo boa, chamo todo o mundo! — resolveu o prefeito.

E pulou no rio. Afogando-se, provocou um ruído que os outros acharam que era um convite para que entrassem também. Todos pularam e morreram. O Pequeno Camponês, sozinho na aldeia, ficou riquíssimo.

O DIABO E OS TRÊS FIOS DE CABELO

Era uma vez uma mulher muito pobre que teve um filho que nasceu empelicado. Foi predito, então, que, aos quatorze anos, casaria com a filha do rei. E aconteceu que, pouco tempo depois, o rei esteve na aldeia, viajando incógnito, e, quando indagou dos moradores as novidades ocorridas ali, disseram-lhe:

— Há poucos dias, nasceu um menino empelicado. Dizem que dá muita sorte e que aos quatorze anos ele se casará com a filha do rei.

O rei, que era muito mau, ficou furioso com a profecia, foi procurar os pais da criança, e disse-lhes:

— Vocês são muito pobres. Entreguem-me seu filho, que ele será bem tratado.

Os pais se recusaram, a princípio, mas quando o estranho lhes ofereceu uma grande quantia, acabaram concordando, pensando também: "Ele nasceu empelicado, tem muita sorte, há de ser muito feliz".

O rei colocou o menino em uma caixa, que jogou na primeira água profunda que encontrou, pensando "Livrei minha filha de um prentendente indesejável".

A caixa, porém, não afundou. Foi flutuando na água e acabou sendo levada até parar na represa de um moinho situado a duas milhas de distância da capital do reino. Um ajudante de moleiro, que estava pescando ali, viu a caixa e a recolheu e abriu, com a esperança de encontrar um tesouro. Vendo, porém, a criancinha, levou-a para o moinho e entregou-a ao moleiro e sua mulher, que, como não tinham filhos, acabaram ficando muito satisfeitos de o adotarem.

— Afinal Deus nos deu um filho! — disseram.

E o menino, tratado com todo o carinho, cresceu bonito e robusto. E aconteceu que certo dia, para se abrigar de uma tempestade, o rei entrou no moinho e, vendo o jovem, perguntou ao moleiro se ele era seu filho.

— Não — respondeu ele. — É adotado. Há quatorze anos, ele apareceu, dentro de uma caixa, na represa do moinho, e nós o recolhemos.

O rei compreendeu então que se tratava, nada mais, nada menos, do menino que ele próprio jogara na água, para morrer afogado.

— Este jovem não poderia levar uma carta para a rainha? — disse então ao casal. — Eu lhe darei duas moedas de ouro como recompensa.

— É claro que pode, Majestade! — concordou o casal, imediatamente.

E o rapazinho foi despachado para o palácio, levando para a rainha um bilhete, dizendo: "Logo que o rapaz chegue com este bilhete, faze com que ele seja morto e enterrado, antes que eu volte para casa".

O rapaz saiu com o bilhete, mas perdeu o caminho e, ao anoitecer, chegou a uma floresta. Na escuridão, avistou uma luzinha e, caminhando em sua direção, chegou a uma cabana. Entrou, e lá dentro se encontrava uma velha, sentada junto do fogo. Ela estremeceu ao ver o jovem e perguntou-lhe:

— De onde vens e aonde vais?

— Venho do moinho e quero procurar a rainha, para quem levo uma carta. Mas perdi o caminho na floresta e gostaria de pernoitar aqui.

— Coitado de ti! — exclamou a velha. — Chegaste a um covil de salteadores, que, quando vierem para casa te matarão.

— Podem vir — replicou o jovem. — Não tenho medo. E estou tão cansado que não aguento ir mais longe.

E deitou-se em um banco e adormeceu.

Pouco depois, os salteadores chegaram e perguntaram quem era o estranho que estava dormindo no banco.

— É um jovem inocente que se perdeu na floresta e pediu para pernoitar aqui. Ele está levando uma carta para a rainha. Os salteadores leram a carta e tiveram pena do jovem e o seu chefe rasgou a carta e escreveu outra, dizendo que, logo que ele chegasse ao palácio, deviam casá-lo imediatamente com a princesa. Depois, deixaram-no dormir tranquilamente e de manhã, quando ele acordou, deram-lhe a carta e ensinaram-lhe o caminho.

Quando a rainha recebeu e leu a carta, fez o que nela estava recomendado e o casamento da princesa com o jovem aldeão foi celebrado com toda a pompa. E, como o jovem era simpático e bonito, a noiva se sentiu muito feliz com o casamento.

Algum tempo depois, o rei voltou ao Palácio e constatou que a profecia se cumprira e o filho do aldeão se casara com sua filha.

— Como foi que isso se deu? — perguntou à rainha. — A ordem que dei na carta foi em sentido exatamente oposto.

A rainha, então, mostrou-lhe a carta, e ele viu que não era a que escrevera. Perguntou então ao agora seu genro o que fizera da carta que lhe confiara e por que a substituíra.

— Não sei — respondeu o jovem. — Deve ter sido trocada na noite em que dormi em uma cabana da floresta.

— Seja como for, não podes ter o que queres da maneira que escolheres. Quem casa com minha filha tem de ir ao inferno e trazer de lá três fios de cabelo dourado do diabo. Traze o que estou querendo e poderás continuar com minha filha.

Assim falando, estava convencido de que amedrontaria o jovem, mas este tinha muita confiança em sua boa sorte, por ter nascido empelicado, e retrucou muito calmo:

— Vou buscar os três fios de cabelo. Não tenho medo do diabo.

E partiu rumo ao inferno. No caminho, passou por uma grande cidade, onde o vigia da porta principal da muralha perguntou-lhe qual era a sua profissão e o que sabia.

— Sei tudo — respondeu o jovem afortunado.

— Então, podes nos dizer uma coisa — disse o guarda. — Por que é que o chafariz do nosso mercado, em que corria vinho, agora não nos dá água sequer?

— Vais saber porquê — prometeu o jovem. — Mas espera até eu voltar.

Prosseguiu viagem e chegou a uma outra cidade, e também ali o guarda quis saber a sua profissão e o que sabia e ele disse que sabia tudo, o vigia quis saber por que uma árvore que dava frutos de ouro agora nem sequer tem folhas. E ele prometeu contar quando voltasse.

Mais adiante, chegou a um rio muito largo e o barqueiro que o levou à outra margem quis saber por que ele tinha sempre de remar em uma ou outra direção e jamais tinha descanso. E, mais uma vez, o jovem prometeu dizer quando voltasse.

Logo adiante, ele chegou à entrada do inferno. Dentro reinava profunda escuridão e o diabo não estava em casa, mas sua avó lá se achava, sentada em uma grande poltrona.

— O que queres? — ela perguntou, de maneira bastante cordial.

Não parecia má pessoa.

— Eu gostaria de arranjar três fios dourados na cabeça do diabo — respondeu o jovem. — Sem isso, não poderei continuar casado com minha mulher.

— Estás pedindo muita coisa — disse a velha. — Se meu neto voltar e te encontrar aqui, isso te custará a vida. Mas estou com dó de ti e vou ver se posso te ajudar.

Transformou-o em uma formiga e disse-lhe:

— Esconde-te em uma dobra do meu vestido, que estarás em segurança.

— Muito obrigado — disse o jovem, ao mesmo tempo que seguia a sugestão. — Mas ainda há três coisas que eu desejaria saber — acrescentou. — Por que um chafariz de onde saía vinho hoje não sai água sequer? Por que uma árvore que produzia frutos de ouro hoje não tem folhas sequer? Por que um barqueiro tem de remar sempre para diante e para trás, sem jamais descansar?

— São perguntas difíceis de serem respondidas — disse a velha. — Mas fica bem caladinho e presta atenção no que o diabo disser, quando eu lhe tirar os três fios de cabelos dourados.

Ao anoitecer, o diabo voltou para casa. Mal entrara, notou que o ar não estava puro.

— Aqui me cheira a carne humana! — exclamou.

Farejou, então, por toda a parte, mas nada pôde encontrar.

— Tudo está muito limpinho — protestou sua avó. — Precisas deixar essa mania de andares sempre sentindo cheiro de carne humana! Senta-te e come o teu jantar.

Tendo comido e bebido à farta, o diabo ficou com sono e adormeceu apoiando a cabeça no colo de sua avó. A velha arrancou, então, um fio de seu cabelo e ele acordou e deu um grito.

— O que é isso? — gritou.

— É que eu dormi, tive um pesadelo e, na minha aflição, puxei teu cabelo — explicou a velha.

— E qual foi o pesadelo? — perguntou o diabo.

— Sonhei que um chafariz de onde saía vinho agora nem água está saindo — respondeu a avó.

— Ora! — disse o diabo. — Isso é porque há um sapo enterrado sob a pedra da fonte que abastece o chafariz, se matarem o sapo, o vinho correrá de novo.

A velha esperou o diabo dormir de novo e arrancou o segundo fio de cabelo, e apresentou ao neto a mesma desculpa que apresentara antes: tivera um pesadelo; em certo reino, havia uma árvore que dava frutos de ouro e agora sequer tinha folhas.

— Ora! — disse o diabo. — Isso é porque há um rato roendo as suas raízes. Se matarem o rato, a árvore voltará a dar frutos de ouro.

A mesma cena ainda se repetiu pela terceira vez, e o diabo explicou o caso do barqueiro:

— Ele pode se livrar com a maior facilidade. Quando aparecer alguém querendo atravessar o rio, basta ele empurrar o remo para as suas mãos e o outro terá que remar e ele estará livre.

Depois disso, já estando sua avó da posse dos três fios de cabelo e conhecendo as três respostas, o diabo pôde dormir sossegado até o dia seguinte.

E quando ele saiu de casa, a velha fez com que o jovem retomasse a sua forma humana, entregou-lhe os três fios de cabelo e explicou-lhe as três questões que deveria esclarecer.

Depois de agradecer muito a valiosa ajuda da avó do diabo, o jovem saiu do inferno, onde tudo correra tão bem, e tratou de iniciar a viagem de volta.

Quando atravessou o rio, teve o cuidado de dar a resposta ao barqueiro quando já estava na outra margem:

— Quando transportares alguém em teu barco, empurra o remo para a sua mão! — gritou de bem longe.

Nas portas das duas cidades pelas quais passou depois, não precisou tomar precaução alguma, e os guardas ficaram muito gratos e muito satisfeitos com a explicação que ele lhes trouxe. E como recompensa, ele ganhou em cada uma cidade dois burros carregados de ouro.

Afinal, o jovem afortunado voltou para junto da princesa, que ficou muito alegre ao vê-lo e mais ainda quando ele contou como fora bem sucedido em sua viagem ao inferno e adjacências. O rei, ao receber os três fios de cabelo dourado, e, principalmente, ao ver os quatro burros carregados de ouro, não relutou mais um instante em aceitá-lo como genro. Teve, porém, curiosidade de saber onde ele arranjara tanto ouro.

— É muito simples — disse o jovem afortunado. — Quando chegares ao rio, dize ao barqueiro que te leve para a outra margem. Lá há ouro à vontade, para quem quiser. Basta o trabalho de apanhá-lo.

Ambicioso como era, o rei mais do que depressa correu ao rio e mandou que o barqueiro o levasse à outra margem. Lá chegando, porém, o barqueiro empurrou o remo para as suas mãos e pulou para fora do barco. E assim o rei lá ficou, purgando os seus pecados, e é bem capaz de estar até hoje remando de cá pra lá e de lá pra cá. Se não estiver, é porque já empurrou o remo para a mão de outro infeliz.

OS SEIS CRIADOS

Há muitos e muitos anos, havia uma rainha que era feiticeira e tinha uma filha que era a donzela mais linda que existia debaixo do Sol. A rainha, que era muito velha, não tinha outra preocupação na vida senão fazer mal aos outros, e, quando aparecia um pretendente à mão de sua filha, ela lhe impunha a execução de uma tarefa muito difícil ou a morte se não conseguisse executá-la. Seduzidos pela beleza da princesa, muitos homens já haviam arriscado a vida e todos haviam perdido. Sem dó nem piedade, a rainha mandava degolá-los.

Um certo príncipe, que ouvira falar da beleza da donzela, pediu ao pai para deixá-lo ir pedi-la em casamento.

— De modo algum! — disse o rei seu pai. — Se fores, perderás a vida, inevitavelmente.

O príncipe, então, adoeceu de pesar, foi definhando, e durante sete anos, não houve médico que conseguisse curá-lo. Seu pai viu então que seria inútil negar-lhe autorização para cortejar a princesa filha da perversa rainha, pois ele acabaria morrendo se não a tivesse. E, com a concordância paterna, o príncipe recuperou a saúde imediatamente, e partiu rumo à cidade onde vivia a linda princesa e sua velha e perversa mãe.

No caminho, ao atravessar uma charneca, avistou algo que lhe pareceu ser uma pequena colina. Ao aproximar-se, porém, viu que se tratava apenas da barriga de um homem, que estava deitado de costas, e era tão gordo, que a barriga parecia uma pequena elevação do terreno.

Ao ver o viajante, o gordalhão se pôs de pé e disse-lhe que, se estava precisando de um criado, podia tomá-lo a seu serviço.

— O que é que vou fazer com um criado tão gordo? — disse o príncipe.

— Gordo? — redarguiu o outro. — Quando incho o meu corpo é que fico realmente grande. Três mil vezes maior do que sou normalmente.

— Nesse caso, deves realmente ser útil — admitiu o príncipe.

E tomou-o a seu serviço. Seguiu caminho, acompanhado pelo grandalhão, e depois de viajar algum tempo, encontrou um homem que estava deitado, com o ouvido colado no chão.

— O que estás ouvindo com tanta atenção? — perguntou-lhe o príncipe.

— Estou ouvindo o que se passa no mundo, pois coisa alguma escapa de meus ouvidos — respondeu o homem. — Ouço até o barulhinho que o capim faz quando está crescendo.

— O que estás ouvindo na corte da rainha feiticeira que tem uma filha belíssima? — quis saber o príncipe.

— Estou ouvindo o ruído de um machado que corta a cabeça de um pretendente — respondeu o homem.

— Podes me ser útil — disse o príncipe. — Vem comigo.

Os três seguiram caminho e, depois de viajarem durante bastante tempo, viram dois pés e uma parte de duas pernas estendidas no chão, mas não puderam ver o resto do corpo. Depois de caminharem muito, encontraram o resto do corpo e afinal a cabeça.

— Como és alto! — disse o príncipe ao homem deitado.

— Isso não é nada! — replicou o homem. — Fico alto mesmo é quando estendo as pernas. Então minha altura aumenta trinta mil vezes e fico mais alto do que a mais alta montanha da Terra. E de boa vontade te servirei, se assim quiseres.

— Vem comigo, que podes ser útil — disse o príncipe.

Os quatro seguiram viagem e mais adiante encontraram um homem sentado ao lado da estrada e que tinha os olhos vendados.

— O que tens nos olhos que os trazes vendados? — perguntou-lhe o príncipe. — Tens os olhos tão fracos que não suportam a luz do Sol?

— Ao contrário — respondeu o desconhecido. — Tenho de andar com os olhos vendados porque meu olhar é tão forte que despedaço tudo quanto fito. Se isso te pode ser útil, ficarei satisfeito em ficar a teu serviço.

— Vem comigo — disse o príncipe. — Podes me ser útil.

Os cinco continuaram a viagem e, a uma certa distância, encontraram um homem que, apesar de estar um dia ensolarado e muito quente, tremia de frio da cabeça aos pés.

— Como é possível que sintas frio em um dia tão quente? — perguntou o príncipe.

— Ah! — disse o outro. — Tenho uma natureza diferente da dos outros homens. Quanto mais calor faz, mais sinto frio. No meio do gelo, não posso suportar o calor.

— És um ser estranho — comentou o príncipe. — Mas se aceitas ficar a meu serviço, vem comigo.

O homem aceitou a proposta e os seis seguiram viagem.

Não muito tempo depois, encontraram um homem com um pescoço compridíssimo, olhando para todos os lados, acima das montanhas.

— O que olhas com tanto interesse? — perguntou o príncipe.

— Tenho uma vista tão boa, que posso assistir a tudo que está acontecendo em qualquer floresta, montanha ou vale do mundo.

E afinal, o príncipe chegou à cidade da rainha malvada e da filha linda, acompanhado por seus seis criados.

E logo foi procurar a velha feiticeira e lhe disse:

— Se me deres tua bela filha em casamento, executarei a tarefa que mandares.

A perversa rainha ficou muito satisfeita em mandar matar um jovem tão bonito e simpático, e replicou:

— Quero que executes três tarefas, e, se fores bem sucedido, poderás casar com minha filha.

— Qual é a primeira tarefa? — indagou o príncipe.

— Terás de procurar o meu anel, que deixei cair no Mar Vermelho.

O príncipe anunciou então aos seus serviçais:

— A primeira tarefa é fácil. Temos de encontrar um anel no Mar Vermelho.

O homem que enxergava tudo olhou e disse:

— Está ali, dentro da água, em cima de uma pedra pontuda.

O homem alto disse:

— Se eu pudesse vê-lo, o apanharia.

— Essa não seja a dúvida — disse o grandalhão.

Debruçou-se sobre o Mar Vermelho e chupou toda a sua água, deixando-o sequinho até o fundo. Foi fácil então para o homem alto encontrar o anel e retirá-lo.

Satisfeitíssimo, o príncipe foi entregá-lo à rainha, que teve de admitir:

— Sim, o anel é mesmo este. Mais ainda tens de executar a segunda tarefa — acrescentou. — Estás vendo aquele prado em frente de meu palácio? Há trezentos bois pastando lá, todos muito grandes e muito gordos. Tens de comê-los todos, não só a carne, como o couro, os ossos, os chifres e tudo mais, e na minha adega há trezentos barris de vinho, que tens de beber, e, se deixares uma gota de vinho ou um pelo de boi que seja, serás executado.

— Não posso convidar outras pessoas para participarem do banquete? — perguntou o príncipe. — Mesmo os melhores banquetes perdem a graça se não forem compartilhados.

A velha bruxa deu uma gargalhada sarcástica e respondeu:

— Podes convidar um amigo, um único.

O príncipe foi procurar seus serviçais e disse ao grandalhão:

— Serás meu convidado e terás de comer e beber até te fartares.

O grandalhão comeu os trezentos bois e bebeu os trezentos barris de vinho, sem deixar um pelo de boi e uma gota de vinho. Quando o príncipe lhe anunciou que executara a segunda tarefa, a rainha confessou que jamais alguém a executara antes, mas acrescentou:

— Mas ainda tens outra pela frente.

E pensou: "Dessa ele não vai escapar. Sua cabeça não vai permanecer por cima do pescoço por muito tempo."

E explicou:

— Esta noite, levarei minha filha para o teu quarto e tu a abraçarás, mas trata de não adormeceres. À meia-noite em ponto irei lá e, se não a estiveres abraçando, podes despedir-te da vida.

"A tarefa é fácil", pensou o príncipe.

Em todo caso, tratou de precaver-se contra qualquer estratagema traiçoeiro da velha bruxa, e recomendou aos seus serviçais:

— Temos de ficar muito atentos e impedir, por todos os meios, que a princesa saia do meu quarto.

Quando anoiteceu, a rainha levou a filha para o quarto do príncipe e fê-lo abraçá-la. Imediatamente, o alto ficou caminhando em círculo em torno dos dois e o grandalhão tomou conta da porta do quarto, para que ninguém ali pudesse entrar.

O príncipe e a princesa ficaram sentados, sem que a jovem dissesse uma só palavra, mas o luar, atravessando a janela, iluminava-lhe o rosto e o príncipe ficou deslumbrado com a sua beleza. Não parou um segundo de fitá-la. Assim foi até as onze horas, quando a velha bruxa provocou um encantamento que fez com que todos dormissem profundamente, só acordando quando faltava um quarto de hora para a meia-noite.

— Que desgraça! Estou perdido! — exclamou o príncipe.

Os outros fiéis servidores também se puseram a lamentar, mas o Ouvinte gritou:

— Todos calados! Preciso ouvir.

E, depois de ter escutado, anunciou:

— A princesa se encontra em um rochedo a trezentas léguas daqui. Somente tu, Homem Alto, podes socorrê-la. Se te encompridares podes chegar lá com dois passos.

— Está bem — disse o Alto. — Mas o Homem do Olhar Irresistível tem de ir comigo, para destruir o rochedo.

O Alto, então carregou o outro nas costas e, num piscar de olhos, os dois cobriram as trezentas léguas de distância. O Alto tirou a venda dos olhos do outro, que pulverizou o rochedo com a maior facilidade, e os dois voltaram quase instantaneamente com a princesa, de sorte que, quando soaram as badaladas da meia-noite, todos já se encontravam em seus devidos lugares, como tinham estado até as onze horas.

Quando a perversa feiticeira apareceu, com um sorriso zombeteiro nos lábios, convencida de que o príncipe já estava condenado à morte e a sua filha a trezentas léguas de distância, a cena que presenciou foi a prova de sua completa e definitiva derrota. Teve de conformar-se e concordar com o casamento da filha, mas disse-lhe ao ouvido, em voz baixa:

— É uma desgraça teres de obedecer à gente dessa espécie, e não poderes tu mesma escolher um marido.

A orgulhosa princesa se encheu, então, de raiva e ficou imaginando uma vingança. Na manhã seguinte, ela mandou ajuntar trezentos montões de madeira e disse ao príncipe que, embora as três tarefas impostas por sua mãe tivessem sido executadas, ela só se casaria com alguém que fosse capaz de sentar-se no meio daquela madeira e atear fogo nela. Pensava que nenhum dos criados do pretendente se disporia a se deixar queimar por ele, e que, apaixonado como estava, o próprio pretendente se deixaria queimar e ela ficaria livre.

Os criados do príncipe, porém, disseram:

— Todos nós já executamos uma tarefa, exceto o Homem do Gelo, que deve, portanto, agir agora.

E, assim, foi ele colocado no meio da pilha de madeira, à qual foi ateado fogo. A fogueira ardeu durante três dias, até que toda a madeira ficou reduzida a cinza. E, quando o fogo se apagou, o Homem de Gelo lá estava, tremendo e batendo o queixo de frio.

— Se demorasse mais um pouco, eu ia morrer gelado! — disse ele.

Sem encontrar mais pretexto, a bela princesa foi forçada a aceitar o jovem desconhecido como marido. A velha e perversa feiticeira, porém, não se resignou e, quando o casal estava se dirigindo à igreja, mandou um destacamento com ordem de massacrar todo aquele que lhes barrasse o caminho e trazer a princesa de volta ao palácio.

O Ouvinte, porém, apurara os ouvidos e ouvira a ordem dada pela rainha.

— O que vamos fazer? — disse ele ao Grandalhão.

Esse último, porém, sabia o que fazer: cuspiu, duas ou três vezes, a água que bebera no mar, formando um grande lago no qual os soldados morreram afogados.

Ao constatar o fracasso de sua tentativa, a rainha mandou um contingente ainda maior e mais bem armado de soldados, mas o Ouvinte captou o tilintar de suas armas, e entrou em ação o Homem do Olhar Irresistível, que reduziu a pedacinhos toda a tropa inimiga. Os noivos chegaram à igreja sem mais novidades e foram casados.

Os seis criados se despediram, então, do príncipe, dizendo-lhe que ele agora não precisava mais dos seus serviços, pois conseguira o que queria.

À meia légua de distância do palácio do rei, pai do príncipe, havia uma fazenda, perto da qual um guardador de porcos tomava conta de seus animais. O príncipe disse então à princesa:

— Sabes quem eu sou realmente? Não sou príncipe, mas um guardador de porcos e aquele homem que está ali tomando conta dos porcos é que é o meu pai. Nós dois também teremos de trabalhar para ajudá-lo.

Levou-a então para uma hospedaria e, escondido, deu ordem ao estalajadeiro para retirar e ocultar durante a noite as vestes reais da princesa.

Assim, quando acordou no dia seguinte, ela não tinha o que vestir, e a mulher do estalajadeiro lhe emprestou um vestido velho e um par de meias estragadas, e ainda disse como se nem isso ela merecesse:

— Se não fosse por causa de seu marido, eu nada lhe daria.

Então, a princesa acreditou que ele realmente não passava de um camponês, e se resignou a trabalhar junto com ele, pensando:

— Mereci este castigo, pois tenho sido orgulhosa demais.

No fim de uma semana, porém, ela já não estava aguentando o trabalho pesado com o qual não estava acostumada. E foi então que apareceram duas pessoas que lhe perguntaram se ela sabia mesmo quem era seu marido, e como ela respondesse que sabia que ele era um guardador de porcos que tivera de fazer uma pequena viagem para ver se ganhava algum dinheiro, os dois a levaram ao palácio, e lá estava o seu marido, trajando vestes reais.

E ele a apertou em seus braços e a beijou, dizendo:

— Sofri tanto por sua causa, que achei que também devias sofrer por minha causa.

E, de então para diante, os dois viveram juntos e felizes.

OS TRÊS HOMENZINHOS DO BOSQUE

Era uma vez um homem viúvo, e uma mulher viúva, e o homem tinha uma filha e a mulher também tinha uma filha. As duas moças eram amigas, e um dia saíram passeando juntas e depois foram para a casa da viúva. E então, a viúva disse à filha do viúvo:

— Fala com teu pai que eu gostaria de me casar com ele, e, em tal caso, poderias te banhar em leite todas as manhãs e beber vinho todos os dias, mas minha filha se banharia em água e beberia água.

A moça deu o recado a seu pai, que assim falou:

— O que farei? O casamento pode ser uma alegria, mas também um tormento.

Indeciso, assim ficou um certo tempo, depois resolveu tentar a sorte. Tirou um pé dos sapatos que calçava e disse à filha:

— Toma este sapato, que está furado na sola. Pendure-o na parede e joga água dentro dele. Se ele guardar a água, eu me casarei. Mas, se a água escorrer para fora do sapato, pelo buraco da sola, continuarei viúvo.

A filha fez o que o pai recomendara, depois foi lhe dizer que a água não saíra pelo buraco da sola e ficara toda guardada dentro do sapato.

O viúvo, então, namorou a viúva e pouco depois os dois se casaram. Na manhã seguinte, quando as duas moças se levantaram, havia leite para se banhar e vinho para beber para a filha do marido e água para se banhar e para beber para a filha da mulher. No segundo dia, só havia água, tanto para se banhar como para beber, para as duas moças. No terceiro dia, para a filha do marido só havia água, e para a filha da mulher havia leite e vinho. E assim continuou todos os dias.

A mulher se tornou a maior inimiga da enteada, tratando-a cada vez pior. Odiava-a e invejava-a, pois a enteada era bonita e simpática, e a filha feia e antipática.

Certa vez, no inverno, quando tudo estava gelado e duro como pedra e a montanha e o vale cobertos de neve, a madrasta fez uma roupa de papel, chamou a enteada e disse-lhe:

— Põe este vestido e vai ao bosque, para me trazeres um cesto cheio de morangos. Estou com muita vontade de comer morango.

— Meu Deus do céu! — exclamou a jovem. — Onde é que vou achar morangos no inverno? Tudo está gelado, coberto de neve. E como é que vou aguentar o frio vestindo uma roupa de papel? O vento o rasgaria, e os espinhos iriam dilacerar o meu corpo!

— Estás querendo me contrariar? — replicou a madrasta. — Trata de ir logo e não apareças diante de mim sem trazeres um cesto cheio de morangos!

A jovem, então, teve de obedecer e foi enfrentar a neve e o frio coberta por um vestido de papel e carregando um grande cesto. No bosque, viu uma casinha, a cuja porta se encontravam três homenzinhos. Ela os cumprimentou amavelmente e pediu licença para entrar.

— Entra, por favor! — disseram eles.

Ela entrou, sentou-se em um banco, perto do fogão, para se aquecer um pouco, e tratou de comer o pedaço de pão que levara.

— Dá-nos um pouco também! — pediram os anões.

— Com muito prazer! — respondeu a mocinha.

E partiu o pão com eles. Quando acabou de comer, os homenzinhos deram-lhe uma vassoura e disseram-lhe para varrer a porta do fundo. E logo que ela saiu, os anões cochicharam:

— O que lhe daremos, como recompensa por ter sido tão boazinha, dividindo o seu pão conosco?

— Minha recompensa é que ela se torne cada vez mais linda — disse o primeiro.

— A minha é que caiam moedas de ouro de sua boca todas as vezes que falar — disse o segundo.

— E a minha é que vai aparecer um rei e se casar com ela — disse o terceiro.

Enquanto isso, a jovem tratou de varrer a neve, como os donos da casa haviam recomendado, e, quando retirou a neve, encontrou embaixo morangos maduros, vermelhinhos! Alegríssima, tratou de encher com as frutas o cesto que levara e, depois de agradecer os anões e se despedir deles, apertando a mão de cada um, voltou para casa, entregando à madrasta o cesto de morangos.

Quando abriu a boca para falar, uma moeda de ouro saiu de sua boca. Ela passou a contar, então, tudo que lhe acontecera, e a cada palavra que dizia, uma moeda de ouro saltava de sua boca, a tal ponto que, dentro de pouco tempo, o chão estava repleto de moedas.

— Vê a sua arrogância, cuspindo ouro por toda a parte! — gritou a filha da madrasta.

Na verdade, estava morrendo de inveja, e resolveu ir também à floresta, para voltar cuspindo ouro. Sua mãe não quis deixar que ela fosse:

— Está fazendo muito frio, filhinha! Vais adoecer, podes até morrer!

Tanto a feiosa insistiu, porém, que a mulher acabou cedendo. A jovem entrou na floresta e avistou a casa dos anões. Não os cumprimentou, nem pediu licença, mas foi logo entrando pela casa adentro, sentou-se no banco junto do fogão e tratou de comer o pão com manteiga e o gostoso bolo que levara. Os anões pediram-lhe para dar-lhes um pouco, mas ela retrucou:

— Tinha graça! Eu não comer que chegue para dar aos outros!

Quando acabou de comer, os homenzinhos quiseram lhe dar a vassoura para varrer a neve, mas ela protestou:

— Não sou criada de ninguém! Quem quiser que vá varrer!

Como viu que os anões não iam lhe dar presente algum, foi-se embora sem se despedir de ninguém.

E os donos da casa discutiram, então, o que fariam com aquela mocinha antipática e má, incapaz de fazer um bem ou de prestar um serviço aos seus semelhantes.

— Eu quero que ela fique cada vez mais feia — disse o primeiro.

— Eu quero que, cada vez que ela disser uma palavra, saia um sapo de sua boca — disse o segundo.

— E eu quero que ela tenha uma morte horrível — disse o terceiro.

A feiosa procurou morangos, mas não os encontrando, voltou furiosa para casa. E, quando abriu a boca, para contar à mãe o que lhe acontecera, um sapo pulou fora a cada palavra que dizia. Assim, todo mundo tomou horror dela. Além disso, ia ficando ainda mais feia, à medida que o tempo passava.

Por outro lado, a enteada ia ficando cada vez mais bela e a madrasta não cessava de imaginar de que modo poderia maltratá-la, para se vingar do fato de ser ela mais bonita, mais simpática e mais querida do que sua filha. Afinal, encheu de água um grande caldeirão, encheu a água de fios de linho e levou ao fogo até a água ferver. Jogou então os fios no ombro da enteada e deu-lhe um machado e mandou-a abrir um buraco no gelo que cobria o rio e enxaguar os fios de lã. A jovem obedeceu.

E, quando estava executando o penoso trabalho, passou perto do rio uma esplêndida carruagem na qual viajava o rei. A carruagem parou e o rei perguntou à jovem:

— Que fazes aí, desafiando o rio?

— Sou uma pobre moça, que está trabalhando — ela respondeu.

Vendo a sua beleza, o rei ficou ainda mais comovido e disse:

— Não queres ir embora comigo?

— Quero muito! — respondeu a jovem, satisfeitíssima com aquela oportunidade de se livrar da cruel madrasta e de sua cruel filha.

E o rei levou-a para o seu palácio e se casou com ela, cumprindo-se assim a profecia do anão.

Um ano depois, a jovem rainha deu à luz um filho. A madrasta, tendo sabido da sorte que ela tivera, foi com sua filha ao palácio, com o pretexto de visitar a enteada. Quando, porém, o rei estava ausente e não havia mais pessoa alguma presente, a perversa velha agarrou a rainha pela cabeça e sua filha a agarrou pelos pés e a tiraram do seu leito e jogaram-na, através da janela, a um rio que passava embaixo.

Depois, a horrorosa filha da madrasta meteu-se no leito da rainha, e sua mãe puxou a coberta para cima de sua cabeça, a fim de esconder o seu feíssimo rosto.

Quando o rei voltou e quis conversar com sua esposa, a velha não deixou, dizendo que ela estava precisando descansar. O rei de nada desconfiou e se retirou, só voltando na manhã seguinte. Quando quis conversar com a esposa, embora sem ver todo o seu rosto, que a madrasta tivera o cuidado de manter meio escondido, notou que, a cada palavra que dizia, em vez de sair de sua boca uma moeda de ouro, como antes, agora era um sapo que saía. Estranhou aquilo, mas a madrasta lhe explicou que se tratava de uma coisa passageira, pois a moça sofrera um resfriado forte e suara muito, mas dentro em pouco estaria recuperada.

Durante a noite, porém, o cozinheiro do palácio viu uma pata que vinha nadando pelo rio e que disse:

Que faz o rei, tão descuidado?
Está dormindo ou acordado?

E, como o cozinheiro não respondesse, a pata insistiu:

E as visitas como? Acordadas?

O cozinheiro disse, então:
— Estão dormindo sossegadas.
A pata voltou a falar:

E como está o meu filhinho?

Respondeu o cozinheiro:
— Dorme tranquilo no seu bercinho.

Então, a pata subiu a escada, tendo assumido a forma da rainha, afagou a criancinha, embalou-a no berço, cobriu-a com todo o cuidado e voltou para o rio, reassumindo a forma de pata.

Isso se repetiu por mais duas noites. Na terceira, ela disse ao cozinheiro:
— Dize ao rei para tomar a sua espada e girá-la três vezes sobre a soleira da porta.

O cozinheiro imediatamente contou ao rei o que acontecera e, tomando a sua espada, o rei girou-a três vezes sobre o espírito e, na terceira vez, sua esposa apareceu diante dele, viva, saudável e linda como era antes. A sua alegria foi enorme, mas ele manteve a rainha escondida até o domingo, quando se realizou o batizado do principezinho.

Então, ele perguntou à madrasta:
— Que castigo merece uma pessoa que arranca outra de seu leito e a atira em um rio, para morrer afogada?

— Quem faz uma coisa dessas — respondeu a velha — merece ser metida em um barril cheio de pregos bem pontudos e o barril ir rolando pelo barranco abaixo, até cair dentro da água.

— Pronunciaste a tua própria sentença de morte — disse o rei.

E mandou meter a velha e sua filha em um barril cheio de pregos bem pontudos, que rolou pelo barranco abaixo até cair no rio.

A ESPERTA FILHA DO CAMPONÊS

Era uma vez um camponês muito pobre, que não tinha um pedaço de terra para plantar, mas apenas uma casa muito pequena, que mal dava para ele e para sua filha.

— Devíamos pedir ao rei um pedaço de terra para plantar — sugeriu a filha um dia.

E, realmente, quando o rei ficou sabendo de sua pobreza, deu-lhes um pedaço de terra, que o pai e a filha trataram logo de preparar para nela plantarem trigo.

Antes, porém, de plantarem, quando estavam escavando a terra, encontraram enterrado um almofariz feito de ouro maciço.

— Escuta, minha filha — disse o pai. — Como o rei foi tão bom, nos dando esta terra para plantarmos, devemos entregar-lhe este almofariz de ouro por um dever de gratidão.

A filha, porém, não concordou. E argumentou:

— Meu pai, ainda não encontramos a mão do almofariz. Temos, portanto, de procurá-la e é melhor, assim, não contarmos a ninguém, por enquanto, que achamos o almofariz.

O pai, porém, não seguiu o conselho da filha e levou o almofariz para o rei, explicando que o encontrara enterrado ao preparar a terra para o plantio e perguntando-lhe se aceitava recebê-lo como presente.

O rei pegou o almofariz e perguntou ao camponês se não encontrara outra coisa enterrada. O camponês respondeu que não, mas a sua negativa não foi levada em consideração. Foi conduzido à prisão, onde teria que ficar até entregar a mão do almofariz.

Os carcereiros, quando lhe levavam pão e água, que eram o único alimento permitido, ouviam-no constantemente lamentar-se:

— Meu Deus, por que não segui o conselho de minha filha?

Os carcereiros foram então contar ao rei que o prisioneiro não cessava de se lamentar por não ter seguido o conselho de sua filha e não queria comer nem beber água.

O rei ordenou, então, aos carcereiros, que trouxessem o prisioneiro à sua presença, e, quando isso foi feito, indagou do camponês que conselho sua filha lhe dera.

— Ela me disse para não oferecer-lhe o almofariz, pois não podia oferecer também a mão do almofariz — informou o pai.

— Se tens uma filha tão esperta, quero que ela venha à minha presença — disse o rei.

A jovem foi, portanto, obrigada a se apresentar ao rei, que assim lhe falou:

— Se és realmente tão esperta, quero te propor um enigma e, se o resolveres, eu me casarei contigo.

— Qual é o enigma? — replicou a jovem.

— Quero — disse o rei — que venhas à minha presença sem roupa mas não nua, sem vires a pé nem a cavalo, não na estrada e nem fora da estrada.

A moça, voltando para casa, despiu-se de todas as peças de roupa que tinha em cima do corpo, de maneira que não estava vestida, depois pegou uma grande rede de pesca e enrolou-a em torno do seu corpo, de modo que não ficou nua. Depois, arranjou um burro e amarrou a rede de pesca em sua cauda. O burro teve de arrastá-la, então, de maneira que ela não estava andando a pé nem a cavalo. O burro também teve de arrastá-la seguindo os sulcos deixados pelos carros no chão, de modo que ela não estava na estrada e nem fora da estrada.

— Realmente, resolveste o enigma — admitiu o rei, que mandou que seu pai fosse libertado e se casou com ela.

Passaram-se alguns anos e aconteceu que, certa vez que o rei estava passando em revista as suas tropas, alguns camponeses que vendiam madeira pararam com as suas carroças em frente do palácio. Algumas carroças eram puxadas por bois e outras por cavalos. Em uma dessas últimas, um dos animais de tiro era uma égua, que havia parido um poldro, o qual saiu correndo e foi se meter entre os bovinos de uma parelha atrelada a outra carroça. Começou, então, uma briga entre os carroceiros, um querendo levar o poldrinho, o outro querendo que ele continuasse onde estava. O rei foi chamado a decidir o caso, e declarou que o poldro deveria continuar onde estava, de modo que o dono da carroça puxada pela parelha de bois acabou ficando com o cavalinho.

O outro camponês ficou desolado, por ter perdido o que era legitimamente seu. E, tendo ouvido dizer que a rainha era muito boa e, além disso, conhecera a pobreza quando mais jovem, foi implorar-lhe que o ajudasse a recuperar o seu poldro.

A rainha recebeu-o com benevolência e sugeriu-lhe o que deveria fazer, com a condição, porém, que não a traísse, não revelasse que fora ela que o instruíra sobre o modo de agir.

— Amanhã cedo, quando o rei passar em revista as suas tropas, fica no meio da rua com uma rede de pescar e finja que estás pescando e a rede cheia de peixes — disse ela.

E ensinou-lhe ainda o que deveria dizer ao rei, quando esse o interrogasse.

O camponês assim fez. E ao vê-lo naquela estranha atitude, o rei mandou um de seus homens perguntar o que significava aquilo. E, interrogado, o homem respondeu:

— Estou pescando.

— Pescando? — admirou-se o outro. — Como podes pescar onde não há sequer uma gota de água?

— É tão fácil pescar sem água como uma vaca ter um poldro! — retrucou o camponês.

Quando soube dessa resposta, o rei mandou que o homem lhe fosse apresentado e disse-lhe:

— Não foste tu que tiveste essa ideia. Quero saber quem foi.

O homem afirmou e reafirmou que fora ele mesmo. Não queria, de modo algum, delatar a rainha, mas foi espancado e torturado a tal ponto que acabou não aguentando mais tanto sofrimento e confessou a verdade.

Furioso, o rei, quando voltou ao palácio falou à esposa:

— Por que foste tão falsa para comigo? Não quero mais que sejas minha mulher. Volta para o lugar de onde vieste: a cabana de teu pai.

Concedeu-lhe, porém, o direito de levar consigo aquilo que considerasse mais precioso em sua vida.

— Está bem, meu querido marido, se assim queres, eu te obedeço. Partirei agora mesmo.

Mandou então servir vinho, para beberem à despedida. E, ocultamente, ela despejou no vinho um poderoso soporífero. Fizeram depois o brinde. O rei bebeu um copo cheio, e ela apenas tocou os lábios no seu.

Sem demora, ele adormeceu profundamente e, com a ajuda de uma criada de confiança, a jovem o envolveu em um lençol branco e fez com que um criado o levasse para uma carruagem, que o transportou para a cabana onde ela morava quando solteira. Deitado no humilde catre, o rei dormiu sem acordar um dia e uma noite e, quando afinal despertou e viu onde se encontrava, ficou perplexo. Gritou, chamando os seus serviçais, mas nenhum se apresentou.

Afinal, a jovem rainha aproximou-se de sua cama e disse-lhe:

— Quando me expulsastes do palácio, disseste que eu podia trazer aquilo que me fosse mais caro, mais precioso. Por isso, eu te trouxe.

Profundamente comovido, o rei murmurou, com os olhos marejados de lágrimas:

— Querida esposa, serás minha e serei teu o resto da vida.

Levou-a de volta ao palácio e viveram muito felizes. É possível mesmo que ainda estejam vivendo até hoje.

A MOCHILA, O CHAPÉU E A TROMPA DE CAÇA

Há muitos e muitos anos, viviam três irmãos que foram se tornando cada vez mais pobres, até que nem sequer tinham o que comer.

— Não podemos mais suportar esta vida! — disseram então. — É melhor sairmos pelo mundo afora para ver se melhora a nossa sorte.

Partiram, assim, e caminharam em muitas estradas, subiram morros e atravessaram rios, mas a boa sorte não chegava.

Um dia chegaram a uma grande floresta, em cujo meio erguia-se um morro e, quando dele se aproximaram, viram que o morro era todo de prata.

— Encontrei a boa sorte que procurava! — exclamou o irmão mais velho. — Não quero mais do que isto!

Tirou do morro tanta prata quanto pôde carregar, e voltou para casa.

Os dois outros irmãos, porém, disseram:

— Queremos alguma coisa mais do que prata.

E prosseguiram a viagem, sem tocar na prata. Depois de terem caminhado durante mais dois dias, chegaram a um morro que era todo de ouro.

O segundo irmão passou, refletiu um pouco e decidiu:

— Vou levar comigo tanto deste ouro quanto puder carregar.

E foi o que fez. Despediu-se do irmão e voltou para casa.

O irmão mais moço, porém, pensou:

"O ouro e a prata não me impressionam. Não vou desistir de procurar algo melhor na vida. Lutarei e hei de vencer".

Viajou sozinho durante três dias e afinal chegou a uma floresta maior do que as outras que encontrara, e que parecia não ter fim. Trepou em uma árvore muito alta, mas lá de cima só avistava outras árvores por todos os lados. Desolado, ele desceu da árvore pensando:

"Ah! Se ao menos eu ainda pudesse comer alguma coisa!"

E, quando chegou ao chão, viu, estarrecido, à sombra da árvore, uma mesa posta, e muito bem posta, com iguarias que deviam ser saborosíssimas, a se julgar pelo agradável cheiro que desprendiam.

"Desta vez, parece que o meu desejo foi satisfeito no momento exato!", pensou.

E, sem se preocupar em saber quem preparara a comida e quem a pusera ali, sentou-se à mesa e comeu até saciar de todo a sua fome. E a comida era, realmente, gostosíssima.

Depois, achou que seria uma pena se a linda toalha que cobria a mesa fosse abandonada naquela floresta. Tirou-a, pois, dobrou-a com todo o cuidado e guardou-a no bolso.

Prosseguiu a viagem e, ao anoitecer, quando de novo sentiu fome, teve uma ideia: Estendeu a toalha no chão e disse:

— Eu queria agora saborear um jantar igual ao almoço de hoje!

E mal acabara de pronunciar estas palavras, a toalha se cobriu de iguarias fartas e deliciosas.

— Agora percebo em que cozinha são preparadas as minhas refeições! — exclamou. — Tenho algo melhor do que o ouro e a prata!

De fato, era evidente que se tratava de uma toalha mágica.

A toalha, contudo, não era ainda suficiente para voltar, tranquilo, para casa. Preferia andar pelo mundo, procurando a fortuna mais adiante.

Uma noite, ele encontrou, em uma sombria floresta, um carvoeiro, sujo de carvão dos pés à cabeça, que trabalhava ali e estava cozinhando, em uma rústica fogueira, algumas batatas, naturalmente o seu único alimento.

— Boa noite, pássaro preto! — disse o jovem. — Como te arranjas nesta solidão?

— Todos os dias são iguais uns aos outros — respondeu o carvoeiro. — Trabalho e mais trabalho. E todas as noites, batata! És servido?

— Muito obrigado! — respondeu o jovem. — Não vou prejudicar a tua ceia. Mas, se estás enfarado das batatas, podes compartilhar da minha. Estás convidado.

— Quem vai preparar a tua ceia? — replicou o carvoeiro. — Nada trazes contigo e não encontrarias ninguém para prepará-la em um raio de cinco léguas.

— Pois vais ver que boa ceia — contestou o jovem.

Abriu a mochila, tirou a toalha mágica, estendeu-a no chão e encomendou a ceia, que veio, quentinha, saborosa e farta. O carvoeiro ficou boquiaberto de espanto, mas isso não o impediu de, em vez de fechar a boca, abri-la ainda mais para enchê-la de comida.

E, depois de se regalar com a ceia, disse o carvoeiro:

— Realmente, a tua toalha é maravilhosa. Para mim, então, ela seria utilíssima, pois assim eu não precisaria mais de comer batata e mais batata. Quem sabe poderíamos fazer uma troca? Eu ficaria com a toalha e te daria uma mochila que um soldado me deu, que, embora já velha e estragada, é dotada de poderes mágicos e poderia te ser muito útil em tuas viagens.

— Resta saber quais são os seus poderes mágicos — disse o jovem.

— Vou te explicar — replicou o carvoeiro. — Todas as vezes que lhe deres um tapa, aparecem um cabo e seis soldados, armados dos pés à cabeça e que te obedecerão, fazendo o que mandares.

A troca foi feita e o jovem partiu levando a velha mochila. Depois de caminhar algum tempo, resolveu verificar logo a eficiência de seus poderes mágicos. Deu um tapinha na mochila e imediatamente surgiram os sete guerreiros e o cabo, em posição de sentido, indagou:

— O que determina meu chefe e senhor?

— Marche em passo acelerado até a cabana do carvoeiro e traze a minha toalha mágica! — ordenou o jovem.

A ordem foi executada com toda a presteza. A toalha foi tomada do carvoeiro, sem qualquer explicação, e devolvida ao seu antigo dono, que, depois de autorizar o cabo a se retirar com os seus homens, seguiu viagem, muito feliz da vida, certo de que havia garantido o seu futuro.

Ao anoitecer, chegou à cabana de um outro carvoeiro, que também estava preparando o seu jantar de batatas, e só batatas, e que convidou amavelmente o viajante a compartilhar da refeição.

— Muito obrigado, mas eu é que vou te oferecer o jantar — disse o jovem.

Estendeu no chão a toalha mágica e uma ceia magnífica surgiu diante dos olhos maravilhados do carvoeiro, que, depois de regalar-se, comentou:

— Para mim, esta toalha seria uma preciosidade, pois me livraria da obrigação de comer batata e mais batata. Quem sabe não farias uma troca comigo? Tenho aqui um chapéu, velho e estragado, mas que tem poderes maravilhosos: se alguém o puser na cabeça e fazê-lo girar, será disparado um canhão que destrói qualquer obstáculo que a pessoa encontrar. Quem sabe se não me darias esta toalha, em troca do chapéu, que poderia te ser muito útil em tuas viagens?

A troca foi feita imediatamente, e o jovem partiu levando o velho chapéu. E não andou muito, antes de dar mais um tapinha na mochila e ordenar ao cabo que fosse com seus soldados buscar outra vez a toalha mágica que deixara na casa do segundo carvoeiro.

E não ficou só nisso a sorte do jovem ambicioso. Chegou ao anoitecer à cabana de um terceiro carvoeiro, que, como os dois primeiros, estava cozinhando batatas e, amavelmente, convidou o viajante a participar de sua modestíssima ceia. E o jovem ambicioso, como das outras vezes, é que lhe ofereceu o jantar preparado pela toalha mágica.

E tendo se deleitado com o lauto banquete, o carvoeiro salientando que para ele a toalha seria utilíssima, propôs recebê-la em troca de uma trompa de caça dotada de poderes maravilhosos: quando alguém a tocava, castelos, muralhas ou simples casas desmoronavam como se tivessem sido atingidos por terríveis explosões.

O jovem ambicioso fez a troca, seguiu viagem e, antes de cobrir uma distância de um quarto de légua, mandou o cabo e sua esquadra buscar, mais uma vez, a toalha mágica.

— Agora — disse a si mesmo, cheio de orgulho — sou realmente um homem poderoso, capaz de alcançar o que quiser! Já é tempo de voltar para casa, e ver como meus irmãos estão se arranjando.

Quando regressou à sua terra, os dois irmãos tinham construído uma mansão com seu ouro e sua prata e viviam luxuosamente. Ele quis entrar, mas com seu casaco rasgado, o velho e estragado chapéu na cabeça e a mochila suja e velha nas costas, os donos da casa não o reconheceram como irmão.

— Estás querendo dizer que és nosso irmão que desprezou o ouro e a prata e queria coisa melhor? — disseram. — Ele teria de vir em uma rica carruagem, e trazendo vestes dignas de um rei, e não como um mendigo, a pé e maltrapilho.

E o expulsaram. Furioso, o jovem ambicioso bateu na mochila até que surgiram diante dele cinquenta homens, armados da cabeça aos pés, que tiveram ordem de cercar a mansão dos dois irmãos, dois dos soldados deveriam levar dois porretes bem grossos e dar uma surra nos dois insolentes que se atreveram a renegar o próprio irmão.

A desordem tomou conta da cidade. Muita gente tentou proteger a mansão, sem, porém, conseguir enfrentar com êxito os cento e cinquenta soldados bem armados. O rei, ao tomar conhecimento do que ocorria, mandou um capitão, à frente de sua companhia, expulsar os intrusos. O jovem ambicioso, porém, recorreu mais uma vez à velha mochila, e as forças que convocou superaram facilmente o contingente real, que foi forçado a bater em retirada, depois de sofrer inúmeras baixas.

O rei ficou furioso ao saber de tal derrota e, no dia seguinte, mandou uma divisão inteira do exército contra o intruso. Não adiantou, porém: o intruso fez girar o chapéu e os canhões dizimaram as tropas reais. A debandada foi geral.

— Agora — declarou o jovem ambicioso — só retirarei as minhas forças se o rei me der a sua filha em casamento, e eu governar o reino em seu nome.

O rei teve de se resignar e disse à filha:

— É duro, minha filha, mas não tenho outro recurso, a não ser aceitar o que aquele homem está querendo. Para que tenhamos a paz e eu não perca a coroa, tens de te sacrificares.

Assim foi celebrado o casamento, embora a princesa se sentisse envergonhada de ter como marido um plebeu que usava um chapéu velho e carregava uma mochila suja e estragada.

Estava ansiosa para se ver livre dele, e noite e dia imaginava um meio de conseguir tal coisa.

"Quem sabe se o seu poder reside naquela nojenta mochila?" pensou.

E fingindo muita afeição, tratando-o carinhosamente, disse um dia ao marido:

— Querido, por que não jogas fora essa mochila tão velha, tão feia e tão suja?

— Essa mochila, meu amor, é meu maior tesouro — ele confessou, convencido de que a princesa o amava mesmo. — Enquanto eu a tiver, não há poder algum na Terra que possa me vencer.

E acabou revelando os poderes mágicos da mochila.

A princesa então o abraçou e beijou, mas apenas para, sorrateiramente, arrancar a mochila de suas costas e sair correndo com ela para longe. E, logo que se viu sozinha, deu tapas sem conta na mochila e mandou que os soldados que aparecessem expulsassem do palácio o seu antigo senhor. E, depois de ter sido expulso do palácio, ele ainda seria expulso do país. Estaria perdido, se não fosse o fato de ter ainda o chapéu consigo. Girou-o na cabeça, e o canhão começou a troar.

A princesa teve de se dar por vencida, e tratou o marido com tanto carinho, jurando que estava arrependida e que o amava muito, que ele acabou acreditando e fazendo as pazes com ela. Era apenas fingimento, porém. E, quando ele estava dormindo, ela pegou o chapéu mágico e o jogou fora.

Restava ainda, porém, a trompa de caça. E, ao ver a nova traição da esposa, o jovem ambicioso ficou com tanta raiva, que levou o instrumento à boca e soprou com toda a força. E tudo ruiu em torno: muralhas, fortificações, cidades, aldeias e o palácio real, sepultando em seus escombros o rei e a princesa. Não teria sobrado coisa alguma, se o sopro continuasse durante mais meio minuto.

O jovem ambicioso não encontrou, então, pessoa alguma que o enfrentasse. E tornou-se rei do país.

O CAMARADA LUSTIG

Há muitos e muitos anos, houve uma grande guerra e, quando ela terminou, muitos soldados tiveram baixa. Entre eles estava o camarada Lustig, que recebeu apenas um pão de munição e quatro moedas. Muito triste, por ter recebido tão pouco, ele se pôs a caminho, para voltar à sua terra.

São Pedro, porém, tinha se colocado em seu caminho, sob a forma de um pobre mendigo e, quando Lustig passou, pediu-lhe uma esmola.

— Meu caro mendigo — disse o camarada Lustig — o que tenho para te dar? Sou um soldado que acaba de ter baixa e recebeu apenas um pão de munição e quatro moedas. Ainda assim, contudo, vou te dar alguma coisa.

Partiu o pão em quatro pedaços e deu um deles ao apóstolo, juntamente com uma das quatro moedas.

São Pedro agradeceu e correu para mais adiante, disfarçando-se como outro mendigo, que também pediu uma esmola ao camarada Lustig, quando ele passou. E Lustig deu-lhe um pedaço de pão e uma moeda.

E São Pedro tornou a virar outro mendigo e pedir esmola a Lustig, que lhe deu o terceiro pedaço de pão e a terceira moeda.

Desse modo, não tinha consigo mais do que um pedaço de pão e uma moeda, quando, cansado e faminto, chegou a uma hospedaria. Ali comeu o pão e pagou um copo de cerveja com a moeda que sobrara. Depois de matar a fome e descansar um pouco, ele continuou a viagem, e então São Pedro, que assumira a forma de um soldado que acabara de receber baixa, encontrou-se com ele e lhe disse:

— Bom dia, camarada. Por acaso, não poderias me arranjar um pedaço de pão, pois estou com fome, e uma moeda para pagar um copo de cerveja, pois estou com sede?

— Como é que eu iria arranjar um pedaço de pão e uma moeda? — redarguiu Lustig. — Eu também recebi baixa e não me deram mais do que um pão de munição e quatro moedas. Encontrei no caminho três mendigos, a cada um dos quais dei a quarta parte do meu pão e uma moeda. O último pedaço de pão e a última moeda gastei para matar a minha fome e a minha sede. Agora, tenho os bolsos vazios e, se estás na mesma condição, o que podemos fazer é mendigar juntos.

— Não precisamos fazer tal coisa — replicou São Pedro. — Entendo um pouco de medicina e poderei arranjar algum dinheiro.

— Quer dizer que só me resta mendigar sozinho — disse Lustig.

— Não — replicou São Pedro. — Vem comigo. Dar-te-ei metade do que eu ganhar.

Lustig aceitou a sugestão e os dois prosseguiram juntos a viagem.

Algum tempo depois chegaram à casa de um camponês, de dentro da qual saíam gemidos e gritos de angústia. Entraram, e viram que o chefe de família estava deitado, mortalmente enfermo, já quase morrendo, e sua mulher chorava e se lamentava, aos gritos.

— Não chores, nem grites mais — disse São Pedro. — Vou curar teu marido.

Tirou do bolso uma pomada, e aplicou-a no enfermo, que imediatamente ficou curado. Satisfeitíssimos, o homem e a mulher quiseram recompensar o apóstolo, que, porém, recusava qualquer recompensa, por mais que os dois insistissem.

O camarada Lustig, disfarçadamente, cutucou São Pedro e disse-lhe, em voz baixa:

— Aceita. Afinal de contas, estamos precisando muito.

E, como o casal insistisse para que aceitasse um carneiro como recompensa e Lustig também continuasse a lembrar-lhe que estavam desprovidos de tudo, São Pedro acabou aceitando, mas com a condição de que Lustig o carregasse.

— Perfeitamente! — concordou Lustig, sem relutância. — Eu o carregarei.

Os dois prosseguiram a viagem e chegaram a uma floresta. A caminhada era longa, o camarada Lustig começou a achar o carneiro muito pesado, e, além disso, estava com muita fome. E disse ao companheiro:

— Escuta: aqui está um bom lugar para cozinharmos o carneiro e jantarmos.

— Como queiras — concordou São Pedro. — Mas não contes comigo. Aqui tens uma caçarola e podes preparar o carneiro. Enquanto isso, vou dar uma caminhada por aí até que a comida fique pronta.

— Pode deixar por minha conta — disse Lustig.

Matou o carneiro, e cozinhou a carne. Quando já estava quase pronta, cortou-a e encontrou o coração.

— Dizem que é a melhor parte — murmurou consigo mesmo.

Provou, e acabou comendo o coração inteiro.

Logo depois, São Pedro voltou, e disse:

— Podes comer o carneiro inteirinho. Eu só quero o coração.

Lustig, então, pegou a faca e fingiu que estava procurando o coração, sem conseguir encontrá-lo.

— Não achei o coração! — anunciou afinal.

— Aonde ele terá ido? — perguntou São Pedro.

— Ele não tem coração! — afirmou Lustig.

— Não é possível! — contestou São Pedro. — Todo animal tem um coração. Por que esse carneiro não teria?

— Mas o fato é que não tem — insistiu o outro. — Examina bem e verás que não há mesmo coração.

— Está bem — disse São Pedro. — Já que não há coração, não quero nada do carneiro. Podes comê-lo todo.

— O que eu não puder comer, vou levar na mochila — decidiu Lustig.

Comeu metade do carneiro e guardou o resto. Os dois seguiram viagem e chegaram diante de um rio bem largo, que tinham de atravessar.

— Vai na frente! — disse São Pedro.

— Não, tu é que deves ir — replicou Lustig, pensando: "Assim, eu vejo se o rio é muito fundo e, se for, eu não vou".

São Pedro então atravessou o rio, e a água não foi acima de seus joelhos. Lustig se animou e entrou no rio também. Mas o rio foi se tornando cada vez mais fundo e a água acabou lhe chegando ao pescoço.

— Socorro! — gritou. — Ajuda-me, meu amigo!

— Confessas, então, que comeste o coração do carneiro? — perguntou São Pedro.

— Não, não comi! — gritou o outro.

O rio, então, ficou mais fundo e a água chegou-lhe à boca.

— Confessas que comeste o coração do carneiro? — repetiu São Pedro.

— Não comi! — teimou Lustig.

São Pedro, porém, não deixou que ele morresse afogado, e fez com que o nível da água baixasse, e o ajudou a sair do rio.

Continuando a viagem, os dois chegaram a um reino, onde souberam que a filha do rei estava gravemente doente, à beira da morte.

— Agora é a nossa grande oportunidade, camarada! — disse Lustig a São Pedro. — Podes curar a princesa e receberás uma recompensa que nos dará tranquilidade para o resto da vida. Vamos apressar o passo para chegarmos o mais depressa possível ao palácio real!

São Pedro, porém, caminhava muito devagar e, por mais que o outro insistisse, não apressava o passo.

Afinal, tiveram notícia de que a princesa havia morrido.

— Estás vendo no que deu a tua lentidão? — perguntou Lustig ao santo, visivelmente irritado. — Lá se foi a tua oportunidade!

— Cala-te! — disse o apóstolo. — Posso fazer mais do que curar os enfermos. Posso ressuscitar os mortos.

— Ótimo, então! — entusiasmou-se o ex-soldado. — Mas, se ressuscitares a princesa, deves pedir em pagamento a metade do reino.

Chegaram afinal ao palácio real, onde reinava a maior consternação, mas São Pedro disse ao rei que poderia ressuscitar a sua filha. Tendo sido levado até junto da morta, o santo pediu que trouxessem uma panela e água e, depois, pediu que todos se retirassem com exceção de Lustig.

Quando ficou a sós com o companheiro de viagem, São Pedro cortou os braços e as pernas da morta, jogou-os na panela cheia de água e acendeu o fogo debaixo da panela, até a água ferver. Quando a água estava fervendo arrancou de todo a carne, ele colocou em cima da mesa, cuidadosamente arrumados em sua posição, os ossos, todos bem lavados, bem limpinhos.

Em seguida, deu alguns passos para a frente e repetiu por três vezes, em voz alta:

— Em nome da Santíssima Trindade, levanta-te, morta!

Da terceira vez, a princesa levantou-se, viva, curada e linda.

Não há palavras capazes de descrever a alegria do rei.

— Pede a recompensa que quiseres! — disse ele a São Pedro. — Mesmo se for a metade do meu reino, eu te darei, de boa vontade.

— Nada quero — limitou-se a dizer o apóstolo.

"Que idiota!" pensou Lustig, que depois cochichou no ouvido do santo:

— Deixa de ser bobo! Se não precisares de coisa alguma, eu preciso!

São Pedro se manteve irredutível em sua negativa, mas o rei, percebendo que o seu companheiro gostaria muito de ganhar alguma coisa, mandou o seu tesoureiro encher-lhe a mochila de ouro.

A viagem continuou, e, quando os dois companheiros chegaram a uma floresta, São Pedro disse a Lustig:

— Agora, vamos dividir o ouro.

Lustig concordou, e São Pedro dividiu o ouro em três partes.

— Não estou entendendo — observou o outro. — Por que três partes, se somos apenas dois?

— A divisão está muito bem feita — contestou o santo. — Há uma parte para mim, uma para ti e a outra para a pessoa que comeu o coração do carneiro.

— Fui eu que comi! — apressou-se em dizer Lustig. — Podes confiar no que estou dizendo!

— Como seria isso possível, se o carneiro não tem coração? — indagou o apóstolo.

— Que ideia é essa, companheiro? — retrucou o ex-soldado. — É claro que carneiro tem coração! Onde é que se viu um animal sem coração?

— Está bem — disse São Pedro. — Fica com o ouro, mas não vou continuar viajando contigo.

— Como queiras, companheiro — foi a reação de Lustig. — Adeus!

Cada um tomou, então, um caminho e, depois de algum tempo, Lustig chegou a um país em cuja capital soube que a filha do rei havia morrido.

"Isso pode ser muito bom para mim!" pensou, então. "Posso ressuscitá-la e conseguir uma recompensa que corresponda ao serviço prestado!"

Procurou o rei e se ofereceu para ressuscitar a princesa. O rei ouvira dizer que um ex-soldado andara ressuscitando gente e achou que podia ser aquele. Lustig, porém, não lhe inspirou confiança, e ele pediu a opinião de seus conselheiros, que acharam que, como, afinal de contas, a princesa estava morta, não custava experimentar.

Lustig fez, então, o que vira São Pedro fazer: ferveu um panelão de água, cortou os braços e as pernas da morta e retirou a pele e a carne com a água fervendo; arrumou os ossos em cima de uma mesa, depois gritou três vezes: "Em nome da Santíssima Trindade, levanta-te, donzela morta!".

Os ossos não se moveram, no entanto. E Lustig perdeu a calma:

— Levanta, malcriada! — gritou. — Ressuscita! Pára com essa pirraça!

De repente, apareceu São Pedro, que entrara pela janela, sempre na aparência de um ex-soldado.

— Como queres que a morta ressuscite, quando juntaste os seus ossos de maneira tão confusa? — disse ele. — Por esta vez, ainda vou te ajudar. Mas presta atenção no que estou te dizendo. Jamais tentes fazer isso de novo. E também não aceites do rei a menor recompensa! Do contrário, irás te arrepender!

Em seguida, o santo arrumou os ossos direitinho, repetiu três vezes a invocação à Santíssima Trindade, e a princesa ressuscitou, sã e bonita. E São Pedro saiu pela janela, como tinha vindo.

O camarada Lustig, naturalmente, ficou contentíssimo de ter se livrado da enrascada em que se metera, mas pensava, ao mesmo tempo: "Que sujeito esquisito aquele milagreiro! Ajuda a gente a fazer o milagre e não quer que se tire proveito algum do milagre. Dá com uma das mãos e tira com a outra".

Alegríssimo com a ressurreição da filha, o rei ofereceu a Lustig o que ele quisesse, mas, lembrando-se da advertência do santo, ele não se atreveu a pedir coisa alguma. Por outro lado, achou muito razoável o rei ter mandado encher de ouro a sua mochila.

Ao retirar-se do palácio, encontrou na porta São Pedro, que lhe disse:

— Não te emendas mesmo, hein? Eu te proibi de aceitar qualquer coisa e sais com a mochila cheia de ouro!

— Eu não pedi coisa alguma — desculpou-se o ex-soldado. — Puseram o ouro na mochila sem que eu soubesse.

— Mas não te esqueças que, se repetires a tolice que aprontaste aqui, irás te arrepender muito! — advertiu o apóstolo.

— Não te preocupes, meu caro — replicou o outro. Estou com muito dinheiro no bolso para me meter em lavagem de ossos.

— Faço votos para que o teu ouro dure muito tempo! — disse São Pedro. — Para isso, é preciso que nunca andes pelo mau caminho. Dou à tua mochila o dom de nela encontrares tudo que desejes encontrar. Adeus! Agora, nunca mais nos veremos.

O nosso herói continuou sozinho a viagem e, como não lhe faltava dinheiro, nem se lembrou, a princípio, dos poderes mágicos que o antigo companheiro transmitira à sua mochila.

Na sua imprevidência, porém, acabou gastando o dinheiro. E certo dia, ao passar diante de uma estalagem e sentir fome, constatou que só tinha no bolso quatro moedas. Entrou na hospedaria e encomendou vinho, que custaria três moedas, e um pão, com a última moeda. Mas, quando se sentou para comer, chegou ao seu nariz o cheiro delicioso de pato assado e viu que, realmente, o estalajadeiro estava assando dois patos.

Lembrou-se então que o seu antigo companheiro de viagem lhe prometera que encontraria dentro da mochila tudo aquilo que tivesse vontade de ter. E resolveu experimentar. Saiu, levando a mochila e pensando: "Quero aqueles patos assados", e, ao chegar ao lado de fora, abriu a mochila. Os patos assados estavam lá dentro!

— Ótimo! — ele exclamou. — Agora estou feito!

E caminhou até um prado, onde saboreou um pato assado. Já havia devorado metade do pato, quando apareceram dois viajantes que olharam para o segundo pato com uma expressão que revelava que deviam estar famintos.

O camarada Lustig pensou que, afinal de contas um pato assado só lhe era suficiente e disse aos desconhecidos que podiam comer o outro. Os dois agradeceram muito, pegaram o pato e foram para a hospedaria, onde mandaram servir pão e uma garrafa de vinho, para acompanharem a carne assada.

A estalajadeira ficou desconfiada ao vê-los e disse ao marido:

— Aqueles dois ali estão comendo pato assado. Estou achando que pode ser dos nossos.

O estalajadeiro foi verificar e viu que o forno estava vazio. Furioso, intimou os dois fregueses a pagarem o prato, sob pena de levarem uma surra.

— Não somos ladrões! — protestaram os dois. — Foi um soldado licenciado que encontramos no prado que nos deu este pato.

— Aquele soldado esteve aqui e não furtou coisa alguma! — afirmou o estalajadeiro.

E, como os dois fregueses não tinham dinheiro para pagar, expulsou-os, depois de lhes dar uma surra.

Enquanto isso, Lustig continuava a sua caminhada e chegou diante de um magnífico castelo, bem perto do qual havia uma hospedaria de aspecto miserável.

Resolveu pernoitar na hospedaria, mas o dono disse que ali não havia mais vaga.

— Todos os quartos estão ocupados por hóspedes, todos ricos e nobres — disse.

— Fico admirado de ver gente rica e nobre se hospedando aqui, quando deveriam pernoitar naquele castelo — disse Lustig.

— Acontece — disse o estalajadeiro — que naquele castelo ninguém consegue dormir e sair vivo de lá. Foi o que aconteceu com todos que tentaram pernoitar lá.

— Se outros tentaram, eu também vou tentar — disse Lustig. — Não tenho medo. Dá-me a chave, comida e vinho.

Atendido pelo estalajadeiro, Lustig entrou no castelo e lá comeu e bebeu muito à vontade e depois deitou-se no chão, pois não encontrou cama alguma. Adormeceu logo, mas, altas horas da noite, foi acordado por um grande barulho, e viu nove capetas muito feios formando um círculo em torno dele e dançando.

— Podem dançar quanto quiserem, contanto que não se aproximem de mim! — exclamou Lustig.

Os demônios, porém, foram apertando cada vez mais o círculo em torno dele. Lustig ficou com raiva e gritou:

— Parem com isto!

Os diabos, porém, se aproximavam cada vez mais e o barulho aumentava cada vez mais. Furioso, Lustig agarrou um pé de cadeira que encontrou e atirou-o com toda a força contra os capetas, atingindo em cheio um deles, bem na fronte. Mas um soldado só contra oito capetas é muito pouco. Os outros diabos o agarraram e o surraram sem dó nem piedade.

— Esperem aí, seus demônios! — gritou ele, enfrentando-os bravamente. — Todos para dentro de minha mochila!

No mesmo instante isso foi feito. Lustig fechou a mochila bem fechada e foi dormir. E dormiu como um justo até o dia seguinte.

Então, o estalajadeiro e o nobre a quem pertenciam o castelo foram ver o que havia acontecido. E foi um espanto quando viram são e salvo o temerário hóspede.

— Os espíritos não te perseguiram? — perguntaram.

— Perseguiram, mas agora estão todos os nove presos em minha mochila! — respondeu Lustig. — O castelo pode agora ser habitado sem qualquer perigo.

O nobre dono do castelo agradeceu muito a Lustig, ofereceu-lhe valiosos presentes e convidou-o a ficar a seu serviço, ganhando muito bem, para o resto da vida.

— Muito obrigado — disse Lustig. — Mas estou acostumado a levar uma vida errante, hoje aqui, amanhã ali.

Saindo do castelo, Lustig foi a uma oficina de ferreiro, colocou em cima da bigorna a mochila com os nove diabos, e pediu ao ferreiro e seus ajudantes que metessem o malho na mochila, sem dó nem piedade. Isso foi feito, e quando a mochila foi aberta, viram que oito dos capetas tinham sido triturados, mas um deles ainda estava vivo, protegido por uma dobra da mochila e conseguiu fugir, voltando para o inferno.

O camarada Lustig continuou suas viagens, mas afinal, como acontece com todo o mundo que não morre moço, ficou velho e, vendo que o dia de sua morte estava próximo foi procurar um ermitão e lhe disse:

— Estou cansado de andar pelo mundo e agora quero encontrar um caminho que me levasse ao Reino do Céu.

— Há dois caminhos no mundo — replicou o ermitão. — Um é largo e agradável, o outro estreito e pedregoso. O primeiro leva ao Inferno, e o segundo ao Céu.

"Só se eu fosse bobo é que iria escolher um caminho estreito e pedregoso!" pensou Lustig.

E, seguindo o caminho largo e agradável, chegou um dia diante de um portão negro e alto, que era a porta do Inferno. Lustig bateu no portão, e o porteiro olhou para ver quem era. Quando viu que se tratava do camarada Lustig, ficou apavorado, pois era o mesmo diabo que, além de levar uma paulada no rosto, ainda fora lançado por Lustig dentro da mochila e escapara de morrer como todos os seus oito companheiros. Assim, em vez de permitir a entrada do candidato, tratou de fechar o portão de novo e foi correndo procurar o Diabo-Chefe e contou:

— Está lá fora, querendo entrar, um desgraçado que, se puser os pés aqui, vai meter o inferno todo dentro de sua mochila! Eu escapei dele por pouco!

Assim, gritaram para Lustig, sem abrir o portão, que fosse embora, pois ali estava proibida sua entrada.

— O jeito — falou o camarada Lustig consigo mesmo — é ir para o Céu, pois tenho de ir para algum lugar, já que na Terra não posso mais ficar.

Não teve outro jeito senão andar um pouco pelo caminho estreito e pedregoso. Mas foi bem pouco, felizmente. E, quando bateu na porta do Paraíso e o seu santo porteiro veio abri-la, Lustig se rejubilou ao reconhecer em São Pedro o seu antigo companheiro de viagem.

"Com este velho amigo, aqui vou ficar muito bem!" pensou.

São Pedro, porém, lhe disse, francamente:

— Nunca imaginei que quisesses vir para o Céu.

— Não quiseram me aceitar no Inferno — explicou Lustig. — Deixa-me entrar, portanto.

— Aqui, não podes entrar! — exclamou São Pedro. — De modo algum!

— Se não queres me deixar entrar, então toma tua mochila de volta, pois não quero ficar com presente de um ingrato como és! — replicou Lustig.

São Pedro recebeu a mochila através da grade do portão, para não abri-lo, e pendurou-a num cabide ao seu lado.

— Quero ficar dentro da sacola! — gritou Lustig.

Assim, o camarada Lustig entrou no Céu, e São Pedro foi obrigado a deixá-lo lá.

DONA SOMBRA

Era uma vez uma menina tão teimosa e tão intrometida que, quando seus pais queriam que ela fizesse alguma coisa, sistematicamente os desobedecia.

Certo dia, ela disse a seus pais:

— Tenho ouvido falar sobre Dona Sombra e qualquer dia destes irei procurá-la. Contam a seu respeito coisas muito estranhas e tenho muita curiosidade de conhecê-la.

Os pais a proibiram expressamente de fazer tal coisa, explicando:

— Dona Sombra é uma mulher muito má, que pratica toda a espécie de maldades e, se a fores procurar, não serás mais nossa filha.

A menina, porém, nem se incomodou com a proibição dos pais e foi procurar Dona Sombra. E, quando dela se aproximou, Dona Sombra perguntou:

— Por que estás tão pálida?

— Fiquei horrorizada com o que vi — respondeu a menina, tremendo da cabeça aos pés.

— E o que viste?

— Vi um homem preto na escada desta casa.

— Era um carvoeiro.

— Depois, vi um homem verde.

— Era um caçador.

— E depois vi um homem vermelho cor de sangue.

— Era um carniceiro.

— Fiquei horrorizada, Dona Sombra. Olhei através da janela, não vi a senhora, mas, como acreditei, o próprio Diabo, com uma cabeça de fogo.

— Quer dizer — disse Dona Sombra — que viste a bruxa com suas próprias vestes. Estou esperando por ti, há muito tempo, e vais me dar alguma luz.

Então, transformou a menina em uma acha de lenha e atirou-a ao fogo. Depois, aproximou-se do fogo para se aquecer, e disse:

— Pelo menos por uma vez, ela brilhou.

MADRINHA MORTE

Era uma vez um homem muito pobre, que tinha doze filhos e era forçado a trabalhar dia e noite para sustentá-los. Quando veio ao mundo o décimo terceiro, o pobre homem ficou desorientado com a nova responsabilidade e correu para a estrada real, disposto a convidar a primeira pessoa que aparecesse para ser padrinho ou madrinha da criança.

O primeiro que apareceu foi o bom Deus, que já vinha de coração aberto, e disse ao homem:

— Tenho piedade de ti, bom homem. Criarei teu filho como um bom cristão, e tomarei conta dele e o farei feliz enquanto estiver na Terra.

— Quem és? — perguntou o pobre homem.

— Sou Deus.

— Então, não quero que sejas o padrinho de meu filho — disse o pobre. — Dás tudo aos ricos e deixas os pobres desamparados.

Assim falou o homem, que não sabia quão exatamente Deus distribui a riqueza e a pobreza. E se afastou do Senhor e seguiu para diante.

Então o Diabo se aproximou dele e disse:

— O que procuras? Se me escolheres para padrinho de teu filho, eu lhe proporcionarei muito ouro e todos os prazeres do mundo.

— Quem és? — perguntou o homem pobre.

— Sou o Diabo.

— Então, não quero que sejas o padrinho de meu filho — disse o homem. — Enganas as pessoas, fazes com que elas fiquem desorientadas.

E, deixando o Diabo, o homem seguiu adiante, e a Morte se aproximou dele e disse-lhe:

— Escolhe-me para madrinha de teu filho.

— Quem és? — perguntou o homem.

— Sou a Morte. Torno todos iguais.

— Ages corretamente, levando os ricos e os pobres sem distinção. Serás a madrinha de meu filho.

E a Morte replicou:

— Tornarei teu filho rico e famoso, pois àquele que é meu amigo, nada deixo faltar.

— O batizado será no próximo domingo — disse o homem. — E sê pontual.

A Morte não deixou de comparecer à hora marcada.

Quando o menino cresceu, a Morte foi procurá-lo, levou-o a uma floresta, mostrou-lhe uma erva que ali crescia e disse-lhe:

— Agora é que vais receber o presente de tua madrinha. Vou te tornar um médico célebre. Quando fores chamado para atender a um paciente, sempre aparecerei aos teus olhos. Se eu ficar de pé à cabeceira do enfermo, poderás ter certeza de que ele vai se curar, e, se lhe deres esta erva, ele ficará são e forte. Se eu aparecer aos pés do enfermo, é que ele está em meu poder, e deverás dizer que todos os remédios seriam inúteis e que não há médico no mundo capaz de salvá-lo. Cuidado, porém, para não usares esta erva contra a minha vontade, pois, do contrário, vais sofrer muito com isso.

Dentro de pouco tempo, o jovem se tornou o médico mais famoso de todo o mundo. Bastava ele olhar para um enfermo, para ficar sabendo se ele poderia ser curado ou se a sua morte era fatal.

Assim, ele era consultado por gente que vinha de muito longe procurá-lo e pagava muito bem os seus serviços, de modo que se tornou um homem muito rico.

E aconteceu que o rei do país adoeceu, e o médico foi convocado, para dizer se era possível a cura. Quando, porém, ele se aproximou do leito real, viu a Morte aos pés do enfermo. Não deveria, portanto, ministrar a erva maravilhosa.

"Se ao menos dessa vez eu pudesse enganar a Morte!..." pensou o médico. "Certamente, ela não iria gostar, mas, como sou seu afilhado, ela poderá me perdoar. Vou me arriscar".

Fez com que o rei mudasse de posição, invertendo-a, de modo que a Morte ficou à sua cabeceira e não a seus pés. Aplicou, então, a erva milagrosa, e o rei sarou e em pouco tempo recuperou inteiramente a saúde.

A Morte, porém, ficou furiosa e ameaçou o médico:

— Tu me traíste. Por esta vez, ainda perdôo, porque és meu afilhado. Mas fica sabendo que, se tentares outra vez agir dessa maneira, não vou mais perdoar, de modo algum! Irei é te levar comigo!

Pouco depois, a filha do rei adoeceu gravemente, e o pai, desolado, pois era sua filha única, prometeu a quem conseguisse salvá-la, que se casaria com ela e tornar-se-ia herdeiro da coroa.

Quando o médico chegou junto ao leito da princesa, viu a Morte a seus pés. Deveria ter se lembrado da advertência feita por sua madrinha, mas ficou tão apaixonado pela beleza da enferma e com esperança de tornar-se o seu marido, que se dispôs a enganar a Morte pela segunda vez. Nem notou que ela lhe lançava olhares furiosos, levantava os braços e o ameaçava de dedo em riste. (Dedo, naturalmente, é modo de dizer, assim como braço: tudo não passava de ossos). O médico carregou a princesa nos braços, inverteu a sua posição no leito e deu-lhe a erva milagrosa. E logo desapareceu a palidez mortal que lhe cobria o rosto, e a princesa não tardou a curar-se.

Quando a Morte viu que, pela segunda vez, uma vítima que já lhe pertencia lhe era subtraída, avançou contra o afilhado e disse:

— Tudo terminou para ti. Agora me pertences inteiramente!

Agarrou-o pelo braço tão fortemente, com sua mão gelada, que o jovem médico não conseguiu livrar-se. E arrastou-o para uma caverna subterrânea, onde milhares e milhares de velas ardiam, em filas incontáveis, umas compridas, outras de tamanho médio, outras pequenas. A todo instante velas se apagavam e outras se acendiam, de modo que as chamas pareciam pular de cá para lá e de lá para cá, em uma mudança contínua.

— Estas velas — explicou a Morte — são as vidas dos homens. As compridas são das crianças, as médias as dos adultos, as curtas dos velhos. Mesmo as crianças e os jovens, contudo, muitas vezes têm velas bem curtas.

— Mostra-me a minha luz — pediu o médico.

A Morte apontou uma vela curtíssima, que estava quase se apagando.

— Olha: é aquela ali! — disse ela.

— Ah, querida madrinha! — exclamou o jovem, apavorado. — Acende outra vela para mim, para que eu possa gozar a vida, ser rei e casar-me com a linda princesa!

— Não posso! — respondeu a Morte. — É preciso que uma vela se apague antes que uma outra seja acesa.

— Então, encosta uma vela nova à velha, para que, quando uma se apague, a outra se acenda — implorou o médico.

A Morte fingiu que iria satisfazê-lo, mas, deliberadamente, empurrou a vela, que se apagou. Imediatamente o pobre médico caiu no chão, definitivamente nas mãos da Morte.

OS DOIS VIAJANTES

Monte e vale jamais se encontram, mas os filhos dos homens, bons ou maus, se encontram. Foi o que aconteceu com um sapateiro e um alfaiate que um dia se encontraram em suas viagens. O alfaiate era um homenzinho bonito e brincalhão, que andava sempre alegre e gozando a vida. Certa vez ele viu o sapateiro aproximar-se, vindo da direção oposta e, quando viu, pela mochila que carregava, qual era a sua profissão, cantou em sua intenção uma cantiguinha zombeteira:

> *Prega, costura*
> *e fica grato*
> *a quem atura*
> *o teu sapato.*

O sapateiro, porém, não gostava de brincadeiras. Fechou a cara, como se tivesse bebido um copo de vinagre com caldo de limão, e fez um gesto de ameaça, como se estivesse querendo agarrar o alfaiate pelo pescoço.

O alfaiate, por outro lado, começou a rir e ofereceu ao outro a garrafa que trazia, dizendo-lhe:

— O que é isso, camarada? Não tive intenção de ofendê-lo. Bebe um trago para afogar a raiva.

O sapateiro aceitou o oferecimento e bebeu uma boa golada, depois do que o seu rosto se desanuviou.

Devolveu a garrafa ao alfaiate e disse:

— Bebi um gole e tanto. Dizem que isso é consequência de muita bebida e não de muita sede. Vamos viajar juntos?

— Com muito gosto — respondeu o alfaiate. — Se te convém ir para uma grande cidade, onde não haja falta de trabalho.

— É exatamente para onde estou querendo ir — disse o sapateiro. — Nas pequenas aldeias não se ganha nada, e no campo o pessoal gosta de andar descalço.

Assim, os dois puseram-se a viajar juntos, sempre para a frente, sempre com um pé adiante do outro, como a doninha na neve.

Ambos tinham tempo de sobra, mas pouca comida. Quando chegaram à cidade, foram apresentar os seus respeitos aos comerciantes e, como o alfaiate era muito alegre, muito simpático e muito corado, foi muito bem recebido por todos e não lhe faltou serviço. E teve sorte bastante para até andar beijando a filha do dono da alfaiataria.

Quando se encontrou de novo com o sapateiro, o alfaiate só tinha motivos para se mostrar alegre. O mal-humorado sapateiro, fechou a cara e pensou: "Quanto menos escrúpulo se tem, maior é a sorte".

O alfaiate, porém, se pôs a rir e a cantar e compartilhou com o companheiro de viagem tudo que levava. Se havia dois pences em seu bolso, ele mandava servir uma boa cerveja, e bebia-se até que a alegria era geral.

Depois de terem viajado durante algum tempo, chegaram a uma floresta por onde passava a estrada para a capital. Eram, na realidade, dois caminhos, por um dos quais a viagem durava sete dias e pelo outro apenas dois.

Os dois viajantes, porém, não sabiam qual dos caminhos era o mais longo e qual o mais curto, e sentaram-se debaixo de um carvalho para deliberarem.

— A gente tem de ser precavido — opinou o sapateiro. — Eu vou levar pão que dê para uma semana.

— O quê? — protestou o alfaiate. — Levará nas costas, como um burro de carga, pão que chegue para uma semana? Assim, a viagem fica aborrecidíssima. Eu confio em Deus e não vou me preocupar com coisa alguma. O dinheiro que tenho no bolso vale tanto no inverno como no verão, ao passo que no verão o pão fica muito seco e no inverno mofa mais depressa. Além disso, por que não poderemos encontrar o bom caminho? Vamos levar pão que dê para dois dias. É mais do que suficiente.

Assim foi feito, e os dois homens foram tentar a sorte na floresta. Reinava ali uma calma absoluta, como se se estivesse no interior de uma igreja. Não se ouvia o mais leve sussurro da brisa, o mais leve ruído de água correndo, o mais baixo chilrear de um passarinho.

— Deus, lá do céu, deve estar satisfeito por nos ver felizes — observou o alfaiate. — O tempo tão fresquinho, uma sombra tão boa!

O sapateiro, porém, caminhava calado e carrancudo, sob o peso que carregava nas costas, e o seu rosto já estava coberto de suor.

Assim viajaram durante dois dias, mas, no terceiro, ainda não haviam chegado ao fim da floresta. O alfaiate, que já havia comido todo o pão que levara, ficou bastante contrariado. Não perdeu a coragem, contudo, confiando em Deus e em sua sorte.

Ao anoitecer do terceiro dia, ele se deitou, faminto, sob uma árvore e acordou no dia seguinte, ainda faminto. E assim se passou o quarto dia e quando, à noitinha, o sapateiro sentou-se em uma árvore caída e comeu seu jantar, o alfaiate teve de se contentar em ser um mero espectador do acontecimento.

O outro lhe negou um simples pedacinho de pão. Riu sarcasticamente e disse:

— Sempre foste tão alegre! Agora estás sabendo o que é ser triste. Os passarinhos que cantam muito cedo de manhã são apanhados à tarde pelo falcão.

No quinto dia, o desventurado alfaiate já não conseguia ficar de pé e mal conseguia articular uma palavra. O rosto estava mortalmente pálido e os olhos vermelhíssimos.

— Hoje — disse o sapateiro — dar-te-ei um pedaço do meu pão, mas em compensação, arrancarei teu olho direito.

O desventurado alfaiate, para conservar a própria vida, teve de resignar-se. Chorou pela última vez com os dois olhos, e o sapateiro, que tinha um coração de pedra, arrancou-lhe o olho direito, usando uma faca afiadíssima.

O infortunado lembrou-se, então, do que sua mãe lhe dissera num dia em que fora apanhado comendo escondido na despensa:

— Come o que puderes e sofre o que mereceres.

Quando acabou de comer o pão comprado por um preço tão alto, recuperou as forças, esqueceu a sua desgraça e conformou-se, lembrando-se de que, mesmo com um olho só, continuava vendo.

No sexto dia, porém, a fome se fez sentir de novo e, ao anoitecer, havia lhe paralisado as pernas. Ele se arrastou até debaixo de uma árvore, e de lá não conseguiu levantar-se na manhã do sétimo dia. Estava à beira da morte. E lembrando-se quanto fora irresponsável até então, pediu perdão a Deus. Ao mesmo tempo, como o sapateiro lhe dissesse que estava disposto a não deixá-lo morrer, dando-lhe um pedaço de pão, contanto que lhe arrancasse o outro olho, disse-lhe o alfaiate:

— Faze o que desejas, sofrerei o que tenho de sofrer, mas lembra-te que Deus nem sempre age passivamente, e que chegará a hora em que terá de ser paga a maldade que fizeste comigo e que não mereci. Quando a sorte me era favorável, partilhei contigo o que tinha. Não poderei mais exercer a minha profissão. Sem os meus dois olhos, terei de mendigar. Não podes me deixar aqui sozinho quando eu estiver cego, senão morrerei de fome.

Sem a menor piedade, o sapateiro, que expulsara Deus do seu coração, pegou a faca e arrancou o olho esquerdo do alfaiate, depois deu-lhe um pedaço de pão, assim como um bordão e o guiou até fora da floresta, onde chegaram ao anoitecer.

Diante deles estendia-se um campo aberto, onde se erguiam as forcas. Ali o malvado sapateiro deixou o alfaiate sozinho. O cansaço, a fome e o sofrimento tornaram exausto o pobre homem, que dormiu e só foi acordar no dia seguinte, sem saber onde estava. Dois pobres pescadores pendiam das forcas, e havia um corvo pousado na cabeça de um. Então, um dos enforcados falou:

— Estás acordado, camarada?

— Estou sim — respondeu o segundo.

— Então vou te contar uma coisa — disse o primeiro. — O orvalho que caiu esta noite da forca sobre nós, produz novos olhos em todo aquele que lavar as órbitas oculares com ele. Se os cegos soubessem disso, quantos não recuperariam a vista, o que parece impossível a todo o mundo!

Ouvindo isso, o alfaiate tirou o lenço do bolso, esfregou-o na relva, até ensopá-lo de orvalho, depois lavou com ele as órbitas oculares. Imediatamente ocorreu o que o enforcado anunciara: nasceram novos olhos em suas órbitas. E ele avistou, nitidamente, ao sol nascente, a cidade real, com suas muralhas, nas quais se abriam magníficas portas, e centenas de torres, esplêndidas igrejas com seus zimbórios dourados. Tirou, então, uma agulha do bolso e, quando viu que podia costurar tão bem como sempre fizera, até saiu pulando e dançando de alegria.

Depois, de joelhos, agradeceu a Deus, e não deixou também de rezar pela salvação dos pobres condenados que pendiam das forcas. Depois, pôs a mochila nas costas e dentro em pouco tinha esquecido todas as provações por que havia passado e caminhava pela estrada cantando e assoviando.

Não tardou muito a encontrar um poldro, que corria livremente pelos campos. Agarrou-o pela crina, querendo cavalgá-lo e entrar na cidade a cavalo. O poldro, porém, pediu-lhe para libertá-lo.

— Ainda sou muito novo — disse. — Mesmo um alfaiate leve como és, para mim é pesado demais. Deixa-me ficar solto, até que eu me torne mais forte. Talvez eu ainda venha a recompensar-te este favor.

— Vai sozinho e em paz! — concordou o alfaiate. — Tens razão: ainda és muito novo.

O poldro saiu correndo e pulando de alegria e sumiu no mato. A verdade, contudo, é que o alfaiate nada comera desde a véspera, e estava faminto.

"Não há dúvida de que o sol enche os olhos, mas o pão não me enche o estômago" pensou. "A primeira coisa que aparecer e que seja comível terá de ir, sem sombra de dúvida, para o meu bucho."

Logo adiante, apareceu uma cegonha, caminhando solenemente em sua direção.

— Alto! — gritou o alfaiate. — Não sei se a tua carne é gostosa ou não, mas a fome não me permite escolher muito. Vou ter de cortar-te a cabeça e assar-te no espeto.

— Não faças isso! — replicou a cegonha. — Sou uma ave sagrada, que faz muito bem à humanidade e ninguém me persegue. Poupa minha vida e fazer-te-ei o bem, de algum outro modo.

— Está bem, Comadre Perna-Longa — concordou o alfaiate. — Pode ir embora.

A cegonha espichou as compridas pernas e levantou voo.

— Qual vai ser afinal o desfecho de tudo isso? — perguntou o alfaiate a si mesmo. — Estou cada vez mais com mais fome e meu estômago cada vez mais vazio. Agora, não posso mais ter condescendência. O que se atravessar no meu caminho está perdido!

Nesse momento, viu, em uma lagoa junto da estrada, dois patinhos nadando em sua direção.

— Apareceste no momento exato! — exclamou, agarrando um dos patinhos e já fazendo menção de torcer-lhe o pescoço.

Nisso, uma velha pata, que estava escondida entre os juncos, começou a grasnar a toda altura, nadou em direção ao alfaiate e implorou-lhe que poupasse sua filhinha querida.

— Já imaginaste — disse a pata — como tua mãe ficaria se alguém te agarrasse e quisesse matar-te?

— Podes ficar sossegada — respondeu o alfaiate, soltando o patinho na lagoa.

Ao virar-se, viu que estava diante de uma árvore meio oca embaixo e onde seguramente havia um grande cortiço, pois inúmeras abelhas constantemente lá entravam ou de lá saíam.

— Afinal, encontrei a recompensa por minhas boas ações! — exclamou o alfaiate. — O mel vai me alimentar e me dar força.

Ilusão. A Abelha-Mestra surgiu, ameaçadora, e disse-lhe:

— Se tocares no meu povo e destruíres o meu cortiço, vamos te dar tanta ferroada, que arrependerás do que fizeste para o resto da vida. Se, porém, nos deixares em paz e prosseguires o teu caminho, nós te prestaremos serviço em alguma ocasião.

O alfaiate percebeu que tinha de se conformar. "Na verdade" pensou, "três pratos vazios e o quarto sem ter nada não constituem um bom jantar. Mas o que se há de fazer?"

Com o estômago agarrado nas costas, chegou à cidade. Estavam soando as doze badaladas, quando ele entrou em uma estalagem e encontrou tudo pronto: foi só o trabalho de mastigar e engolir. Quando ficou satisfeito, com o estômago pesado e a consciência leve, exclamou:

— Agora, mãos à obra!

Andou pela cidade, à procura de uma alfaiataria, e em breve se viu em uma boa situação. Como aprendera bem o seu ofício, não passou muito tempo antes que se tornasse famoso, e todo o mundo queria ter um terno feito por ele. Afinal, o rei o nomeou alfaiate da corte.

No mundo, porém, acontecem às vezes bem estranhas coincidências. No mesmo dia em que ele foi nomeado alfaiate da corte, seu antigo e perverso companheiro de viagem foi nomeado sapateiro da corte. Quando ele viu o alfaiate e constatou que ele contava de novo com dois olhos perfeitos, ficou desconcertado.

"Antes que ele se vingue de mim, tenho de armar-lhe uma cilada" pensou.

Às vezes, porém, o feitiço se vira contra o feiticeiro.

O desalmado sapateiro foi procurar o rei e disse-lhe:

— Majestade, o alfaiate é um sujeito arrogante, e anda dizendo que é capaz de encontrar a coroa de ouro que foi perdida há muitos e muitos anos.

— Fico satisfeito com isso — disse o rei.

Mandou chamar o alfaiate à sua presença e ordenou-lhe que trouxesse a coroa de volta ou deixasse a cidade para sempre.

"Se esse rei está querendo que eu faça o que ninguém pode fazer, não vou deixar para amanhã o que posso fazer hoje" pensou, disposto a deixar a cidade imediatamente.

Arrumou todas as coisas na mochila e partiu. Quando se viu fora da porta da cidade, porém, não pôde deixar de se sentir pesaroso por ter de abandonar uma terra onde estava se dando tão bem. Chegou à lagoa, onde travara conhecimento com os patos. A pata velha, cujo filho ele não tivera coragem de matar, estava à beira da água, fazendo sua toalete, alisando as penas com o bico. Ela o reconheceu logo, e perguntou-lhe porque ele estava assim, de cabeça baixa, visivelmente abatido.

— Não ficarás surpreendida, quando souberes o que me aconteceu — respondeu o alfaiate, e contou a sua desventura.

— Se é isso — replicou a pata — podemos ajudar-te. A coroa caiu dentro da água e está no fundo da lagoa. Iremos buscá-la.

E, realmente, não demorou muito e a pata e os patinhos mergulharam na lagoa e trouxeram do fundo uma belíssima coroa de ouro, cravejada de pedras preciosas.

Com o maior cuidado, o alfaiate tratou de levá-la ao rei, que a recebeu regozijante e, como recompensa, colocou uma corrente de ouro no pescoço do jovem.

Ao ver que fracassara a sua primeira insídia, o sapateiro inventou uma nova calúnia, e foi dizer ao rei:

— Majestade, o alfaiate voltou a ser insolente. Afirma que fará em cera um modelo do palácio real com tudo que tem, móvel ou imóvel, do lado de dentro ou do de fora.

O rei ordenou, então, ao alfaiate executar tal modelo, com todos os seus mínimos detalhes. Do contrário, ficaria aprisionado em um calabouço para o resto da vida.

"O caso está ficando cada vez pior!" pensou o alfaiate. "Como é que vou conseguir executar um trabalho destes?"

E, assim pensando, arrumou os seus pertences na mochila e saiu da cidade. Chegando à árvore oca onde poupara o cortiço das abelhas, parou, tão triste, relembrando de seus esforços e de seus fracassos, que a Abelha-Mestra, com quem ele havia conversado, notou o seu abatimento e perguntou-lhe o que o estava preocupando tanto.

O alfaiate contou, então, a tarefa que o rei exigia dele, e que ele era de todo incapaz de executar. As abelhas começaram a zumbir, como se estivessem conversando e discutindo umas com as outras, e, afinal, a Abelha-Mestra disse ao alfaiate:

— Fica tranquilo e volta para casa, mas vem até aqui, amanhã, a estas mesmas horas, trazendo uma toalha de mesa bem grande e verás que tudo correrá bem.

O alfaiate voltou para casa, enquanto as abelhas voaram até o palácio real, no qual entraram através de uma janela aberta, e andaram por todos os cantos, observando os menores detalhes. Voltaram depois ao seu cortiço e, com a cera que produziam fizeram um modelo absolutamente perfeito do palácio real, com tanta rapidez que quem o olhasse, não acreditaria no que estava vendo. Ao anoitecer, tudo estava pronto, e, quando o alfaiate foi procurar na manhã seguinte, lá estava à sua espera a reprodução exata, perfeita em seus menores detalhes, do palácio real. Ele a embrulhou cuidadosamente, na toalha que levara e foi apresentá-la ao rei, que a mandou colocar no maior salão do paço, a fim de ser por todos admirada. Ao mesmo tempo ofereceu ao alfaiate, como recompensa, uma esplêndida mansão, toda de pedra.

Nem assim, contudo, o sapateiro desistiu de suas intrigas. E foi dizer ao rei:

— Majestade, o alfaiate ficou sabendo que por mais que se perfure a terra no parque do castelo, não há meio de fazer subir um filete de água sequer, e anda blasonando que é capaz de fazer com que a água ali suba em repuxo da altura de um homem.

O rei ordenou então que o alfaiate se apresentasse diante dele e disse-lhe:

— Se até amanhã não fizeres a água jorrar de um repuxo no parque do castelo, o carrasco, naquele mesmo lugar, vai aliviar-te do peso de tua cabeça.

O pobre coitado nem pensou como poderia enfrentar tal desafio. Saiu correndo da cidade e, como a questão agora era de vida ou de morte, começou a chorar como uma criança. E quando caminhava assim desesperado pela estrada, por acaso ou por desígnio expresso de Deus, encontrou-se com o poldro que poupara de um esforço excessivo, agora, aliás, não mais um poldro, mas um belo e robusto cavalo castanho.

E o cavalo aproximou-se dele a galope, e anunciou:

— Chegou a ocasião de pagar-te o benefício que me fizeste. Já sei de que espécie de ajuda estás precisando. Cavalga-me, que agora sou capaz de carregar dois homens de seu peso.

O alfaiate recuperou toda a coragem que o abandonara. Montou no cavalo, que partiu a galope para a cidade e só parou no parque do castelo. Em torno dele galopou com a velocidade de um raio, danto três voltas e, no fim da última, caiu em terra violentamente, no mesmo instante em que se ouviu um trovão ensurdecedor e, no meio do parque real, um fragmento de terra era lançado ao ar, como uma bala de canhão que passou por cima do castelo e foi cair muito longe, enquanto saía do solo um repuxo da altura de um homem a cavalo.

Ao ver o maravilhoso espetáculo, o rei desceu até o parque e abraçou efusivamente o alfaiate, diante de todo o mundo.

A boa sorte, porém, não durou muito. O rei tinha muitas filhas, cada qual mais bonita do que a outra, mas não tinha filho. O maldoso sapateiro procurou sua Majestade pela quarta vez e disse-lhe:

— O alfaiate não desistiu de sua arrogância. Anda afirmando que, se quiser, pode trazer, pelo ar, um filho varão para Vossa Majestade.

O rei mandou chamar o alfaiate, e anunciou-lhe:

— Se conseguires que me seja trazido um filho varão, dar-te-ei a mão de minha filha mais velha.

"A recompensa é, realmente, magnífica" pensou o alfaiate. "Seria ótimo se eu conseguisse realizar tal façanha, mas quem sou eu para tanto?"

Desanimado, foi para casa, sentou-se, de pernas cruzadas, para trabalhar, mas de repente, exclamou:

— Já estou cansado de tanta complicação! O melhor mesmo é ir embora, pois aqui jamais vou conseguir viver em paz!

Arrumou suas coisas, pôs a mochila nas costas e saiu da cidade. Ao chegar ao prado, encontrou sua amiga cegonha, que estava muito compenetrada, andando de um lado para o outro, parecendo um filósofo meditando sobre os mistérios da vida. Não estava, porém, tão distraída a ponto de não notar a presença do alfaiate e não cumprimentá-lo.

— Estou vendo — disse — que carregas tua mochila nas costas e que, portanto, estás indo embora. Por que resolveste sair da cidade?

O alfaiate contou o que o rei estava exigindo dele e, como não podia satisfazer a vontade real, resolvera fugir.

— Não há motivo para te aborreceres — replicou a cegonha. — Estou acostumada, há muitos anos, a levar crianças recém-nascidas para a casa dos pais. Posso perfeitamente carregar um principezinho. Volta tranquilo. Daqui a nove dias, vai para o palácio real, e lá aparecerei.

Nove dias depois, o alfaiate se encontrava no castelo, quando a Comadre Perna-Longa apareceu voando e bateu em uma vidraça. O alfaiate abriu a janela, e a cegonha entrou e saiu caminhando, muito compenetrada, pelo vasto e luxuoso salão. Trazia no bico um bebezinho lindo como um anjo, que ela depôs nos braços da rainha.

A cegonha trouxera também nas costas uma mochila, que deixou com o alfaiate antes de sair voando através da janela. Na mochila havia embrulhos com doces e confeitos finíssimos, endereçados a todas as princesas, com exceção da mais velha, que, em vez de guloseimas, ganhou o alfaiatezinho como noivo.

— Afinal de contas — disse o último — fui eu que acabei ganhando o melhor presente. Minha mãe tinha razão. Ela sempre dizia que, quem confia em Deus, acaba recompensado.

O sapateiro teve de fazer os sapatos com os quais o alfaiate dançou na festa do casamento, depois foi intimado a sair da cidade e jamais voltar. Seguindo pela estrada da floresta, ela chegou ao sinistro lugar onde ficavam as forcas. Desesperado, amaldiçoando a sorte, morrendo de cansaço, deitou-se no chão. Já estava quase adormecendo, quando dois corvos, levantaram voo da cabeça dos enforcados e pousaram em seu rosto e lhe arrancaram os olhos. Louco de dor e do horror de se ver cego, o sapateiro saiu correndo pela floresta a dentro, e deve ter morrido de fome, pois ninguém mais o viu ou teve notícia dele depois disso.

O FOGÃO DE FERRO

No tempo em que se amarrava cachorro com linguiça, o filho de um rei foi encantado por uma velha bruxa, que o prendeu em um fogão de ferro, no meio da floresta.

Passaram-se muitos anos, sem que pessoa alguma o socorresse. Depois uma princesa se perdeu na floresta e não encontrou o caminho para voltar ao reino de seu pai. Depois de ter andado sem rumo durante nove dias, a princesa ouviu uma voz que dizia:

— De onde vens e para onde vais?

— Perdi o caminho para o reino de meu pai e não posso voltar para casa.

E tornou a falar a voz que vinha de dentro do fogão de ferro:

— Eu te ajudarei a voltar para casa, e muito depressa, se prometeres fazer o que desejo que faças. Sou filho de um rei muito mais poderoso do que o rei teu pai.

Aterrorizada, a princesa pensou: "Meu Deus do céu! O que é que posso fazer para um fogão de ferro?"

Estava, porém, tão ansiosa para voltar para casa, que prometeu fazer o que ele queria.

— Terás de voltar aqui, trazendo uma faca, e furar um buraco no ferro.

Então, ele lhe deu um companheiro, que caminhou ao seu lado, sem dizer, contudo, uma só palavra, e, em duas horas a levou ao palácio de seu pai.

Houve um grande regozijo no castelo, com a volta da princesa. Ela, porém, estava visivelmente preocupada, e disse ao rei:

— Não imaginas, querido pai, quanto sofri! Eu jamais teria voltado da floresta, onde me perdi, se não tivesse encontrado um fogão de ferro, mas fui obrigada a prometer que voltaria lá, o libertaria e me casaria com ele.

O rei ficou tão aterrorizado ao ouvir isso, que quase desmaiou, pois a princesa era sua filha única. E então, resolveu mandar, em seu lugar, a filha do moleiro, que também era linda, com o que a filha concordou plenamente.

Assim, a jovem foi levada para a floresta, onde lhe entregaram uma faca, com a recomendação de furar com ela o fogão de ferro. Ela tentou furar o fogão durante vinte e quatro horas, porém, mal conseguiu arranhá-lo. Quando amanheceu, uma voz vinda de dentro do fogão de ferro disse:

— Parece-me que já é dia lá fora.

E a moça replicou:

— Eu também acho que já é. Tenho até a impressão de estar ouvindo o barulho do moinho de meu pai.

— Quer dizer que és filha de um moleiro! — exclamou a voz vinda do fogão. — Podes partir imediatamente, e que a filha do rei venha aqui!

A jovem dirigiu-se, então, ao palácio real e comunicou ao rei que a voz de dentro do fogão exigia a presença da princesa. O rei ficou horrorizado e a princesa desfez-se em lágrimas. E foi então levada à floresta em lugar da princesa, e em troca de uma moeda de ouro, a filha de um guardador de porcos, a quem foi entregue uma faca e feita a recomendação que se fizera à primeira. Ela cutucou o ferro durante vinte e quatro horas, sem sequer conseguir arranhá-lo e, ao amanhecer, a voz falou:

— Parece-me que já é dia lá fora.

E a jovem replicou:

— Eu também acho que já é. Tenho até a impressão de estar ouvindo a trompa de meu pai chamando os porcos.

— Quer dizer que és filha de um guardador de porcos! — exclamou a voz. — Podes partir imediatamente e dize à filha do rei que ela terá de vir aqui cumprir o que prometeu, pois, do contrário, todo o reino de seu pai ficará arruinado, não restando pedra sobre pedra!

Ao ouvir esse recado, a princesa se desfez em lágrimas, mas não lhe restava outro caminho senão cumprir sua promessa. Assim, despediu-se do pai e partiu para a floresta, levando uma faca. Lá chegando, tratou de manobrar a faca e duas horas depois já tinha feito um buraquinho no ferro. Espiou por esse buraquinho e viu um jovem, tão bonito e tão brilhantemente recoberto de ouro e pedras preciosas, que imediatamente se apaixonou por ele. Trabalhou, então, com mais entusiasmo e disposição e abriu um buraco de tamanho suficiente para o príncipe sair de sua prisão.

— És minha e sou teu! — ele exclamou. — És minha noiva e me libertaste.

O príncipe queria levá-la consigo para o seu reino, mas ela lhe pediu, encarecidamente, que deixasse que ela fosse se despedir do pai, e ele concordou, mas com a condição que ela só dissesse três palavras ao pai e voltasse logo. Ela, porém, disse mais de três palavras, e imediatamente o fogão de ferro desapareceu, e foi levado para além das montanhas de vidro e espadas afiadas. O príncipe, contudo, continuou livre.

Depois de se despedir do pai, a princesa, levando algum dinheiro, mas não muito, voltou à floresta. Não tendo encontrado o fogão de ferro, caminhou procurando-o durante nove dias, mas a fome se tornou tão forte, que ela não sabia o que fazer, pois mal conseguia andar.

À noite, acomodou-se sob um arbusto, com medo de pernoitar naquele ermo, sujeita a ser atacada pelas feras. Quase à meia-noite, viu, ao longe, uma luzinha, e pensou: "Ali estarei salva!" E para lá se dirigiu, rezando, pedindo a Deus que tudo desse certo.

Chegou, afinal, a uma casa bem pequena, e olhou para o seu interior, através da janela, mas não viu pessoa alguma, e sim sapos, grandes e pequenos, e uma mesa com vinho e carne assada, e talheres e pratos de prata. Ela tomou coragem e bateu na porta. Então, o maior sapo de todos, muito grande e muito gordo, falou:

Vai, abre a porta,
é o que importa.
Vai, vai pulando,
vai, meu catita
sapo pequeno
pois há visita
já esperando,
lá no sereno.

E um sapinho saiu pulando e abriu a porta. Quando a princesa entrou, todos a cumprimentaram amavelmente, e ela teve de se sentar.

— De onde vens e para onde vais? — perguntaram.

Ela então contou tudo que lhe acontecera, e como, por não ter ela cumprido a recomendação de só dizer três palavras a seu pai, o fogão de ferro e também o príncipe tinham desaparecido.

Então, o sapo grande falou:

Vai, vai pulando,
pois procurando
sempre se acha,
vai, vai correndo,
sapo catita
e traze a caixa
que a visita
está querendo.

O sapinho saiu pulando e voltou com a caixa.

Depois, ofereceram à princesa comida e bebida e a acomodaram em um confortável leito, onde ela dormiu bem, com a benção de Deus. Levantou-se de manhã bem cedo e o sapo gordo lhe deu três agulhas tiradas da grande caixa que ela teria também de levar. E ele explicou que as agulhas lhe seriam necessárias, pois ela teria de atravessar uma alta montanha de vidro, e caminhar entre três espadas afiadas e transpor um grande lago. Se conseguisse fazer tudo isso, teria de volta o seu amado príncipe. E deu-lhe ainda três coisas com as quais deveria ter o maior cuidado, a saber: três agulhas muito compridas, uma roda de arado e três nozes.

A princesa partiu, levando tudo aquilo, e, quando chegou à montanha de vidro, que era muito escorregadia, foi cravando as três agulhas, primeiro atrás de seus pés, depois à sua frente, até chegar ao seu cume, e ali as escondeu em um lugar que marcou com todo o cuidado.

Quando chegou às três espadas afiadas, sentou-se na roda de arado, que rolou entre elas. Atravessou depois um grande lago e chegou diante de um grande e belo castelo. Lá entrou e, dizendo que era uma moça muito pobre, que precisava trabalhar, pediu que a aceitassem como criada. Sabia que o príncipe que libertara do fogão de ferro morava naquele castelo. A princesa foi aceita para trabalhar na cozinha, mas o príncipe já estava namorando outra jovem, com quem pretendia casar-se, pois estava convencido de que a princesa que o libertara já morrera há muito tempo.

À noite, depois que terminara todo o seu serviço, a princesa encontrou no bolso as três nozes que o sapo grande lhe havia dado. Quebrou uma delas com os dentes e, quando ia comer a polpa, eis que da noz saiu um belíssimo vestido, verdadeiramente principesco!

Ouvindo falar sobre isso, a noiva do príncipe quis ver o vestido e ficou maravilhada com ele. Quis comprá-lo, observando:

— Este não é vestido para uma criada.

A princesa não quis vendê-lo, mas disse que o daria de graça, se a outra lhe desse permissão de dormir uma noite no quarto de seu noivo. A noiva aceitou a proposta, tão fascinada estava pelo vestido. E se limitou a comunicar ao príncipe:

— Aquela criadinha vai dormir em teu quarto.

— Se assim queres, estou de pleno acordo — disse ele.

Ela, porém, ofereceu-lhe um copo de vinho, no qual derramara uma forte dose de soporífero. Assim, a criadinha e o príncipe dormiram no mesmo quarto, mas o sono dele foi tão profundo que ela não conseguiu acordá-lo.

A princesa chorou a noite inteira e lamentava-se:

— Eu te libertei quando estavas preso no fogão de ferro, em plena floresta. Eu te procurei por toda a parte, atravessei uma montanha de vidro, três espadas e um grande lago. Encontrei-te e, no entanto, não me ouves.

Os criados que estavam junto da porta do quarto, ouviram as suas queixas e contaram ao príncipe o que tinham ouvido.

Naquele dia, a princesa partiu a segunda noz e encontrou um vestido ainda mais rico e mais belo que o primeiro. A noiva do príncipe quis comprá-lo, e a criadinha disse que só lhe dava se dormisse outra noite no quarto do príncipe. E a noiva lhe ofereceu um copo de vinho com soporífero, e ele dormiu profundamente a noite toda, e os criados ouviram as lamentações da princesa e contaram ao príncipe o que sabiam.

No terceiro dia, quebrando a terceira noz, a princesa encontrou um vestido muito mais belo e mais rico do que os dois anteriores. E a noiva mais uma vez consentiu que a criada dormisse no quarto do seu noivo. Este, porém, mais precavido, não tomou o vinho com soporífero e, quando a princesa começou os seus lamentos, levantou-se e disse-lhe:

— És a minha verdadeira noiva, és minha e sou teu!

E antes que amanhecesse, o príncipe partiu com sua noiva de verdade em uma carruagem, e levaram todas as roupas da falsa noiva, para que ela não pudesse levantar-se.

Chegando ao grande lago, eles o atravessaram em um barco, e se livraram das espadas afiadas acomodando-se na roda de arado, e passaram pela escorregadia montanha de vidro com a ajuda das agulhas escondidas pela princesa. Afinal chegaram à casinha dos sapos. A casinha, porém, se transformou em um grande castelo, e os sapos foram desencantados: eram príncipes, bonitos, simpáticos e alegres.

Ali foi celebrado o casamento, e o príncipe e a princesa continuaram vivendo no castelo, que era muito maior que os castelos de seus pais. Como o velho rei, porém, ficou muito triste por estar tão só, o jovem casal o trouxe para morar em sua companhia, e assim ficou com dois reinos, e sua felicidade se prolongou por muitos e muitos anos.

A MULHER DOS GANSOS

Era uma vez uma velha, muito velha, que morava com a sua criação de gansos, em uma longínqua clareira nas montanhas, onde tinha uma pequena casa. A clareira ficava no meio de uma grande floresta, onde todas as manhãs a velha entrava, apoiando-se em uma bengala que era quase, em verdade, uma muleta. Coisa muito natural, pois a velha era mais do que velha: era velhíssima. O que não a impedia, aliás, de trabalhar de uma maneira que muita gente moça e robusta não conseguiria.

Com efeito, na floresta colhia ervas para alimentar os gansos e toda fruta que ficava ao seu alcance. E com o que colhera, enchia uma grande mochila. Quem a visse, ficaria estarrecido, por não ter ela tombado nos primeiros passos, sob o peso da enorme mochila. Era, de fato, uma façanha incrível para a sua idade.

No caminho, cumprimentava afavelmente todas as pessoas com quem se encontrava:

— Bom dia, meu caro vizinho! O dia está muito bonito, não é mesmo? Está admirado de me ver carregando este peso? Nesta vida, nós todos temos de carregar um peso nas costas!

Apesar de sua amabilidade, contudo, ninguém simpatizava com ela. E quando a viam, os pais recomendavam aos filhos:

— Cuidado com esta velha! Ela tem garras embaixo das luvas. É uma feiticeira.

Certa manhã um moço forte e bonito atravessava a floresta, deleitando-se com a beleza do dia e com o canto dos pássaros, quando, sem ter até então se encontrado com qualquer outra pessoa, viu a velha, ajoelhada, cortando ervas para os seus gansos com uma foice. Já carregava nas costas uma grande mochila, cheia de ervas, e tinha ao seu lado dois cestos repletos de frutas que apanhara na floresta.

— Como é que vai aguentar carregar tudo isso, minha boa senhora? — perguntou-lhe o jovem.

— Tenho de carregar, meu caro senhor — ela respondeu. — Os filhos de pais ricos não têm necessidade de fazer tais coisas, mas com os camponeses, o caso é bem outro. Aqui costumam dizer: "Não olhes para trás, pois a única coisa que vais ver é a corcunda que carregas nas costas".

E, como o desconhecido continuasse parado junto dela, a velha perguntou-lhe, por sua vez:

— Queres ajudar-me? És bem desempenado e tens os ombros largos. Carregar esse peso te seria muito fácil. Além disso, minha casa não é longe daqui. Moro na charneca, logo atrás do morro.

O jovem teve pena da velha.

— Não sou filho de um camponês — disse ele. — Meu pai é conde e rico. Mas posso mostrar que não são apenas os camponeses que são capazes de carregar coisas pesadas. Vou levar a mochila.

— Se estás disposto, ficarei muito satisfeita. Terás de caminhar durante uma hora, mas o que é isso para quem é tão forte, tão robusto? Mas terás de levar os cestos de frutas também.

O jovem não ficou muito satisfeito quando ouviu falar em uma hora de caminhada, mas a velha não deu o menor sinal que dispensaria sua ajuda. Ao contrário, afivelou a mochila em suas costas e enfiou os dois cestos em seus braços.

— É muito leve, não é mesmo? — perguntou.

— Não é leve, não — respondeu o conde. — Parece que a mochila está cheia de pedras e as frutas pesam como se fossem de chumbo! Mal estou conseguindo respirar.

Teve vontade de largar toda aquela carga, mas a velha não permitiria, certamente.

— Vejam só! — ela exclamou, zombeteira. — O jovem senhor não está conseguindo carregar o que uma velha como sou carregou tantas vezes! És muito bom para falar, mas na hora de agir és bem diferente. O que estás esperando? Caminha! Nem penses em arriar a trouxa!

O jovem conde, mesmo contrariado como estava, não discutiu. Enquanto caminharam em terreno plano, o esforço ainda foi tolerável. Quando, porém, começaram a subir o morro, o caso mudou de figura. Além da subida, o caminho era horrível, as pedras rolavam, atingindo seus pés, tão bem dirigidas e com tanta força, que pareciam ter consciência do que estavam fazendo.

— Não aguento ir mais longe! — exclamou afinal. — Preciso descansar aqui.

— Aqui não! — replicou a velha. — Quando chegarmos ao fim de nossa viagem, poderás descansar. Por enquanto, tens de seguir em frente. Vamos ver o que és capaz de fazer!

O jovem perdeu a paciência:

— Estás excedendo, velha! — gritou.

Ao mesmo tempo, tratou de tirar a mochila dos ombros, mas em vão. Ela estava firme em suas costas, como se ali tivesse nascido. Por mais esforços que fizesse, não conseguiu dela se livrar.

A velha deu boas gargalhadas ao ver as malogradas tentativas.

— Não fiques com raiva, meu caro senhor! — disse. — Estás ficando vermelho como um peru! Carrega o teu fardo com paciência. Eu te darei um bom presente quando chegarmos em casa.

O que poderia ele fazer? Teve de curvar-se ao seu destino e arrastar-se penosamente atrás da velha. Ela parecia cada vez mais à vontade e a carga cada vez mais pesada. De repente, ela deu um pulo, aboletou-se na mochila, sentando bem no alto, e, apesar de sua magreza, era ainda mais pesada do que um homem robusto.

O jovem conde sentia os joelhos fraquejando, mas, quando parava por um instante, a velha o espetava com agulhas afiadíssimas. Arrastando-se, gemendo, ele galgou a montanha e, afinal, chegou à casa da velha, quando sentiu que já ia cair exausto.

Quando os gansos perceberam a aproximação da velha, bateram as asas, espicharam o pescoço e correram ao seu encontro, grasnando sem parar. Atrás do bando, vinha, empunhando um cajado, uma camponesa, já não muito moça, mas robusta e ágil, e também feíssima, que perguntou à bruxa:

— Por acaso lhe aconteceu alguma coisa, querida mãe? Por que demorou tanto?

— Nada me aconteceu de mal, minha filha — respondeu a velha. — Ao contrário, encontrei-me com este distinto cavalheiro, que teve a bondade de carregar tudo para mim. E mais do que isso: fez questão de me carregar também, quando me senti cansada. Assim, o caminho nos pareceu bem curto, pois viemos conversando e nos divertindo muito.

Afinal, a velha desceu das costas do jovem, tirou a mochila e os cestos que ele carregava e disse-lhe:

— Agora, senta-te naquele banco, ali perto da porta, e descansa. Executou muito bem o seu trabalho, que merece ser recompensado.

E voltou-se para a mulher dos gansos:

— Entra, minha filha. Não convém ficares sozinha com este jovem cavalheiro. Não é prudente deixar-se óleo perto do fogo. Ele pode se apaixonar por ti.

Ouvindo isso, o conde ficou sem saber se ria ou chorava. "Com aquela cara" pensou ele "nem se ela fosse trinta anos mais moça!"

Enquanto isso, a velha castigava e agradava os gansos como se fossem crianças, e entrou em casa junto com a filha. O jovem deitou-se no banco, que ficava à sombra de uma macieira silvestre. O ar era límpido, seco, muito agradável, ao redor estendia-se um prado de um lindo verde, pontilhado de flores multicoloridas. Perto, corria um ribeiro de água cristalina, onde nadavam alguns gansos.

"É um lugar realmente belo" pensou o jovem conde. "Mas estou tão cansado que nem consigo manter os olhos abertos. Vou dormir um pouco. Tenho medo é que um vento mais forte arranque as minhas pernas do corpo, pois tenho a impressão de que elas estão esfaceladas, apodrecidas".

Algum tempo depois que ele adormecera, a velha apareceu e sacudiu-o até acordá-lo.

— Senta — disse ela. — Não podes continuar aqui. Não há dúvida que te tratei mal, mas isso não te custou a vida. Não precisas de dinheiro ou de terras. Aqui está uma outra coisa para ti.

Assim dizendo, ela enfiou nas mãos do jovem uma caixinha, feita com uma única esmeralda. E recomendou:

— Tem o maior cuidado com ela, que te trará boa sorte.

O jovem levantou-se, sentindo-se muito bem disposto, tendo recuperado todo o seu vigor. Agradeceu à velha pelo presente e partiu, sem lançar sequer um olhar à sua linda filha. Mesmo depois de ter caminhado bastante, ainda ouvia, de longe, a gritaria dos gansos.

Durante três dias ele andou pelos bosques e pelos campos, até encontrar o caminho certo. Chegou, então, a uma grande cidade, e, como ninguém o conhecia, foi levado ao palácio real, onde o rei e a rainha estavam sentados em seus tronos. O jovem conde ajoelhou-se diante deles, tirou a caixinha de esmeralda do bolso e colocou-a aos pés da Rainha. Ela fez sinal ao jovem para levantar-se e entregar-lhe pessoalmente a caixinha. Mal a abriu, porém, e observando o seu interior, a rainha caiu, como morta. O conde foi agarrado pelos servidores do rei e levado para a prisão, mas, quando a rainha recuperou os sentidos, ordenou que ele fosse libertado e levado à sua presença, pois queria ter uma conversa com ele, sem a presença de qualquer outra pessoa.

Quando os dois ficaram a sós, a rainha começou a chorar, e exclamou:

— Oh! De que valem todos os esplendores e todas as honrarias de que estou rodeada! Todos os dias acordo triste, desolada. Eu tinha três filhas, a mais moça das quais era tão bela, que todo o mundo a considerava uma maravilha. Tinha a cútis branca como a neve, as faces rosadas como a flor da macieira e os cabelos brilhavam como raios de sol. Quando chorava, não caíam de seus olhos lágrimas, e sim pérolas e pedras preciosas. No dia em que ela fez quinze anos, o rei chamou à sua presença todas as três filhas e assim lhes falou: "Minhas filhas, não sei quando chegará o meu último dia. Decidirei hoje o que cada uma receberá quando eu morrer. Sei que todas me amam, mas a que gostar mais de mim, receberá o melhor quinhão". Todas afirmaram que o amavam muito, e o rei pediu que cada uma delas explicasse como o amavam. A mais velha disse: "Gosto de meu pai como do açúcar mais doce". E a segunda: "Gosto de meu pai como do vestido mais bonito". A caçula, porém, ficou calada e, como o rei insistisse que ela apresentasse uma comparação, ela acabou dizendo: "Como não gosto de comida sem sal, eu gosto de meu pai como de sal". O rei se enfureceu ao ouvir isso e disse à filha caçula: "Como gostas de mim como de sal, o teu amor também será pago com sal". Então, dividiu o reino entre as duas filhas mais velhas e ordenou aos seus homens que amarrassem um saco de sal nas costas da mais moça e a levassem para a floresta virgem. Nós todas imploramos, de joelhos, mas o rei foi implacável. Como a minha pobre filha chorou, quando teve de ir! Todos os caminhos da floresta ficaram cobertos das pérolas que os seus olhos derramaram. Pouco depois, o Rei se arrependeu do que fizera, e mandou seus homens procurarem a filha na floresta, mas não foi encontrada. Quando penso que ela pode ter sido devorada pelas feras, nem sei como ainda consigo viver. Costumo me consolar com a esperança de que ela ainda esteja viva e talvez tenha se escondido em alguma gruta ou encontrado abrigo junto de pessoas caridosas. Quando abri a caixa de esmeraldas e encontrei uma pérola exatamente igual àquelas que minha filha costumava derramar quando chorava, é fácil imaginar o que senti.

Pediu então, encarecidamente, ao jovem conde que lhe revelasse como obtivera aquela caixa. Ele contou como se encontrara na floresta com uma velha, que achara muito estranha, provavelmente uma feiticeira, e como a acompanhara até sua casa, sem que coisa alguma tivesse sabido a respeito da princesa.

O rei e a rainha resolveram, então, procurar a velha, pois achavam que, se esclarecessem de onde viera a pérola, poderiam ter notícias de sua filha.

Longe de lá, a velha feiticeira estava sentada diante do fuso, fiando. Já anoitecera e uma acha de lenha que estava se queimando no fogão iluminava parcamente o interior. De repente, ouviu-se um rumor vindo de fora. Os gansos estavam voltando para serem recolhidos, e gritavam todos juntos. Pouco depois, entrou a filha da velha. A velha, porém, mal respondeu ao seu cumprimento, limitando-se a sacudir de leve a cabeça. A filha sentou-se ao seu lado, tomou o fuso e começou a fiar. Assim as duas ficaram durante duas horas, sem trocarem uma palavra.

Depois, ouviu-se o ruflar de asas na janela e dois olhos brilhantes apareceram. Era uma coruja, que gritou três vezes: "Uuu". A velha levantou a cabeça por um instante, e disse:

— Agora, minha filhinha, chegou a hora de saires e executares a tua tarefa.

A outra levantou-se e saiu. Caminhou pelos prados, penetrando cada vez mais no vale, até chegar junto de um poço, ao lado do qual cresciam três carvalhos. Ali, ela retirou uma pele que lhe cobria o rosto e o resto do corpo, depois se curvou sobre o poço e começou a lavar-se. Quando terminou, lavou também cuidadosamente a pele que a cobrira e estendeu-a, para ser alvejada ao luar e secar.

Como mudou, no entanto! Uma mudança como nunca se vira antes! Quando saiu de sua cabeça a máscara cinzenta, os cabelos louros irromperam como raios de sol e espalharam-se, cingindo o seu corpo esbelto e harmonioso. Seus olhos brilhavam como as estrelas do céu, e as suas faces tinham o delicado rubor das flores da macieira.

A donzela estava triste, porém. Sentou-se e chorou amargamente. Lágrimas lhe escapavam dos olhos e rolavam pela cabeleira cor de ouro até o chão. E, sentada e chorando, ali teria permanecido durante muito tempo, se os galhos da árvore mais próxima não tivessem farfalhado e estalado. Ela deu um pulo, como um gamo que se tivesse assustado com um tiro disparado por algum caçador. Justamente nesse instante, uma grande nuvem negra escondeu a lua, e a donzela cobriu-se novamente com a máscara e a pele e desapareceu, como uma chama que o sopro do vento tivesse apagado.

Correu para casa, tremendo dos pés à cabeça. A velha estava sentada na soleira da porta, e a donzela ia contar-lhe o que lhe acontecera, mas ela sorriu e disse-lhe:

— Já sei de tudo.

Levou-a para dentro e acendeu uma outra acha. Não se pôs a fiar de novo, todavia. Pegou uma vassoura e um espanador e começou a varrer e a espanar.

— É preciso que tudo fique limpinho, muito arrumadinho — explicou.

— Mas, minha mãe, por que trabalhar a estas horas da noite, tão tarde?
— Sabes que horas são? — redarguiu a velha.
— Ainda não deu meia-noite, mas já passa de onze horas — respondeu a moça.
— Não te lembras — disse a velha — que fazem três anos que vieste morar comigo? Teu tempo terminou, não podemos mais ficar juntas.
— Estás me expulsando, querida mãe? — protestou a donzela. — Para onde irei? Não tenho amigos, não tenho um lar que me acolha. Sempre fiz o que a senhora mandou, e a senhora sempre se mostrou satisfeita comigo. Não me expulse de sua casa!

A velha não deu muitas explicações. Limitou-se a dizer:
— Minha estada aqui terminou. E, quando se muda, tem-se obrigação de deixar a casa bem limpa. Deixa, portanto, que eu execute o meu trabalho. Não preocupes com o teu futuro. Terás casa e comida, e tenho certeza de que ficarás satisfeita com o ordenado que pagarei.

Mas voltemos agora ao rei e à rainha, que viajaram com o jovem conde, à procura da velha na floresta. O conde, durante a noite, extraviou-se, separando-se dos companheiros de viagem, e teve de continuar a viagem sozinho. No dia seguinte, teve a impressão de que estava no caminho certo. Continuou a caminhada até o anoitecer, e trepou em uma árvore, disposto a passar a noite lá, com medo de se extraviar de novo.

Quando o luar iluminou o local, ele avistou um vulto que descia o monte. Não trazia o cajado, mas ele reconheceu que era a mulher que vira à porta da casa da velha.

— Ah! — ele exclamou. — Ali vem uma das feiticeiras e, se eu puder agarrá-la, será fácil apanhar a outra!

Ficou atônito, porém, quando a mulher entrou no poço, tirou a pele que a envolvia e lavou-se, e a cabeleira cor de ouro envolveu-lhe o corpo e era a mulher mais bela que ele já vira em toda a sua vida. Mal se atrevia a respirar, mas espichou a cabeça o mais que pôde entre os galhos da árvore, para admirá-la. Porque se debruçasse demais, ou por qualquer outro motivo, o galho da árvore foi sacudido e estalou, enquanto as folhas sacudidas farfalharam. A jovem então cobriu-se de novo com a pele cinzenta, fugiu e desapareceu.

Mal desapareceu, o jovem conde já descera da árvore e saíra correndo na direção que ela tomara. Não avançara muito, quando viu dois vultos caminhando no prado. Eram o rei e a rainha, que tinham avistado a luz da casinha da velha e para lá se dirigiam.

O conde contou-lhes o maravilhoso espetáculo a que assistira perto do poço, e eles não tiveram dúvida de que se tratava de sua filha desaparecida. Caminharam para a frente, jubilosos, e não tardaram a chegar à casa da velha.

Diante da casa, estava todo o bando dos gansos. As aves, porém, dormiam, imóveis, com a cabeça escondida embaixo da asa. O rei e a rainha olharam através da janela. Dentro, a velha estava fiando, sacudindo a cabeça e jamais olhando em torno. O aposento estava limpíssimo, como se ali morassem os gnomos que não trazem poeira nos pés.

Não havia, porém, sinal da princesa. O rei e a rainha ficaram olhando, durante muito tempo, depois se encorajaram e bateram na porta. A velha parecia os estar esperando. Levantou-se e convidou, amavelmente:

— Entrai. Eu já estava vos esperando.

E, quando entraram, ela continuou:

— Poderíeis ter evitado essa longa viagem, se não tivesse sido expulsa injustamente vossa filha, que é tão boa e carinhosa. Ela nada sofreu aqui. Durante três anos teve de tomar conta dos gansos. Com eles, nada aprendeu de errado e conservou a pureza de seu coração. Vós, contudo, fostes suficientementes punidos pelo remorso e pela ansiedade.

Ditas essas palavras, a velha chegou à porta do quarto de dormir e chamou:

— Vem, minha filhinha.

A porta se abriu e apareceu a princesa, trajando as suas vestes de seda, com os cabelos dourados e os olhos brilhando como estrelas, como se fosse um anjo descido do céu. Correu para junto dos pais, abraçou-os e beijou-os, impulsivamente. O jovem conde estava ao lado deles, e, ao vê-lo, a princesa corou até a raiz dos cabelos, sem compreender ela própria porque.

— Minha querida filha — disse o pai. — Já dispus do meu reino. O que te posso dar?

— Ela de nada precisa — disse a velha. — Eu lhe dei as lágrimas que ela chorou por vossa causa. São pérolas preciosíssimas, mais belas do que as encontradas no fundo do mar e mais valiosas do que todo o vosso reino, e eu lhe darei a minha casinha, como pagamento pelos seus serviços.

Mal disse essas palavras, a velha desapareceu magicamente. As paredes balançaram um pouco e, quando o rei e a rainha olharam em torno, viram que a modesta casa se transformara em um esplêndido palácio, em cujo salão de banquetes havia uma mesa suntuosa, rodeada de criados prontos a servirem saborosas iguarias e finíssimas bebidas.

A história não termina aqui, mas minha avó, que a contou para mim, já perdera, em parte, a memória, e se esqueceu do resto. Sempre achei que a bela princesa se casou com o conde e que o casal, riquíssimo à custa das pérolas, continuou vivendo naquele palácio, por muitos e muitos anos, totalmente felizes, enquanto foi vontade de Deus.

Se os gansos brancos como a neve que viviam perto da casinhola eram realmente donzelas que a velha tomara sob sua proteção, e voltaram a ser donzelas, que se tornaram damas da corte da jovem rainha, é coisa de que não tenho certeza, mas estou desconfiado que sim. Do que não resta a menor dúvida é de que a velha não era feiticeira, e, muito ao contrário, uma fada que só queria fazer o bem. É muito provável que tenha sido ela que, quando a princesa nasceu, concedeu-lhe o dom de chorar pérolas em vez de lágrimas, coisa que não acontece com muita frequência, pois, do contrário, os pobres ficariam ricos em pouco tempo.

OS PRESENTES DOS ANÕEZINHOS

Um alfaiate e um ourives estavam viajando juntos e certo dia, quando o Sol já se escondera além das montanhas, eles começaram a ouvir o som de uma música distante, que foi se tornando cada vez mais nítida. Era estranha, mas tão alegre, que os dois viajantes se esqueceram do cansaço e apressaram o passo. A Lua já estava bem alta quando chegaram a um monte sobre o qual viram uma multidão de anões e anãs que, de mãos dadas, formavam uma roda, dançando, muito alegres.

Cantavam também enquanto dançavam, e aquela era a música que os dois viajantes ouviram. No meio da roda, estava um velho, bem mais alto do que o resto dos anões, que trajava um casaco multicolorido e tinha uma barba que chegava ao peito. Ele fez um sinal que entrassem os dois viajantes, que tinham parado para assistirem à dança, e os anõezinhos abriram o círculo. O ourives, que era corcunda, e muito confiante, como são os corcundas, entrou na roda. O alfaiate sentiu-se um pouco inibido a princípio, mas acabou tomando coragem e acompanhando o outro. A roda se fechou de novo, e os anões continuaram cantando e dançando, e pulando muito animados.

Enquanto isso, o velho sacou do cinto uma faca de todo o tamanho, amolou-a e, quando ela estava suficientemente afiada, olhou para os dois viajantes, que ficaram apavorados. Não tiveram, porém, muito tempo para pensar sobre o caso, pois logo o velho agarrou o ourives e lhe raspou todo o cabelo, e, em seguida, com a mesma rapidez, raspou também todo o cabelo do alfaiate.

Os dois, contudo, logo perderam o medo, quando o velho lhes bateu amavelmente no ombro, sem dúvida para felicitá-los por terem se conduzido tão bem, resignando-se a serem tosquiados sem oporem resistência. Depois, apontou para um montão de carvão que estava ao lado, fazendo-lhes sinal para encherem com ele os seus bolsos. Ambos obedeceram, embora não soubessem o que fazer com o carvão.

E, depois disso, os dois seguiram viagem em procura de um lugar onde pernoitassem. Quando estavam saindo do vale, o relógio do mosteiro vizinho estava batendo meia-noite e a cantoria dos anões parou de repente. Naquele momento, tudo desapareceu e a montanha estava totalmente deserta, ao luar.

Os dois viajantes encontraram uma estalagem, muito modesta, e se acomodaram em colchões de palha, cobrindo-se com os seus próprios casacos. Cansados como estavam, porém, se esqueceram de tirar dos bolsos os carvões que haviam levado. O forte peso sobre o corpo os acordou mais cedo que habitualmente acordavam. Procuraram nos bolsos e não puderam acreditar nos próprios olhos, quando viram que os bolsos não estavam cheios de carvão, mas de ouro maciço. E os seus cabelos tinham renascido, assim como as barbas.

Tinham se tornado ambos homens ricos, mas o ourives, ganancioso por natureza, se tornara duas vezes mais rico do que o alfaiate. O ganancioso, mesmo quando tem muito, quer mais ainda. Assim, o ourives propôs ao alfaiate voltarem à casa dos anões e tirarem ainda mais dos milagrosos carvões que viravam ouro. O alfaiate rejeitou a proposta, dizendo:

— Já tenho bastante dinheiro. Estou satisfeito. Agora, posso ter a minha própria alfaiataria e casar-me com meu objeto amado (assim se referia à namorada). Sinto-me perfeitamente feliz.

À tarde, o ourives pôs duas mochilas nas costas, para poder carregar muito carvão, e partiu para a montanha. Encontrou, como na noite anterior, os anõezinhos cantando e dançando, e o velho raspou sua cabeça e fez-lhe sinal para levar algum carvão. Ele tratou de encher as mochilas até as bordas e, chegando à estalagem, cobriu-se com o casaco, como na véspera.

"O ouro é, realmente, muito pesado, mas terei o maior prazer em carregá-lo" pensou, antes de adormecer profundamente, certo de que acordaria no dia seguinte um homem riquíssimo.

Quando abriu os olhos, apressou-se em examinar os bolsos, mas só encontrou carvões.

Procurou consolar-se, pensando: "O ouro que ganhei ontem à noite ainda me resta." Mas a sua decepção foi terrível, quando viu que ele também voltara a ser carvão. E verificou que também tornara a ser careca, além de imberbe. Seu infortúnio, porém, não ficou só nisso. Além da corcunda que carregava nas costas, carregava uma outra no peito.

Compreendendo que fora punido pela sua ganância, pôs-se a chorar alto. O alfaiate, que ele acordou com os seus soluços e lamentos, procurou consolar o seu companheiro de viagem, e disse-lhe:

— Temos viajado juntos há muito tempo e não iremos nos separar agora. Compartilharás minha riqueza.

Já foi um consolo para o ourives, que teve, contudo, de carregar pelo resto da vida as protuberâncias no peito e nas costas, além de ter de andar constantemente com um gorro, para esconder a careca.

PELE DE URSO

Era uma vez um jovem que se engajou como soldado, portou-se com bravura, desafiando corajosamente a morte na linha de frente. Ficou bem enquanto a guerra durou, mas, quando terminou, ele teve baixa e seu capitão lhe disse que poderia ir para onde muito bem quisesse.

Sendo órfão e já não tendo um lar, o ex-soldado foi procurar os irmãos e pediu-lhes que o acolhessem, até que fosse declarada outra guerra. Os irmãos, porém, não tinham bom coração e lhe disseram:

— O que vamos fazer contigo? Trata de arranjar um meio de vida!

O soldado não ficara com coisa alguma, a não ser uma espingarda. Pô-la no ombro e saiu pelo mundo, em busca de oportunidades ou aventuras.

Um dia, chegou a uma vasta charneca, na qual nada se via, além de algumas árvores que formavam um círculo. Sentou-se à sua sombra e começou a refletir sobre o seu destino: "Não tenho dinheiro, não aprendi outro ofício além do de combater, e agora que fizeram a paz, já não tenho aonde ir. Estou vendo que tenho de morrer de fome."

Ouviu, então, um ruído e, quando levantou os olhos, viu diante de si um homem que vestia um casaco verde e era alto e robusto, mas com um pé horrível, fendido como o dos animais.

— Já sei do que estás precisando — disse o homem. — Terás ouro e muitas outras coisas de valor, para fazer o que quiseres, mas primeiro tenho de saber se és intrépido, para que eu não gaste o meu dinheiro em vão.

— Como podes imaginar um soldado medroso? — replicou o outro. — Experimenta.

— Muito bem! — disse o homem do casaco verde. — Olha para trás.

O soldado olhou, e viu um urso muito grande, que caminhava, rosnando, em sua direção.

— Ei! — gritou o soldado. — Vou fazer uma cócega em teu focinho, para que percas essa mania de rosnar.

Mirou e disparou um tiro. O urso caiu e nem se mexeu mais.

— Estou vendo que não te falta coragem — disse o homem do casaco verde. — Mas ainda há uma condição que tens de satisfazer.

— Só se tal condição não prejudicar a minha salvação — retrucou o soldado, que sabia muito bem com quem estava conversando. — Se prejudicar, não é comigo.

— Tu mesmo resolves — disse o homem do casaco verde. — Nos próximos sete anos, não poderás tomar banho, nem cuidar da barba e do cabelo, nem cortar as unhas, e nem uma vez sequer rezar o Padre-Nosso. Eu te darei um casaco e uma capa que, durante aquele tempo, terás de usar. Se morreres durante esses sete anos, serás meu. Se continuares vivo, ficarás livre e rico, para viver à tripa forra o resto da existência.

O soldado pensou na séria situação em que se encontrava, e, como estava muito acostumado a enfrentar a morte, resolveu arriscar-se, e concordou com a proposta.

O Diabo tirou o seu casaco verde e entregou-o ao soldado, dizendo:

— Este será o teu casaco e, quando meteres a mão no bolso, sempre o acharás cheio de dinheiro.

Depois, arrancou a pele do urso e disse:

— Esta será a tua capa e também a tua cama, pois em nenhuma outra cama poderás dormir. E, por causa destas vestes, serás chamado Pele de Urso.

O soldado vestiu o casaco, enfiou logo a mão no bolso, constatou que o capeta não mentira. Vestiu a pele de urso, e saiu pelo mundo gastando dinheiro à vontade. Durante o primeiro ano, o seu aspecto ainda era tolerável, mas, no segundo, seu aspecto era de um monstro. Metia medo a todos que o viam. Como, porém, dava o dinheiro aos pobres a fim de que rezassem para que ele não morresse antes de se passarem sete anos, e pagava regiamente, ainda conseguia hospedagem.

No quarto ano, com os cabelos quase escondendo o rosto, as unhas parecendo garras de animais selvagens, a barba hirsuta, a imundície o cobrindo dos pés à cabeça, entrou em uma estalagem, mas o dono lhe negou pousada, mesmo na estrebaria, pois tinha medo de que os cavalos se espantassem. À vista, porém, das moedas de ouro que ele mostrou, o estalajadeiro permitiu que ele pernoitasse em um terreiro. Teve, porém, de prometer esconder-se, não permitir que ninguém o visse, para que o estabelecimento não ficasse desmoralizado.

Sozinho, desejando ardentemente que se passassem os sete anos, Pele de Urso ouviu gemidos profundos vindos do quarto vizinho. Como tinha um bom coração, abriu a porta, e viu um velho soluçando, contorcendo as mãos. Pele de Urso aproximou-se, mas o velho, ao ver o seu horrível aspecto, levantou-se e tentou fugir. Afinal, quando percebeu que Pele de Urso tinha a voz humana, tranquilizou-se um pouco.

Com boas palavras e gestos amistosos, Pele de Urso conseguiu fazer com que o velho revelasse a causa do seu sofrimento. Empobrecera a tal ponto, que ele e suas filhas estavam quase morrendo de fome, e estava ameaçado de ser preso por causa de suas dívidas. E sendo obrigado a viajar, não podia pagar a hospedagem.

— Se é somente isso que vos atormenta, posso facilmente te valer — disse Pele de Urso. — Dinheiro é o que não me falta.

Mandou chamar o estalajadeiro, pagou a hospedagem do velho, em cujo bolso meteu uma bolsa repleta de ouro.

Vendo-se livre de suas preocupações, o velho disse não saber como mostrar a sua gratidão.

— Vem comigo — disse depois a Pele de Urso. — As minhas filhas são lindíssimas. Escolhe uma delas para ser tua esposa. Quando elas souberem o que fizeste por mim, não te recusarão. Na verdade, o teu aspecto é um tanto estranho, mas tua mulher o mudará em pouco tempo.

Pele de Urso concordou em acompanhá-lo.

Quando a filha mais velha o viu, deu um grito de horror e fugiu correndo. A segunda não fugiu. Depois de examinar o candidato da cabeça aos pés, disse:

— Como poderei aceitar como marido quem já não tem a forma humana? O urso que foi exibido aqui como se fosse homem seria muito preferível. Pelo menos, vestia uma farda de hussardo e calçava luvas brancas.

A caçula, no entanto, disse:

— Meu pai, ele deve ser um homem bom, por ter te ajudado, e se lhe prometeste uma noiva, a promessa deve ser cumprida.

Foi uma pena que o rosto de Pele de Urso estivesse coberto de cabelo e de sujeira, pois do contrário os outros teriam visto como ficou feliz ao ouvir essas palavras.

Ele tirou um anel do dedo, partiu-o em dois e deu a metade à jovem, ficando com a outra metade. Depois, escreveu seu nome na metade da jovem e o nome dela na sua. Pediu-lhe, então, que guardasse cuidadosamente aquela metade do anel, explicando:

— Ainda tenho de vagar pelo mundo durante três anos e, se no fim desse tempo, eu não voltar, ficarás livre. Mas pede a Deus que eu não morra.

A pobre noiva prometida passou então a andar vestida toda de preto, e, quando pensava no futuro noivo, não continha as lágrimas. Isso só provocava nas irmãs desprezo e zombaria.

— Toma cuidado — dizia a mais velha — quando lhe deres a mão! Do contrário, ele é capaz de furá-la com as suas garras!

— Cuidado! — repetia a segunda. — Os ursos gostam de coisas doces, e é bem capaz de devorar-te.

— Deves fazer tudo que ele quiser, senão ele vai rosnar — implicava a mais velha.

— Mas o casamento deve ser muito divertido, pois os ursos sabem dançar muito bem — completava a segunda irmã.

A noiva se mantinha em silêncio, não respondendo às provocações das irmãs.

Enquanto isso, Pele de Urso viajava pelo mundo, fazendo o bem sempre que tinha oportunidade e distribuindo generosamente esmolas aos pobres para que rezassem por ele.

Afinal, no dia em que completava o prazo de sete anos, ele voltou à charneca e sentou-se no círculo formado pelas árvores. Pouco depois, o vento começou a assobiar, e o Diabo surgiu diante dele e, encarando-o, com uma raiva imensa refletida no rosto, atirou-lhe o velho casaco que lhe tomara e pediu o seu casaco verde.

— Ainda não — replicou Pele de Urso. — Primeiro, tens de me limpar.

Satisfeito ou não, o Diabo teve de ir buscar água, e lavá-lo, fazer-lhe a barba, pentear-lhe o cabelo e cortar-lhe as unhas. Depois disso, não houve mais Pele de Urso, mas um bravo soldado, muito mais bonito do que fora antes.

Pouco resignado diante da humilhação da derrota, o Diabo tratou de sumir logo, e Pele de Urso entrou na cidade, vestiu um magnífico casaco de veludo, entrou em uma carruagem puxada por quatro cavalos brancos e dirigiu-se à casa da noiva. Ninguém o reconheceu. O pai da jovem pensou que se tratava de um ilustre general e levou-o para a sala onde se encontravam suas filhas.

Ele teve de sentar-se entre as duas irmãs mais velhas, que não se cansavam de agradá-lo, servindo-lhe os melhores pratos do jantar e pensando que nunca tinham visto um homem mais elegante e mais bonito. A noiva, por outro lado, estava sentada em frente dele, calada e triste, sem sequer levantar os olhos.

Quando o ex-Pele de Urso perguntou ao pai das jovens se lhe daria a mão de uma de suas filhas, as duas mais velhas levantaram-se e correram para o seu quarto, a fim de porem os vestidos mais caros e mais bonitos. Logo que se viu sozinho com a noiva, o visitante ofereceu-lhe um copo de vinho, no qual, sub-repticiamente, havia deixado cair a metade do anel que trazia consigo. A jovem bebeu o vinho, e, quando encontrou o pedaço do anel, seu coração começou a bater aceleradamente. Ela pegou a metade que guardava, presa a uma fita em torno do pescoço, e juntou as duas metades, que se ajustaram perfeitamente.

E ele disse, então:

— Sou teu prometido noivo, que conheceste como Pele de Urso, mas que, graças a Deus, recuperou a forma humana.

Levantou-se então, tomou a jovem nos braços e beijou-a. Nesse momento exato, as outras irmãs voltaram à sala, usando as suas vestes mais ricas. Ao ver que o elegante e bonito homem que tanto as entusiasmara, escolhera a caçula, e tendo sabido que ele era nada mais nada menos que Pele de Urso, foram tomadas de tanta inveja e tanto ódio, que fugiram correndo, desorientadas.

Uma delas caiu no poço e morreu afogada. A outra enforcou-se em uma árvore.

À noite, bateram na porta da casa e, quando o noivo foi abri-la, viu o Diabo, vestindo o seu casaco verde.

— Estás vendo como são as coisas? — disse ele. — Consegui levar para o inferno duas almas, em vez de uma só!

9
PARCERIA DE GATO E RATO

Era uma vez um gato que travou conhecimento com um camundongo, e tanto o elogiou e exaltou a amizade que tinha por ele, que afinal o camundongo concordou que poderiam dividir as despesas, morando juntos.

— Teremos, porém, de fazer provisão para o inverno, pois, do contrário, poderemos passar fome — decidiu o gato. — E tu, ratinho, não podes te aventurar por toda a parte, senão acabarás sendo apanhado por alguma armadilha.

A sugestão foi aceita, e compraram uma porção de toucinho. Não tinham, porém, lugar onde guardá-la. Afinal, depois de pensar muito sobre o caso, o gato decidiu:

— Não sei de lugar melhor para guardar o toucinho que a igreja, pois lá ninguém se atreverá a furtá-lo. Vamos escondê-lo atrás do altar, e só o buscaremos quando estivermos realmente precisados.

A caixa de toucinho foi, assim, colocada em segurança, mas não passou muito tempo, e o gato foi sentindo uma vontade enorme de comer toucinho.

Disse, então, ao camundongo:

— Pois é isso, amigo rato. A minha prima deu à luz um gatinho muito bonitinho, branco, com pintas amarelas, e me convidou para ser seu padrinho. Assim, tenho de levá-lo à pia batismal. Permite, pois, que eu me afaste por um dia e tomarás conta da casa, e farás o que é preciso.

— Pois não, pois não, amigo Bichano — replicou o rato. — E se no batizado tiver alguma coisa gostosa que possas me trazer, ficarei muito satisfeito.

Toda aquela conversa do gato, porém, era mentira. Ele não tinha prima alguma, ninguém o convidara para ser padrinho. Saindo de casa, ele foi diretamente procurar o toucinho na igreja, e começou a lambê-lo. E lambeu tanto, que tirou toda a parte de cima. Depois, deu um passeio pelos telhados da cidade e, quando se cansou de andar e pular, deitou-se em uma relva macia, à luz do sol, e lambia os beiços todas as vezes que se lembrava do toucinho. Só voltou para casa à noite.

— Bons olhos te vejam! — exclamou o camundongo ao recebê-lo. — Estou vendo que se divertiu muito.

— Com efeito — limitou-se o gato a dizer.

— Qual é o nome de seu afilhadinho? — quis saber o rato.

— Pega-logo! — respondeu o gato, com a maior calma.

— Pega-logo?! — admirou-se o camundongo. — Que nome mais esquisito! Há outros com esse nome em tua família?

— Esquisito por quê? — retrucou o gato. — Não é pior do que Furta-Queijo, como se chama seu afilhado.

Pouco tempo depois, o gato foi tomado por um forte desejo de comer toucinho, e disse ao rato:

— Precisas me fazer um favor, tomando mais uma vez conta da casa. Só por um dia. Fui de novo convidado para ser padrinho de um gatinho e não posso recusar, pois devo favores aos pais dele.

O camundongo atendeu ao pedido, mas o gato, em vez de batizar o afilhado, que, evidentemente não existia, só foi à igreja para devorar o toucinho até a metade.

Ainda lambendo os beiços, voltou para casa, e o camundongo perguntou-lhe:

— E como é o nome desse teu novo afilhado?

— Pela-Metade — respondeu o gato, sério.

— Pela-Metade?! — exclamou o rato. — Nunca ouvi falar em tal nome em toda a minha vida!

— Agora mesmo não acabaste de ouvir? — reagiu o gato, que, dois dias depois, sentinto irresistível saudade do toucinho, e, alegando perante o rato a sua qualidade de padrinho, e deixando a casa entregue aos seus cuidados, teve de ir à igreja, não propriamente para participar de um batizado, e sim para devorar o resto do toucinho.

Quando voltou para casa, o camundongo quis saber o nome do terceiro afilhado.

— Agora-Acabou — informou o gato, com toda a convicção.

O rato nem queria acreditar que houvesse no mundo um nome tão estrambótico. Mas teve de se conformar.

Depois disso, o gato não foi mais convidado para ser padrinho de gatinho algum, mas, quando chegou o inverno, e não havia em casa mais nada para se comer, o camundongo lembrou-se das provisões que tinham guardado, e disse ao gato:

— Chegou a hora, amigo gato, de irmos buscar o toucinho que guardamos na igreja. Vou me regalar!

— Muito mais do que estás imaginando! — disse o gato.

Os dois foram à igreja. A caixa na qual estava guardado o toucinho lá estava. Mas inteiramente vazia.

Diante de tal evidência, o camundongo, por mais boa fé que tivesse, foi forçado a reconhecer a realidade.

— Ah! — exclamou. — Agora sei o que de fato aconteceu! Todas as vezes que saías para um batizado, comias um pedaço de toucinho. Primeiro pega-logo, depois pela-metade e depois...

— Cala a boca! — gritou o gato. — Mais uma palavra e te devoro também!

— ...agora-acabou! — completou o camundongo, que nem tivera tempo de fechar a boca.

E mal acabou de falar, já estava na barriga do gato.

OS GNOMOS

Primeira História

Um sapateiro tinha se tornado tão pobre (e não por sua própria culpa), que afinal nada mais lhe restou, a não ser um pedaço de couro, suficiente para se fazer um par de sapatos. Assim, à noite ele recortou o couro com que iria fazer os sapatos no dia seguinte, e, com a consciência tranquila, pois sempre cumprira o dever, deitou-se, encomendou-se a Deus, e adormeceu.

No dia seguinte, quando, depois de rezar as suas preces, se preparava para trabalhar, viu que já estava em cima da mesa de trabalho o par de sapatos, acabado e perfeito.

Atônito, sem entender o que acontecera, o sapateiro pegou o par de sapatos, para examiná-lo bem de perto, e mais admirado ainda ficou ao constatar que se tratava de um trabalho perfeito, que só poderia ter saído das mãos de um verdadeiro mestre.

Pouco tempo depois, apareceu um comprador, que gostou muito dos sapatos e logo os comprou, a um preço compensador. Com o dinheiro, o sapateiro comprou couro suficiente para fazer dois pares de sapatos. Recortou-os à noite e, no dia seguinte, viu que não precisaria trabalhar também naquele dia. Os dois pares de sapato lá estavam, em cima da mesa de trabalho, perfeitos como os sapatos da véspera.

O mesmo passou a acontecer, diariamente, a partir de então, de modo que o sapateiro foi prosperando cada vez mais e se tornou, afinal, um homem rico.

E, uma noite, pouco antes do Natal, aconteceu que, quando o sapateiro se sentou para recortar o couro, disse à sua mulher, que se preparava para deitar-se:

— Que achas da ideia de ficarmos acordados a noite toda, para vermos o que está acontecendo, quem está nos ajudando tão valiosamente?

A mulher gostou da ideia, e acendeu uma vela, depois os dois se esconderam em um canto do quarto, atrás de algumas roupas que ali estavam dependuradas, e ficaram observando.

À meia-noite em ponto, surgiram dois homenzinhos, dois pigmeus, nus em pelo, e se sentaram à mesa de trabalho. Pegaram todo o couro recortado que lá se encontrava e trabalharam com tanta rapidez e com tanta perfeição, valendo-se de seus dedinhos tão pequenos, que o sapateiro ficou boquiaberto de espanto. E não pararam enquanto não transformaram em lindos sapatos todo o couro que fora na véspera recortado. E desapareceram, correndo, tão logo terminaram o trabalho.

— Os homenzinhos nos enriqueceram — disse a esposa do sapateiro ao marido, depois que os gnomos saíram. — Acho que temos obrigação de mostrar-lhes quanto estamos gratos. Viste que estavam nus em pelo? Devem sentir muito frio. Vou fazer para eles camisas, calças, casacos, etc., tudo muito pequenino, de acordo com o seu tamanho, e tecer para cada um par de meias, e tu farás para eles dois pares de sapatos bem pequeninos.

— Terei muito prazer em fazer isso — concordou o marido.

E uma noite, puseram na mesa de trabalho todos aqueles presentes, em vez do couro recortado, e se esconderam à espera dos gnomos, para verem a sua reação diante daquela manifestação de reconhecimento.

À meia-noite, os homenzinhos entraram, correndo e pulando, e foram logo procurando o couro recortado, para se entregarem ao trabalho. Encontrando os presentes em lugar do couro, a princípio eles ficaram espantados, mas depois alegríssimos. Vestiram, com extraordinária rapidez, as roupas em miniatura para eles feitas, e continuaram dançando e cantando:

> Somos agora homens elegantes.
> Não seremos sapateiros como antes.

E depois de pularem sobre os bancos e cadeiras, saíram dançando da casa. E, como haviam anunciado, dali em diante nunca mais voltaram, mas o sapateiro continuou a prosperar, pois todos os seus esforços eram bem sucedidos.

Segunda História

Era uma vez uma pobre empregada, que era muito trabalhadora e muito asseada, varrendo e arrumando a casa todos os dias, e jogando fora o lixo em um entulho que havia perto da casa.

Certo dia, quando estava voltando para casa, encontrou uma carta e, como era analfabeta, pediu à sua patroa para lê-la. Era um convite dos gnomos para ela ser madrinha de um menino, que seria batizado dentro de poucos dias. A jovem ficou sem saber o que faria, mas sua patroa acabou convencendo-a de que um convite como aquele não podia ser recusado. Aceitou-o, então.

Três gnomos apareceram e a levaram a uma montanha cheia de grutas, onde seu povo vivia. Tudo ali era extremamente pequeno, mas tão belo que nem se pode dizer quanto.

A mãe do recém-nascido estava deitada em um leito de ébano, com engastes de marfim e enfeitado de pérolas. A minúscula banheira do bebê era de ouro maciço.

Terminado o batizado em que foi madrinha, a jovem quis voltar para casa, mas os gnomos insistiram para que ela ficasse mais três dias em sua companhia. Ela concordou, e foram três dias inesquecíveis, em que ela se divertiu à vontade, e os gnomos tudo fizeram para fazê-la feliz. Afinal, eles a levaram para sua casa, mas antes encheram seus bolsos de dinheiro.

Uma vez em casa, ela tratou logo de trabalhar: pegou a vassoura e começou a varrer. Pouco depois, porém, apareceram alguns estranhos, que lhe perguntaram o que estava fazendo ali.

É que ela não havia, como pensara, ficado com os homenzinhos da montanha apenas três dias, e sim três anos. E, nesse meio tempo, os seus patrões tinham morrido.

Terceira História

Era uma vez uma mulher, cujo filhinho foi sequestrado em seu berço pelos gnomos, que, em seu lugar, deixaram um outro, cabeçudo e de olhos arregalados, que nada mais fazia senão comer e beber.

Inteiramente transtornada, a mulher procurou uma vizinha e pediu-lhe que a aconselhasse sobre o que deveria fazer. A vizinha disse-lhe que deveria acender o fogo e ferver água em duas cascas de ovo. Isso faria com que o mentecapto que fora deixado em lugar de seu filho risse, e, ele rindo, tudo estaria resolvido.

A mulher seguiu o conselho, e, quando o deficiente viu a água fervendo em duas cascas de ovo, arregalou ainda mais os olhos e disse:

— Sou hoje tão velho quanto a Floresta Negra, mas nunca tinha visto uma coisa destas!

E começou a rir sem parar, dobrando gargalhadas estrondosas. E então apareceu um bando de gnomos, trazendo a criancinha, que deixaram em seu berço, e levando consigo o deficiente.

JORINDA E JORINGEL

Era uma vez um velho castelo, situado no meio de uma espessa floresta, e no qual morava sozinha uma velha, que era feiticeira. Durante o dia, ela virava gata ou coruja das torres, mas à noite reassumia sua forma humana. A velha tinha o poder de atrair pequenos mamíferos e aves, que matava e depois assava e comia.

Todas as pessoas que se aproximavam do castelo, quando chegavam a cem passos de distância ficavam paralisadas e só podiam caminhar quando a feiticeira as libertava. Sempre, porém que uma inocente donzela entrava dentro daquele círculo, a velha bruxa a transformava em uma ave, prendia-a em uma grande gaiola de vime e a gaiola era levada para um dos aposentos do castelo. Havia ali cerca de sete mil gaiolas com aves raras.

Ora, era uma vez uma donzela chamada Jorinda, mais bela do que todas as outras jovens, e que era noiva de um bonito jovem chamado Joringel. Enquanto aguardavam o casamento, a maior felicidade para os dois era a de ficarem juntos, pois se amavam muito. Certo dia, a fim de ficarem juntos e sozinhos, os dois foram passear na floresta.

— Tem cuidado para não te aproximares do castelo — recomendou Joringel.

A tarde estava muito bela. O sol brilhava entre os troncos das árvores no verde escuro da floresta, e entre os galhos, as rolas arrulhavam, terna e melancolicamente.

Jorinda limpava os olhos de vez em quando: a beleza da tarde a comovia. Sentou-se ao sol, triste e pensativa. Também Joringel se sentia triste. Estavam ambos tristes, como se fossem morrer. Olhavam em torno, mas em vão: não sabiam que caminho teriam de tomar a fim de voltarem para casa. Não faltava muito para o sol se pôr.

Joringel olhou entre os galhos das árvores e avistou bem perto as velhas paredes do castelo. Horrorizado, dominado por um terrível, pressentimento ouviu a voz de Jorinda, cantando:

> Minha avezinha, agora pouco importa.
> Canta, avezinha, agora o teu pesar.
> Muito em breve, avezinha, estarás morta
> E só irás cantar... ar...ar...ar...ar...

Joringel procurou Jorinda. Ela fora transformada em um rouxinol e cantava: ar... ar... ar...

Uma coruja de olhos brilhantes voou três vezes em torno dela e por três vezes lançou o seu grito agoureiro.

Joringel não pôde se mover: ficou estático como uma pedra, sem chorar nem falar, sem mover os braços e as pernas.

Anoiteceu. A coruja voou para o ponto mais cerrado da floresta e logo em seguida de lá saiu uma velha enrugada, corcunda, magérrima e lívida, de olhos vermelhos e brilhantes e um nariz adunco, cuja ponta chegava ao queixo. Ela resmungou alguma coisa, depois estendeu o braço e pegou o rouxinol, e foi-se embora, levando a avezinha consigo.

Joringel continuava imóvel, preso ao chão, e sem poder falar. Afinal, a velha reapareceu, e disse, com uma voz cavernosa:

— Parabéns, Zaquiel. Se a lua brilhar na gaiola, Zachiel, poderás soltá-lo imediatamente.

E Joringel foi libertado então. Ele caiu de joelhos diante da velha e implorou-lhe que lhe devolvesse Jorinda. A feiticeira, porém, foi inflexível. Disse-lhe que nunca mais veria a noiva. Ele chorou, lamentou-se, mas em vão.

— O que vai ser de mim? — exclamava, desesperado.

Afinal, afastou-se daquele sinistro lugar e dirigiu-se a uma aldeia desconhecida. Ali ficou tomando conta de um rebanho de carneiros, durante muito tempo. Muitas vezes andou em torno do castelo, mas sem aproximar-se. Afinal, uma noite sonhou que encontrara uma flor vermelha, em cuja corola estava uma bela pérola; que apanhara a flor e com ela entrara no castelo e que todas as coisas tocadas pela flor perdiam o encanto imediatamente. E sonhou ainda que, graças à flor, recuperara Jorinda.

No dia seguinte, logo que acordou, começou a vagar por montes e vales à procura da flor vermelha. Procurou durante oito dias e, no nono, ainda de manhã bem cedo, encontrou uma flor cor de sangue, em cuja corola havia uma gota de lágrima do tamanho da mais perfeita pérola.

Caminhou um dia e uma noite, levando a flor, até o castelo. Não ficou paralisado quando se aproximou a mais de cem passos. Ao contrário, apressou-se e chegou à porta do castelo. Jubiloso, encostou a flor na porta, que se abriu de par em par. Entrou no pátio, e ouviu o canto dos pássaros. Entrou no castelo e chegou ao aposento de onde vinha o canto. E lá estava a feiticeira, dando de comer às aves das sete mil gaiolas.

Ao ver Joringel, a velha ficou furiosa e cuspiu veneno e fel contra ele, mas sem conseguir atingi-lo, protegido como estava pela flor milagrosa.

Sem lhe dar mais atenção, Joringel dirigiu-se às gaiolas com as aves. Onde, entre sete mil, porém, iria achar Jorinda?

Nisso, viu a velha bruxa pegar, calmamente uma das gaiolas e se dirigir à porta. Com rapidez fulminante, ele a alcançou com um pulo, e encostou a flor nela própria e na gaiola. A velha perdeu de chofre o dom de encantar coisas e pessoas. E Jorinda surgiu diante do noivo, em cujos braços caiu, bela como sempre fora. E todas as outras donzelas encantadas voltaram à sua forma humana, livres da maldição da hedionda bruxa.

E Joringel e Jorinda voltaram para casa e se casaram, levando, depois disso, uma vida tranquila e feliz.

A FADA DA REPRESA DO MOINHO

Era uma vez um moleiro, que vivia muito feliz, em companhia de sua esposa. Não lhes faltavam terras e dinheiro, e sua prosperidade ia aumentando, de ano para ano.

O infortúnio, porém, surge como um ladrão durante a noite. E a riqueza do casal foi decrescendo, a tal ponto que, afinal, até mesmo o moinho em que viviam, não poderia, a rigor, ser considerado seu, tantas eram as dívidas do moleiro. E ele não tinha mais sossego, constantemente preocupado, e, quando procurava descansar à noite, depois de um dia inteiro de trabalho, tinha de fazer muito esforço para conciliar o sono, e dormia mal, atormentado por pesadelos e acordando muitas vezes durante a madrugada.

Uma certa manhã, ele se levantou antes do amanhecer, na esperança de que uma caminhada ao ar livre tornaria mais tranquilo o seu espírito.

Quando chegou junto à represa do moinho, os primeiros raios solares incidiram sobre a água, de onde, no mesmo instante, partiu um ruído característico de ondulamento, de agitação na água. O moleiro olhou e viu uma linda mulher emergindo lentamente do pequeno lago. Tinha cabelos longos, que ela afastava dos ombros com as mãos perfeitas, e caíam dos dois lados, cobrindo o corpo muito branco.

O moleiro logo compreendeu que aquela era a fada da represa, e, assustado, ficou sem saber se deveria fugir, ou continuar onde estava. A fada, porém, com voz suave e amiga, chamou-o pelo nome e perguntou-lhe porque estava tão triste. Ouvindo-a falar tão amavelmente, o moleiro se tranquilizou e respondeu que era antes um homem rico e feliz, mas agora estava pobre e sem saber o que deveria fazer.

— Não te preocupes mais — disse a fada. — Eu te tornarei mais rico e mais feliz do que eras, mas terás de prometer-me que me darás o pequeno ser que acabou de nascer em tua casa.

"O que poderá ter nascido lá, a não ser um cachorrinho ou um gatinho?" pensou o moleiro.

E prometeu entregar à fada o que ela queria. A fada desapareceu na água, e ele voltou para casa. Antes de entrar, contudo, a criada correu para fora, anunciando que a esposa do moleiro acabara de dar à luz um menino.

O moleiro parou, como se tivesse sido atingido por um raio. Com muito esforço, chegou até junto da esposa.

— Por que não te mostras alegre com o nascimento do nosso lindo filhinho? — ela perguntou.

Ele contou, então, a promessa que fizera à fada.

— De que me vale a riqueza, se tenho de perder meu filho? — concluiu. — Mas o que posso fazer?

Ninguém sabia, com efeito, dar uma resposta a tal pergunta.

O tempo foi passando, e o moleiro se tornando cada vez mais rico. Não demorou muito, e ele ficou mais rico do que fora antes. Vivia, porém, amargurado, constantemente atormentado pela lembrança do contrato que fizera com a fada. Todas as vezes que passava junto da represa, estremecia, com medo de que a fada emergisse da água e lhe exigisse o cumprimento da promessa. E nunca permitiu que o filho se aproximasse da lagoa.

— Toma cuidado! — dizia-lhe. — Se te aproximares de lá, um braço sairá da água e te levará para o fundo do lago.

Como, porém, foram se passando os anos, sem que nada de sinistro acontecesse, o moleiro foi ficando mais tranquilo. O menino cresceu, tornou-se um destro caçador, e o mais rico e mais poderoso homem da aldeia tomou-o a seu serviço.

Havia na aldeia uma jovem bela e bondosa, pela qual o filho do moleiro se apaixonou. Sabendo disso, o seu patrão, que estava muito satisfeito com o seu serviço, deu-lhe uma pequena casa, e os jovens se casaram e viveram felizes, pois muito se amavam.

Certo dia, o caçador estava perseguindo um corço, e, quando o animal saiu da floresta e correu para o campo aberto, ele o seguiu e nem reparou que chegara à margem da perigosa represa, quando afinal o abateu. Tendo destripado o corço, foi lavar as mãos. Mal tocou a água, porém, e a fada surgiu e o levou para dentro do lago.

Quando anoiteceu, sem que o caçador tivesse voltado para casa, sua mulher se alarmou. Saiu para procurá-lo e, como o seu marido muitas vezes se referira às advertências de seu pai no sentido de que não se aproximasse da represa do moinho, ela já tinha quase certeza do que deveria ter acontecido.

Foi até a lagoa e, quando viu os apetrechos do caçador abandonados, não teve mais a menor dúvida sobre a desgraça que a atingira. Em vão gritou o nome do marido, tentando se agarrar à esperança de que ele pudesse ouvi-la e voltar. Rodeou a lagoa, gritando sempre, desesperada. E desesperada embora, não cessou de chamar o marido e de correr em torno da lagoa, até que, exausta, não resistiu mais, e teve de deitar-se no chão.

Não tardou a adormecer profundamente, e teve um sonho. Sonhou que estava galgando um morro, entre rochedos, junto aos quais cresciam plantas cujos espinhos feriam-lhe os pés e o rosto e se emaranhavam em seus cabelos. Quando chegou ao cume do monte, porém, rodeou-a uma paisagem inteiramente diferente. O céu era azul, o ar leve, o terreno descia suavemente até um prado muito verde, coberto de flores multicoloridas e muito plano, e onde havia uma casa, pequena mas linda. Aproximou-se da casa e abriu a porta. Dentro, uma velha de cabelos muito brancos, acolheu-a com simpatia e com bondade.

Nesse ponto do sonho, a pobre mulher acordou. O dia já nascera, e ela, sem hesitar, resolveu agir de acordo com o que vira no sonho. Galgou penosamente o morro que avistou a uma certa distância. Tudo nele era exatamente como havia sonhado. A velha de cabelos brancos recebeu-a bondosamente e apontou para uma cadeira, convidando-a a sentar-se.

— Deves ter enfrentado um grande infortúnio, para que venhas procurar-me — disse a velha.

Sem conter as lágrimas, a jovem esposa contou o que lhe havia acontecido.

— Fica calma, que eu te ajudarei — consolou-a a velha. — Aqui está um pente de ouro. Espera até que nasça a lua cheia e, então, senta-te à beira da lagoa do moinho e penteia com este pente os teus compridos cabelos negros. Depois, deita-te na beira da água e espera o que vai acontecer.

A jovem voltou para casa, mas o tempo passou muito devagar até ocorrer a lua cheia. Quando, finalmente, ela nasceu, a moça correu à represa do moinho, penteou os compridos e negros cabelos com o pente de ouro, como a boa velha recomendara e depois se sentou à beira da água. Não se passou muito tempo e a água se moveu, ergueu-se uma onda, que rolou até à beira do lago e levou o pente consigo. Mal transcorrera o espaço de tempo necessário para o pente atingir o fundo da água, a superfície dessa se abriu e a cabeça do caçador apareceu. Ele não disse uma palavra. Apenas olhou para a esposa, um olhar que refletia uma tristeza imensa.

Imediatamente depois, veio outra onda, que cobriu a cabeça do homem. Depois, tudo se aquietou, a superfície do lago não teve mais uma ondulação sequer e só a imagem da lua cheia nela se refletia.

Triste, pesarosa, a jovem esposa voltou para casa, mas outra vez sonhou com a cabana da velha bondosa. Na manhã seguinte, ela a procurou de novo. A velha deu-lhe, então, uma flauta de ouro e disse-lhe:

— Espera até a próxima lua cheia e leva contigo esta flauta até a lagoa do moinho. Toca na flauta mágica uma música bem bonita, depois deita-te junto da água. Verás, então, o que acontecerá.

A jovem fez tudo que a boa velha recomendara. Mal deixara a flauta na areia da praia, a água da lagoa se agitou e, como da outra vez, emergiu da água a cabeça do caçador, com a diferença de que também emergiu o corpo até quase a cintura. Ele estendeu os braços, ansiosamente, para a mulher, mas uma segunda onda se ergueu e o submergiu.

A jovem esposa ficou quase desesperada, mas o sonho se repetiu, e, dessa vez, a velha bondosa deu-lhe um fuso de ouro e disse-lhe:

— Ainda falta fazer algo. Espera até a próxima lua cheia, leva o fuso até a lagoa do moinho, e trabalhe com ele até teres feito um carretel de fios, depois deite-se junto da água, com o fuso ao teu lado.

A jovem seguiu a recomendação da velha e, mal se deitara na beira da água, esta se agitou e uma onda arrebatou o fuso de ouro e levou-o para o fundo da represa.

Logo em seguida, outra onda enorme trouxe para fora da água o caçador, que, de um pulo, alcançou a terra, puxou a mulher pelo braço e fugiu, levando-a.

Mal haviam, porém, corrido alguns passos, toda a água do lago se levantou, com um barulho ensurdecedor, e se espalhou pelas terras em torno. Os fugitivos já se consideravam perdidos, quando a jovem esposa, apavorada, implorou a ajuda da velha bondosa. Imediatamente, ela foi transformada em uma rã e o marido em um sapo. A inundação, que os alcançara, não pôde destruí-los, mas os separou e os levou para longe.

Quando a água baixou e os dois ficaram em terra seca, recuperaram de pronto a forma humana, mas nenhum sabia onde se encontrava o outro. Viram-se no meio de um povo que não era o deles e não conheciam a sua pátria. Altas montanhas e vales profundos se interpunham entre as duas regiões. A fim de se sustentarem, os dois foram obrigados a pastorearem carneiros. Durante muitos anos levaram os seus rebanhos por campos e florestas, cheios de tristeza e de uma saudade indefinida.

Quando a primavera voltou, eles saíram cada um com o seu rebanho e acabaram se encontrando em um vale. Não se reconheceram, mas ficaram alegres, pelo fato de não se sentirem mais tão sozinhos. A partir de então, passaram a levar diariamente os seus rebanhos para o mesmo lugar. Não conversavam muito um com o outro, mas se sentiam cada um confortado com a presença do outro.

Uma noite, quando a lua cheia iluminava a terra e os carneiros já estavam descansando, o pastor pegou a sua flauta e começou a tocar uma música muito bela e muito triste também. Quando terminou, viu que a pastora chorava sem parar.

— Por que estás chorando? — perguntou o pastor.

— Ah! — respondeu a pastora. — Assim brilhava a lua cheia, quando toquei essa música na flauta pela última vez e a cabeça do meu amado apareceu fora da água.

Ele a fitou, e teve a impressão de que um véu caía de seus olhos. E reconheceu a sua amada esposa e, como se também um véu tivesse caído de seus olhos, ela reconheceu o amado esposo, naquele rosto iluminado pela lua cheia. Abraçaram-se e beijaram-se, e é claro que ninguém vai perguntar se, de então para diante, eles foram felizes.

O ALFAIATE NO CÉU

Aconteceu um belo dia que o bom Deus quis se distrair no jardim celeste e levou consigo todos os apóstolos e santos, só deixando São Pedro para tomar conta do Céu. O Senhor deu ordem a São Pedro de não deixar entrar ninguém durante sua ausência, de modo que ele ficou guardando a porta muito atento.

Não se passou muito tempo, e alguém bateu na porta. São Pedro perguntou quem era e o que queria.

— Sou um pobre alfaiate, cumpridor das leis de Deus e estou desejando entrar.

— Não vais poder entrar — informou São Pedro. — Além de teus antecedentes não serem muito recomendáveis, o Senhor Deus, que foi dar uma volta no jardim, me ordenou que não deixasse entrar ninguém durante a sua ausência.

— Tem misericórdia! — implorou o alfaiate. — Se o senhor está insinuando que fiquei com panos dos meus fregueses, me desculpe muito, mas está inteiramente enganado. Pode ser que eu tenha ficado com alguns retalhinhos, insignificantes, que caíram no chão, enquanto eu recortava o pano, uns retalhos que não valiam nada, que os fregueses nem iriam aceitar. Eu sou coxo e estou com os pés em petição de miséria, pois não é fácil caminhar até aqui. Não conseguirei voltar, de modo algum! Pelo amor de Deus, São Pedro, me deixe entrar!

São Pedro acabou ficando com dó, e entreabriu a porta do céu, o suficiente para o alfaiate introduzir seu magérrimo corpo. São Pedro fê-lo sentar-se em um canto atrás da porta e recomendou-lhe que ficasse ali bem quietinho, a fim que, quando o Senhor Deus regressasse, não o visse e não se irritasse.

O alfaiate obedeceu, mas, quando São Pedro se afastou um pouco da portaria, ele se levantou e, cheio de curiosidade, saiu olhando por toda a parte, examinando todos os meandros do Céu. Afinal, chegou a um lugar onde se viam enfileiradas belas e valiosas cadeiras e, no meio delas, uma outra maior, de ouro, cravejada de pedras preciosas.

O alfaiate não conseguiu vencer a sua curiosidade e sentou-se na cadeira de ouro, que era, além de muito maior, também muito mais alta do que as outras, pois estava em cima de um estrado igualmente de ouro. Na verdade, aquele era o trono, onde o Senhor Deus se sentava quando estava em casa e do qual podia ver tudo que estava acontecendo na Terra.

E, logo que ali se sentou, o alfaiate viu tudo que estava acontecendo na Terra, e observou uma velha muito feia, que estava lavando roupa em um ribeiro, esconder dois véus, evidentemente com a intenção de furtá-los. O alfaiate ficou tão indignado com a velha, que agarrou o estrado de ouro e o atirou contra ela.

Percebeu logo que fizera uma tolice, pois não poderia recuperar o estrado. Tratou, então, de esgueirar-se sem demora, e voltou a ficar sentado, muito quietinho, no seu canto atrás da porta, como se nunca tivesse saído de lá.

Quando o Senhor Deus voltou para casa com seus celestiais companheiros, não viu o alfaiate atrás da porta, mas, ao sentar-se no trono, não pôde apoiar os pés como de costume. O estrado havia desaparecido. Perguntou a São Pedro o que acontecera com o estrado, mas o santo não soube responder.

— Deixaste alguém entrar no Céu? — insistiu o Senhor.

— Não sei que tenha entrado alguém, a não ser o pobre coitado de um alfaiate coxo, que ainda está sentado atrás da porta.

O Senhor Deus ordenou, então, que o alfaiate comparecesse diante dele, e perguntou-lhe se havia tirado o estrado e onde o havia deixado.

— Ah, Senhor Deus! — respondeu o alfaiate, muito à vontade. — Eu fiquei furioso, e joguei o estrado em uma velha lavadeira, que estava escondendo dois véus, para furtá-los.

— Seu salafrário! — reagiu o Senhor. — Se eu fosse castigar os pecadores como queres castigá-los, não sobrariam no Céu estrados, cadeiras, bancos, mesas, nem mesmo um garfo, pois eu teria de jogá-los todos na Terra. Trata, portanto, de sair do Céu, imediatamente, e podes ir para onde muito bem quiseres! Aqui quem castiga sou eu, o Senhor do Céu e da Terra!

São Pedro foi obrigado a expulsar o alfaiate, que, aos trancos e barrancos, lá se foi, manquejando, procurar outro rumo.

O OSSO QUE CANTA

Há muitos e muitos anos, havia, em um país longínquo, muita preocupação e muito temor, por causa de um javali ferocíssimo, que dizimava os rebanhos e não poupava os homens que encontrava, estraçalhando-os com as suas poderosas presas. O rei prometeu, então, uma valiosa recompensa para quem conseguisse livrar o reino de tal calamidade. E prometeu mesmo dar-lhe a mão de sua filha.

Ora, viviam no país dois irmãos, filhos de um homem muito pobre, que se declararam dispostos a executar a perigosa tarefa. O mais velho, que era engenhoso e destemido, levado pelo orgulho; o outro, que era simples e desprendido, levado pelo bom coração.

E disse o rei:

— A fim de que mais facilmente encontreis a fera, deveis entrar na floresta por dois lados opostos.

Assim, o irmão mais velho entrou pelo lado oeste e o mais moço pelo lado leste. Quando o caçula percorrera uma curta distância, foi detido por um anão, que trazia na mão uma lança negra e lhe disse:

— Dou-te esta lança, porque tens um bom e puro coração. Com ela, podes atacar o perigoso javali, e ele não te fará mal.

O jovem agradeceu ao anão, empunhou a lança e avançou pela floresta, intemerato.

Não caminhara muito, quando viu o javali, que investiu furiosamente. O jovem enfrentou-o de lança em riste e, tão cegamente o javali investiu, que a ponta da lança lhe atravessou o coração. O jovem carregou a fera nas costas, e tratou de ir apresentá-la ao rei.

Chegando à outra extremidade da floresta, viu uma casa cheia de gente que bebia e dançava, alegremente. Seu irmão mais velho se detivera ali, e, achando que, afinal de contas, o javali não iria desaparecer, tratou de beber, para ficar mais corajoso. Mas, quando viu o irmão mais moço aparecer carregando a cobiçada presa, a inveja e a cobiça não lhe deram mais sossego.

— Vem cá, meu caro irmão! — exclamou para o outro. — Entre aqui para descansares um pouco e te refazeres com um copo de vinho.

O irmão, que de nada desconfiava, entrou e falou a respeito do bondoso anão que lhe dera a lança com a qual matara o javali.

O irmão mais velho o reteve até o anoitecer e, quando a noite já caíra de todo, os dois partiram e, chegando a uma ponte, o mais velho deixou o outro caminhar à frente e o matou, atacando-o pelas costas.

Enterrou-o embaixo da ponte, pegou o javali e foi levá-lo ao rei, como se fosse ele que o tivesse matado. Assim, ganhou a mão da princesa em casamento. E, como seu irmão mais moço não fora encontrado, opinou:

— O javali deve ter despedaçado o seu corpo.

Todo o mundo acreditou que fora esse o caso, pois já se haviam dado outros semelhantes.

Como, porém, nada pode ficar escondido aos olhos de Deus, aquele sinistro crime foi revelado.

Anos depois, um pastor estava fazendo o seu rebanho atravessar a ponte, quando viu, na areia da margem do rio, embaixo da ponte, um osso pequeno, branco como a neve. Ele achou que poderia fazer do osso uma boa gaita. Assim, apanhou-o e fez com ele uma gaita. Quando, porém, foi tocá-la pela primeira vez, grande foi a sua surpresa, quando o osso se pôs sozinho a cantar:

Tocaste no meu osso, meu amigo!
Estou há muito tempo nesta trilha.
Meu irmão matou-me, e o javali consigo
Levou, para desposar do rei a filha.

— Que osso maravilhoso! — exclamou o pastor. — Canta sozinho! Vou levá-lo a Sua Majestade, o Rei!

Levou-o, e, diante do rei, o osso entoou a sua cantiga. Sua Majestade compreendeu logo o que acontecera. Mandou fazer uma escavação embaixo da ponte, e apareceu, então, o esqueleto do jovem assassinado.

Uma vez desmascarado o crime, o fratricida foi metido em um saco, e o saco jogado no rio, tendo dentro, além do assassino uma pedra bem pesada, para não haver possibilidade de que ele não morresse afogado.

Os ossos da vítima de sua malvadez, por outro lado, foram descansar em um belo túmulo, no cemitério da igreja.

**CONFIRA NOSSOS
LANÇAMENTOS AQUI!**

GARNIER
DESDE 1844